実習にも役立つ
人体の構造と体表解剖
第2版

神戸大学名誉教授
医療法人社団 慈恵会 神戸総合医療専門学校 学校長
三木明徳［著］

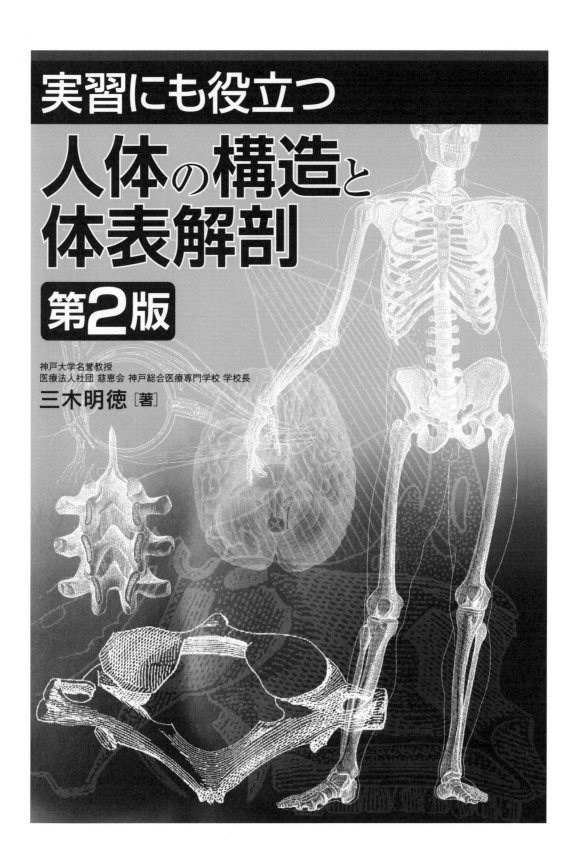

金芳堂

改訂版刊行にあたって

　本書の原本は神戸大学医学部保健学科において解剖学実習の手引きとして作成されたものである。私が医学部解剖学講座から保健学科へ配置転換になったのは阪神淡路大震災の直後（1995年4月）で，当時は体表解剖や人体解剖の実習・見学に必要なコメディカル用の実習マニュアルがなかったので自分で作るしかなかった。またこれを機会に医学科とは違って解剖学に生理学の一部を取り入れ，構造と機能を関連付けた講義を目指すことにした。そんな時西村書店よりドイツで発刊されたばかりの生化学，生理学，解剖学を融合させた新しいタイプのテキストを紹介され，早速共同で翻訳して「からだの構造と機能」という書名で同書店から出版した。この教科書は私がイメージしていた教育内容に近く，ボリュームや価格の面でもコメディカル教育に適していた。ただ筋・骨格系，脈管系，神経系などの章では，職種によって多少の違いはあるものの，国家試験のことを考えると内容的に不足していた。しかし学生に，それだけのために医学科で使う高価な教科書を別途購入させるのは忍びなく思い，これらに関しては必要と思われる内容で教材を作り，「からだの構造と機能」の不足分を補うことにした。

　2016年3月に神戸大学を定年退職し，神戸総合医療専門学校に移動したのを機に，神戸大学で使用していた実習マニュアルをほぼそのままの形で金芳堂より出版して頂いたが，それから7年の歳月が流れ，この度本書を改訂してはどうかというお誘いを頂いた。この四半世紀の間にコメディカル用の解剖生理学の教科書が数多く出版されているが，いずれも内容は似ていて，今でも多くの本で上記の章の内容が不足していると思われる。従ってケアレスミスや不適正な表現を訂正してそのまま残すことにした。中枢神経系や神経伝導系の章も神戸大学で行っていた脳解剖の実習マニュアルで，中枢神経系の構造や機能についてはある程度詳しく記載されている。しかし記憶，思考，判断，言語，情動といった高次脳機能や運動調節系など，臨床的に重要と思われる機能の記載が不十分であった。そこで今回の改定では脳の働きと機能の局在を中心に加筆修正を加えた。

　スケジュール的に少しタイトではありましたが，お陰様で初版よりも随分改善されたように思います。色々な面でご協力頂いた株式会社金芳堂の編集部の皆様に心よりお礼を申し上げます。本書が将来医療の世界で社会に貢献しようという高い志を持って日々勉学に励んでおられる若い皆さんのために少しでもお役立てば望外の喜びです。

令和6年3月吉日
さぬき明徳塾にて
三木明徳

第 1 版刊行にあたって

　昭和の時代，医師，歯科医師，薬剤師を除くコメディカル医療職者は，主として専門学校や 3 年制の短期大学で養成されていた。しかし，平成の時代に入ると，コメディカル教育が 4 年制の大学でも行われるようになり，大学院教育も始まった。これは，日進月歩する医療を支えるためには，チーム医療の中で，コメディカル医療職者にも幅広い知識と高度な技能が求められるようになってきたことを物語っている。私が神戸大学医学部保健学科で解剖学教育を担当するようになったのは，阪神淡路大震災の直後で，コメディカル教育の高等化が本格的に始まった頃である。

　医学部保健学科に着任した私は，解剖学教育に協力してくれる理学療法学，作業療法学，検査技術科学，看護学の若い教員たちとともに，それぞれのコメディカル教育にはどのような解剖学が必要かを話し合った。そして，講義では全身臓器を対象に，人体の構造を生理学や病理学，臨床医学と関連づけて学び，実習ではそれぞれの専門領域に必要な事項を，より詳しく理解することを目指すことになった。その頃，私達が西村書店から出版した「からだの構造と機能」は，このような観点から書かれたドイツの教科書を翻訳したものである。それ以降，同じような観点に立って書かれた解剖・生理学の教科書が次々と刊行されるようになった。しかし，コメディカルの教育課程では解剖学教育に使用できるコマ数が少ないため，教科書に記載できる内容も限られてくる。本書はこれを補うために，神戸大学医学部保健学科における解剖学実習用の資料として作成されたテキストである。

　本書は 5 つの章から構成されている。第 1 章の「身体の概要」では，身体の区分や基準線，解剖学的表現など，解剖学実習だけでなく臨床的にも必要な基本事項を記載している。また骨格系，脈管系，末梢神経系をここにまとめたのは，これらは局所解剖ではなく，全身的に理解する必要があると考えたからである。第 2 章の「体表解剖」では，骨や筋，内臓の体表解剖を記載している。体表からは見えない内臓の位置や大きさは，骨性指標を手掛かりにして知ることができることから，骨性指標の触察は，臨床の現場で患者の身体に直接触れる多くの医療職種者にとって必要不可欠な技能である。また骨格筋については，起始・停止，走行，支配神経，作用の他に，触察法や筋力検査法を記載している。これらは特に理学療法や作業療法を学ぶ学生には必須の事項である。第 3 章の「肉眼解剖」は人体解剖学実習のマニュアルである。多くの医療系大学や専門学校では，医学部や歯学部の学生によって剖出された臓器を観察する見学実習が行われているが，目の前にある臓器がどのようなプロセスで剖出されたかを知ることによって，その臓器と他臓器との位置関係をより深く理解できるはずである。第 4 章の「中枢神経」では脊髄や脳の構造を理解する上で必要な基本事項を記載している。今日では CT や MRI によって，脳内部の詳細が画像として手に取るように見えるよ

うになってきたが，これらはあくまでも平面的であり，脳の内部構造や立体構造を理解して，初めて読影が可能になる。第5章の「骨格筋の発生」は付録的資料として作成したものである。実は，骨格筋と末梢神経の関係には「法則」のようなものがあり，これは筋の由来や，ヒトの進化に伴って起こったであろう，筋の変遷を理解する手掛かりを提供してくれる。また，末梢神経の分布パターンがなぜこのようになったのかを解き明かすヒントが隠されている。

　この手作り実習書は十数年の歳月をかけ，毎年加筆と修正を重ねてここまでになった。しかしまだまだ完成品ではなく，これまで協力してくれた仲間達の力を借りて大改訂を行うべく，現在計画が進められている。

　学生の経済的負担を少しでも軽くするために，この実習書は出版せず，印刷業者に印刷と製本を依頼し，学生には実費で配布していた。しかし口コミで使用希望者が次第に増え，個人レベルで提供するのが困難になってきた。そこで本年，私が神戸大学を定年退職したのを期に，株式会社金芳堂に出版をお願いすることにした。金芳堂のスタッフの方々には，この趣旨をご理解いただき，最大限の低価格化にご尽力を賜った。心より感謝申し上げます。

　本書が，コメディカル医療職を目指して，解剖学を学んでいる学生の皆さんに，少しでもお役に立てば，望外の喜びです。

平成28年12月吉日

さぬき明徳塾にて

三 木 明 徳

目　次

1章　人体の概要

1　身体の区分と解剖学的表現　3
1.1　人体の特徴　3
- 1.1.1　身体の左右対称性　3
- 1.1.2　体格　3
- 1.1.3　男女の性差　3
- 1.1.4　体腔　4
1.2　身体の区分　4
- 1.2.1　体幹　4
- 1.2.2　体肢　5
1.3　解剖学的表現　5
- 1.3.1　解剖学的基本体位　5
- 1.3.2　身体の主要軸と主要面　5
- 1.3.3　方向と位置の表現　6
- 1.3.4　体幹の基準線　7
- 1.3.5　運動を表す用語　8
- 1.3.6　形態を表す用語　9

2　全身の骨格　11
2.1　頭蓋骨　11
- 2.1.1　脳頭蓋　11
- 2.1.2　顔面頭蓋　13
- 2.1.3　頭蓋骨の連結　15
- 2.1.4　頭蓋窩　15
2.2　脊柱　16
- 2.2.1　椎骨　17
- 2.2.2　椎骨間の連結　19
2.3　胸郭　20
- 2.3.1　胸骨　20
- 2.3.2　肋骨　21
2.4　上肢の骨　22
- 2.4.1　上肢帯の骨　22
- 2.4.2　上腕骨　24
- 2.4.3　前腕の骨　25
- 2.4.4　手の骨　25
2.5　下肢の骨　27
- 2.5.1　下肢帯の骨　27
- 2.5.2　骨盤　29
- 2.5.3　大腿骨　31
- 2.5.4　下腿の骨　32
- 2.5.5　足の骨　33

3　全身の動脈と静脈　35
3.1　動脈系　35
- 3.1.1　上行大動脈と大動脈弓　35
- 3.1.2　頭頸部の動脈　36
- 3.1.3　上肢の動脈　39
- 3.1.4　下行大動脈　40
- 3.1.5　総腸骨動脈　42
- 3.1.6　下肢の動脈　43
- 3.1.7　脈拍の触知場所　44
3.2　静脈系　45
- 3.2.1　上大静脈　45
- 3.2.2　上肢の静脈　47
- 3.2.3　奇静脈系　48
- 3.2.4　下大静脈　48
- 3.2.5　門脈　49
- 3.2.6　総腸骨静脈　49
- 3.2.7　下肢の静脈　50
3.3　胎生期の循環系　50
- 3.3.1　胎生期の血管と短絡路　50
- 3.3.2　生後循環への転換　51
3.4　リンパ系　52
- 3.4.1　リンパ　52
- 3.4.2　リンパ管　52
- 3.4.3　所属リンパ節　53

4　末梢神経系　54
4.1　脳神経　54
- 4.1.1　脳神経の構成要素　54
- 4.1.2　脳神経核　54
- 4.1.3　脳神経に付属する神経節　55
- 4.1.4　嗅神経（嗅覚）　56
- 4.1.5　視神経（視覚）　56
- 4.1.6　動眼神経（運動，副交感）　56

- 4.1.7 滑車神経（運動） 57
- 4.1.8 三叉神経（知覚，運動） 57
- 4.1.9 外転神経（運動） 59
- 4.1.10 顔面神経（運動，知覚，副交感） 59
- 4.1.11 内耳神経（特殊感覚性） 60
- 4.1.12 舌咽神経（運動,副交感,知覚,味覚） 60
- 4.1.13 迷走神経（運動,副交感,味覚,知覚） 61
- 4.1.14 副神経（運動） 62
- 4.1.15 舌下神経（運動性） 62
- 4.2 脊髄神経 62
  - 4.2.1 脊髄神経の構成 63
  - 4.2.2 皮節 63
  - 4.2.3 脊髄神経後枝 64
  - 4.2.4 脊髄神経前枝 64
  - 4.2.5 頸神経と頸神経叢 65
  - 4.2.6 腕神経叢 66
  - 4.2.7 胸神経 69
  - 4.2.8 腰神経と腰神経叢 70
  - 4.2.9 仙骨神経と仙骨神経叢 71
- 4.3 自律神経系 73
  - 4.3.1 自律神経系の構成 74
  - 4.3.2 自律神経系の機能 74
  - 4.3.3 交感神経系 74
  - 4.3.4 副交感神経系 75

2章　体表解剖学実習

5　頭頸部の体表解剖　79
- 5.1 頭頸部の表面観察 79
  - 5.1.1 頭の区分 79
  - 5.1.2 顔の区分 79
  - 5.1.3 顔面の観察 80
  - 5.1.4 頸部の区分 83
- 5.2 頭頸部の骨性指標 84
  - 5.2.1 頭部の骨性指標 84
  - 5.2.2 頸部の骨性指標 85
- 5.3 頭部筋の触察 86
  - 5.3.1 顔面表情筋の触察 86
  - 5.3.2 咀嚼筋の触察 87
- 5.4 頸部筋の触察 89
  - 5.4.1 頸部浅層筋の触察 89
  - 5.4.2 舌骨上筋群の触察 90
  - 5.4.3 舌骨下筋群の触察 91
  - 5.4.4 外側深頸筋群の触察 91
  - 5.4.5 喉頭と甲状腺の触察 93
  - 5.4.6 気管切開の場所 93
  - 5.4.7 頸部の動脈と神経 94

6　体幹の体表解剖　95
- 6.1 体幹前面の観察 95
  - 6.1.1 胸部の区分 95
  - 6.1.2 腹部の区分 95
  - 6.1.3 乳房 96
  - 6.1.4 体幹前面の骨性指標 96
  - 6.1.5 体幹前面の水平面 97
- 6.2 体幹前面筋の触察 98
  - 6.2.1 胸部筋の触察 98
  - 6.2.2 前腹筋の触察 99
  - 6.2.3 側腹筋の触察 100
- 6.3 体幹後面の観察 101
  - 6.3.1 体幹後面の区分 101
  - 6.3.2 体幹後面の骨性指標 102
- 6.4 体幹後面筋の触察 104
  - 6.4.1 浅背筋の触察 104
  - 6.4.2 中間背筋 107
  - 6.4.3 脊柱起立筋の触察 107
  - 6.4.4 腰方形筋 109
- 6.5 内臓の体表投影 110
  - 6.5.1 胸部内臓の前面投影 110
  - 6.5.2 腹部内臓の前面投影 113
  - 6.5.3 内臓の後面投影 115

7　上肢の体表解剖　117
- 7.1 上肢の概要 117
  - 7.1.1 上肢表面からの観察 117
  - 7.1.2 自由上肢の区分 117
  - 7.1.3 上肢の筋 118
- 7.2 上肢の骨性指標 120
  - 7.2.1 上肢帯骨の触察 120
  - 7.2.2 上腕の骨の触察 121
  - 7.2.3 前腕の骨の触察 122
  - 7.2.4 手の骨の触察 122

7.3	上肢筋の触察	124
7.3.1	上肢帯筋の触察	124
7.3.2	上腕前面筋の触察	126
7.3.3	上腕後面筋の触察	128
7.3.4	前腕前面筋の触察	129
7.3.5	前腕後面筋の触察	131
7.3.6	手掌筋の触察	133
7.4	手の機能	137
7.4.1	手の区分	137
7.4.2	手の表面観察	137
7.4.3	手弓	138
7.4.4	手と指の運動	139
7.4.5	手の肢位	140
7.4.6	手の神経麻痺	141

8 下肢の体表解剖 142
8.1	下肢の概要	142
8.1.1	下肢表面からの観察	142
8.1.2	下肢の区分	142
8.1.3	下肢の筋	143
8.2	下肢の骨性指標	147
8.2.1	骨盤の触察	147
8.2.2	大腿の骨の触察	148
8.2.3	下腿骨の触察	149
8.2.4	足の骨の触察	149
8.3	下肢筋の触察	150
8.3.1	内骨盤筋の触察	150
8.3.2	外骨盤筋（殿部の筋）の触察	151
8.3.3	股関節の外旋筋群	152
8.3.4	大腿前面筋の触察	153
8.3.5	大腿内転筋群の触察	155
8.3.6	大腿後面筋の触察	157
8.3.7	下腿前面筋の触察	158
8.3.8	下腿外側筋の触察	159
8.3.9	下腿後面筋の触察	160
8.3.10	足背筋の触察	162
8.3.11	足底の筋の触察	163

3章　人体解剖学実習

9 体幹前面の解剖 169
9.1	体幹前面の観察	169
9.1.1	体幹前面の体表解剖	169
9.1.2	乳房	170
9.1.3	体幹前面の基準線	170
9.1.4	体幹前面の区分	171
9.1.5	体幹前面の皮膚剥離	172
9.2	胸部筋の解剖	173
9.2.1	胸部浅層筋の解剖	173
9.2.2	胸部深層筋の観察	174
9.3	腹部筋の解剖	175
9.3.1	腹壁表層の観察	175
9.3.2	前腹筋の解剖	175
9.3.3	側腹筋の解剖	177
9.3.4	鼠径部の解剖	178

10 頭頚部の解剖 179
10.1	頚部の体表解剖	179
10.1.1	頚部表面からの観察	179
10.1.2	頚部の区分	179
10.2	頚部の解剖	180
10.2.1	頚部浅層の解剖	180
10.2.2	前頚部の解剖	182
10.2.3	外側頚部の解剖	186
10.2.4	胸鎖関節の観察	188
10.3	頭部の体表解剖	189
10.3.1	頭部表面からの観察	189
10.3.2	頭部の区分	190
10.4	顔面の解剖	190
10.4.1	顔面浅層の解剖	190
10.4.2	顔面深層の解剖	193
10.4.3	側頭下窩の解剖	195
10.5	頭蓋内の解剖	196
10.5.1	脳の摘出	196
10.5.2	脳の観察	197
10.5.3	脳膜	197
10.5.4	頭蓋窩の観察	198

11 腹腔および腹部内臓器の解剖　200

- 11.1 腹膜腔の開検　200
  - 11.1.1 前腹壁内面の観察　200
  - 11.1.2 腹腔内臓器の観察　200
  - 11.1.3 腸間膜の観察　202
  - 11.1.4 骨盤腔の観察　203
  - 11.1.5 腹部内臓器の動脈　204
  - 11.1.6 門脈　205
- 11.2 消化管の摘出と観察　206
  - 11.2.1 上腹部内臓と血管，神経　206
  - 11.2.2 上腹部臓器の摘出　208
- 11.3 摘出した腹部臓器の観察　208
  - 11.3.1 胃の観察　208
  - 11.3.2 十二指腸の観察　209
  - 11.3.3 肝臓の観察　209
  - 11.3.4 胆道系の観察　211
  - 11.3.5 膵臓の観察　211
  - 11.3.6 脾臓の観察　212
  - 11.3.7 空腸と回腸の観察　212
  - 11.3.8 盲腸と虫垂の観察　213
  - 11.3.9 結腸の観察　213

12 体幹後面の解剖　215

- 12.1 体幹後面の体表解剖　215
  - 12.1.1 体幹後面の観察　215
  - 12.1.2 体幹後面の基準線　215
  - 12.1.3 体幹後面の区分　216
- 12.2 体幹後面筋の解剖　217
  - 12.2.1 背部浅層の筋　217
  - 12.2.2 背部中層の筋　219
  - 12.2.3 背部深層の筋　219
- 12.3 頭頚部後面の解剖　221
  - 12.3.1 後頚部の神経と血管　221
  - 12.3.2 後頭下筋の解剖　221
- 12.4 環椎後頭関節と頭部離断　222
  - 12.4.1 環椎後頭関節　222
  - 12.4.2 環軸関節　222
- 12.5 頭頚部内臓の解剖　223
  - 12.5.1 後頭骨の観察　223
  - 12.5.2 咽頭外壁の観察　224

13 胸腔および胸部臓器の解剖　225

- 13.1 胸腔の開検　225
  - 13.1.1 胸膜の観察　225
  - 13.1.2 肺の胸腔内観察　225
  - 13.1.3 右肺と左肺の比較　226
- 13.2 肺の摘出と観察　226
  - 13.2.1 肺の摘出　226
  - 13.2.2 摘出した肺の観察　226
  - 13.2.3 気管と気管支　228
- 13.3 縦隔の解剖　229
  - 13.3.1 胸膜腔から縦隔の観察　230
  - 13.3.2 縦隔の開検　230
  - 13.3.3 心臓の摘出　231
  - 13.3.4 後縦隔の観察　232
- 13.4 摘出した心臓の解剖　233
  - 13.4.1 心臓表面の観察　233
  - 13.4.2 心臓内部の観察　235
  - 13.4.3 刺激伝導系　237
  - 13.4.4 刺激伝導系の剖出　237
  - 13.4.5 心臓壁の観察　239

14 上肢の解剖　240

- 14.1 上肢の体表解剖　240
  - 14.1.1 上肢の観察　240
  - 14.1.2 上肢の骨性指標　240
  - 14.1.3 上肢の区分　241
- 14.2 上肢前面の解剖　242
  - 14.2.1 上肢前面の皮神経と皮静脈　242
  - 14.2.2 上肢帯前面の解剖　243
  - 14.2.3 鎖骨下動脈とその枝　244
  - 14.2.4 腕神経叢の観察　244
  - 14.2.5 腋窩の解剖　245
  - 14.2.6 前上腕部の解剖　246
  - 14.2.7 前肘部の解剖　247
  - 14.2.8 前前腕部の解剖　248
  - 14.2.9 手掌の解剖　250
- 14.3 上肢後面の解剖　252
  - 14.3.1 肩甲部の解剖　252
  - 14.3.2 後上腕部の解剖　255
  - 14.3.3 後前腕部の解剖　256
  - 14.3.4 手背の解剖　258

15　下肢前面の解剖　260
15.1　下肢前面の体表解剖　260
- 15.1.1　下肢前面の骨性指標　260
- 15.1.2　下肢前面の区分　260
- 15.1.3　下肢前面の皮神経と皮静脈　261
15.2　前大腿部の解剖　261
- 15.2.1　前大腿部浅層の解剖　261
- 15.2.2　前大腿部筋の解剖　262
- 15.2.3　大腿内側筋の解剖　263
- 15.2.4　大腿の血管　264
- 15.2.5　前膝部の解剖　265
15.3　前下腿部の解剖　265
- 15.3.1　前下腿部浅層の解剖　266
- 15.3.2　前下腿部筋の解剖　266
- 15.3.3　下腿の神経と血管　267
15.4　足背部の解剖　268
- 15.4.1　足背部浅層の解剖　268
- 15.4.2　足背部深層の解剖　269
- 15.4.3　足背筋の解剖　269
- 15.4.4　足背の血管　270
15.5　骨盤壁の解剖　270
- 15.5.1　骨盤壁の筋　270
- 15.5.2　骨盤内の血管　271
- 15.5.3　骨盤内の神経　272

16　後腹壁と骨盤内臓器の解剖　274
16.1　後腹壁臓器の解剖　274
- 16.1.1　後腹壁の観察　274
- 16.1.2　後腹壁の血管と神経の剖出　274
- 16.1.3　腎臓の観察と剖出　276
- 16.1.4　副腎の観察と剖出　277
- 16.1.5　尿管の観察　277
- 16.1.6　横隔膜の観察　277
16.2　会陰の解剖　278
- 16.2.1　会陰の体表解剖　278
- 16.2.2　会陰の区分と内部の解剖　280
- 16.2.3　恥骨後隙の観察　282
- 16.2.4　外陰部の解剖　283
16.3　骨盤腔の解剖　284
- 16.3.1　骨盤腔の観察　284
- 16.3.2　骨盤の割断　285
- 16.3.3　骨盤壁の観察　286
- 16.3.4　骨盤内臓器の観察　288
16.4　摘出した骨盤内臓器の観察　289
- 16.4.1　直腸周辺の観察　289
- 16.4.2　腎臓の解剖　290
- 16.4.3　尿管の解剖　291
- 16.4.4　膀胱の解剖　291
16.5　男性生殖器の解剖　293
- 16.5.1　陰茎の解剖　293
- 16.5.2　精巣被膜と精索の解剖　293
- 16.5.3　精巣と精巣上体の解剖　294
16.6　女性の泌尿生殖器の解剖　296
- 16.6.1　卵巣の解剖　296
- 16.6.2　卵管の解剖　297
- 16.6.3　子宮の解剖　297
- 16.6.4　膣の解剖　298

17　下肢後面の解剖　299
17.1　下肢後表の体表解剖　299
- 17.1.1　下肢後面の骨性指標　299
- 17.1.2　下肢後面の区分　299
17.2　殿部の解剖　300
- 17.2.1　殿部浅層の解剖　300
- 17.2.2　殿部深層の解剖　302
17.3　後大腿部の解剖　303
- 17.3.1　後大腿部筋の解剖　303
- 17.3.2　後大腿部の神経と血管　304
- 17.3.3　後膝部の解剖　304
17.4　後下腿部の解剖　305
- 17.4.1　後下腿部浅層の解剖　305
- 17.4.2　後下腿部深層の解剖　306
17.5　足底部の解剖　307
- 17.5.1　足底部表層の解剖　307
- 17.5.2　足底部第1層の解剖　308
- 17.5.3　足底部第2層の解剖　309
- 17.5.4　足底部第3層の解剖　309
- 17.5.5　足底部第4層の解剖　310

18　頭頚部内臓の解剖　311
18.1　咽頭の観察と解剖　311
- 18.1.1　咽頭後壁の観察　311

18.1.2　咽頭腔の観察　312
18.2　口部の解剖　314
　18.2.1　口腔の観察　314
　18.2.2　口腔底の観察　315
　18.2.3　歯の観察　315
　18.2.4　舌の解剖　316
　18.2.5　外舌筋の解剖　317
　18.2.6　舌に分布する神経と動脈　317
　18.2.7　内舌筋の解剖　318
18.3　口蓋の解剖　318
　18.3.1　口蓋筋と口峡の解剖　318
　18.3.2　口蓋の観察　319
　18.3.3　口蓋浅層の解剖　319
18.4　鼻部の解剖　319
　18.4.1　外鼻の観察　319
　18.4.2　鼻腔の解剖　320
　18.4.3　副鼻腔の観察　321
　18.4.4　翼口蓋神経節の剖出　322
18.5　喉頭の観察と解剖　323
　18.5.1　喉頭表面の観察　323
　18.5.2　喉頭の解剖　324
　18.5.3　喉頭内面の解剖　325
　18.5.4　喉頭外側面の解剖　325
　18.5.5　喉頭軟骨の解剖　326
　18.5.6　喉頭の運動　328

19　関節と靱帯の解剖　329
19.1　体幹の関節　329
　19.1.1　脊柱の関節　329
　19.1.2　脊柱管の切開と脊髄の摘出　330
19.2　上肢の関節　331
　19.2.1　肩関節　331
　19.2.2　肘関節　332
　19.2.3　手の関節　332
　19.2.4　手の靱帯　333
19.3　下肢の関節　335
　19.3.1　下肢帯骨の連結　335
　19.3.2　股関節　335
　19.3.3　膝関節　337
　19.3.4　下腿骨の連結　339
　19.3.5　足の関節　339
　19.3.6　足の靱帯　340

20　感覚器の解剖　343
20.1　視覚器の解剖　343
　20.1.1　眼窩部の体表観察　343
　20.1.2　眼窩部前面の解剖　343
　20.1.3　前頭蓋窩の観察　345
　20.1.4　眼窩内部の解剖　346
　20.1.5　外眼筋の解剖　347
　20.1.6　眼球の解剖　348
20.2　聴覚・平衡器の解剖　351
　20.2.1　外耳の観察　351
　20.2.2　中耳の解剖　352
　20.2.3　内耳の解剖　356
　20.2.4　錐体断面の観察　358
　20.2.5　脱灰による膜迷路の観察　359

4章　中枢神経系

21　中枢神経系　365
21.1　中枢神経系の概要　365
　21.1.1　中枢神経系の組織像　365
　21.1.2　中枢神経系の発生　365
21.2　脊髄　366
　21.2.1　脊髄の外観　366
　21.2.2　脊髄の区分と脊髄神経　367
　21.2.3　脊髄の内部構造　368
21.3　脳幹と小脳　370
　21.3.1　延髄　370
　21.3.2　橋　372
　21.3.3　中脳　373
　21.3.4　脳幹にある脳神経核　375
　21.3.5　脳幹網様体　377
　21.3.6　小脳　377
21.4　間脳　381
　21.4.1　視床上部　381
　21.4.2　視床　382
　21.4.3　視床腹部　384
　21.4.4　視床下部　384
　21.4.5　下垂体　385

21.5	大脳（終脳）	386
21.5.1	大脳の外観	387
21.5.2	大脳半球の区分	388
21.5.3	大脳皮質	389
21.5.4	大脳髄質	392
21.5.5	大脳核	393
21.5.6	嗅脳	395
21.5.7	大脳辺縁系	395
21.6	脳の被膜と脳室系	397
21.6.1	髄膜	397
21.6.2	脳室系	398
21.6.3	脳脊髄液と脈絡叢	399
21.7	中枢神経系の血管	399
21.7.1	脊髄の血管	399
21.7.2	脳の動脈	400
21.7.3	脳の静脈	402
21.7.4	脳のリンパ	402

22　神経伝導路　403

22.1	反射弓	403
22.1.1	単シナプス反射	403
22.1.2	多シナプス反射	404
22.1.3	内臓反射	405
22.2	求心性伝導路	406
22.2.1	体知覚路	406
22.2.2	味覚伝導路	409
22.2.3	平衡覚路	409
22.2.4	聴覚路	410
22.2.5	視覚路	410
22.2.6	嗅覚路	411
22.3	遠心性伝導路	412
22.3.1	錐体路	412
22.3.2	運動調節系（錐体外路系）	413

5章　骨格筋の発生と神経支配

23　骨格筋の発生と神経支配　419

23.1	骨格筋発生の概要	420
23.1.1	体節の形成と分化	420
23.1.2	筋細胞の分化	420
23.1.3	筋板の分化	420
23.2	頭頸部筋の発生	421
23.2.1	外眼筋の発生	421
23.2.2	咽頭弓における筋の発生	421
23.2.3	舌の発生	422
23.3	体幹筋の発生	423
23.3.1	上分節から発生する筋	423
23.3.2	下分節から発生する筋	423
23.3.3	直筋柱から発生する筋	424
23.4	体肢筋発生の概要	424
23.4.1	体肢筋発生の概要	424
23.4.2	上肢筋の発生	426
23.4.3	下肢筋の発生	432

参考文献	439
索　引	440

1章　人体の概要

1 身体の区分と解剖学的表現

1.1 人体の特徴

ヒトは脊椎動物 vertebrate のうちで哺乳類 mammalian に属する。脊椎動物では，身体の中軸部に椎骨が連なって脊柱 Columna vertebralis を作り，これが身体の支柱になる。人体の表面は皮膚に覆われており，皮膚は体内と外界を境界するとともに，外界の刺激から体内を保護している。脊椎動物のうちで，皮膚に毛が生えているのは哺乳類の特徴である。

1.1.1 身体の左右対称性

人体を表面から詳細に観察するとある程度の左右差が認められる。例えば，上肢の長さには左右で1〜2cmほどの差があり，顔貌（目，鼻，口，耳の形や位置）も完全には左右対称でない。また成人女性では，乳房の大きさや乳頭の高さも左右でわずかに異なっている。しかし，このようなわずかな差を無視すれば，表面から観察した人体は左右対称といってよい。また，骨格や筋の数，大きさおよび形もほぼ左右対称である。しかし，内臓については左右差が著しい。心臓は正中線よりも少し左に位置し，大血管や，胃，小腸，大腸などの消化管は明らかに非対称である。また，肝臓の大部分は右側に，膵臓や脾臓は左側に存在する。

1.1.2 体格

体格とは身体の発達程度を総称したもので，身長，体重，骨格，姿勢などを尺度にして表現される。体格に関しては，人種や地域によってある程度の傾向が認められるものの，同じ地域に住む同じ人種であっても個体差がある。

1.1.3 男女の性差

男性と女性の根本的な違いは生殖器に見られる。このような，生まれながらにして見られる男女の特徴を**一次性徴** primary sexual character という。これに対して，生殖器以外に現れてくる男女の特徴を**二次性徴** secondary sexual character といい，これは性ホルモンの作用によって，思春期以降に顕著になる。

一般に，身長や体重は男性の方が女性よりも大きい（図1-1）。また，男性では骨格や筋肉がよく発達している。一方，女性では，皮下に脂肪がより多く沈着しているために，身体全体が丸みをおびており，特に乳房や尻，腰に著しい。骨盤は男性では幅が狭くて深いが，女性では幅が広くて浅い。男性では喉頭隆起が著しく突出し，体毛が多い。女性では男性に比べて胴の割合が大きく，下肢が短い傾向がある。

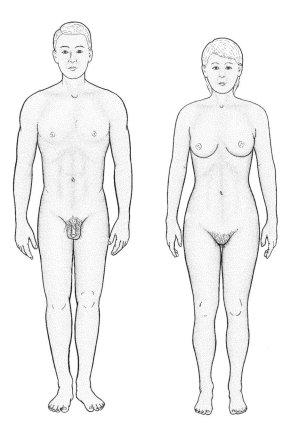

図 1-1　男性と女性の体型の比較

1.1.4 体腔

人体には頭蓋腔，脊柱管，胸腔，腹腔という4つの大きな腔所があり，重要な臓器を入れて保護している（図1-2）。このうち，頭蓋腔と脊柱管は互いに連続している。また，胸腔と腹腔は横隔膜によって隔てられている。

- **頭蓋腔** Cavum cranii：頭蓋骨で囲まれた腔所で，中に脳を入れる。
- **脊柱管** Canalis vertebralis：椎骨の椎孔が上下に連なって作る細長い腔所で，脊髄を入れる。
- **胸腔** Cavum thoracis：胸郭によって囲まれた腔所で，心臓や肺，気管，食道，胸管などを入れる。
- **腹腔** Cavum abdominis：前面には腔を囲む骨格はなく，胃や小腸，大腸，肝臓などの消化器を入れる。腹腔の下端部で，特に骨盤に囲まれた部分を**骨盤腔** Cavum pelvis といい，ここには膀胱，直腸，卵巣，子宮，前立腺などが納まっている。

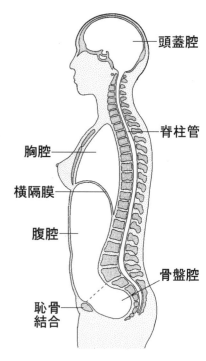

図1-2　人体の体腔

1.2　身体の区分

解剖学的に人体は多くの部位に区分される。これは臓器の位置，病変や痛みなどの位置を的確に表現するために必要である。人体は大きく体幹と体肢に区分される（図1-3）。

1.2.1　体幹

体幹 Truncus, trunk はさらに頭，頚，胸および腹に区分される。

- **頭** Caput, head：オトガイ，下顎骨の下縁，下顎角，下顎枝の後縁，顎関節，乳様突起，上項線，外後頭隆起を結ぶ線よりも上の部分。
- **頚** Collum（Cervix），neck：頭の下の細くなっている部分で，胸骨柄の上縁（頚切痕），鎖骨の上縁，肩峰，第7頚椎の棘突起を結ぶ線で胸と境界

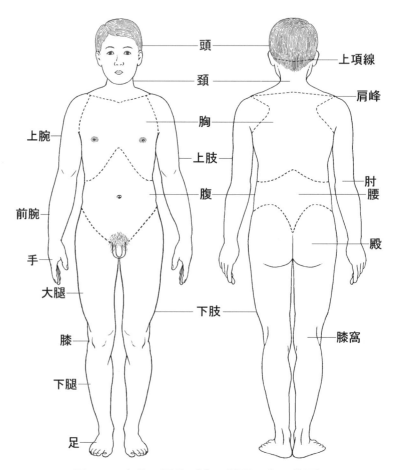

図1-3　身体の区分（左：前面，右：後面）

される。
- **胸** Pectus（Thorax），chest：頚の下に続き，腹とは剣状突起，肋骨弓，第12肋骨の下縁，第12胸椎の棘突起を通る線で境界される。
- **腹** Abdomen, abdomen：下肢との境界は恥丘の外側縁，鼡径溝，上前腸骨棘，腸骨稜，上後腸骨棘，仙骨の外側縁，尾骨，肛門，坐骨結節，陰部大腿溝を通る線である。

胸と腹を合わせて胴 torso というが，これは正式な解剖学的名称ではない。胸と腹の後面を合わせて**背** Dorsum, back といい，腹の後面を**腰** Lumbus という。

1.2.2 体肢

体肢 Mumbrum は上肢と下肢を合わせた総称である。
- **上肢** Membrum superius（Extremitas superior），upper limb：胴の上外端から両側に伸び出した部分で，胸との境界は三角胸筋溝，鎖骨の外側半分，肩峰，肩甲棘，三角筋の後縁，腋窩の最深部を結ぶ線である。上肢はさらに上腕，前腕，手に区分される。
- **下肢** Membrum inferius（Extremitas inferior），lower limb：腹の下方に長く伸び出した部分で，さらに大腿，下腿および足に区分される。

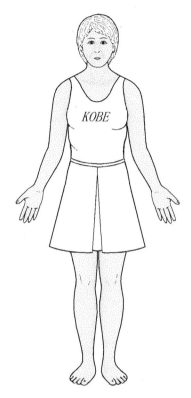

図1-4　解剖学的基本体位

1.3 解剖学的表現

身体の部位や相対的位置，方向などを的確に表現するためには解剖学的表現を熟知しておく必要がある。

1.3.1 解剖学的基本体位

解剖学的基本体位 anatomical position とは踵を揃え，爪先を少し開いて直立し，正面を向いて水平線上の無限遠に視線を放ち，上肢を体幹の両側に垂らして手掌を前方に向けた状態である（図1-4）。解剖学的基本体位上で，相対的位置や方向が定義される。

1.3.2 身体の主要軸と主要面

1）身体の主要軸

身体の3つの主要軸は以下のように表現される（図1-5）。
- **縦軸** longitudinal axis：上下に走る軸で，

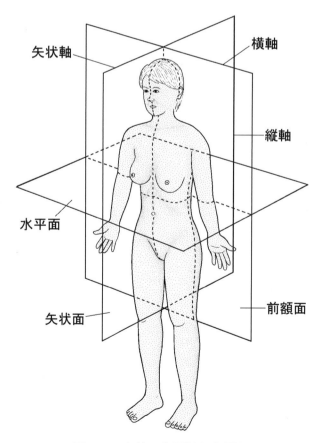

図1-5　人体の主要軸と主要面

長軸 long axis ともいう。
- **横軸** transverse axis：左右に走る軸で，**水平軸** horizontal axis ともいう。
- **矢状軸** sagittal axis：前後に走る軸。

2）身体の主要面
3つの主要軸によって以下の面が作られる。
- **矢状面** sagittal plane：縦軸と矢状軸からなり，身体を左右に二分する。
  正中矢状面 median sagittal plane：体または器官を左右に二等分する面。
- **前頭面（前額面）** frontal plane：横軸と縦軸からなり，身体を前後に二分する。
- **水平面** horizontal plane：矢状軸と水平軸からなり，身体を上下に二分する。

1.3.3 方向と位置の表現

1）相対的位置の表現
解剖学的基本体位において身体の相対的位置は以下のように表現される（図1-6）。
- **上** superior と **下** inferior：縦軸上の表現で，四足動物では上を**頭側** cranial あるいは**吻側** rostral，下を**尾側** caudal という。
- **前** anterior と **後** posterior：矢状軸上の表現で，四足動物では前を**腹側** ventral，後ろを**背側** dorsal という。
- **右** dexter, right と **左** sinister, left：横軸上の表現で，被検者にとっての右と左である。
- **内側** medial と **外側** lateral：横軸上の表現で，正中線に近い方を内側，遠い方を外側という。

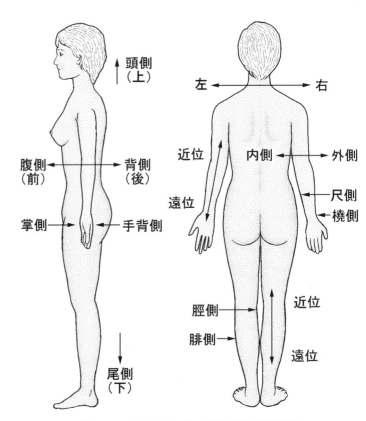

図1-6　主要な方向を示す解剖学用語

- **内** internal と **外** external：器官の中心や管腔に近い方を内，遠い方を外という。
- **浅** superficial と **深** deep：身体や器官の表面に近い方を浅い，遠い方を深いという。

2）四肢における相対的位置（図1-6）。
- **近位** proximal と **遠位** distal：四肢では体幹に近い方を近位，遠い方を遠位という。
- **橈側** radial と **尺側** ulnar：上肢における表現で，橈骨側（母指側）を橈側，尺骨側（小指側）を尺側という。
- **掌側** palmar：手における表現で，前面をいう。
- **脛側** tibial と **腓側** fibular：下肢における表現で，脛骨側（母趾側）を脛側，腓骨側（小趾側）を腓側という。
- **足底側** plantal：足の下面で，手の掌側にあたる。

1.3.4 体幹の基準線

体幹における位置を的確に表現するために次の基準線を用いる（図1-7，1-8，1-9）。

1）垂直線

- **前正中線** anterior median line：身体前面の正中を走る垂線
- **胸骨線** sternal line：胸骨の外側縁を通る垂線
- **鎖骨中線** midclavicular line：鎖骨の中点を通る垂線
- **乳頭線** mamillary line（nipple line）：乳頭を通る垂線で，成人女性では個人差が著しい。
- **胸骨傍線** parasternal line：胸骨線と鎖骨中線の中央を通る垂線
- **前腋窩線** anterior axillary line：前腋窩ヒダを通る垂線
- **中腋窩線** midaxillary line：腋窩の中央を通る垂線
- **後腋窩線** posterior axillary line：後腋窩ヒダを通る垂線
- **後正中線** posterior median line：身体後面の正中を走る垂線で，椎骨の棘突起を結ぶ。
- **椎骨傍線** paravertebral line：脊椎横突起の外側端を通る垂線
- **肩甲線** scapular line：肩甲骨の内側縁を通る垂線

2）水平線

- **頸切痕線** jugular notch line：胸骨柄上縁の頸切痕を通る水平線
- **胸骨角線** sternal angle line：胸骨角を通る水平線で，第4～5胸椎の高さに相当する。
- **胸骨剣状突起線** xiphosternal line：胸骨体と剣状突起の結合部を通る水平線で，第9胸椎の高さにあたる。
- **肋骨下線** subcostal line：最下肋骨の下縁を通る水平線で，第3腰椎の高さにあたる。

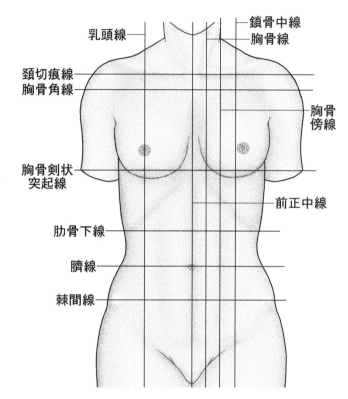

図1-7　体幹前面の基準線

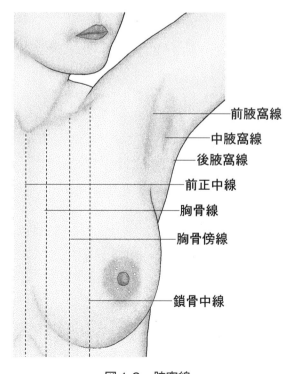

図1-8　腋窩線

- **臍線** umbilical line：臍を通る水平線で，第4腰椎の高さにあたる。
- **棘間線** interspinous line：左右の上前腸骨棘を結ぶ線
- **肩甲棘線** scapular spine line：肩甲棘の内側端を通る水平線で，第3胸椎棘突起の高さにあたる。
- **肩甲骨下角線** line of inferior angle of the scapula：肩甲骨下角を通る水平線で，第7胸椎棘突起の高さに相当する。
- **腸骨稜頂線** supracristal line（ヤコビー線 Jacoby's line）：左右の腸骨稜の最上点を結ぶ線で，第4腰椎の棘突起の高さに相当する。
- **腸骨稜結節線** transtubercular line：左右の腸骨稜結節を結ぶ水平線で，第5腰椎の高さに相当する。

1.3.5 運動を表す用語

関節の代表的な運動は以下のように表現される（図1-10）。

- **内転** adduction：体肢を体幹（正中線）に近づける。手では中指に他の指を近づける。
- **外転** abduction：体肢を体幹（正中線）から遠ざける。手では中指から他の指を遠ざける。
- **伸展** extension：関節を伸ばす。
- **屈曲** flexion：関節を曲げる。
- **内旋** inner rotation：上腕骨や大腿骨を軸にして体肢を内方に回転する。
- **外旋** outer rotation：上腕骨や大腿骨を軸にして体肢を外方に回転する。
- **回内** pronation：前腕に関する運動で，上に向いている手掌を下に向ける。
- **回外** supination：前腕に関する運動で，下に向いている手掌を上に向ける。

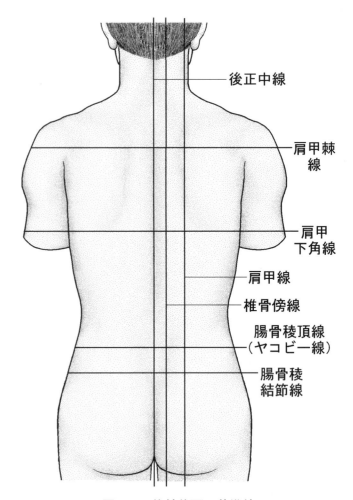

図1-9　体幹後面の基準線

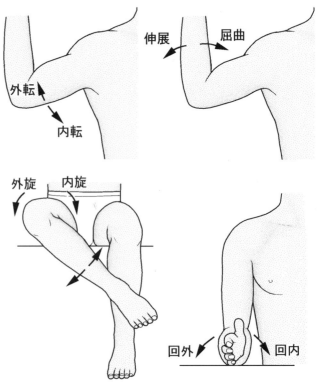

図1-10　代表的な運動の表現

- 内返し inversion：足底を内方に向ける。
- 外返し eversion：足底を外方に向ける。

1.3.6　形態を表す用語

1）骨や器官の部位を表す用語
- 体 Corpus：骨や器官の中央部を占める。子宮体，下顎体，胃体など。
- 頭 Caput：骨や器官の端で丸く肥厚した部分。骨頭，膵頭など。
- 小頭 Capitulum：頭の小さいもの。上腕骨小頭など。
- 頚 Collum：他の部分よりも細くくびれている部分。大腿骨頚，歯頚など。
- 尖 Apex：器官の端で尖っている部分。肺尖，心尖など。
- 底 Basis：器官の基底部。三角形の底辺にあたる。子宮底，胃底，肺底など。
- 面 Facies：器官の表面で広がりを持つ部分。骨の関節面，肺の肋骨面など。
- 縁 Margo：器官の2つの面がなす線。肩甲骨の内側縁，脛骨の前縁など。
- 壁 Paries：器官内の空洞や体腔を囲む面。鼻腔の内側壁など。
- 葉 Lamina：薄い板あるいは膜状の部分。大網の前葉など。
- 葉 Lobus：器官の大きな区分。腎葉，肺葉など。
- 小葉 Lobulus：葉よりも小さい区画。肝小葉など。
- 門 Hilus：器官の表面で，血管や神経，導管などの出入りする部分。腎門，肺門など。

2）凸出部を表す用語
- 突起 Processus：表面から突出している部分で，骨に多く見られる。椎骨の棘突起など。
- 顆 Condylus：先端が肥厚している突起。後頭顆，大腿骨や脛骨の内側顆など。
- 結節 Tuberculum：周囲から明瞭に区別される肥厚部。恥骨結節や上腕骨の大結節など。
- 隆起 Protuberantia：骨や軟骨の小さい突出部。オトガイ隆起や喉頭隆起など。
- 粗面 Tuberositas：骨の表面で，ザラザラした部分。上腕骨の三角筋粗面，脛骨粗面など。
- 棘 Spinosus：骨の表面から出る鋭い突起。肩甲棘，坐骨棘など。
- 稜 Crista：長く連なった隆起。腸骨稜，膨大部稜など。
- ヒダ Plica：膜状物が折れ曲がって二重の層を作り，表面から隆起した部分。小腸の輪状ヒダや胃粘膜ヒダなど。
- 乳頭 Papilla：軟部組織によって形成される小突起物。舌乳頭，腎乳頭など。

3）陥凹，管，空洞などを表す用語
- 窩 Fossa：表面から陥凹している部分。側頭下窩，腋窩など。
- 切痕 Incisura：骨や器官の辺縁部が鋭くえぐられたような部分。頚切痕，坐骨切痕など。
- 裂 Fissura：裂け目のような狭い間隙。上眼窩裂，肺の水平裂など。
- 溝 Sulcus：細長い陥凹部。大脳半球の中心溝，舌の分界溝など。
- 孔 Foramen：骨や器官に開いた小さな穴。舌盲孔，眼窩下孔など。
- 管 Canalis：骨や器官に見られる深い孔。胸管，蝸牛管など。
- 道 Meatus：太い管。内耳道，鼻道など。
- 洞 Sinus：骨や器官にできる広い空洞。上顎洞，硬膜静脈洞など。
- 腔 Cavum：体内にある広い空間。口腔，胸腔，子宮腔など。

・前庭 Vestibulum：主要な空間の手前にある腔所。口腔前庭や膣前庭，幽門前庭など。

4）線に関する用語
・線 Linea：線状をなす部分。白線，顎舌骨筋線など。
・弓 Arcus：弓形をなす部分。肋骨弓，大動脈弓，頬骨弓など。
・ワナ Ansa：ループ状をなす部分。頚神経ワナ，尿細管のヘンレのワナなど。
・輪 Circus：閉鎖された環を作る部分。脳底動脈輪，浅鼡径輪など。
・角 Angulus：2本の線や面が交叉して作る角。胸骨角，口角など。
・枝 Ramus：本体から分かれた枝状の部分。神経や血管に多く用いられるが，骨にも用いられる。下顎枝や恥骨枝など。
・叢 Plexus：多数の線状物が交錯した部分。神経叢，静脈叢など。

2 全身の骨格

2.1 頭蓋骨

頭蓋 Cranium は15種類23個の複雑な形をした骨から構成されており，大きく脳頭蓋と顔面頭蓋に分けられる（図2-1〜2-5）。

2.1.1 脳頭蓋

脳頭蓋 Cranium cerebrale は**神経頭蓋** Neurocranium とも呼ばれ，頭蓋の上半分を占める。6種類8個の骨からなる脳頭蓋は中に**頭蓋腔** Cavum craniale を作り，脳を入れて保護している。

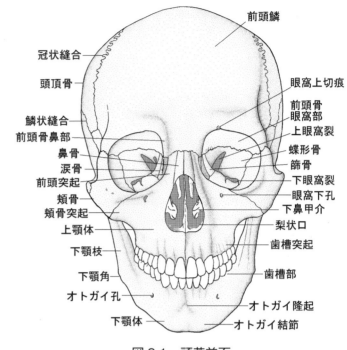

図 2-1　頭蓋前面

1) 前頭骨（図 2-1, 2-2, 2-4）

  前頭骨 Os frontale は頭蓋腔の前部を囲む。胎児期までは対性で，小児期以降左右が癒合する。
- **前頭鱗** Squama frontalis：前頭骨の大部分を占める貝殻のような部分。
- **鼻部** Pars nasalis：前頭骨の下部中央から下方に突出している部分。
- **眼窩部** Pars orbitalis：鼻部の両側にあり，眼窩の上壁を作る。
- **前頭洞** Sinus frontalis：鱗部の下部から眼窩部にかけて，内部に一対の扁平な空洞がある。副鼻腔の1つである。
- **眼窩上切痕** Incisura supraorbitalis：眼窩上縁にある小さな切痕で，ここから眼窩上神経が顔を出す。

2) 頭頂骨（図 2-2, 2-3, 2-4）

  頭頂骨 Os parietale（一対）は頭蓋の上壁をなす扁平な四辺形の骨である。
- **クモ膜顆粒小窩** Foveolae granulares：内面の矢状縫合に沿って多数あり，クモ膜顆粒を入れる。
- **頭頂孔** Foramen parietale：血管の通り道。

3) 側頭骨（図 2-4）

  側頭骨 Os temporale（一対）は頭蓋外側面のほぼ中央を占める複雑な形をした骨である。
- **鱗部** Pars squamosa：側頭骨の上部で貝殻のような形をした部分。
- **岩様部** Pars petrosa：側頭骨の下後部を占める。
- **錐体部** Pars pyramis：岩様部の内側に位置し，内耳を入れる。
- **外耳道** Meatus acusticus externus：外側面の下部に開いた深い孔。
- **頬骨突起** Processus zygomaticus：外耳道の前上部から前に向かって水平に伸びる。咬筋が付着する。

- **茎状突起** Processus styloideus：錐体部から下方に伸びる鋭い突起で，茎突舌骨筋，茎突舌筋，茎突咽頭筋，茎突下顎靱帯が付着する。
- **乳様突起** Processus mastoideus：岩様部の前下端にある母指頭大の突起で，胸鎖乳突筋，板状筋，最長筋，顎二腹筋が付着する。
- **下顎窩** Fossa mandibularis：頬骨突起の基部下面で陥凹した部分。下顎骨関節突起の先端をなす下顎頭との間で顎関節を作る。
- **関節結節** Tuberculum articulare：下顎窩の前縁部にある肥厚部。

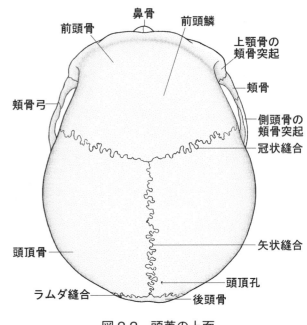

図2-2 頭蓋の上面

4) 後頭骨（図2-3, 2-5）

後頭骨 Os occipitale は頭蓋後部を占めるキャベツの葉のような形をした骨である。
- **後頭鱗** Squama occipitalis：大後頭孔を囲み，後上方に広がる。
- **外側部** Pars lateralis：大後頭孔の両側をなす部分。
- **底部** Pars basilaris：大後頭孔の前部をなす部分。

5) 蝶形骨（図2-4, 2-5, 2-8）

蝶形骨 Os sphenoidale は蝶が羽を広げたような不規則な形の骨で，頭蓋底を作る。
- **体** Corpus：蝶形骨の中央部を占める。
- **大翼** Ala major：中頭蓋窩の前部を作る。
- **小翼** Ala minor：体から左右に広がり，前頭蓋窩の最後部を作る。
- **翼状突起** Processus pterygoideus：体から下方に伸びる板状の突起で，外側板と内側板からなる。内側翼突筋，外側翼突筋，口蓋帆張筋が付着する。
- **蝶形骨洞** Sinus sphenoidalis：体にある一対の腔所で，副鼻腔の1つである。

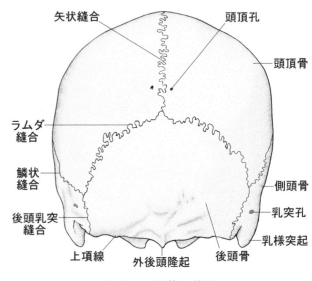

図2-3 頭蓋の後面

6) 篩骨（図2-8）

篩骨 Os ethmoidale は鼻腔の天井をなす無対性の骨で，蝶形骨の前，前頭骨の後下にある。
- **篩板** Lamina cribrosa：鼻腔と前頭蓋窩を隔てる部分で，多数の小孔が，篩（ふるい）のように開いており，ここを嗅神経が通る。
- **垂直板** Lamina perpendicularis：正中線上を垂直に下方に伸びる部分で，鼻中隔の上部をなす。
- **篩骨迷路** Labyrinthus ethmoidalis：篩板から左右外側に下垂した部分で，その中に多数の篩骨

蜂巣 Cellulae ethmoidales を入れている。これも副鼻腔の1つである。

2.1.2 顔面頭蓋

頭蓋の下半分を占める**顔面頭蓋** Cranium viscerale（内臓頭蓋 Viscerocranium）は以下の9種15個の骨から構成される。なお，舌骨は顔面頭蓋から独立している。

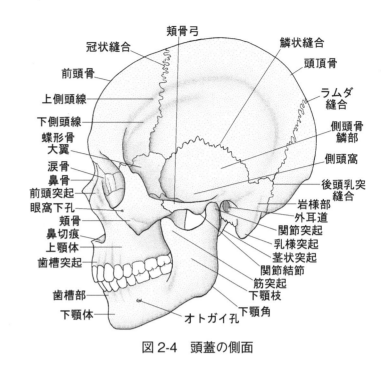

図 2-4　頭蓋の側面

1) 涙骨（図 2-1, 2-4）

涙骨 Os lacrimale（一対）は眼窩の内下前隅にある小さな骨である。

2) 鼻骨（図 2-1, 2-4）

鼻骨 Os nasale（一対）は鼻根部をなす長方形の小さな骨である。

3) 上顎骨（図 2-1, 2-4）

上顎骨 Maxilla（一対）は上顔部を占める。

- **上顎体** Corpus maxillae：上顎骨の中央部で，中に**上顎洞** Sinus maxillaris という大きな空洞がある。体の内側面には上顎洞裂孔 Hiatus maxillaris という裂隙が開いており，ここを介して上顎洞は鼻腔に続いている（副鼻孔の1つ）。
- **眼窩下孔** Foramen infraorbitale：上顎体の前面で眼窩縁の直下に開いた小孔で，眼窩下動・静脈と眼窩下神経が通る。
- **鼻切痕** Incisura nasalis：内側縁の深くえぐれた部分で，左右で梨状口を囲む。
- **前頭突起** Processus frontalis：上顎体の前上内側隅から上方に伸びる鋭い突起で，鼻根の外側部を作る。
- **頬骨突起** Processus zygomaticus：頬骨に向かって伸び，頬骨の内側縁と結合する。
- **歯槽突起** Processus alveolaris：上顎体から下方に向かって堤防状に突出する弓形の部分で，下面には歯根を入れる8個の陥凹（歯槽 Alveoli dentales）を持っている。
- **口蓋突起** Processus palatinus：上顎体から水平内方に伸びる板状の突起で，左右が合わさって骨口蓋の前部を作る。

4) 頬骨（図 2-1, 2-4）

頬骨 Os zygomaticum（一対）は頬上部の突出部を作る骨で，側頭骨の頬骨突起とともに**頬骨弓** Arcus zygomaticus を作るとともに，眼窩の下外側部を囲む。

5) 下顎骨（図 2-1, 2-4）

下顎骨 Mandibula は下顎の支柱をなす馬蹄形の骨である。胎生期では左右別々であるが，生後癒合して1つの骨になる。

- **下顎体** Corpus mandibulae：中央を占める馬蹄形の部分である。

- 歯槽部 Pars alveolaris：下顎体の上縁部で，上面には左右8個ずつの歯槽を持つ。
- オトガイ結節 Tuberculum mentale：体の前面正中線の両側にある小突出。
- オトガイ隆起 Protuberantia mentalis：オトガイ結節のやや上方の正中線上にある隆起。
- オトガイ孔 Foramen mentale：体の外側面で，第2小臼歯の下方にある小孔。オトガイ動・静脈とオトガイ神経が通る。
- 下顎枝 Ramus mandibulae：体の上後方に続く扁平な部分。

  下顎角 Angulus mandibulae：下顎枝の下端と体の後端がなす角で，外側面には咬筋，内側面には内側翼突筋が付着する。

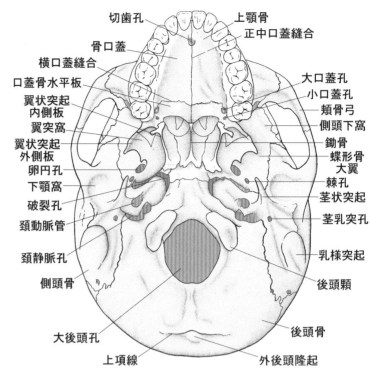

図2-5　頭蓋の下面

- 関節突起 Processus condylaris：下顎枝の上端から後上方に伸びる突起。

  下顎頭 Caput mandibulae：関節突起の先端で，側頭骨の関節窩とともに顎関節を作る。

  下顎頚 Collum mandibulae：下顎頭のすぐ下の細くなった部分で，外側翼突筋が付着する。

- 筋突起 Processus coronoideus：下顎枝の上部から前上方に伸びる三角形の突起で，側頭筋が付着する。

6) その他の骨

- 口蓋骨 Os palatinum（一対）：上顎骨の後方に続くL字型の骨である（図2-5）。

  垂直板 Lamina perpendicularis：鼻腔側壁の後部を作る。

  水平板 Lamina horizontalis：骨口蓋の後部を作る。

- 下鼻甲介 Chonca nasalis inferior（一対）：鼻孔の外側壁に付着する貝殻のような小さな骨である（図2-1）。

- 鋤骨 Vomer は篩骨垂直板の下に続く鋤形の扁平な骨で，鼻中隔の下半分を作る（図2-5）。

- 舌骨 Os hyoideum は喉頭の上，舌根の下部にある無対性の小さな馬蹄形の骨である（図2-6）。

  体 Corpus：舌骨の前中央部を占める。

  大角 Cornu majus：体から後方に伸びる一対の突起。

  小角 Cornu minus：体から上方に伸びる一対の小さな突起。

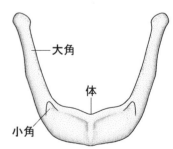

図2-6　舌骨

2.1.3 頭蓋骨の連結

1）縫合

頭蓋の骨は下顎骨と舌骨を除いて，**縫合** Suturae によって硬く結合している。縫合は，隣接する骨同士が噛み合って作る不動性の骨連結様式である（図2-1〜2-5）。

- **矢状縫合** Sutura sagittalis：左右の頭頂骨を結合する。
- **冠状縫合** Sutura coronalis：前頭骨と左右の頭頂骨を結合する。
- **ラムダ縫合** Sutura lambdoidea：後頭骨と左右の頭頂骨間にあり，**人字縫合**とも呼ばれる。
- **鱗状縫合** Sutura squamosa：側頭骨の鱗部と頭頂骨を結合する。
- **正中口蓋縫合** Sutura palatina mediana：左右の口蓋骨を結合する。
- **横口蓋縫合** Sutura palatina transversa：上顎骨の口蓋突起と口蓋骨水平板を結合する。

2）泉門

新生児では頭蓋の骨化がまだ完了しておらず，頭蓋を構成する扁平骨の間には柔らかい結合組織が存在する。これらの結合組織のうち，特に広い場所を**泉門** Fonticulus という（図2-7）。

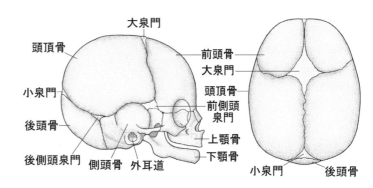

図2-7　新生児の頭蓋（左：側面，右：上面）

- **大泉門** Fonticulus anterior：左右の前頭骨と左右の頭頂骨の間にある菱形の泉門で，泉門のうちでは最も大きく，生後2歳頃に閉鎖する。
- **小泉門** Fonticulus posterior：左右の頭頂骨と後頭骨の間にある三角形の泉門で，生後2ヶ月頃に閉鎖する。
- **前側頭泉門** Fonticulus sphenoidalis：冠状縫合の外側両端にある。
- **後側頭泉門** Fonticulus mastoideus：ラムダ縫合の外側前端にある。

分娩時に胎児は頭を先頭に，顔を下に向けて産道を出てくる。医師や助産師は，大泉門と小泉門を触察することによって，娩出される胎児の体位を知ることができる。また胎児では，身体の中で頭の直径が最大である。分娩時に頭が産道を通過する際に，頭蓋骨が互いに重なり合うことによって頭が小さくなり，産道の通過が容易になる。さらに，脳は生後2年頃に完成する。泉門は生後における脳の成熟・増大を可能にする。

2.1.4 頭蓋窩

頭蓋窩は頭蓋腔の下半分をなす部分で，前，中および後頭蓋窩の3部に分けられ，上から見ると，前頭蓋窩は浅く，後ろに向かって順に深くなっていく（図2-8）。

1）前頭蓋窩

前頭蓋窩 Fossa cranii anterior は頭蓋窩の前1/3の部分で，篩骨篩板，前頭骨眼窩部および蝶形骨小翼からなり，嗅脳や前頭葉を載せている。

- **篩板** Lamina cribrosa：鼻腔の天井をなし，鼻腔と頭蓋腔を隔てる。篩板には多数の小孔が開いており，この孔を嗅神経が通る。
- **鶏冠** Crista galli：篩板から上方に突出する，ニワトリのトサカ状の突起で，大脳鎌の前端が付着する。

2）中頭蓋窩

中頭蓋窩 Fossa cranii media は蝶形骨と側頭骨が作り，側頭葉を入れる。

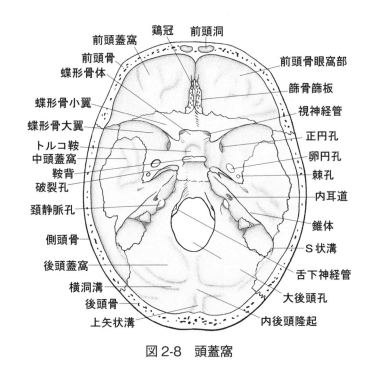

図2-8　頭蓋窩

- **トルコ鞍** Sella turcica：蝶形骨体上面にある陥凹で，下垂体を入れる。
- **視神経管** Canalis opticus：小翼の基部を前後に貫く管で，視神経と眼動脈が通る。
- **上眼窩裂** Fissura orbitalis superior：大翼と小翼の間にある細長い隙間で，動眼神経，滑車神経，眼神経，外転神経，上眼静脈がここを通って眼窩に入る。
- **正円孔** Foramen rotundum：大翼に開いた3つの孔の最内側にあり，上顎神経が通る。
- **卵円孔** Foramen ovale：3つの孔のうちで真ん中にあり，下顎神経が通る。
- **棘孔** Foramen spinosum：3つの孔のうちで最外下方にあり，中硬膜動脈や下顎神経の硬膜枝が通る。
- **破裂孔** Foramen lacerum：錐体と蝶形骨体の間にある隙間で，生体では軟骨によって埋められている。
- **頸動脈管** Canalis caroticus：内頸動脈と内頸動脈神経の通り道で，破裂孔に開口する。
- **翼突管** Canalis pterygoideus：翼状突起の基部を前後に貫く管で，翼突管神経が通る。

3）後頭蓋窩

後頭蓋窩 Fossa cranii posterior は錐体の後面と後頭骨が作り，小脳や脳幹を入れる。

- **内耳道** Meatus acusticus internus：錐体の後内側面に開いた深い孔で，顔面神経と内耳神経が通る。
- **頸静脈孔** Foramen jugulare：後頭骨の外側部と側頭骨錐体の間にあり，内頸静脈や舌咽神経，迷走神経，副神経が通る。
- **舌下神経管** Canalis hypoglossi：大後頭孔の両外側部にあり，舌下神経が通る。
- **大後頭孔** Foramen magnum：後頭骨の前下部に開いた大きな孔で，延髄や椎骨動脈が通る。

2.2　脊柱

脊柱 Columna vertebralis は体幹の支柱で，32〜34個の**椎骨**が上下に連なってできる（図2-9）。椎骨は脊柱上の位置によって以下のように区分される。

- **頸椎** Vertebrae cervicales：7個

- **胸椎** Vertebrae thoracicae：12個
- **腰椎** Vertebrae lumbales：5個
- **仙骨** Os sacrum：5個の仙椎 Vertebrae sacrales が生後癒合して1つの仙骨になる。
- **尾骨** Os coccygis：3～5個の尾椎 coccygeae が癒合してできる。

正常な脊柱は前から見るとほぼ真っ直ぐであるが，横から見ると4つの特徴的な弯曲を持っている。
- **頚部前弯** cervical lordosis
- **胸部後弯** thoracic kyphosis
- **腰部前弯** lumbar lordosis
- **仙骨部後弯** sacral kyphosis

これらの弯曲は脊柱に安定性を与え，また，種々の運動によって生じる力学的負荷を脊柱全体にうまく分散している。

2.2.1 椎骨

椎骨 Vertebrae は椎体と椎弓からなり，椎弓から4種7本の突起を出す（図2-10, 2-11）。
- **椎体** Corpus vertebrae：椎骨の前半をなす円柱状の部分で，脊椎の荷重部分である。上下の椎体間には線維軟骨でできた椎間板が介在する。
- **椎弓** Arcus vertebrae：椎骨の後ろ半分を占める弓状の部分。
- **椎孔** Foramen vertebrale：椎体と椎弓が囲む孔で，上下に連なって**脊柱管** Canalis vertebralis を作り，中に脊髄を入れて保護する。
- **棘突起** Processus spinosus：椎弓の後正中部から後方に伸びる突起で，体幹の後正中線上を上下に並んでおり，皮膚の直下に触れる。
- **横突起** Processus transversus：椎弓から両外方に伸びる突起。
- **上関節突起** Processus articularis superior：椎弓から上方に突出して，上位の椎骨の下関節突起とで椎間関節を作る。
- **下関節突起** Processus articularis inferior：椎弓から下方に突出して，下位の椎骨の上関節突起とで関節を作る。

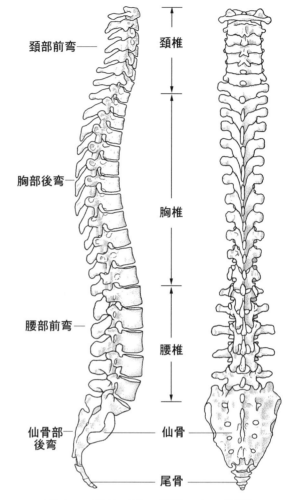

図2-9 脊柱（左：側面，右：後面）

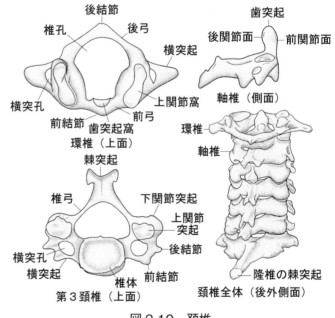

図2-10 頚椎

1) 頸椎

頸椎 Vertebrae cervicales は7個の椎骨からなり，第3～7頸椎は一般的な椎骨に近い構造を持っている（図2-10）。

頸椎では横突起の基部に**横突孔** Foramen transversarium という孔が開いており，第6頸椎より上の横突孔を椎骨動脈が通る。横突孔の後半分をなす部分が本来の横突起で，前半分は長く伸びなかった肋骨の痕跡である。棘突起の先端が二分しているのも頸椎の特徴である。

第1，2，7頸椎は特殊な形をしているので，以下のような別名を持っている。

- 第1頸椎：椎体を欠き，ドーナツ状を呈するので**環椎** Atlas と呼ばれる。また，第1頸椎の棘突起に相当する部分は短いので**後結節** Tuberculum posterius と呼ばれる。
- 第2頸椎：上方に伸びる**歯突起** Dens を持っているので**軸椎** Axis と呼ばれる。一般に，喉頭隆起のことをのど仏というが，本来は軸椎のことで，正面から見ると，結跏趺坐して座る仏様に見える。
- 第7頸椎：棘突起が最も長く，後方に突出しているので**隆椎** Vertebra prominens と呼ばれる。頷いた時に，項部で最も突出しているのが隆椎の棘突起である。

2) 胸椎

胸椎 Vertebrae thoracicae は12個あり，一般的な椎骨の形態を備えている（図2-11）。胸椎は肋骨と関節を作ることが大きな特徴で，椎体の後部に**上および下肋骨窩** Fovea costalis superior et inferior があり，肋骨頭とで関節を作る。また，横突起にも横突肋骨窩があり，肋骨結節とで関節を作る（図2-17を参照）。胸椎の棘突起は長く，後下方に伸びる。

3) 腰椎

腰椎 Vertebrae lumbales は5個ある。上半身の体重を支えなければならないので，椎体が大きいのが特徴である（図2-11）。

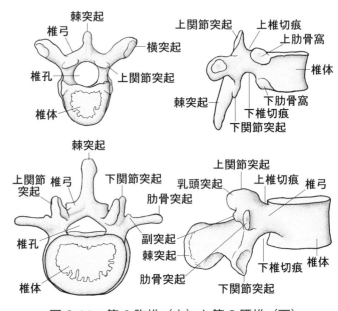

図2-11 第6胸椎（上）と第3腰椎（下）

- **肋骨突起** Processus costarius：見かけ上は横突起のように見えるが，これは長く伸びなかった肋骨の名残である。
- **副突起** Processus accessorius：肋骨突起の基部後面にある小さな突起で，これが本来の横突起である。

棘突起がほぼ水平後方に伸び出し，上下に幅が広いのも腰椎の特徴である。左右の腸骨稜の最高点を結ぶ線を稜頂線（**ヤコビー線** Jacoby's line）といい，この線上にあるのが第4腰椎の棘突起である。

4）仙骨と尾骨

仙骨 Os sacrum は骨盤の後面中央部を占める，前後に扁平な三角形の骨で，全体として後方に突弯している。生後，5個の仙椎が癒合して1つになったものである（図2-12）。

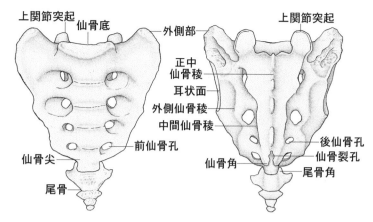

図2-12　仙骨と尾骨（左：前面，右：後面）

- **正中仙骨稜** Crista sacralis mediana：仙骨後面の正中線上にある骨稜で，仙椎の棘突起が上下に癒合したものである。
- **中間仙骨稜** Crista sacralis intermedia：正中仙骨稜の両側にある骨稜で，上および下関節突起が癒合したものである。
- **外側仙骨稜** Crista sacralis lateralis：横突起が癒合したもので，中間仙骨稜の外側を上下に走る。
- **仙骨管** Canalis sacralis：仙骨内で椎孔が上下に連なってできた管。
- **仙骨裂孔** Hiatus sacralis：仙骨の下端で仙骨管が下方に開いた部分。
- **前仙骨孔** Foramina sacralia pelvina：仙骨の前面に開いた4対の孔で，ここから仙骨神経の前枝が出てくる。
- **後仙骨孔** Foramina sacralia dorsalia：仙骨の後面に開いた4対の孔で，ここから仙骨神経の後枝が出てくる。
- **耳状面** Facies auricularis：仙骨上半分の両外側面は耳介状の広い関節面になっており，腸骨の耳状面とで可動性のない**仙腸関節** Articulatio sacroiliaca を作る。

前および後仙骨孔よりも外側の部分は仙椎の横突起および肋骨突起（肋骨の遺残物）が癒合した部分で，外側部 Pars lateralis と呼ばれる。

尾骨 Os coccygis は仙骨の下方に続く小さな骨で，3～5個の尾椎が癒合してできたものである。殿裂を上方にたどると体表からも触知できる。

2.2.2 椎骨間の連結

1）椎間関節

椎骨同士は上位椎骨の下関節突起と下位椎骨の上関節突起が**椎間関節** Articulatio zygapophysealis を作って上下に連なっている（図2-13）。

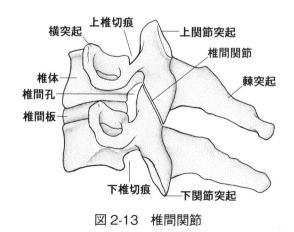

図2-13　椎間関節

2）椎間板

椎体間には線維軟骨でできた，厚さ5mmほどで短円柱状の**椎間板** Discus intervertebralis が介在する。椎間板は「太鼓饅頭」のようなもので，皮にあたる線維輪と，あんこにあたる髄核から構成される。

- **線維輪** Anulus fibrosus：線維成分を多く含む線維軟骨である。
- **髄核** Nucleus pulposus：線維成分の非常に少ない線維軟骨で，硬めのゼリー状である。これは

胎生期の脊索に由来する。

加重によって椎間板は変形するので，脊柱全体では1個の可動関節に匹敵するほどの運動が可能である。また，衝撃の吸収に重要な働きをしている。しかし，中年以降，線維輪の可変性が低下すると，無理な加重によって線維輪が断裂して，その裂け目から髄核が出てくる。そして近くを走る脊髄神経を圧迫する。これが**椎間板ヘルニア**である。

2.3 胸郭

胸部の骨格を**胸郭** Thorax といい，胸骨，12対の肋骨および12個の胸椎から構成される（図2-14）。胸郭は天井と底が抜けた鳥篭のようなものである。胸郭が囲む腔所を**胸腔** Cavum thoracis といい，大部分は左右の肺で占められる。胸腔のうち，左右の肺を入れる胸膜腔に挟まれた腔所を**縦隔** Medi-astinum といい，ここに気管，食道，大動脈，心臓などの重要な臓器が存在する。

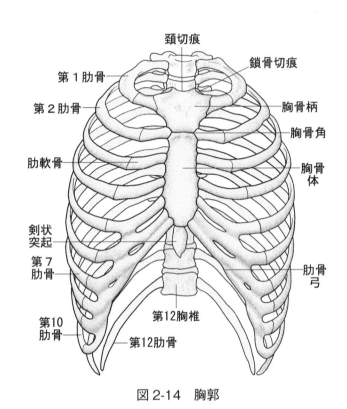

図2-14　胸郭

- **胸郭上口** Apertura thoracis superior：胸郭の天井に開いた穴で，第1胸椎，左右の第1肋骨，胸骨上縁が取り巻く。
- **胸郭下口** Apertura thoracis inferior：胸郭の下面に開いた大きな穴で，第12胸椎，第11, 12肋骨，肋骨弓，および胸骨の下端が囲み，横隔膜によって底が作られる。
- **肋間隙** Spatia intercostalia：上下の肋骨間にできる隙間で，胸膜や3層の肋間筋によって塞がれている。

2.3.1 胸骨

胸骨 Sternum は胸部中央にあって，縦隔を前方から覆う扁平な骨で，胸骨柄，胸骨体，剣状突起の3部に分けられる（図2-15）。

1）胸骨柄

胸骨柄 Manubrium sterni は胸骨の上部で，上縁がやや広い台形を呈する。
- **頸切痕** Incisura jugularis：胸骨柄の上縁で下向きに陥凹している部分。安静時では第2胸椎の高さにある。
- **鎖骨切痕** Incisura clavicularis：胸骨柄の外側縁上端で，鎖骨の胸骨端とで胸鎖関節を作る。
- **第1肋骨切痕** Incisura costalis Ⅰ：胸骨柄の外側縁にあり，第1肋軟骨とで第1胸肋関節を作る。

2）胸骨体

胸骨体 Corpus sterni は胸骨の中央部を占める，上下に長い板状の部分である。

- 第3～7肋骨切痕 Incisurae costales Ⅲ～Ⅶ：胸骨体の外側縁にあり，第3～7肋軟骨とで胸肋関節を作る。
- 胸骨角 Angulus sterni, sternal angle は胸骨柄と胸骨体の会合部で，前方にやや突出している。この高さで第2肋骨が胸骨と関節する。

3）剣状突起

剣状突起 Processus xiphoideus は胸骨体の下端から下後方に突出し，後面に横隔膜が付着する。

2.3.2 肋骨

肋骨 Costae は弓状の細長い骨で，12対ある。肋骨は**肋硬骨** Os costale と**肋軟骨** Cartilago costa-lis からなり，肋硬骨はさらに肋骨頭，肋骨頚，肋骨結節，肋骨体の4部に分けられる。肋骨体が急に曲がっている場所を**肋骨角** Angulus costae という（図2-16）。

肋骨は上位，下位のものが短く，中位のものが長い。肋骨の長さは連続的に変化するので，バラバラになっていても順番を誤ることはない。

- 肋骨頭 Caput costae：肋骨後端の膨らんでいる部分。椎体と連結する関節面がある。
- 肋骨頚 Collum costae：肋骨頭と肋骨体の移行部で細くなっている部分。
- 肋骨体 Corpus costae：肋骨の大部分を占める部分。
- 肋骨結節 Tuberculum costae：頚と体の移行部にあり，胸椎の横突起との間で関節を作る。

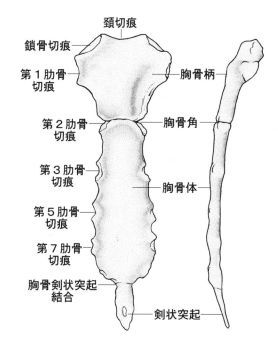

図2-15　胸骨（左：前面，右：側面）

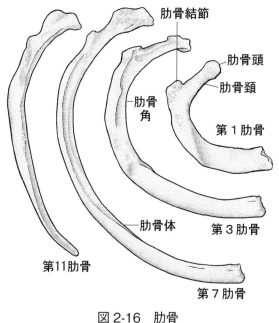

図2-16　肋骨

1）肋骨と胸椎の結合

肋骨と胸椎が作る関節を**肋椎関節** Articulationes costovertebrale といい，以下の2部から構成される（図2-17）。

- 肋骨頭関節 Articulatio capitis costae：椎体にある上および下肋骨窩 Fovea costalis superior et inferior が作る関節窩（図2-11を参照）と肋骨頭が作る。
- 肋横突関節 Articulatio costotransversaria：横突肋骨窩 Fovea costalis processus transversi と肋骨結節が作る。

2）肋骨と胸骨の結合

上位10対の肋骨体は肋軟骨を介して直接あるいは間接的に胸骨と連結する（図2-14）。

- **真肋** Costae verae, true ribs：上位7対の肋骨は軟骨を介して直接胸骨と連結する。
- **仮肋** Costae spuriae, false ribs：下位5対の肋骨は直接胸骨と関節を作らない。

第8〜10肋骨は上位の肋軟骨を介して間接的に胸骨と結合する。第11, 12肋骨は**浮遊肋** Costae flui-tantes, floating ribs と呼ばれ，胸骨と結合しない。

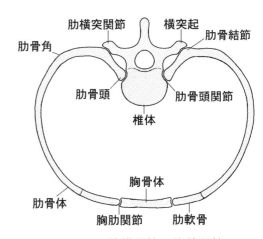

図 2-17　肋椎関節と胸肋関節

3) 肋骨弓

肋骨弓 Arcus costalis は剣状突起から両外下方に広がる弓状の線で，第7〜10肋軟骨と第11, 12肋骨が作り，胸部と腹部を境界する（図2-14）。胸骨の下端で左右の肋骨弓が交わって作る角を**胸骨下角** Angulus infrasternalis といい，ほぼ直角である。

2.4　上肢の骨

上肢の骨は上肢帯骨と自由上肢骨から構成される（図2-18）。

- 上肢帯骨：鎖骨と肩甲骨からなる。体幹にあって，体幹の骨と自由上肢骨を連結する。
- 上腕の骨：上腕骨1本だけで，上腕の中軸部を縦走する。
- 前腕の骨：前腕の中軸部を平行に走る2本の長骨で，母指側のものを橈骨，小指側のものを尺骨という。
- 手の骨：手根骨，中手骨，指骨からなる。
  手根骨：サイコロ状の短骨で，近位列4個，遠位列4個，合わせて8個から構成される。
  中手骨：各指に対応して5本の長骨からなる。
  指骨：第Ⅱ〜Ⅴ指（示指，中指，環指，小指）では基節骨，中節骨，末節骨の3個の骨からなる。しかし，第Ⅰ指（母指）は中節骨を欠き，基節骨と末節骨2個の骨から構成される。

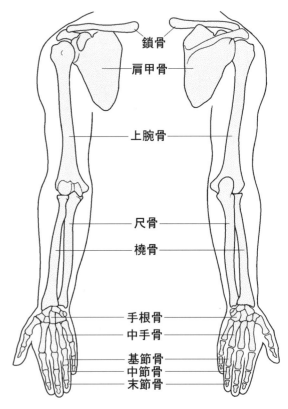

図 2-18　右上肢の骨（左：前面，右：後面）

2.4.1　上肢帯の骨

1) 鎖骨

鎖骨 Clavicula は緩やかなS字状を呈する細長い骨で，胸骨と肩甲骨の肩峰を連結する。内側半分の下縁からは大胸筋，内側部の上縁からは胸鎖乳突筋が起始する。また，外側半分の上縁には僧帽筋が停止し，下縁から三角筋が起始する（図2-19）。鎖骨のすぐ奥を鎖骨下動脈と鎖骨下静脈が

走る。

- **胸骨端** Extremitas sternalis：鎖骨の内側端の膨らんだ部分で，胸骨柄の鎖骨切痕との間で胸鎖関節を作る。
- **肩峰端** Extremitas acromialis：鎖骨の外側端の部分で，上下に扁平になっている。肩甲骨の肩峰との間で肩鎖関節を作る。
- **鎖骨体** Corpus claviculae：鎖骨の中央部で頸切痕から肩峰に向かってほぼ水平外方に伸びる。肩峰端に近い部分は上背方に弯曲し，その直下で肩甲骨の烏口突起が触知される。

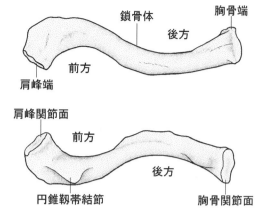

図2-19　右の鎖骨（上：上面，下：下面）

2）肩甲骨

肩甲骨 Scapula は逆三角形の扁平な骨で，肋骨の背面に貼りついている（図2-20）。

- **内側縁** Margo medialis：肩甲挙筋，菱形筋，前鋸筋が停止する。
- **外側縁** Margo lateralis：小円筋，大円筋が起始する。
- **上縁** Margo superior
  肩甲切痕 Incisura scapulae：肩甲上神経と肩甲上動脈が通る。

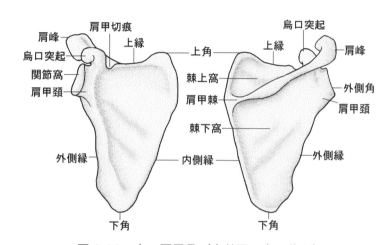

図2-20　右の肩甲骨（左：前面，右：後面）

- **上角** Angulus superior：肩甲挙筋が停止する。左右の上角を結ぶ線は第2胸椎の棘突起の高さにあたる。
- **下角** Angulus inferior：左右の下角を結ぶ線は第7胸椎の棘突起の高さにあたる。
- **外側角** Angulus lateralis
  関節窩 Cavitas glenoidalis：上腕骨頭を受け入れて肩関節を作る。
  関節上結節 Tuberculum supraglenoidale：関節窩の上にある高まりで，上腕二頭筋長頭が起始する。
  関節下結節 Tuberculum infraglenoidale：関節窩の下にある高まりで，上腕三頭筋長頭が起始する。
  肩甲頸 Collum scapulae：関節窩の基部でやや細くなっている部分。
- **烏口突起** Processus coracoideus：肩甲切痕の外側から出て，前方に突出する。小胸筋，上腕二頭筋短頭，烏口腕筋が起始する。
- **背側面** Facies dorsalis
- **肩甲棘** Spina scapulae：背側面の上1/4を上外方に伸びる突起。左右の肩甲棘基部を結ぶ線は第3胸椎の棘突起の高さにあたる。
- **肩峰** Acromion：肩甲棘の外側端で，三角筋の中部が起始し，僧帽筋が停止する。
- **棘上窩** Fossa supraspinata：肩甲棘の上にあるくぼみで，棘上筋が起始する。

- **棘下窩** Fossa infraspinata：肩甲棘の下にあるくぼみで，棘下筋が起始する。
- **肋骨面** Facies costalis：胸郭の後面に面した凹面で，このくぼみを肩甲下窩といい，肩甲下筋が起始する。

2.4.2　上腕骨

上腕にあるのは**上腕骨** Humerus だけである（図 2-21）。

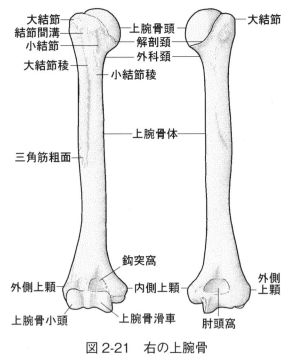

図 2-21　右の上腕骨

- **上腕骨頭** Caput humeri：上腕骨近位端の半球状に膨らんだ部分で，肩甲骨の関節窩とともに肩関節を作る（図 2-20 を参照）。
- **解剖頚** Collum anatomicum：骨頭基部のやや細くなった部分で，関節包が付着する。
- **大結節** Tuberculum majus：解剖頚の直下から後外方に膨隆する大きな高まりで，棘上筋，棘下筋，小円筋が停止する。
- **小結節** Tuberculum minus：解剖頚の直下から前内方に膨隆する小さな高まりで，肩甲下筋が停止する。
- **外科頚** Collum chirurgicum：大結節と小結節のすぐ下のやや細くなっている部分で，骨折の好発部位である。
- **大結節稜** Crista tuberculi majoris：大結節の延長で，大胸筋が停止する。
- **小結節稜** Crista tuberculi minoris：小結節の延長で，大円筋と広背筋が停止する。
- **結節間溝** Sulcus intertubercularis：大結節と小結節の間の溝で，ここを上腕二頭筋長頭の腱が通る。
- **上腕骨体** Corpus humeri：上腕の骨幹部をなす。
- **三角筋粗面** Tuberositas deltoidea：上腕骨体の中央外側前面にあり，三角筋が停止する。
- **橈骨神経溝** Sulcus nervi radialis：上腕骨体の後面を上内方から下外方に走る浅い溝で，橈骨神経によってできた圧痕。
- **外側上顆** Epicondylus lateralis：上腕骨の遠位端が外方に突出した場所で，長橈側手根伸筋，短橈側手根伸筋，指伸筋など，前腕伸筋群の起始となる。
- **内側上顆** Epicondylus medialis：上腕骨の遠位端が内方に突出した場所で，円回内筋，橈側手根屈筋，長掌筋，尺側手根屈筋，浅指屈筋など，前腕屈筋群の起始となる。
- **尺骨神経溝** Sulcus nervi ulnaris：内側上顆の後上方にある溝で，尺骨神経が通る。ここを机の角などで打つと，ビリッとした痺れが小指に向かって走る。
- **上腕骨滑車** Trochlea humeri：上腕骨遠位端の関節面の内側部で，尺骨の滑車切痕に対応する。
- **上腕骨小頭** Capitulum humeri：上腕骨遠位端関節面の外側部で，橈骨の橈骨頭窩との間で腕橈関節を作る。
- **鉤突窩** Fossa coronoidea：遠位骨端前面の上腕骨滑車のすぐ上にあるくぼみで，肘を屈曲した時に尺骨の鉤状突起を受け入れる。
- **橈骨窩** Fossa radialis：上腕骨小頭のすぐ上にあるくぼみで，肘を屈曲した時に橈骨頭を受け入れる。

・**肘頭窩** Fossa olecrani：遠位骨端後面にある大きなくぼみで，肘を伸展した時に肘頭を受け入れる。

2.4.3 前腕の骨

前腕には橈骨と尺骨がある（図2-22）。

1）尺骨

尺骨 Ulna は前腕の内側（小指側）にある長骨で，肘から手首まで，全長にわたって体表から触知できる。

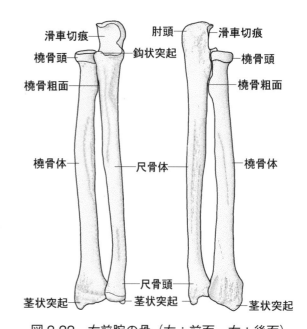

図2-22 右前腕の骨（左：前面，右：後面）

- **滑車切痕** Incisura trochlearis：尺骨の近位端で，ヘビが口を開けたような大きな切痕。上腕骨滑車とで腕尺関節を作る。
- **鈎状突起** Processus coronoideus：滑車切痕の前方にある突起で，口を開けたヘビの下顎にあたる。下方の尺骨粗面とともに，上腕筋が停止する。
- **肘頭** Olecranon：滑車切痕の背面で，肘を曲げたときに最も突出する部分。
- **尺骨体** Corpus ulnae：尺骨の骨幹部で，多数の筋が付着する。
- **尺骨頭** Caput ulnae：尺骨下端のやや肥厚した部分で，その先端は橈骨の尺骨切痕とで下橈尺関節を作る。下面は関節円板を介して手根骨と対峙する。
- **茎状突起** Processus styloideus：尺骨遠位端の内側部に突出する突起。

2）橈骨

橈骨 Radius は前腕の外側（母指側）を尺骨と平行に走る長骨である。
- **橈骨頭** Caput radii：橈骨の近位端のボタン状の部分。
  橈骨頭窩：橈骨頭上面の浅いくぼみで，上腕骨小頭とで腕橈関節を作る。
  関節環状面：橈骨頭の周囲にある環状の関節面で，尺骨の橈骨切痕とで上橈尺関節を作る。
- **橈骨体** Corpus radii：前腕の外側を下行する。遠位ほど触知されやすい。
  橈骨粗面 Tuberositas radii：体の前内側面にあり，上腕二頭筋の腱が停止する。
- **茎状突起** Processus styloideus：橈骨の遠位端から遠位に向かって突出する突起で，手首の内側後面で触知できる。
- **手根関節面**：舟状骨と月状骨の近位面を受けて橈骨手根関節を作る。

2.4.4 手の骨

手の骨は手根骨，中手骨，指骨から構成される（図2-23）。

1）手根骨

手根骨 Ossa carpi は手根を作る骨で，サイコロ状の短骨が近位列に4個，遠位列に4個並んでいる。

覚え方：舟に乗って月を見ながら三角の豆を食べていたら，大小でこぼこ頭を鉤でひっかいた。

- 舟状骨 Os scaphoideum：長楕円形の骨で，4個の関節面を持ち，遠位端で隆起した部分を**舟状骨結節** Tuberculum ossis scaphoidei という。
- 月状骨 Os lunatum：半月状の骨で，近位面は膨隆し，遠位面は陥凹している。
- 三角骨 Os triquetrum：不整な三角形の骨で，4つの関節面を持つ。
- 豆状骨 Os pisiforme：背面に三角骨と接する関節面を持つ。手根尺側部の近位端に突出しているので，体表からでも触知できる。
- 大菱形骨 Os trapezium：不整な六角形で，掌側面には**大菱形骨結節** Tuberculum ossis trapezii という細長い突起がある。遠位面は第1中手骨と関節を作る。
- 小菱形骨 Os trapezoideum：大菱形骨の内側にあり，第2中手骨の近位に位置する。
- 有頭骨 Os capitatum：手根骨の中では最大の骨で，第3中手骨の近位に位置する。
- 有鈎骨 Os hamatum：掌側面には**有鈎骨鈎** Hamulus ossis hamati という，やや外側に曲がった突起を持つ。

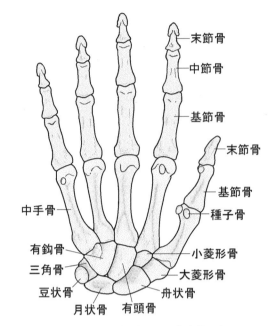

図2-23　右手の骨（手掌面）

2) 中手骨

中手骨 Ossa metacarpalia は中手の骨格となる5本の小さい長骨である（図2-23）。各骨は近位部の底，中央部の体，遠位部の頭に分けられる。手背において，各指に対応して触知することができる。底は遠位列の手根骨との間で手根中手関節を作り，頭は指の基節骨との間で中手指節関節を作る。

- 第1中手骨の底は大菱形骨との間で鞍関節を作る。このために母指の手根中手関節は可動関節で，他の指と対立させることができる。
- 第2～5中手骨の底は大菱形骨を除く手根骨遠位列との間で半関節（不動性）を作る。

3) 指骨

指骨 Ossa digitorum manus は指の中軸を貫く骨で，指節間関節（蝶番関節）で互いに連結している（図2-23）。

- 第Ⅱ～Ⅴ指：基節骨 Phalanx proximalis，中節骨 Phalanx media および末節骨 Phalanx distalis からなる。
- 母指：基節骨と末節骨からなる。そのために，母指は他の指に比べて短い。

4) 手根溝と手根管

手根骨は手背方向に膨隆するアーチを描いて連結しており，手掌面にできる陥凹を**手根溝** Sulcus carpi という。手根の両端で手掌側に大きく膨隆した場所を外側手根隆起，内側手根隆起と

いい，前者は舟状骨結節と大菱形骨結節，後者は豆状骨と有鈎骨鈎でできている（図2-24）。屈筋支帯はこれらの手根隆起の間に張っており，屈筋支帯と手根溝でできたトンネルを**手根管** Canalis carpi という。この中を正中神経，浅指屈筋腱，深指屈筋腱，長母指屈筋腱，橈側手根屈筋腱が通る。

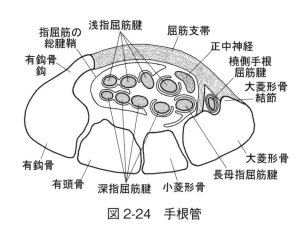

図 2-24　手根管

2.5　下肢の骨

下肢の骨は下肢帯骨と自由下肢骨から構成される（図2-25）。上肢と下肢の骨の構成は基本的には同じである。

- 下肢帯骨：腸骨，恥骨，坐骨が癒合してできた寛骨からなる。体幹の骨（仙骨）と自由下肢骨の間に介在する。
- 大腿の骨：大腿骨だけで，大腿の中軸部を縦走する。大腿骨は人体の最大でかつ最長の骨である。
- 下腿の骨：2本の長骨が平行に走っており，内側（母趾側）のものを脛骨，外側（小趾側）のものを腓骨という。
- 足の骨：足根骨，中足骨，趾骨からなる。

足根骨：不規則な形をした7個の骨から構成される。

中足骨：各趾に対応して5本の長骨からなる。

趾骨：第Ⅱ～Ⅴ趾は基節骨，中節骨，末節骨の3個の骨を持つ。しかし第Ⅰ趾（母趾）は中節骨を欠き，基節骨と末節骨の2個の骨を持ち，これも手の指の骨と全く同じである。

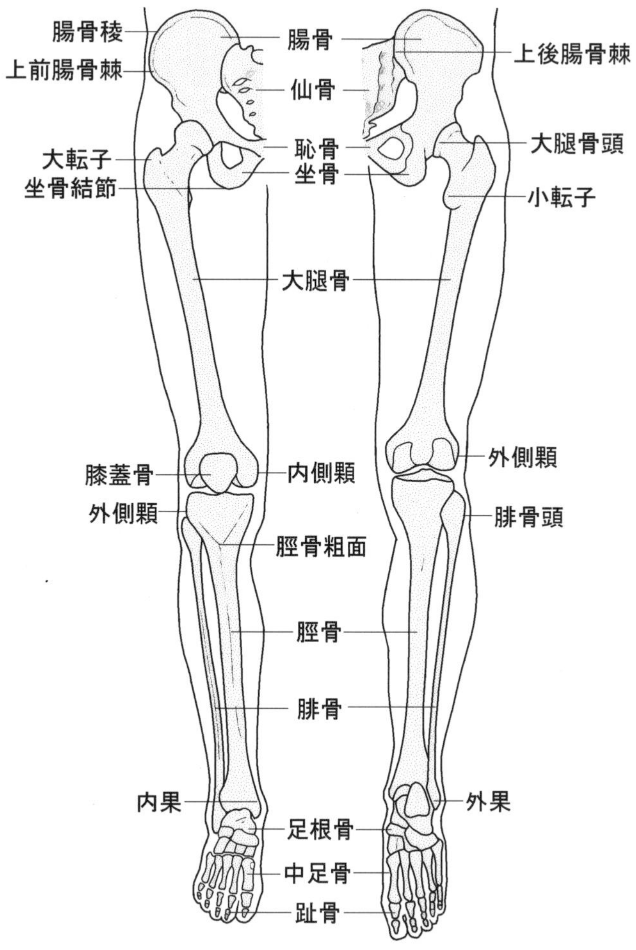

図 2-25　右下肢の骨（左：前面，右：後面）

2.5.1　下肢帯の骨

寛骨 Os coxae は腸骨，坐骨および恥骨から構成され，成長期まではこれらの骨は互いに軟骨で結合しているが，17～18歳以降，骨結合によって完全に癒合する（図2-26, 2-27）。

1）腸骨

腸骨 Os ilium は寛骨の上部を占めており，腸骨体と腸骨翼に区分される。
- **腸骨体** Corpus ossis ilii：腸骨の下半分の分厚くなっている部分で，寛骨臼の形成にあずかる。

- **腸骨翼** Ala ossis ilii：腸骨の上部で，上外方に広がっている。
- **腸骨窩** Fossa iliaca：腸骨翼の内側面が凹面を呈している部分で，腸骨筋が起始する。
- **弓状線** Linea arcuata：腸骨体と腸骨翼の境界にあたる。
- **耳状面** Facies auricularis：腸骨窩の後下部で，耳の形をした粗面で，仙骨の耳状面とで仙腸関節を作る。

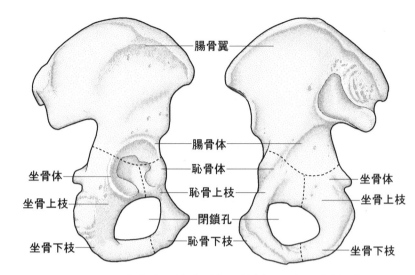

図2-26 右寛骨の構成（左：外側面，右：内側面）

- **腸骨粗面** Tuberositas iliaca：耳状面の上にある粗面で，仙腸靱帯が付着する。
- **殿筋面**：腸骨翼の外側面で，3本の細い隆線が走っている。
  前殿筋線 Linea glutea anterior：中殿筋と小殿筋の起始となる。
  後殿筋線 Linea glutea posterior：中殿筋が起始する。
  下殿筋線 Linea glutea inferior：小殿筋が起始する。
- **腸骨稜** Crista iliaca：腸骨翼の上縁でわずかに肥厚している。3本の隆線が走っており，外唇（外側縁）には外腹斜筋が停止，中間線から内腹斜筋が起始し，内唇（内側縁）から腰方形筋と腹横筋が起始する。
- **上前腸骨棘** Spina iliaca anterior superior：腸骨稜の前端で，前方に著明に突出しており，縫工筋と大腿筋膜張筋が起始する。上前腸骨棘と恥骨結節の間には鼡径靱帯が張っている。
- **下前腸骨棘** Spina iliaca anterior inferior：上前腸骨棘の下方で前方に突出し，ここから大腿直筋が起始する。深部にあるので体表からは触知できない。
- **腸恥隆起**：腸骨と恥骨の移行部にある隆起で，腸骨筋の一部が付く。
- **腸骨結節** Tuberculum iliacum：上前腸骨棘から数cm上後方で，腸骨稜が肥厚した部分。
- **上後腸骨棘** Spina iliaca posterior superior：腸骨稜の後端で，立位で殿筋に力を入れるとこの部分の皮膚が陥凹する（ビーナスのえくぼ）。
- **下後腸骨棘** Spina iliaca posterior inferior：上後腸骨棘の下方にある突起。
- **大坐骨切痕** Incisura ischiadica major：下後腸骨棘の下部が大きく前方に弯入した部分。
- **小坐骨切痕** Incisura ischiadica minor：坐骨棘の下にある小さな陥凹。

2）恥骨

　恥骨 Os pubis は寛骨の前下部を占める部分で，上と前から閉鎖孔を囲む。恥骨は恥骨体と恥骨枝に区分される。
- **恥骨体** Corpus ossis pubis：恥骨の上部約1/3を占める部分で，腸骨体や坐骨体とともに寛骨臼を形成する。
- **恥骨上枝** Ramus superior ossis pubis：恥骨体から前下内方に伸び，その内側端は左右で軟骨結合する（恥骨結合）。

- **恥骨下枝** Ramus inferior ossis pubis：恥骨上枝の前端から外下方に伸びて、坐骨下枝と結合する。閉鎖孔の前縁をなす。
- **恥骨結合** Symphysis pubica：前正中線上で、左右の恥骨上枝が線維軟骨結合している。

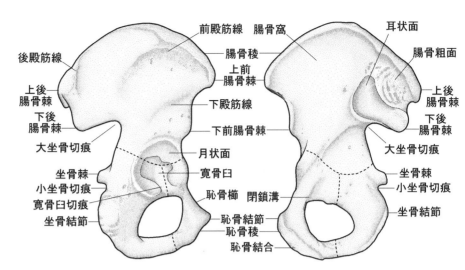

図2-27　寛骨各部位の名称（左：外側面、右：内側面）

- **恥骨稜** Crista pubica：恥骨上枝の上縁をいう。
- **恥骨結節** Tuberculum pubicum：恥骨稜の外側でやや突出した部分。ここと上前腸骨棘との間に鼠径靱帯 Ligamentum inguinale が張っている。

恥骨結合や恥骨稜、恥骨結節の上にある厚い脂肪組織が**恥丘** Mons pubis を作る。

3) 坐骨

坐骨 Os ischii は寛骨の後下部をなし、閉鎖孔を後下方から囲む。坐骨体と坐骨枝に区分される。
- **坐骨体** Corpus ossis ischii：坐骨の上部を占め、外側面は腸骨体や恥骨体とともに寛骨臼を作る。
- **坐骨上枝** Ramus superior ossis ischii：寛骨臼に続く薄い部分。

  坐骨棘 Spina ischiadica：坐骨上枝の上部後縁から後方に突出する突起で、仙棘靱帯が付着し、上双子筋と尾骨筋が停止する。

  小坐骨切痕：坐骨棘の下が前方に向かって彎入する部分。
- **坐骨結節** Tuber ischiadicum：上枝と下枝の移行部が後下方に向かって大きく突出した部分で、仙結節靱帯が付着し、大内転筋、大腿二頭筋長頭、半腱様筋、半膜様筋、大腿方形筋などが起始する。
- **坐骨下枝** Ramus inferior ossis ischii：坐骨結節から斜め前下方に伸び、恥骨下枝と結合する。閉鎖孔を後下方から囲む。

2.5.2　骨盤

骨盤 Pelvis は左右の寛骨、仙骨および尾骨で構成される（図2-28）。骨盤は底のぬけた植木鉢のようなもので、後壁の中央部に仙骨と尾骨があり、側壁と前壁を左右の寛骨が作る。

1) 骨盤各部位の名称
- **分界線** Linea terminalis：骨盤を上の大骨

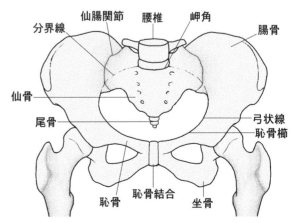

図2-28　前から見た骨盤

盤と下の小骨盤に分ける線で，岬角，弓状線および恥骨櫛からなる。
- **大骨盤** Pelvis major：分界線よりも上で，左右の腸骨翼で囲まれる。
- **小骨盤** Pelvis minor：分界線よりも下で，狭い意味でここを骨盤ということもある。
- **骨盤上口** Apertura pelvis superior：小骨盤の入り口で，分界線と一致する。
- **骨盤下口** Apertura pelvis inferior：小骨盤の出口で，尾骨先端，坐骨結節，恥骨下枝によって作られる。
- **恥骨下角** Angulus subpubicus：左右の恥骨弓がなす角。

2）骨盤の計測

骨盤の形や大きさを知るためのもので，特に産科学的に非常に重要である（図2-29）。

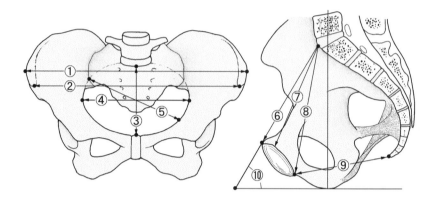

図2-29 骨盤の計測

①腸骨稜間距離：左右の腸骨稜間の最長距離で大骨盤の大きさを表す。
②棘間距離：左右の上前腸骨棘間の距離で，大骨盤の大きさを表す。
③外結合線：恥骨結合の前縁と第5腰椎棘突起尖との距離で，19～20cmである。
④横径：分界線最大の横径で骨盤上口の大きさを表し，12.0～12.5cmである。
⑤斜径：仙腸関節と腸恥隆起を結ぶ径で，12～12.5cmである。
⑥解剖学的真結合線：岬角と恥骨結合上縁正中との距離で，骨盤上口の大きさを表す。
⑦産科学的真結合線：岬角と恥骨結合間の最短距離で骨盤上口の大きさを表し，通常10.0～11.8cmである。解剖学的真結合線よりも0.5cm短い。
⑧対角結合線：岬角と恥骨結合下縁間の距離で，骨盤上口の大きさを表し，産科学的真結合線よりも1.0～1.5cm長い。生体測定が可能である。
⑨骨盤下口の縦径：恥骨結合下縁と尾骨先端までの距離で9.6～11.6cmである。
⑩骨盤傾度：立位の時，骨盤入口平面が水平面となす角で，約65度（55～75度）である。

3）骨盤の性差

骨盤は骨格系の中で最も性差が著しい。男性の骨盤は口が狭くて深い植木鉢，女性の骨盤は口が広くて浅い植木鉢に当たる（図2-30）。女性骨盤の特徴は分娩と密接に関係しており，胎児が産道を通過しやすいようにできている。すなわち，骨盤上口は胎児の頭が小骨盤に進入する際の入口であり，骨盤下口は出口となるので，十分な広さが必要である。

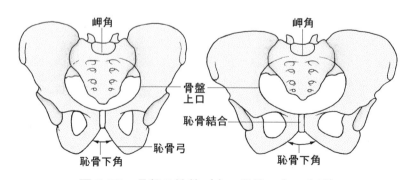

図2-30 骨盤の性差（左：男性，右：女性）

- 仙骨：男性では幅が狭く長い。女性では幅が広くて短い。
- 岬角：男性では著しく突出し，女性ではわずかしか突出しない。
- 恥骨下角：男性では鋭角（90度以下），女性では鈍角（90度以上）である。
- 骨盤上口：男性では横幅が短くハート形，女性では横幅が長く卵円形である。
- 骨盤下口：女性の方がはるかに広い。

2.5.3 大腿骨

大腿骨 Femur は人体最大の長骨で，大腿の中軸部を走る（図2-31）。

- **大腿骨頭** Caput femoris：大腿骨近位端の球形の部分で，寛骨臼との間で股関節（臼関節）を作る。
- **大腿骨頚** Collum femoris：大腿骨頭に続く細い部分で，大腿骨体に対して上内方に120～130度傾斜している（頚体角）。
- **大転子** Trochanter major：体と頚の移行部から上方に突出する大きな突起で，中殿筋，小殿筋，梨状筋が停止する。
- **小転子** Trochanter minor：体と頚の移行部にある，内下方に突出する突起で，大腰筋と腸骨筋が停止する。
- **転子窩** Fossa trochanterica：大転子の先端内側面にあるくぼみで，閉鎖筋と双子筋が停止する。
- **転子間線** Linea intertrochanterica：前面において大転子と小転子間を結ぶ線で，内側広筋が起始する。
- **転子間稜** Crista intertrochanterica：大腿骨後面にある，大転子と小転子の間を結ぶ線状の高まりで，大腿方形筋が停止する。
- **殿筋粗面** Tuberositas glutea：大腿骨後面で大転子の下方にある粗面。ここに大殿筋が停止する。
- **大腿骨体** Corpus femoris：大腿骨の骨幹部。
- **粗線** Linea aspera：体後面の中央部を縦走する2本の細い稜線（内側唇と外側唇）で，大殿筋，大内転筋，長内転筋および短内転筋が停止，内側広筋と外側広筋が起始する。
- **内側顆**と**外側顆** Condylus medialis et lateralis：大腿骨の遠位端で，内下方および外下方に膨隆する。膝蓋骨の両側で触知できる。
- **内側上顆**と**外側上顆** Epicondylus medialis et lateralis：内側顆と外側顆の近位部にある隆起で，腓腹筋や足底に向かう筋が起始する。
- **顆間窩** Fossa intercondylaris：後面で，内側顆と外側顆の間が深く陥凹した部分。
- **内転筋結節** Tuberculum adductorium：内側上顆の上部にある小結節で，大内転筋が停止する。
- **膝蓋面** Facies patellaris：大腿骨遠位端の前面で，膝蓋骨の後面に接する平滑な面。

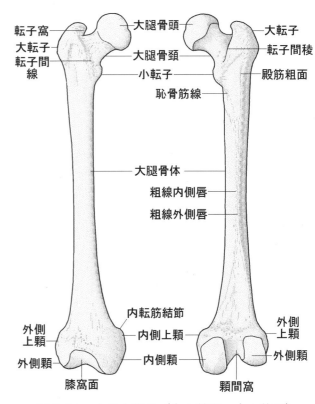

図2-31　右の大腿骨（左：前面，右：後面）

膝蓋骨

膝蓋骨 Patella は栗の実の形をした扁平な骨で，大腿骨の下端前面を覆っている。この骨は大腿四頭筋腱の中にできた種子骨で，前面はやや膨隆した粗面である（図2-32）。また，後面の関節面の下方には三角形の粗面があり，膝蓋靱帯が付着する。

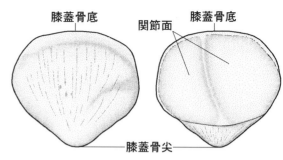

図2-32　右の膝蓋骨（左：前面，右：後面）

- 膝蓋骨底 Basis patellae：上縁で三角形の底辺に当たり，大腿直筋の停止腱が付着する。
- 内側縁 Margo medialis：中間広筋が停止する。
- 外側縁 Margo lateralis：外側広筋が停止する。
- 膝蓋骨尖 Apex patellae：膝蓋骨の下端で，三角形の頂点にあたる。
- 膝蓋骨の関節面 Facies articularis patellae：後面は滑らかで，大腿骨の膝蓋面とで関節を作る。縦走する線状の隆起があり，関節面を狭い内側面と広い外側面に分ける。

2.5.4　下腿の骨

下腿には脛骨，腓骨がある（図2-33）。

1）脛骨

脛骨 Tibia は下腿の内側（母趾側）にあり，腓骨よりもはるかに太い。

- **内側顆**と**外側顆** Condylus medialis et lateralis：脛骨の近位端で，内方と外方に大きく膨隆している。
- 上関節面 Facies articularis superior：脛骨近位端の上面で，大腿骨の遠位端下面との間で関節を作る。
- 腓骨関節面 Facies articularis fibularis：外側顆の後外方にある円形の関節面で，腓骨頭との間で関節を作る。
- 脛骨体 Corpus tibiae：脛骨の骨幹部で三角柱状を呈し，前縁は鋭い。

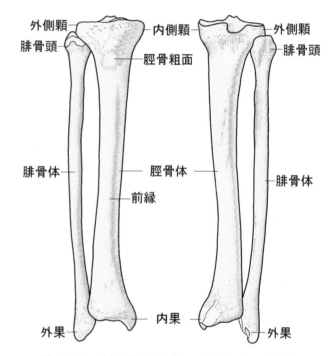

図2-33　右下腿の骨（左：前面，右：後面）

　脛骨粗面 Tuberositas tibiae：脛骨体の近位前面にあり，膝蓋靱帯が停止する。
　内側面：上部に縫工筋，薄筋および半膜様筋が停止する（浅鵞足）。
　後面：上方からヒラメ筋と膝窩筋が起始する。
- 下関節面 Facies articularis inferior：腓骨の外果関節面とともに，距骨滑車とで距腿関節を作る。
- 内果 Malleolus medialis：脛骨の下端で，外方に向かって半球状に膨隆する。
- 腓骨切痕 Incisura fibularis：脛骨下端の外側面で，腓骨の下端内側部を入れる。

2）腓骨

腓骨 Fibula は細い骨で，下腿の外側部（小趾側）を脛骨と平行に走る。

- **腓骨頭** Caput fibulae：腓骨の近位端でやや膨大している。内側面に脛骨と関節を作る腓骨頭関節面がある。
- **腓骨体** Corpus fibulae：三角柱状をなし、前縁から長趾伸筋や第三腓骨筋、内側面から長母趾伸筋、外側面から長および短腓骨筋、後面から長母趾屈筋がそれぞれ起始する。
- **外果** Malleolus lateralis：腓骨の遠位端で、やや膨らんでいる。
- **外果関節面** Facies articularis malleoli：脛骨の下関節面とともに、距骨滑車との間で距腿関節を作る。

2.5.5 足の骨

足の骨は足根骨、中足骨および足の趾骨から構成される（図2-34, 2-35）。

1) 足根骨

足根には7個の**足根骨** Ossa tarsi があり、距骨、踵骨、舟状骨が近位列、内側、中間および外側楔状骨と立方骨が遠位列を作る。

> 覚え方：巨匠の舟に内・中・外の楔が立った。

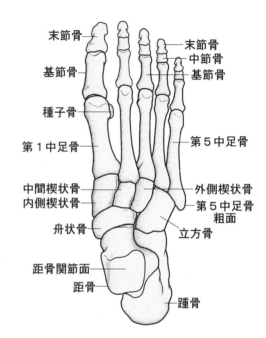

図2-34　右足の骨（足背面）

- **距骨** Talus：足根骨の最上部に位置し、距骨の上に載っている。足根と下腿を連結する。
  距骨滑車：Trochlea tali：距骨の上部で、上面と両側面は下腿骨とで距腿関節を作る。
- **踵骨** Calcaneus：距骨の直下にあり、全身の体重を支える。
  踵骨隆起 Tuber calcanei：後方に隆起する部分で、下腿三頭筋腱が停止する。
- **舟状骨** Os naviculare：距骨と内側、中間および外側楔状骨の間に位置する。
- **内側楔状骨** Os cuneiforme mediale：足の最内側にあり、3個の楔状骨のうちでは最も大きい。遠位面は第1中足骨と関節する。
- **中間楔状骨** Os cuneiforme intermedium：内側楔状骨と外側楔状骨に両側から挟まれており、近位面は舟状骨と、遠位面は第2中足骨とで関節を作る。
- **外側楔状骨** Os cuneiforme laterale：中間楔状骨と立方骨に両側を挟まれており、近位面は舟状骨、遠位面は第3中足骨とで関節を作る。
- **立方骨** Os cuboideum：近位面は踵骨、遠位面は第4および第5中足骨とで関節を作る。

2) 中足骨

中足骨 Ossa metatarsalia は各趾に1本ずつ存在し、近位部の底、中央部の体、遠位部の頭に分けられる。底は遠位列の足根骨との間

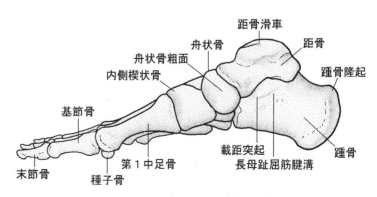

図2-35　右足の骨（内側面）

で足根中足関節を作り，頭は趾の基節骨との間で中足趾節関節を作る。

3）趾骨

趾骨 Ossa digitorum pedis は趾の中軸をなす骨で，その構成は手の指と全く同じである。
・第Ⅱ〜Ⅴ趾：基節骨，中節骨，末節骨という3本の骨からなる。
・母趾：中節骨を欠き，基節骨と末節骨という2本の骨からなる。

種子骨 Os sesamoidea

足には多くの人で，第1中足骨頭の足底面に2個，第1基節骨骨頭の足底面に種子骨 Ossesamoideum が1個存在する。また，他の中足骨にもしばしば存在する。

4）足弓

足の骨は上に向かって凸の弓状に配列している。これを足弓 plantal arch といい，内側および外側縦足弓（図2-35）と横足弓（図2-36）がある。

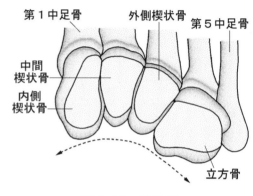

図2-36　横足弓

・内側縦足弓 medial longitudinal arch：足底の内側部を長軸方向に走る足弓で，踵骨，距骨，舟状骨，内側楔状骨，第1中足骨からなり，アーチの頂点は距骨である。土踏まずともいわれる。
・外側縦足弓 lateral longitudinal arch：足底外側部を長軸方向に走るアーチで，内側縦足弓よりも低い。踵骨，立方骨，第5中足骨からなり，頂点は踵立方関節である。
・横足弓 transverse arch：遠位列の足根骨と5本の中足骨によって形成される横方向のアーチで，頂点は中間楔状骨にある。

これらの足弓は骨の配列だけでなく，靱帯や腱，筋などによって維持されており，足にかかる荷重を適切に分散している。縦足弓や横足弓のアーチが低くなっているのが扁平足，高すぎるのが凹足で，長時間立っていると非常に疲れやすい。

3 全身の動脈と静脈

血液やリンパを運ぶ管を総称して**脈管系** vascular system という。心臓から拍出された血液は大動脈や動脈，毛細血管によって全身の組織に運ばれ，細胞に酸素や栄養素を与える。また，細胞から二酸化炭素や老廃物を受け取った血液は静脈を通って心臓に戻ってくる。

3.1 動脈系

体循環は**大動脈** Aorta という1本の本幹で始まる（図3-1）。大動脈は太さが2～3cmもある太い血管で，左心室から大動脈口を経て始まり，少し上行した後，左後方に弓状に曲がり，今度は脊柱に沿って下行する。そして横隔膜を貫き，第4腰椎の高さで左右の総腸骨動脈を出すと，後は非常に細い正中仙骨動脈となって終わる。大動脈はさらに上行大動脈，大動脈弓，胸大動脈，腹大動脈に区別される。胸大動脈以下を総称して下行大動脈という。また，大動脈弓と上行および下行大動脈の移行部は胸骨角の高さである。

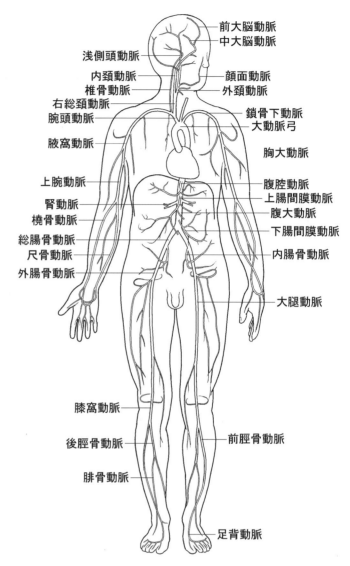

図3-1 体循環系の動脈

3.1.1 上行大動脈と大動脈弓

上行大動脈 Aorta ascendens は大動脈口に始まり，肺動脈の後ろを，肺動脈と捻れるようにして上右前方向に進み，肺動脈の右前で大動脈弓に移行する。大動脈口には，大動脈から左心室への血液の逆流を防ぐために半月弁が形成されている。また，上行大動脈の起始部でやや膨らんでいる場所を**大動脈洞** Sinus aortae（バルサルバ洞 Valsalva's sinus）といい，ここから左右の冠状動脈が始まる（図3-2）。

大動脈弓 Arcus aortae は上行大動脈と下行大動脈をつなぐ弓状の部分で，右肺動脈と左主

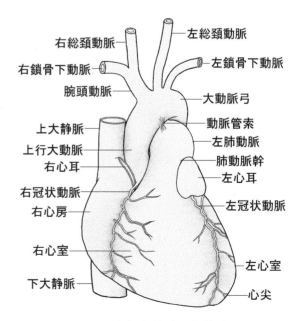

図3-2 上行大動脈と大動脈弓

気管支の前を越えて後方に曲がり，気管と食道の左で下行大動脈になる。大動脈弓からは以下の3本の太い動脈が出る。心臓に近い部分では，血管の分岐は左右非対称であるが，総頚動脈や鎖骨下動脈よりも末梢ではほぼ左右対称である。

- **腕頭動脈** Truncus brachiocephalicus：気管の前を右斜めに上行し，右胸鎖関節の後ろで右総頚動脈と右鎖骨下動脈に分かれる。前者は頭頚部，後者は主として上肢に分布する。
- **左総頚動脈** A. carotis communis sinistra：腕頭動脈に次いで大動脈弓から出て，上方に向う。
- **左鎖骨下動脈** A. subclavia sinistra：左総頚動脈のすぐ左から出る。

3.1.2 頭頚部の動脈

1）総頚動脈

総頚動脈 A. carotis communis は頭頚部に血液を送る動脈の本幹である。総頚動脈より末梢では，動脈の分布は左右対称となる（図3-3）。

- **右総頚動脈** A. carotis communis dextra：右胸鎖関節の後ろで腕頭動脈から起こる。
- **左総頚動脈** A. carotis communis sinistra：大動脈弓から起こる。

> 総頚動脈は気管や甲状腺の外側を上行し，甲状軟骨の上縁の高さで外頚動脈と内頚動脈に分かれる。喉頭隆起の高さで，胸鎖乳突筋の前縁に指を当てて深く押し込むと，総頚動脈の脈拍を触れる。

総頚動脈が内外の頚動脈に分岐する直前で，やや膨大している部分を**頚動脈洞** Sinus caroticus といい，ここに**血圧感受装置** pressureceptor がある。また，内外の頚動脈が作る二股の部分には**頚動脈小体** Glomus caroticum があり，これは血液の酸素分圧や二酸化炭素濃度を感受する**化学感受装置** chemoreceptor である（図3-4）。

2）内頚動脈

内頚動脈 A. carotis interna は総頚動脈から分かれると咽頭の外側を上行し，頭蓋底の頚動脈管 Cana-lis caroticus を通って頭蓋内に入る。外頚動脈は総頚動脈から分岐するとすぐに上甲状腺動脈や舌動脈を出すのに対して，内頚動脈は頭蓋内に入るまで全く分枝しないので，簡単に外頚動脈と区別できる。頭蓋に入るとすぐに前方に屈曲し，トルコ鞍の外側で海綿静脈洞を貫いてS字状に前進し，視神経管のすぐ後ろで前方に向かって眼動脈を出した後，後方に曲がって前大脳動脈と中大脳動脈に分枝し，大脳半球の内側面や外側面に広く分布する（図3-5）。

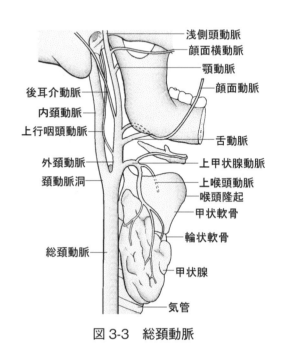

図3-3　総頚動脈

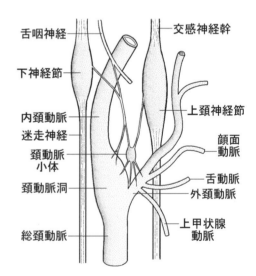

図3-4　頚動脈洞と頚動脈小体

（1）眼動脈

眼動脈 A. ophthalmica は内頸動脈から出る最初の枝で，眼窩に入ると以下の動脈に分岐して，眼窩内の器官（眼球，涙腺，結膜）や眼瞼，前頭部，鼻腔壁に分布する。

- **網膜中心動脈** A. centralis retinae：視神経の中心を前進し，視神経円板から四方に拡がって網膜を養う（☞ p.351：図 20-10 を参照）。
- **眼窩上動脈** A. supraorbitalis：同名の神経とともに眼窩上壁の前縁をまわって前頭部に分布する。
- **滑車上動脈** A. supratrochlearis：上眼窩動脈の内側で眼窩上壁の前縁をまわって前頭部に現れ，前頭部とその付近に分布する。
- **篩骨動脈** A. ethmoidalis：前後に2本あり，眼窩の上内側壁を貫いて篩骨洞，鼻腔壁，脳硬膜などに分布する。

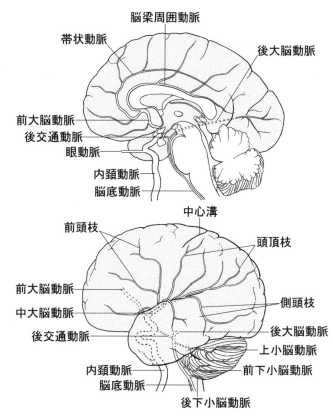

図 3-5　内頸動脈とその枝

（2）前大脳動脈

左右の**前大脳動脈** A. cerebri anterior は大脳縦裂を前から後ろに進み，大脳半球の内側面に広く分布する（図 3-5）。

（3）中大脳動脈

中大脳動脈 A. cerebri media は外側溝（シルビウス溝）に沿って後上方に進み，大脳半球の外側面に広く，扇状に分布する（図 3-5）。

（4）脳底動脈輪

脳は血流が途絶えると数分以内に壊死に陥ってしまう。従って，脳の血管に異変が起こっても血流を確保するために，下垂体を取り巻くようにして動脈のリングが形成されている。これを**動脈輪** Circulus arteriosus あるいは**ウィリスの動脈輪** circle of Willis という。

脳に分布する動脈には2系統ある（図 3-6）。
- 内頸動脈に由来する系統：内頸動脈は眼動脈を出したあと，前大脳動脈と中大脳動脈に分かれる。
- 椎骨動脈に由来する系統：鎖骨下動脈の枝である**椎骨動脈** A. vertebralis（図 3-8 を参照）は第6〜1頸椎の横突孔を貫いて上行し，後頭骨の大後頭孔を通って頭蓋内に入ると延髄の前面で，左右の椎骨動脈が合流して**脳底動脈** A. basilaris になる。脳底動脈は橋を養う橋枝や小脳を養う前下小脳動脈と上小脳動脈を出し，下垂体の後方で左右の**後大脳動脈** A. cerebri posterior に分かれる。

左右の前大脳動脈を結ぶ動脈を**前交通動脈** A. communicans anterior，後大脳動脈と内頚動脈を結ぶ動脈を**後交通動脈** A. communicans posterior といい，これらの交通動脈によって下垂体を囲む動脈の輪が形成される。このおかげで，内頚動脈や椎骨動脈に血流障害が起こっても，これらの交通枝を経由して障害部よりも末梢に血液を送ることができる。

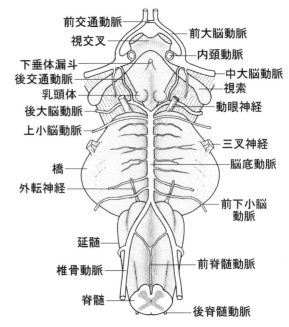

図3-6　脳底動脈輪

3）外頚動脈

外頚動脈 A. carotis externa は内頚動脈の前内側を上方に向かってまっすぐに進み，顎関節の高さで顎動脈と浅側頭動脈に分かれて終わる。その間に以下の枝を出す（図3-7）。

- **上甲状腺動脈** A. thyroidea superior：外頚動脈の第1枝で，甲状腺とその付近に分布する。
- **舌動脈** A. lingualis：舌骨の高さで外頚動脈から分岐し，舌とその付近に分布する。
- **顔面動脈** A. facialis：舌動脈のすぐ上から分岐し，顔面に広く分布する。下顎角の少し前方を下顎骨の下から圧迫すると，顔面動脈の脈を触れる。
- **後頭動脈** A. occipitalis：顔面動脈のすぐ上から分岐し，乳様突起の後ろをまわって後頭部に向かう。
- **後耳介動脈** A. auricularis posterior：後頭動脈の上から起こって後上方に向かい，外耳道と乳様突起の間を通って耳介，中耳，後頭部に分布する。

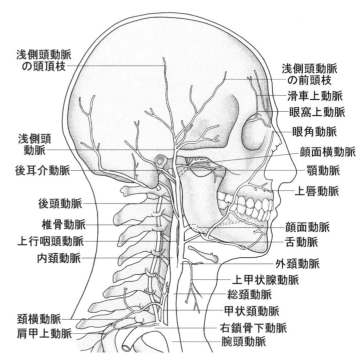

図3-7　外頚動脈とその枝

- **上行咽頭動脈** A. pharyngea ascendens：外頚動脈の起始部付近から起こり，咽頭の外側を上行して咽頭壁と頭蓋底に分布する。
- **浅側頭動脈** A. temporalis superficialis：外頚動脈の終枝で，顎関節の後ろで顎動脈と分かれ，外耳の前を上行して放射状に多数の枝に分岐して，前頭部，頭頂部，側頭部に広く分布する。外耳孔のすぐ前，やや上方に指腹を当てて圧迫すると，浅側頭動脈の脈拍を触れる。
- **顎動脈** A. maxillaris：外頚動脈の終枝で，下顎頚の内側を通って側頭下窩に入り，外側翼突筋の外側を前進して翼口蓋窩に入り，以下の終枝に分岐して側頭下窩，上顎，下顎，鼻腔，口蓋などに広く分布する。さらに以下の動脈に分枝する。

中硬膜動脈 A. meningea media：棘孔を通って頭蓋腔に入り，脳硬膜に分布する。

下歯槽動脈 A. alveolaris inferior：同名の神経とともに下顎孔に入り，下顎管の中を前進する。この間に多数の細枝を出して歯に血液を送る。その後，オトガイ孔から出ると，オトガイ動脈 A. mentalis になり，オトガイ部の皮膚に分布する。

3.1.3　上肢の動脈

1）鎖骨下動脈

右鎖骨下動脈 A. subclavia dextra は腕頭動脈，**左鎖骨下動脈** A. subclavia sinistra は大動脈弓から直接起こる（図3-2）。ともに肺尖の前を外方に走り，前斜角筋と中斜角筋の間を外下方に向かい，鎖骨の下を通って腋窩に出て腋窩動脈になる（図3-8）。鎖骨下動脈からは主として脳，頚部，胸部に分布する動脈が出る。

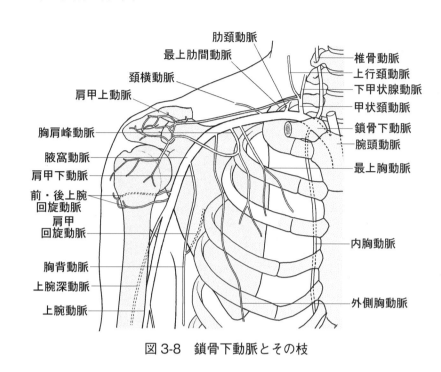

図3-8　鎖骨下動脈とその枝

- **内胸動脈** A. thoracica interna：前斜角筋の内側で枝分かれして前胸壁後面を下り，前腹壁では上腹壁動脈 A. epigastrica superior となり，腹直筋内で下から上がってくる下腹壁動脈 A. epigastrica inferior と吻合する。
- **椎骨動脈** A. vertebralis：前斜角筋の内側で起こり，第6頚椎よりも上の横突孔を貫いて上行し，大後頭孔を通って頭蓋腔に入る。その後，左右の椎骨動脈は合流して脳底動脈となる（図3-6）。
- **甲状頚動脈** Truncus thyrocervicalis：前斜角筋の内側で枝分かれして，直ちに次の動脈に枝分かれする。

  下甲状腺動脈 A. thyroidea inferior：甲状腺とその付近に分布する。

  上行頚動脈 A. cervicalis ascendens：前斜角筋の前を上行する。

  肩甲上動脈 A. suprascapularis：鎖骨の後ろを外方に向かい，肩甲切痕で肩甲骨の背面に回る。
- **肋頚動脈** Truncus costocervicalis：甲状頚動脈の近くで後方に進み，直ちに次の2本に分かれる。

  最上肋間動脈 A. intercostalis suprema：さらに2本に分かれて第1，第2肋間を走る（肋間動脈の項を参照）。

  深頚動脈 A. cervicalis profunda：第7頚椎の横突起と第1肋骨の間を後方に走り，頚部深層の筋に分布する。
- **頚横動脈** A. transversa colli：前斜角筋の外側で鎖骨下動脈から起こり，腕神経叢を貫いて肩甲骨上角に達し，上下に枝分かれする。上枝は上行して頚部の筋，下枝は肩甲骨の内側縁に沿って下行し，菱形筋とその付近の筋に分布する。

2）腋窩動脈

腋窩動脈 A. axillaris は鎖骨下動脈の続きで，腋窩の外側壁を通り，大胸筋の腱が上腕骨に付着

する下縁あたりで上腕動脈に移行する。その間に次のような数本の枝を出し，肩甲部や胸郭浅層に分布する（図3-8, 3-9）。

- 最上胸動脈 A. thoracica suprema：第1，第2肋間の諸筋に分布する。
- 胸肩峰動脈 A. thoracoacrominalis：三角筋や大胸筋およびその付近の筋に分布する。
- 外側胸動脈 A. thoracica lateralis：主として前鋸筋に分布する。
- **肩甲下動脈** A. subscapularis：肩甲回旋動脈 A. circumflexa scapulae と胸背動脈 A. thoracodorsalis に分かれる。前者は肩甲骨の腋窩縁を下から回って内側腋窩隙を通り，肩甲部の背面に出る。後者は同名の神経とともに広背筋と前鋸筋の間を下行して，これらの筋を栄養する。
- 前上腕回旋動脈 A. circumflexa humeri anterior：肩関節と付近の筋に分布する。
- 後上腕回旋動脈 A. circumflexa humeri posterior：上腕骨と上腕三頭筋長頭の間から上腕の後面に出て肩関節と付近の筋に分布する。

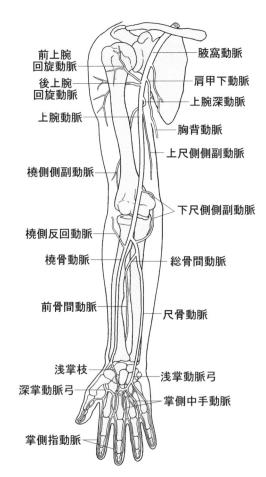

図3-9　自由上肢の動脈

3) 上腕動脈

上腕動脈 A. brachialis は腋窩動脈の続きで，上腕の内側を上腕二頭筋の内側縁に沿って下行し，肘窩で橈骨動脈と尺骨動脈に分かれる（図3-9）。その間に3本の枝を出して上腕に分布する。そのうち**上腕深動脈** A. profunda brachii は上腕の後面に分布する。上腕動脈は血圧の測定場所として利用される。また，上腕の内側面中央部で，上腕二頭筋と上腕三頭筋の境界をなす浅い溝（内側二頭筋溝）を上腕骨に向かって圧迫すると，上腕動脈の脈を触れる。

- **橈骨動脈** A. radialis：前腕前面の橈側を下行する。手関節の橈側部で脈が触れるのはこの動脈である。
- **尺骨動脈** A. ulunaris：前腕前面の尺側を橈骨動脈とほぼ平行に下行する。

橈骨動脈と尺骨動脈は途中で前腕の筋にいくつかの枝を出した後，手掌において互いに吻合して**浅掌動脈弓** Arcus palmaris superficialis と**深掌動脈弓** Arcus palmaris profundus を形成し，そこから手掌の筋や各指に動脈枝を送る。

3.1.4　下行大動脈

下行大動脈 Aorta descendens は胸大動脈と腹大動脈を合わせたものである。

1) 胸大動脈

胸大動脈 Aorta thoracica は第4胸椎の高さで大動脈弓の続きとして始まり，最初は食道の左側を下行するが，次第に食道の後方にねじれて回り込み，第12胸椎の高さで横隔膜を貫いて腹大動脈となる。胸大動脈からは体幹壁に分布する壁側枝と胸部臓器に分布する臓側枝が出る（図3-10）。

(1) 臓側枝

胸大動脈から臓側枝としては以下の動脈が出る。

- **気管支動脈** A. bronchialis：2～3本の細い動脈で，気管支とともに肺に入り，肺組織に動脈血を供給する。
- **食道動脈** A. esophageae：様々な高さから出る数本の動脈で，食道に分布する。
- **上横隔膜動脈** Rr. phrenicae superiores：横隔膜の上面に分布する。

(2) 壁側枝

10対の**肋間動脈** Aa. intercostales は第3以下の肋間を肋間静脈や肋間神経とともに，各肋骨の下縁に沿って前方に走り，胸壁や上腹壁に分布する。前胸壁や前腹壁では内胸動脈や上腹壁動脈と吻合する。肋間動脈の背枝は脊髄神経後枝とともに背方に走り，背筋や脊髄に分布する。

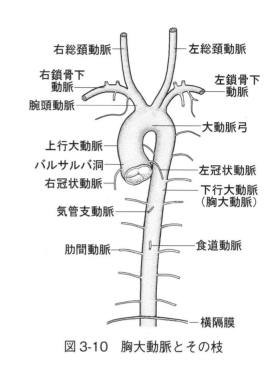

図 3-10　胸大動脈とその枝

2) 腹大動脈

腹大動脈 Aorta abdominalis は横隔膜を貫いて腹腔に入ると脊柱の前面を下行し，第4腰椎の高さで左右の総腸骨動脈を出した後，急に細い正中仙骨動脈となって尾骨の先端で終わる。胸大動脈に比べると，臓側枝の発達が著しい（図3-11）。

(1) 腹大動脈の臓側枝

腹腔内の臓器に分布する臓側枝は，尿生殖器に分布する群と消化器に分布する群に分けられる。尿生殖器系の多くは体軸の両側に対性に発生するので，腹大動脈から出る血管も左右に対性となる。一方，消化器は1本の原始腸管から発生するので，血管も対をなさない（図3-11, 3-12）。

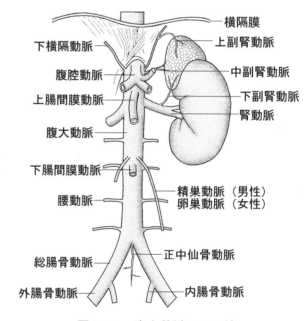

図 3-11　腹大動脈とその枝

- **下横隔動脈** A. phrenica inferior：横隔膜を栄養する傍ら，副腎にも細い上副腎動脈を送る。
- **腹腔動脈** Truncus celiacus：横隔膜直下で大動脈を出ると直ちに3枝に分かれ，前腸に由来する消化器，すなわち胃～十二指腸前半と肝臓，膵臓および脾臓に分布する。
  左胃動脈 A. gastrica sinistra：胃の噴門から小弯に沿って走り，胃壁を養う。
  総肝動脈 A. hepatica communis：さらに3本の枝に分かれる。
  　右胃動脈 A. gastrica dextra：固有肝動脈の枝で，胃の小弯に沿って走り，胃壁を養う。
  　固有肝動脈 A. hepatica propria：肝臓や胆嚢に動脈血を送る。

胃十二指腸動脈 A. gastroduodenalis：十二指腸の前半と膵臓に分布する。さらに上膵十二指腸動脈 A. pancreato-duodenalis superior と右胃大網動脈 A. gastroepiploica dextra に分かれる。

脾動脈 A. lienalis：脾臓に分布するとともに左胃大網動脈 A. gastroepiploica sinistra を出す。

・上腸間膜動脈 A. mesenterica superior：腹腔動脈のすぐ下で大動脈から出て，膵臓の後ろを通り，膵臓の下縁で前面に現れる。腸間膜の中で多数の枝を出すが，すべて中腸に由来する腸管に分布する。なお，その基部からは下膵十二指腸動脈を出して，上膵十二指腸動脈とともに膵臓と十二指腸に分布する。

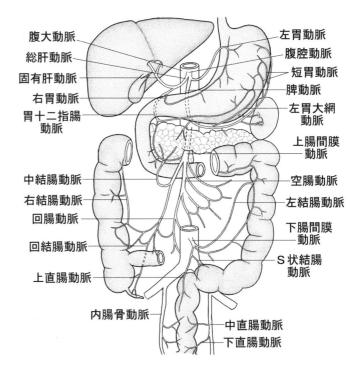

図 3-12　腹部消化管に分布する動脈

・下腸間膜動脈 A. mesenterica inferior：腹大動脈の下部から起こり，後腸に由来する消化管に枝を送る。なお，直腸へはその上部 1/3 を養う上直腸動脈 A. rectalis superior が出る。
・中副腎動脈 A. suprarenalis media：左右一対の細い動脈で副腎に分布する。
・腎動脈 A. renalis：左右一対の太い動脈で，腹大動脈からほぼ直角に出ている。副腎へも細い血管を送っている。右腎動脈は下大静脈の後ろを通る。
・精巣動脈 A. testicularis と卵巣動脈 A. ovarica：腹大動脈の中央の高さで出て，尿管に沿って下行し，精巣および卵巣にいたる。

(2) 腹大動脈の壁側枝

分節的に4対の腰動脈 Aa. lumbales を出すが，これは胸部の肋間動脈に相当し，腰部および腹壁や脊髄に枝を送る。

3.1.5　総腸骨動脈

総腸骨動脈 A. iliaca communis は第4腰椎の高さで腹大動脈から枝分かれして外下方に走り，仙腸関節の高さで内および外腸骨動脈に分かれる。この間に枝は出さない。

1）内腸骨動脈

内腸骨動脈 A. iliaca interna は骨盤の外側壁に沿って骨盤腔に入り，多数の臓側枝と壁側枝を出す。臓側枝は卵巣と直腸上部以外の骨盤内臓に分布する（図 3-13）。

(1) 臓側枝

・膀胱動脈 Aa. vesicales：上下に2対あるが，このうち上膀胱動脈 Aa. vesicales superiores は臍動脈の枝である。
・臍動脈 A. umbilicalis：胎生時に前腹壁を上行して臍帯から胎盤にいく動脈で，生後閉鎖して臍

動脈索 Lig. umbilicale mediale となって痕跡を残す。
- **精管動脈** A. ductus deferentis：細い動脈で，精管に達すると2枝に分かれ，一方は精嚢，他方は精巣上体に至る。
- **子宮動脈** A. uterina：子宮広間膜を通って子宮に達し，枝を腟，卵管，卵巣に送る。
- **中直腸動脈** A. rectalis media：直腸の中央部に分布する。上部は下腸間膜動脈の枝である上直腸動脈が，下部は会陰動脈の枝である下直腸動脈が分布する。

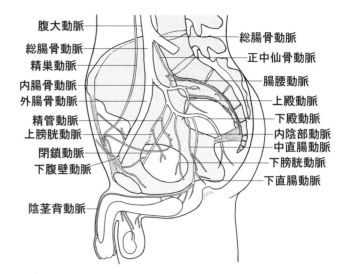

図3-13　男性の骨盤内動脈

(2) 壁側枝
- **腸腰動脈** A. iliolumbalis：後上方に向かい，下腰部と腸骨窩に分布する。
- **閉鎖動脈** A. obturatoria：閉鎖神経と伴行し，骨盤内で細い枝を出した後，閉鎖孔から外に出て，大腿の内転筋群や股関節に分布する。
- **上殿動脈** A. glutea superior：大坐骨孔を通り，梨状筋の上から殿部に出て，中殿筋と小殿筋に分布する。
- **下殿動脈** A. glutea inferior：大坐骨孔を通り，梨状筋の下から殿部に達し，大殿筋に分布する。
- **内陰部動脈** A. pudenda interna：坐骨の内側を前進し，多数の枝を出して会陰および外陰部に分布する。主な枝は以下の通りである。
  下直腸動脈 A. rectalis inferior：直腸の下1/3に分布する。
  会陰動脈 A. perinealis
  陰茎動脈 A. penis あるいは**陰核動脈** A. clitoridis
- **正中仙骨動脈** A. sacralis mediana：腹大動脈の終末をなす細い動脈で，仙骨と尾骨の前面を下行して尾骨先端に至る。

2) 外腸骨動脈

外腸骨動脈 A. iliaca externa は内腸骨動脈と分かれたあと前下方に走り，鼡径靱帯の下にある血管裂孔 Histus vasculosum を通って大腿前面に現れ，大腿動脈となる。その間に**下腹壁動脈** A. epigastrica inferior を出す（図3-14）。

3.1.6　下肢の動脈

1) 大腿動脈

大腿動脈 A. femoralis は鼡径靱帯の下で始まり，下行するにつれて大腿の前面内側から後方に回り，膝関節の後面，すなわち膝窩において膝窩動脈となる（図3-14）。その間に多数の枝を出すが，そのうち**大腿深動脈** A. profunda femoris は非常に太く，これはさらに外側大腿回旋動脈 A. circumflexa femoris lateralis と内側大腿回旋動脈 A. circumflexa femoris medialis となって大腿全域に分布する。

大腿の前面において，上前腸骨棘と恥骨結節を結ぶ鼡径靱帯を底辺として，縫工筋の内側縁と長

内転筋の外側縁が作る三角形を大腿三角という。大腿動脈は大腿三角の底辺の中央部にある血管裂孔付近では皮膚の直下を走るので、ここでも脈を触れることができる。

2）膝窩動脈

膝窩動脈 A. poplitea は膝窩の後面を下り、ヒラメ筋の起始部で2つに分かれて前および後脛骨動脈となる。その間若干の枝を出して膝関節に分布する。

- **前脛骨動脈** A. tibialis anterior：下腿上部で骨間膜を貫いてその前面に出て、付近の筋や皮膚に小さな枝を出しながら下行して足背に至り、**足背動脈** A. dorsalis pedis となる。前脛骨動脈は外果のやや後下方で脈拍を触れる。また、足背動脈の脈拍は、第2中足骨付近で触れる。
- **後脛骨動脈** A. tibialis posterior：ヒラメ筋の深層を下行し、内果の下を後ろから前に回り、足底に至って**足底動脈** A. plantaris となる。
- **腓骨動脈** A. peronea：後脛骨動脈の起始部付近から分かれ、本幹の外側をほぼ平行に下行して外果付近に達する。その間にヒラメ筋と腓骨筋を養う。
- **弓状動脈** A. arcuata：足背動脈が作る弓状の部分で、ここから中足と趾に細い動脈を送る。
- **足底動脈弓** Arcus plantaris：足底動脈が足底の深層で作る動脈弓で、ここから中足と趾に動脈を送り出す。

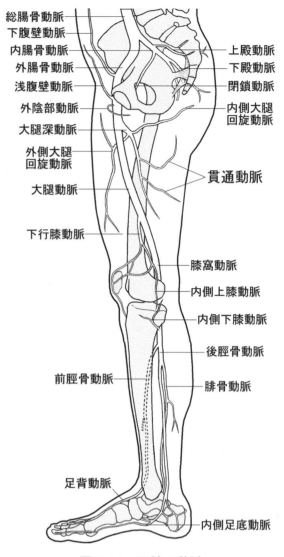

図 3-14　下肢の動脈

3.1.7　脈拍の触知場所

> 以下の場所で脈拍を触知せよ（図 3-15）。脈拍の触知は血行動態を知る上で非常に重要である。何度も繰り返し、また、様々な体格の人で熟練しておくこと。

- □**浅側頭動脈** A. temporalis superficialis：外耳孔のすぐ上前方で、耳珠の直前を軽く押さえる。
- □**顔面動脈** A. facialis：下顎角よりも2～3cm前方で下顎骨の下縁に指を当てて押し上げる。
- □**総頸動脈** A. carotis communis：喉頭隆起の高さで、胸鎖乳突筋の前縁に沿って指腹を押し込む。
- □**上腕動脈** A. brachialis：上腕中央の高さで、内側二頭筋溝に指腹を当てて上腕骨に向かって押し込む。
- □**橈骨動脈** A. radialis：手根関節の橈側前面に指腹を当てる。脈拍の測定は通常ここで行う。また、解剖学的嗅煙草窩に指腹をやや深く押し込むと、ここでも触れる。
- □**大腿動脈** A. femoralis：大腿三角の中央部を下行する。被検者を背臥位にして、上前腸骨棘と恥

骨結節を結ぶ鼡径靱帯の中点よりやや内側に指腹を当てて軽く押し込むと触れることができる。

☐ 膝窩動脈 A. poplitea：被検者を腹臥位にして，膝窩中央の一番深いところをほぼ垂直に深く押し込む。やや深いところを走るので，触れにくい人もいる。

☐ 後脛骨動脈 A. tibialis posterior：内果の後ろやや下方を軽く押さえる。

☐ 足背動脈 A. dorsalis pedis：足背の中央部で第2中足骨の近位端付近に指を当てる。

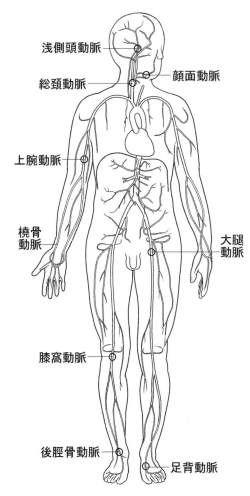

図3-15 脈拍の触知場所

3.2 静脈系

静脈はだいたいにおいて動脈と平行して走ると考えてよいが，本幹部では両者の走行は著しく異なる。中等度以下の動脈には一般に静脈がその両側を平行して走っており，これらを**伴行静脈** V. comitans という。しかし，動脈と無関係に走っている静脈も多数あり，その代表が**皮静脈** V. cutanea である。皮静脈は皮下組織の中を走っており，吻合を繰り返してネットワークを形成している。

全身を流れた血液のうち，心臓からの血液を集める冠静脈洞，上半身からの血液を集める上大静脈，下半身からの血液を集める下大静脈が，それぞれ独立して右心房に開口する（☞ p.235：図13-18を参照）。

3.2.1 上大静脈

上大静脈 Vena cava superior は頭頚部と上肢から血液を集める静脈の本幹である。右第1肋軟骨の後ろで左右の腕頭静脈が合流し，右心房に入るまでの約7cmである（図3-17）。

1）腕頭静脈

腕頭静脈 V. brachiochephalica は左右の胸鎖関節の後ろで，内頚静脈と鎖骨下静脈が合流したものである。右は腕頭動脈の右前を下り，左は大動脈弓から出る動脈の前を横切り，右第1肋軟骨の後ろで左右が合流して上大静脈となる（図3-17）。ここには以下の静脈が流入する。

- **内胸静脈** V. thoracica interna
- **椎骨静脈** V. vertebralis
- **下甲状腺静脈** V. thyroidea inferior
- **最上肋間静脈** V. intercostalis suprema

2）頭頚部の静脈
(1) 内頚静脈

内頚静脈 V. jugularis interna は主として頭頚部の大部分から血液を集めるので，その領域はほ

ぼ総頸動脈の流域に相当すると考えればよい（図3-18）。頭蓋内の横静脈洞の続きとして頸静脈孔を通って頭蓋腔から出ると，内頸動脈や総頸動脈の外側を，これらの動脈と平行して下行し，胸鎖関節の後ろで鎖骨下静脈と合流して腕頭静脈となる。ここには以下の静脈が流入する。

- **上甲状腺静脈** V. thyroidea superior
- **舌静脈** V. lingualis
- **顔面静脈** V. facialis：顔面動脈とほぼ伴行する。下顎後静脈に流入する。
- **下顎後静脈** V. retromandibularis：浅側頭動脈と顎動脈の流域の血液を集め，外頸動脈に沿って下行し，下顎角あたりで顔面静脈と合流して内頸脈に注ぐ。しかし，個人差が著しい。

(2) 頭蓋と頭蓋腔の静脈

頭蓋と脳の血液は主として内頸静脈に注ぐが，一部は椎骨静脈や外頸静脈に注ぐ。しかし，その走行は動脈系とは著しく異なっており，次のように分類される。

- **導出静脈** Vv. emissariae：頭蓋骨を貫いて，頭蓋内外の静脈を連絡する。
- **板間静脈** Vv. diploicae：頭蓋骨内板と外板の間にある海綿骨の中を走るもので，複雑に吻合して網状を呈する。
- **硬膜静脈** Vv. meningeae：硬膜動脈に伴行する静脈で，そのうち最大の中硬膜静脈は棘孔を通って翼突筋静脈叢に注ぐ。
- **硬膜静脈洞** Sinus durae matris：脳硬膜の両葉に挟まれた静脈で（☞ p.396：図21-50を参照），脳を流れた血液を運ぶ脳静脈は随所で硬膜静脈洞に注ぐ。従って内頸動脈と椎骨動脈から供給された血液の大部分がこの系を経て運び去られる。

(3) 脳の静脈系

概して言えば，脳に分布する動脈は脳底部から始まり，上に向かって流れる。そして，脳を灌流した血液は脳の上表面

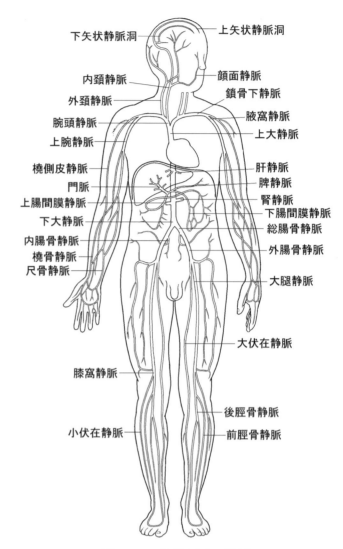

図3-16 体循環系の静脈

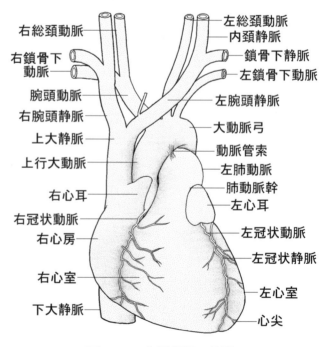

図3-17 心臓付近の静脈

において静脈洞によって回収される（図3-19）。

- **上矢状静脈洞** Sinus sagittalis superior：大脳鎌の付着部で，頭蓋上壁の正中線上を後方に向かい，内後頭隆起のところで横静脈洞に注ぐ。
- **下矢状静脈洞** Sinus sagittalis inferior：大脳鎌の自由縁（下縁）に沿って後方に向かい，直静脈に注ぐ。
- **直静脈洞** Sinus rectus：下矢状静脈洞と大大脳静脈が合流したもので，大脳鎌と小脳テントの会合部の中を後方に向かい，上矢状静脈洞と合流する。
- **横静脈洞** Sinus transversus：上矢状静脈と直静脈洞が合流すると直ちに左右の横静脈洞に分かれて小脳テントの付着部の中を横走し，側頭骨の岩様部の内面をS状に曲がって（この部分を**S状静脈洞** Sinus sigmoideus という）頚静脈孔に達し，ここで内頚静脈となって頭蓋腔を出る。
- **海綿静脈洞** Sinus cavernosus：蝶形骨体の両側にあり，左右が下垂体の前後で連絡し，横静脈洞に注ぐ。

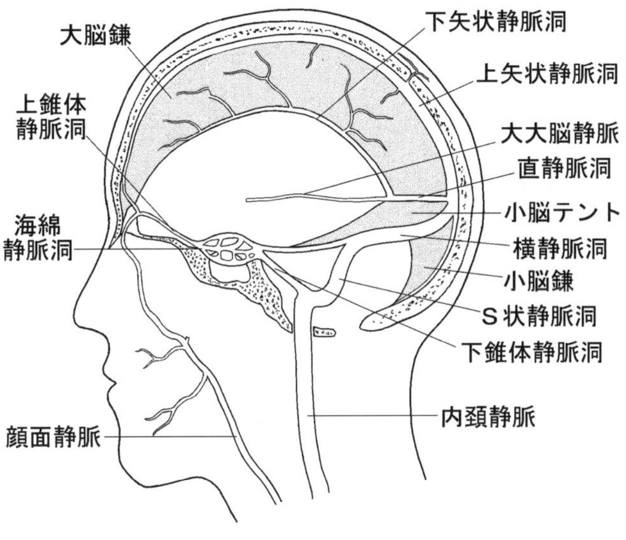

（4）外頚静脈

外頚静脈 V. jugularis externa：主として後頭部の血液を集める。広頚筋の下で，前上方から後下方に胸鎖乳突筋の表面を斜めに横切り，鎖骨下静脈に注ぐ。

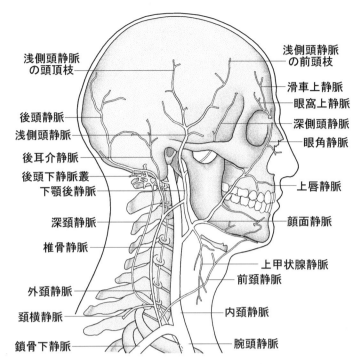

図3-18　頭部と顔面の静脈

図3-19　頭蓋内の静脈洞と内頚静脈

3.2.2　上肢の静脈

上肢の静脈は深静脈と浅静脈に区別される。

1）鎖骨下静脈

鎖骨下静脈 V. subclavia は腋窩静脈の続きで，同名動脈の前を内方に走り，胸鎖関節の後ろで内頚静脈と合流して腕頭静脈となる（図3-17）。内頚静脈と鎖骨下静脈が合流する場所を**静脈角** Angulus venosus といい，右の静脈角には右リンパ本管，左の静脈角には胸管が注ぎ込む。

2) 自由上肢の深静脈

伴行静脈で，上肢の深部を同名の動脈に沿い，両側に対をなして走る。

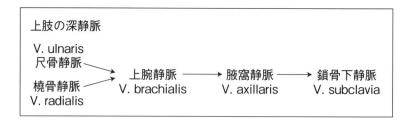

3) 自由上肢の皮静脈

皮静脈は上腕の皮下を走っているので，表面からでも青いすじとして見ることができる。本幹は3本からなっているが，個人差も著しい（図3-20）。

- **橈側皮静脈** V. cephalica：前腕の橈側，上腕では上腕二頭筋の外側縁に沿って上行し，三角胸筋溝（三角筋と大胸筋の境をなす浅い溝）を通って鎖骨の下で鎖骨下静脈に注ぐ。
- **尺側皮静脈** V. basilica：前腕では尺側を上り，上腕二頭筋の内側縁に沿って上行し，上腕中部で上腕静脈に注ぐ。
- **肘正中皮静脈** V. mediana cubiti：肘窩あたりで橈側皮静脈と尺側皮静脈を結ぶ。ここに，前腕前面の中央を上行する前腕正中皮静脈が注ぐ。橈側皮静脈とともに採血や静脈注射に使われる。

3.2.3 奇静脈系

奇静脈と半奇静脈は胸腹壁深層の血液を集める血管で，左右で異なっている（図3-21）。

- **奇静脈** V. azygos：右側では上下の腰静脈を結ぶ**上行腰静脈** V. lumbalis ascendens が腰椎の前右側を上行し，横隔膜を貫いて奇静脈となり，胸椎の前右側を上り，上大静脈に注ぐ。
- **半奇静脈** V. hemiazygos：左の上行腰静脈は横隔膜を越えると半奇静脈となり，脊柱の前左側を上行し，胸部中央の高さで食道，大動脈，胸管の後ろを右に折れて奇静脈に注ぐ。一方，左胸部の中央よりも高い部位では**副半奇静脈** V. hemiazygos accessoria となって下行し，半奇静脈に注ぐ。

奇静脈系には左右の肋間静脈が流入する。一般的に，上肢を水平に拡げた状態で心臓よりも上の領域から戻ってくる血液は上大静脈，心臓よりも下から戻ってくる血液の大部分は下大静脈に集められるが，奇静脈は例外で，**上大静脈**に流入する。

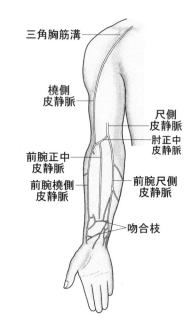

図3-20　右上肢の皮静脈

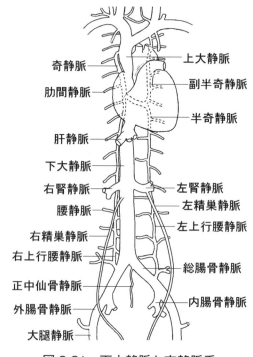

図3-21　下大静脈と奇静脈系

3.2.4 下大静脈

下大静脈 V. cava inferior は下半身からの血液を集める本幹である。第4～5腰椎の高さで左右

の総腸骨静脈が合流し，脊柱の前で大動脈の右側を上行し，肝臓の後部と横隔膜を貫いてすぐに右心房に入る。この間に以下の静脈が流入する（図3-21）。

- **腎静脈** V. renalis：左腎静脈は腹大動脈の前面を横切る。
- **精巣静脈** V. testicularis または**卵巣静脈** V. ovarica：精巣動脈や卵巣動脈に伴行し，右は直接下大静脈，左は同側の腎静脈を介して下大静脈に注ぐ。
- **肝静脈** Vv. hepaticae：3本存在し，横隔膜の直下で下大静脈に入る。
- **腰静脈** Vv. lumbales：4対あり，同名の動脈に伴行する。これらの間を結ぶ上行腰静脈は，上方の奇静脈あるいは半奇静脈に連なる。

3.2.5 門脈

胃，腸，脾臓，膵臓など，消化器系を流れた血液は**門脈** V. portae によって全て肝臓に送られてくる（図3-22）。この循環系では，一度消化器で毛細血管を経由したあと静脈の一種である門脈に集められ，肝臓において再び毛細血管網を形成する。このように毛細血管と毛細血管に挟まれた静脈のことを門脈といい，他に下垂体門脈系もその例である。腹腔動脈，上腸間膜動脈，下腸間膜動脈によって支配される流域は全て門脈系となって肝臓に送られる。

門脈は肝臓に入ると肝小葉の中で再び洞様毛細血管になり，その後合流をかさねて3本の肝静脈となり，横隔膜の直下で下大静脈に注ぐ。

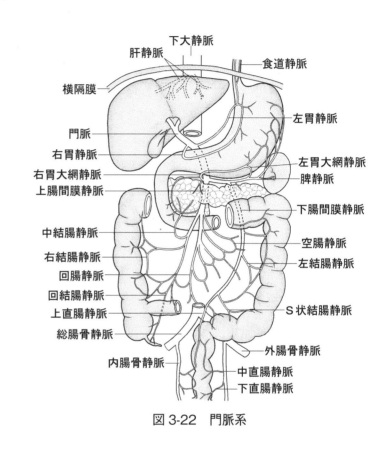

図 3-22　門脈系

上直腸動脈は下腸間膜動脈の枝であるので，その流域は門脈に流入する。しかし，中直腸動脈と下直腸動脈の流域では**直腸静脈叢** Plexus venosus rectalis を作るので，ここで門脈系と内腸骨静脈とが吻合している。例えば坐薬として直腸に投与された薬物は肝臓を通らず，直接大循環系に入ることに注意する必要がある。

また肝円索内を通る数条の**臍傍静脈** Vv. paraumbilicales は前腹壁の静脈（下腹壁静脈・浅腹壁静脈）と門脈の間に介在する。従って肝硬変などで肝臓に循環障害が起こると，この系が門脈系から大循環への通路となる。そのために，臍を中心とした前腹壁の静脈が怒張する（**メデューサの頭** Caput Medusae）。

3.2.6 総腸骨静脈

総腸骨静脈 V. iliaca communis は仙腸関節の前で内腸骨静脈と外腸骨静脈が合流したもので，同名の動脈と並行して内上方に向かい，第4～5腰椎の高さで下大静脈に注ぐ。なお左総腸骨静脈は同名動脈の後ろを通っている。

- **内腸骨静脈** V. iliaca interna：流域は同名動脈の流域と一致し，骨盤壁と骨盤内臓器からの血液

を集める。
- **外腸骨静脈** V. iliaca externa：大腿静脈の続きで，同名の動脈に伴行し，仙腸関節の前で内腸骨静脈と合流する。

3.2.7 下肢の静脈

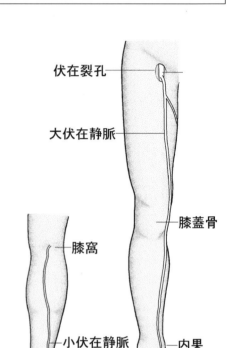

図3-23 右下肢の皮静脈

上肢の静脈と全く同様で，深静脈と皮静脈に区別される。

1）自由下肢の深静脈
伴行静脈で，動脈と同じ名前が付けられている。

2）自由下肢の皮静脈
下肢における皮静脈の本管は2本あり，深静脈に注ぐ（図3-23）。
- **大伏在静脈** V. saphena magna：**足背静脈弓** Arcus venosus dorsalis pedis の続きで，内果の前を通り，下腿と大腿の内側面の皮下を上行し，鼠径靭帯の下方で大腿筋膜を貫いて大腿静脈に注ぐ。
- **小伏在静脈** V. saphena parva：足背外側の血液を集め，外果の後ろを回り，さらに下腿後面の皮下を上行して，膝窩において膝窩静脈に注ぐ。

3.3 胎生期の循環系

胎生期には肺や消化器はまだ活動しておらず，胎児の発育に必要な栄養の摂取，老廃物の排泄，ガス交換は胎盤を介して母体との間で行われる。従って生後の循環との間に大きな違いが認められる（図3-24）。

3.3.1 胎生期の血管と短絡路

1）動脈管
肺がほとんど機能していないために，肺循環の必要がなく，右心室を経て肺動脈に流入した血液の大部分は，左肺動脈と大動脈弓との間を結ぶ短絡を経て大動脈へと流れる。これを**動脈管** Ductusarteriosus あるいは**ボタロー管** Ductus Botalli という。

血液の流れから見ると，上大静脈を通って帰ってきた血液は右心房から右房室口を経て右心室に入り，肺動脈に打ち出される。しかし，血液の大部分は肺には行かず，この動脈管を通って大動脈に流れ込む。

2）卵円孔
胎生期の心房中隔は一次中隔と二次中隔という，2枚の膜からできている（図3-25）。左心房側の一次中隔は薄い膜性の中隔で，その後頭方に二次孔という穴が開いている。一方，右心房側にある二次中隔はしっかりとした筋性の中隔で，二次孔よりも前下方に**卵円孔** Foramen ovale が開い

ている。すなわち胎児の左右の心房は，卵円孔，二次中隔と一次中隔の隙間，一次中隔の二次孔を介して交通している。

体循環のうち，主として下大静脈を経て右心房に戻ってきた血液は，血流の方向から右心室へは行かず，卵円孔を通り，二次・一次中隔の隙間，二次孔を通って直接左心房に入り，左心室を経て大動脈へと打ち出される。

生後肺循環が始まると，肺から左心房に帰ってきた血液が一次中隔を二次中隔に向かって押しつけるので，やがて両者は癒着してしまう。二次孔と卵円孔は開いている位置が違うので，一次中隔と二次中隔は互いに補い合って，二次孔と卵円孔を塞いでしまう。これによって右心房と左心房の分離が完成する。

心房中隔の右心房面には**卵円窩** Fovea ovale という浅い卵円形のくぼみが見える。これは胎生期の卵円孔の名残りである。一方，二次孔の名残りも，心房中隔の左心房面に中隔鎌となって残っている。

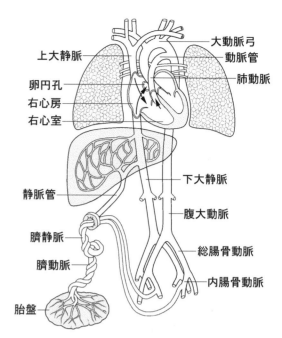

図 3-24　胎児循環

3）臍静脈

臍静脈 V. umbilicalis は胎盤と胎児を結ぶ 1 本の静脈で，臍帯の中を 2 本の臍動脈に絡まるようにして通り，臍輪から胎児の体内に入ると，前腹壁を上行して肝臓に向う。肝臓に入ると**静脈管** Ductus venosus（**アランチウス管** Ductus Arantii）

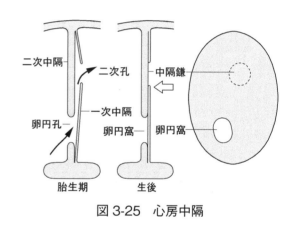

図 3-25　心房中隔

となり，下大静脈に注ぎ込む。この間，一部は門脈系とも連絡する。

生後，臍帯が結紮されて血流が途絶えると静脈管は閉鎖され，肝鎌状間膜の下縁を通る**肝円索** Lig. teres hepatis となって痕跡をとどめる。

4）臍動脈

臍動脈 A. umbilicalis は胎児の内腸骨動脈から起こる一対の動脈で，前腹壁を上行して臍輪から臍帯に入り，胎盤に向かう。生後臍帯が結紮され，血流が途絶えると**内側臍ヒダ** Plica umbilicalis medialis となって痕跡をとどめる。前腹壁の内側面を見ると，内側臍ヒダは正中臍ヒダ（尿膜管の名残り）の両外側を，膀胱底の外側縁から臍に向かって伸びている。

3.3.2　生後循環への転換

胎児では胎盤がガスおよび物質交換の場所である。胎盤で二酸化炭素と代謝産物を排泄し，酸素と栄養素を受け取った血液は，臍静脈を経て下大静脈に入り，胎児の下半身からの血液と混じって右心房に注ぐ。そして血液の大部分は心房中隔に開いている卵円孔を経て左心房に流入し，大動脈

から全身に送り出される。一方，上大静脈によって運ばれてきた上半身よりの血液は，右心房から三尖弁を経て右心室に入り，左肺動脈と動脈管を経て大動脈に送られる。

表3-1 胎児循環と生後遺残物との対比

胎生期	生後
動脈管 Ductus arteriosus	動脈管索 Lig. arteriosum
臍動脈 A. umbilicalis	臍動脈索 Lig. umbilicale laterale
臍静脈 V. umbilicalis	肝円索 Lig. teres hepatis
静脈管 Ductus venosus	静脈管索 Lig. venosum
卵円孔 Foramen ovale	卵円窩 Fossa ovalis

生後，肺呼吸が始まると肺循環も始まる。一方，胎児期に重要な役割を演じていた動脈管，静脈管，臍静脈，臍動脈には血液が通らなくなり，やがて閉鎖されてしまう。また卵円孔も閉じて，左右の心房は心房中隔によって完全に隔絶されてしまう（表3-1）。

3.4 リンパ系

3.4.1 リンパ

毛細血管から組織中に流れ出た液体を組織液という。これは赤血球を全く含んでいないので無色の液体である。組織液は血管と組織との間に介在して，組織細胞に栄養を供給する傍ら，組織で生じた老廃物を運び去るという，重要な役割を演じている。

毛細血管において血管外に流れ出た血液の液体成分の大部分（約90％）は，静脈になる直前の毛細血管において再び血管に戻るが，残り

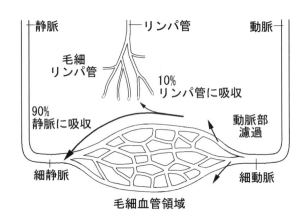

図3-26 毛細血管領域における体液の流れ

は血管とは別の脈管であるリンパ管に流入する。これをリンパ lymph という（図3-26）。

3.4.2 リンパ管

リンパ管 Vasa lymphaticum, lymphatic vessel は組織内で毛細リンパ管として始まる。リンパ管の先端は形態的には閉鎖しているものの，内皮細胞の丈は著しく低く，また基底膜も完全ではないので，機能的には多少とも開放的であろうといわれている。リンパ管は全身に存在し，それぞれの場所から合流を重ねながら次第に太くなり，いくつかのリンパ本幹 Trunci lymphatici に集められる（図3-27）。

・頸リンパ本幹：頭頸部のリンパを集める。
・鎖骨下リンパ本幹：上肢のリンパを集める。
・気管支縦隔リンパ本幹：胸腔のリンパを集める。
・腰リンパ本幹：下肢のリンパを集める。
・腸リンパ本幹 Truncus intestinalis：腹腔動脈，上および下腸間膜動脈が分布する消化器から

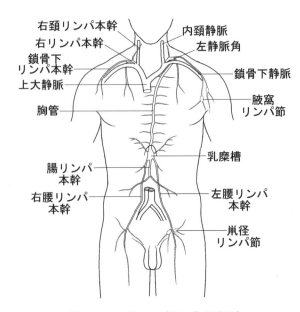

図3-27 リンパ管の主要経路

のリンパを集める。

このうち，右側の頚リンパ本幹，鎖骨下リンパ本幹，気管支縦隔リンパ本幹は合流して**右リンパ本幹** Ductus lymphaticus dexter となり，右鎖骨下静脈と内頚静脈の合流部（右静脈角）に流れ込む。但し，右リンパ本幹はわずか1cm足らずである。

左右の腰リンパ本幹と腸リンパ本幹は第2腰椎体の前で合流する。ここはやや太くなっており，**乳糜槽** Cisterna chyli と呼ばれる。乳糜槽は横隔膜を越えると**胸管** Ductus thoracicus となり，胸腔後壁を上行して，左鎖骨下静脈と内頚静脈との合流角（左静脈角）において，右頚リンパ本幹や鎖骨下リンパ本幹とも合流して静脈に注ぎ込む。

胸管は色鉛筆の芯ほどの太さがあるので，肉眼でも観察できる。大動脈の右後方に付着して横隔膜の大動脈裂孔を通って胸腔に入り，はじめは大動脈と脊柱の間，後には食道と脊柱の間を上行する。

3.4.3 所属リンパ節

リンパ管が合流する地点にはリンパ節が形成されており，流入するリンパを濾過している。体内に病原体が侵入すると，リンパ節に住み着いているマクロファージ（大食細胞）はこれらを貪食し，その情報をリンパ球に伝える。これが引き金となって，生体防御系が活性化される。また局所に発生した癌細胞もリンパ管に進入するが，リンパ節の網に引っかかって，ここで増殖を始める。これが癌のリンパ節転移である。癌が見つかれば手術によってできるだけ速く除去する必要があるが，同時に，必ず所属するリンパ節を調べ，リンパ節を郭清する必要がある。

- **鼠径リンパ節** Lnn. inguinales：鼠径靭帯の下方にあるリンパ節の大集団で，腹部の表層，外陰部，下肢からのリンパ管を集める。浅・深の2群に区別される。

  浅鼠径リンパ節 Lnn. inguinales superficiales：皮静脈と同層，すなわち大腿筋膜よりも表層にあり，皮膚の上から触れることができる。

  深鼠径リンパ節 Lnn. inguinales profundi：大腿筋膜より深層で，大腿静脈の内側に数個が集団を作っている。

- **腋窩リンパ節** Lnn. axillares：腋窩にあるリンパ節の集団で，上肢と上胸部（乳房の上外側1/4）のリンパを集める。

4 末梢神経系

脳と脊髄以外を**末梢神経系** peripheral nervous system という。末梢神経系は脳脊髄神経系と自律神経系から構成され，脳脊髄神経系はさらに脳神経と脊髄神経，自律神経系は交感神経と副交感神経に分けられる。

4.1 脳神経

脳神経 Nervi craniales は脳に出入りする末梢神経で12対あり，頭頸部の筋，皮膚，感覚器，腺や，大部分の内臓に分布する。脳に出入りする場所によって，前方からⅠ～Ⅻのローマ数字が付されている（図4-1）。

Ⅰ：嗅神経 Nn. olfactorii
Ⅱ：視神経 N. opticus
Ⅲ：動眼神経 N. oculomotorius
Ⅳ：滑車神経 N. trochlearis
Ⅴ：三叉神経 N. trigeminus
Ⅵ：外転神経 N. abducens
Ⅶ：顔面神経 N. facialis
Ⅷ：内耳神経 N. vestibulocochlearis
Ⅸ：舌咽神経 N. glossopharyngeus
Ⅹ：迷走神経 N. vagus
Ⅺ：副神経 N. accessorius
Ⅻ：舌下神経 N. hypoglossus

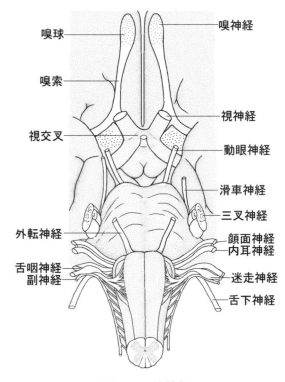

図4-1　脳神経

4.1.1 脳神経の構成要素

脳神経は運動性，感覚性，副交感性の神経線維から構成される。ただし，その組み合わせは脳神経によって異なっている。

- **運動性脳神経** motor cranial nerve：頭頸部にある骨格筋を支配する。これらの骨格筋は頭部体節や咽頭弓に由来する。
- **感覚性脳神経** sensory cranial nerve：頭頸部の皮膚や粘膜，感覚器が感受した刺激情報を中枢神経系に伝える。
- **副交感性脳神経** parasympathetic cranial nerve：頭頸部や大部分の内臓（骨盤内の内臓を除く）に分布して，平滑筋や腺を支配する。

4.1.2 脳神経核

灰白質が柱状に連続している脊髄とは違い，脳では神経細胞が不規則に集合して**神経核** Nucleus を作る。

運動性や副交感性脳神経は脳内の神経核にある神経細胞の神経突起で，中枢からの指令を骨格筋

や平滑筋，腺などに伝える。一方，感覚性脳神経は脳外の神経節にある神経細胞の中枢側突起の束で，末梢からの刺激を脳内にある終止核に伝える。脳神経のうち，第Ⅲ～Ⅻ脳神経の運動性と副交感性の起始核や感覚性の終止核は脳幹，特に第Ⅳ脳室底（菱形窩 Fossa rhomboidea）に集中している。このうち，骨格筋，平滑筋，腺を支配する発動性の脳神経核は神経管の腹側半をなす基板から，感覚性（受動性）の神経核は神経管の背側半をなす翼板から発生するので（図4-2），運動核は脳の腹側正中線近くに，知覚核は外側に，副交感神経核は両者の間に位置している。

1）発動性神経核

中枢神経の指令を末梢器官に伝える中継所となる神経核で，以下の3種類に分類される。

- **一般体運動性** general somatic efferent（GSE）：体節由来の骨格筋を支配する。
- **特殊内臓運動性** special visceral efferent（SVE）：咽頭弓由来の骨格筋を支配する。
- **一般内臓運動性** general visceral efferent（GVE）：内臓の平滑筋や腺を支配する。

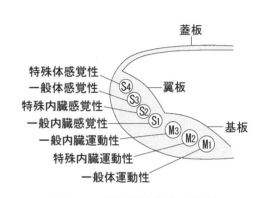

図4-2　脳神経核発生の法則

2）受動性（感覚性）神経核

末梢器官が受けた刺激を受け取る神経核で，以下の4種類に分類される。

- **一般体感覚性** general somatic afferent（GSA）：体節由来の皮膚や粘膜に分布し，一般知覚を伝える。
- **特殊内臓感覚性** special visceral afferent（SVA）：咽頭弓由来の組織に分布し，味覚や一般知覚を伝える。
- **一般内臓感覚性** general visceral afferent（GVA）：内臓に分布し，各種感覚を伝える。
- **特殊体感覚性** special somatic afferent（SSA）：内耳に分布し，聴覚や平衡覚を伝える。

4.1.3　脳神経に付属する神経節

脳や脊髄以外で神経細胞が大小の集団を形成している場所を**神経節** Ganglion という（図4-3）。感覚性脳神経では，神経節にある神経細胞の末梢側突起が感覚器からの情報を集め，中枢側突起が脳内にある終止核に情報を伝達する。一方，副交感性脳神経では脳内の起始核から始まる神経線維は神経節で終わり（**節前線維** Fibrae preganglionares），神経節から始まる線維（**節後線維** Fibrae postganglionares）が末梢器官の平滑筋や腺に指令を伝える。運動性脳神経には神経節はなく，脳内の神経核から始まる神経線維が直接骨格筋を支配する。

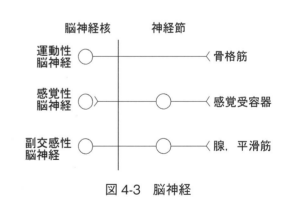

図4-3　脳神経

> 脳神経の番号と名称，構成する神経線維の種類，脳に出入りする場所，通過経路，支配器官（支配領域），作用などを正確に覚えておく必要がある。

4.1.4 嗅神経（嗅覚）

嗅神経 Nn. olfactorii は第1脳神経で，鼻腔の天井をなす嗅部の**嗅細胞** olfactory cell の突起である。神経線維は十数条の小束となって**篩骨篩板の孔**を通り，頭蓋内に入って**嗅球** Bulbus olfactorius に終わる。感覚細胞であると同時に神経細胞でもある嗅細胞が第1ニューロンで，嗅球に進入するまでが末梢神経である。嗅球にある**僧帽細胞** mitral cell が第2ニューロンで，その神経線維束を**嗅索** Tractus olfactorius という（図4-4）。

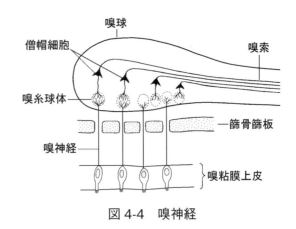

図4-4　嗅神経

4.1.5 視神経（視覚）

視神経 N. opticus は第2脳神経で，網膜内にある**神経節細胞** ganglion cell の神経線維束である。眼球後極から眼球を出て視神経となり，視神経管を通って頭蓋内に入る（図4-5）。視神経は下垂体漏斗のすぐ前方で**視交叉** Chiasma opticum を作るが，ここで交叉するのは左右ともに網膜の内側半分からきた線維で，外側半分からきた線維は交叉しない（**半交叉**）。すなわち視野の右半分の視覚情報は左脳に，左半分の情報は右脳に送られる。視交叉よりも中枢側の神経線維束は**視索** Tractus opticus となり，間脳の**外側膝状体** Corpus geniculatum laterale に終わる。網膜は間脳の一部が膨れ出たもので，厳密にいえば，網膜や視神経は中枢神経そのものである。

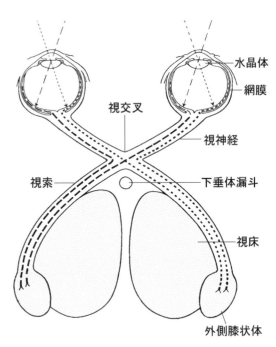

図4-5　視神経

4.1.6 動眼神経（運動，副交感）

第3脳神経である**動眼神経** N. oculomotorius は運動性と副交感性からなる。起始核は中脳上丘の高さの中心灰白質にある**動眼神経核** Nucl. nervi oculomotorii（GSE）と**動眼神経副核** Nucl. acce-ssorius nervi oculomotorii（エディンゲル・ウェストファール Edinger-Westphal 核：GVE）

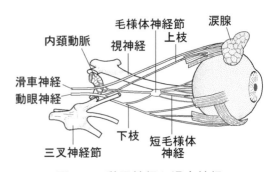

図4-6　動眼神経と滑車神経

である。これらの核から出た神経線維束は合流して動眼神経となり，大脳脚の内側から脳を出る。そして，滑車神経や眼神経，外転神経とともに**上眼窩裂** Fissura orbitalis superior を通って眼窩に入る（図4-6）。

1）運動性線維

運動神経線維は以下の第1耳前筋板由来の外眼筋を支配する。

- 上直筋 M. rectus superior
- 内側直筋 M. rectus medialis
- 上眼瞼挙筋 M. levator palpebrae superioris
- 下直筋 M. rectus inferior
- 下斜筋 M. obliquus inferior

2）副交感性線維

副交感線維は**毛様体神経節** Ganglion ciliare に入り、ここでニューロンを変えて**短毛様体神経** Nn. ciliares breves となり、以下の平滑筋を支配する。

- 瞳孔括約筋 M. sphincter pupillae：瞳孔を収縮させる。
- 毛様体筋 M. ciliaris：毛様体小帯が緩み、水晶体が厚くなる（近くに焦点を合わせる）。

4.1.7 滑車神経（運動）

滑車神経 N. trochlearis は第4脳神経で、純運動性である。中脳下丘の高さの中心灰白質に存在する**滑車神経核** Nucl. nervi trochlearis（GSE）から起こり、**上眼窩裂**を通って眼窩に入り、第2耳前筋板由来の**上斜筋** M. obliquus superior を支配する。これは脳の背面から出る唯一の神経である（図4-6）。

4.1.8 三叉神経（知覚, 運動）

第5脳神経の**三叉神経** N. trigeminus は最も太い脳神経で、感覚性と運動性の要素からなり、前頭突起および第1咽頭弓（上顎突起と下顎突起）から発生する器官に分布する。感覚性の神経核（GSA）は頸髄上部から中脳にかけて分布し、次の3つの部分から構成される。

- 三叉神経脊髄路核 Nucl. tractus spinalis nervi trigemini
- 三叉神経主知覚核 Nucl. sensorius principalis nervi trigemini
- 三叉神経中脳路核 Nucl. tractus mesencephalicus nervi trigemini

三叉神経は橋中央の腹外側面から出るとすぐに大きな**三叉神経節** Ggl. trigeminale（半月神経節 Ggl. semilunare）を作り、3本の神経に分かれる。

一方、運動性の**三叉神経運動核** Nucl. motorius nervi trigemini（SVE）は橋の中央部にあり、感覚性の線維とともに橋の腹外側面から脳を出て、三叉神経節を素通りして下顎神経に入る。

1）眼神経（知覚）

眼神経 N. ophthalmicus は前頭突起由来の領域に分布する。三叉神経節を出ると**上眼窩裂**を通って眼窩に入り、以下の神経に分枝して皮膚や粘膜の一般知覚を司る（図4-7）。

- 涙腺神経 N. lacrimalis：涙腺や外眼角付近の皮膚や粘膜に分布する。

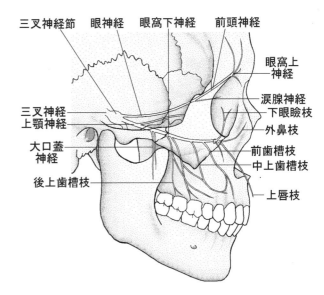

図4-7 眼神経と上顎神経

- **前頭神経** N. frontalis：眼神経の本流で，上眼瞼挙筋の上面を前方に向かい，**滑車上神経** N. supratrochlearis, **眼窩上神経** N. supraorbitalis の内・外側枝に分かれて前頭部の皮膚に分布する。
- **鼻毛様体神経** N. nasociliaris：上直筋と視神経の間を前方に進み，本幹は2条の篩骨神経 Nn. ethmoidales となって眼窩の内側壁を貫き，鼻腔壁の上半分の粘膜に分布する。また，数条の細い短毛様体神経 Nn. ciliares breves は後方から眼球内に進入し，強膜，角膜，脈絡膜に分布する。鼻毛様体神経の一部は途中で毛様体神経節に交通枝を送る。

2）上顎神経（知覚）

上顎神経 N. maxillaris は上顎突起由来の諸器官に分布する。三叉神経節を出ると**正円孔** Foramen rotundum を通って翼口蓋窩に達し，以下のように分枝する（図4-6）。

- **硬膜枝** Ramus meningeus：頭蓋腔の中で本流から分かれて脳硬膜に分布する。
- **頰骨神経** N. zygomaticus：下眼窩裂を通って眼窩に入り，眼窩の外側壁に沿って前方に進み，頰骨側頭枝 Ramus zygomaticotemporalis と頰骨顔面枝 Ramus zygomaticofacialis に分かれた後，頰骨を貫いて側頭部と頰骨部の皮膚に分布する。
- **眼窩下神経** N. infraorbitalis：上顎神経の最も太い枝で，翼口蓋窩から前方に進み，下眼窩裂を通って眼窩に入り，眼窩下孔を通って顔面に出て上顎の皮膚と粘膜（下眼瞼，上唇，鼻翼，上顎の歯肉など）に分布する。
- **上歯槽神経** Nn. alveolares superiores：上顎神経の本幹や眼窩下神経から数本の細い枝となって分枝する。上顎洞の外側壁と前壁の歯槽管を通り，互いに吻合して上歯槽神経叢 Plexus dentalis superior を形成し，上顎の歯槽に分布する。
- **翼口蓋神経** Nn. pterygopalatini：翼口蓋窩で本幹から分かれ，口蓋神経 Nn. palatini となって口蓋管の中を下行する。**大口蓋神経** N. palatinus major は大口蓋孔を出ると硬口蓋の粘膜と付近の歯肉に分布する。**小口蓋神経** Nn. palatini minores は小口蓋孔を出て後方に向かい，軟口蓋と口蓋扁桃に分布する。翼口蓋神経の一部は**翼口蓋神経節** Ggl. pterygopalatinum と交通する。

3）下顎神経（知覚，運動）

下顎神経 N. mandibularis は下顎突起に由来する器官や組織に分布する（図4-8）。三叉神経節から出ると**卵円孔** Foramen ovale を通って側頭下窩に出て，感覚性部は以下のように分枝する。

- **硬膜枝** Ramus meningeus：卵円孔を通って頭蓋腔を出ると，すぐに本幹から分かれ，中硬膜動脈とともに**棘孔** Foramen spinosum を通って再び頭蓋に入り，脳硬膜に分布する。
- **頰神経** N. buccalis：外側翼突筋を貫いて前方に進み，頰部の皮膚と粘膜に分布する。
- **耳介側頭神経** N. auriculotemporalis：卵円孔の直下で分かれて後方に進み，顎関節の後ろで上方に曲がり，耳下腺を貫通

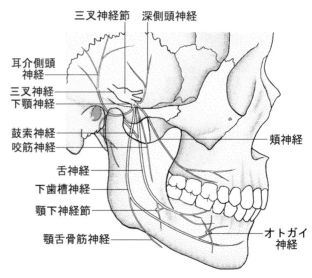

図4-8　下顎神経

して浅側頭動脈とともに外耳道の前を上行して側頭部の皮膚に分布する。
- **下歯槽神経** N. alveolaris inferior：外側・内側翼突筋の間を通って前下方に進み，下歯槽動脈とともに下顎孔に入り，下顎管の中を走りながら細い枝を下顎の歯槽に送る。
- **舌神経** N. lingualis：下歯槽神経と平行して前下方に走り，口腔底と舌体部の粘膜に分布して一般体知覚を司る。また，顔面神経からの鼓索神経 Chorda tympani が合流する。

一方，運動性部は下顎突起の間葉から発生する咀嚼筋などに分布する。
- **咬筋神経** N. massetericus：外側翼突筋の上を通り，下顎切痕から咬筋の内側面に入る。
- **深側頭神経** Nn. temporales profundi：前後に2本あり，外側翼突筋の上縁から側頭筋に入る。
- **内側翼突筋神経** N. pterygoideus medialis：内側翼突筋を支配する。
- **外側翼突筋神経** N. pterygoideus lateralis：外側翼突筋を支配する。

また一部は**耳神経節** Ggl. oticum を素通りして以下の筋に分布する。
- **鼓膜張筋神経** N. tensoris tympani：鼓膜張筋を支配する。
- **口蓋帆張筋神経** N. tensorius veli palatini：口蓋帆張筋を支配する。

既に述べたように，三叉神経のうち眼神経は前頭突起，上顎神経は上顎突起，下顎神経は下顎突起由来の領域に分布して皮膚や粘膜の一般知覚を司る（図4-9）。なお，後頭部の皮膚には脊髄神経の後枝，側頸部には脊髄神経の前枝が分布する。

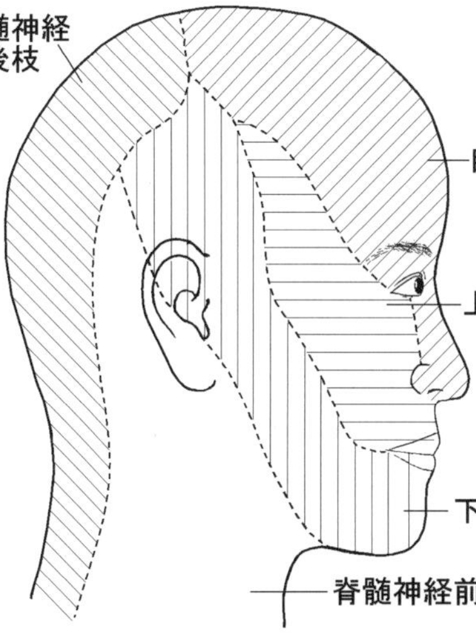

図4-9 頭部顔面における知覚神経の分布

4.1.9 外転神経（運動）

外転神経 N. abducens は第6脳神経で，純運動性である。橋と延髄の境界にある**外転神経核** Nucl. nervi abducentis（GSE）から起こり，同じ高さの腹側面から脳を出ると**上眼窩裂**を通って眼窩に入り，第3耳前筋板に由来する外側直筋 M. rectus lateralis を支配する。

4.1.10 顔面神経（運動，知覚，副交感）

顔面神経 N. facialis は第7脳神経で，第2咽頭弓由来の器官を支配する。運動性，感覚性，副交感性線維からなり，これらの神経核はすべて橋の下部にある（図4-10）。このうち，運動性部を狭義の顔面神経といい，感覚性と副交感性を合わせて**中間神経** N. intermedius ということがある。顔面神経の神経線維は合流して橋と延髄の境界で脳幹の腹側面から出ると，内耳神経とともに内耳孔，内耳道，顔面神経管内を下方に走る。

1）運動性線維

起始核は**顔面神経核** Nucl. nervi facialis（SVE）で，**茎乳突孔** Foramen stylomastoideum を経て頭蓋の外に出ると耳下腺内で放射状に分枝し，顔面表情筋，広頸筋，茎突舌骨筋，顎二腹筋後腹などを支配する。また一部は顔面神経管内で**アブミ骨筋神経** N. stapedius となってアブミ骨筋を支配する。

2）副交感性線維

上唾液核 Nucl. salivatorius superior (GVE) が起始核で，顔面神経管の膝で膝神経節を通過し，一部は**大錐体神経** N. petrosus major となって**翼口蓋神経節** Ggl. pterygopalatinum を経て涙腺に分布する。残りは顔面神経内を味覚線維と伴走したあと，**鼓索神経** Chorda tympani となって鼓室に入り，次いで**舌神経** N. lingualis と合流し，**顎下神経節** Ggl. submandibulare を経て舌下腺と顎下腺に分布する。

3）味覚線維

舌体部から起こり，舌神経から分かれて**鼓索神経** Chorda tympani となって**膝神経節** Ggl. geniculi に入る。中枢側突起は延髄にある**孤束核** Nucl. tractus solitarii (SVA) に入る。

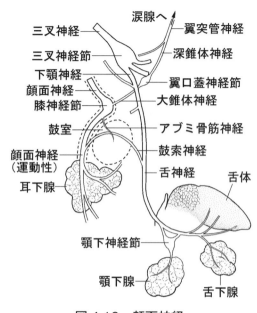

図 4-10　顔面神経

4.1.11　内耳神経（特殊感覚性）

内耳神経 N. vestibulocochlearis は第8脳神経で，聴覚を伝える蝸牛神経と平衡覚を伝える前庭神経からなる。内耳神経は橋と延髄の境界で，顔面神経の外側から脳を出て，顔面神経とともに内耳道に入り，そこで蝸牛神経と前庭神経に分かれる（図4-11）。

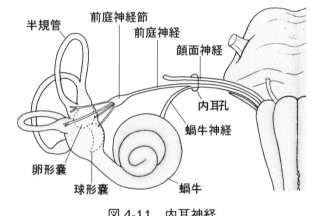

図 4-11　内耳神経

- **蝸牛神経** N. cochlearis：蝸牛にある**ラセン神経節** Ggl. spirale を構成する神経細胞の中枢側突起で，末梢側の突起は蝸牛管のコルチ器と連絡する。中枢側突起は延髄背側部にある**蝸牛神経核** Nuclei cochleares (SSA) に終わる。

- **前庭神経** Nn. vestibularis：**前庭神経節** Ggl. vestibulare にある神経細胞の中枢側突起で，末梢側突起は半規管（回転運動）や卵形嚢，球形嚢（ともに直進運動）と連絡する。中枢側突起は延髄の背側部にある**前庭神経核** Nuclei vestibulares (SSA) に終わる。

4.1.12　舌咽神経（運動，副交感，知覚，味覚）

舌咽神経 N. glossopharyngeus は第9脳神経で，運動性，感覚性および副交感性の3要素からなり，第3咽頭弓由来の諸器官を支配する。起始核や終止核は延髄にあり，迷走神経や副神経とともに**頸静脈孔** Foramen jugulare を通って頭蓋外に出る。感覚性神経は頸静脈孔の直下で**上神経節** Ggl. superius と**下神経節** Ggl. inferius を作る（図4-12）。

1）運動性線維

疑核 Nucl. ambiguus (SVE) から起こり，茎突咽頭筋や上咽頭筋を支配する。

2) 副交感神経性線維

起始核は**下唾液核** Nucl. salivatorius inferior (GVE) で，下神経節を素通りして**鼓室神経** N. tympanicus となって鼓室に至り，さらに**小錐体神経** N. petrosus minor となって**耳神経節** Ggl. oticum に入り，ここでニューロンを変えて耳下腺を支配する。

3) 感覚性神経線維：次の3要素からなる。

- 舌根の味覚を伝える要素：**下神経節** Ggl. inferius を経て**孤束核**（SVA）に終わる。
- 舌根，咽頭，口蓋舌弓，耳管，鼓室の内臓知覚を伝える要素：下神経節を経て**孤束核** Nucl. tractus solitarii（SVA）に終わる。
- 耳後部の皮膚知覚を伝える要素：**上神経節** Ggl. superius を経て**三叉神経脊髄路核** Nucl. tractus spinalis nervi trigemini（GSA）に終わる。

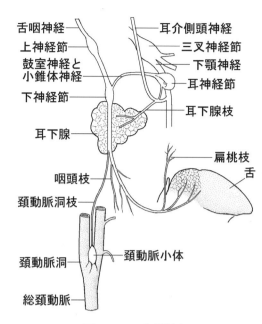

図4-12 舌咽神経

4.1.13 迷走神経（運動，副交感，味覚，知覚）

迷走神経 N. vagus は第10脳神経で，第4と第6咽頭弓に由来する諸器官（第5咽頭弓は形成されるとすぐに消失する），および胸部臓器と，骨盤内臓器を除く大部分の腹部臓器に分布する。運動性，感覚性，副交感性の3要素からなり，延髄下部にこれらの神経核がある（図4-13）。

1) 運動性線維

疑核 Nucl. ambiguus（SVE）から起こる運動性線維は，延髄を出ると頸静脈孔を通って頭蓋を出て，総頸動脈とともに下行する。

- **上喉頭神経** N. laryngeus superior：第4咽頭弓由来の輪状甲状筋を支配する。
- **反回神経** N. laryngeus recurrens：左は大動脈弓，右は鎖骨下動脈を引っかけるようにして上行し，**下喉頭神経** N. laryngeus inferior となって輪状甲状筋以外の，第6咽頭弓に由来する喉頭の筋を支配する。

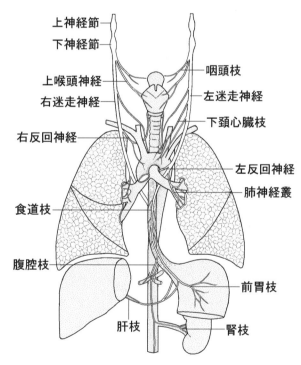

図4-13 迷走神経

2) 副交感性線維

迷走神経背側運動核 Nucl. dorsalis nervi vagi（GVE）から起こり，左は食道の前壁，右は食道の後壁に沿って下行し，心臓，肺などの胸部内臓や消化管，肝臓，膵臓，腎臓などの腹部内臓に分布する。

3) 感覚性線維

以下の3つの成分からなる。

- 味覚線維：喉頭蓋の味覚を伝える。**下神経節** Ggl. inferius を経て**孤束核** Nucl. tractus solitarii (SVA) に入る。
- 内臓知覚：内臓の知覚を司り、**下神経節** Ggl. inferius を経て**孤束核** (SVA) に入る。
- 体性知覚：外耳道後壁の知覚を司り、**上神経節** Ggl. superius を経て**三叉神経脊髄路核** Nucl. tractus spinalis nervi trigemini (GSA) に入る。

4.1.14 副神経（運動）

第11脳神経の**副神経** N. accessorius は純運動性で、咽頭弓由来の骨格筋を支配する（図4-14）。延髄下端から頸髄上部にかけて分布する**副神経核** Nucl. nervi accessorii (SVE) から起こり、延髄の後外側溝から出ると、**頸静脈孔**を通って頭蓋を出る。

- 内枝 Ramus internus：迷走神経と合流して、軟口蓋や喉頭の諸筋を支配する。
- 外枝 Ramus externus：副神経の本体をなす部分で、胸鎖乳突筋の深層で頸動脈三角の後上方から下外方に向かい、胸鎖乳突筋と僧帽筋を支配する。

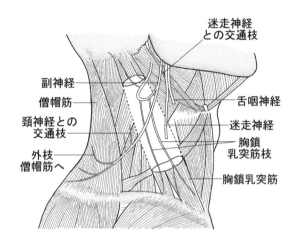

図4-14 副神経

4.1.15 舌下神経（運動性）

第12脳神経の**舌下神経** N. hypoglossus は運動性で、後頭部体節に由来する骨格筋を支配する。**舌下神経核** Nucl. nervi hypoglossi (GSE) は延髄下部にあり、延髄の前外側溝から出ると、**舌下神経管** Canalis nervi hypoglossi を通って頭蓋腔を出て、茎突舌筋、オトガイ舌筋、舌骨舌筋などの舌内筋を支配する。第1および第2頸神経の一部が舌下神経と合流して、頸神経ワナの上根を作る（図4-15）。

舌下神経は舌に向かう神経のうちで最も下を通る。顎二腹筋後腹の下で、内頸静脈と内頸動脈の間を通って頸動脈三角に現れ、舌骨舌筋の外側を走って舌体に入る。

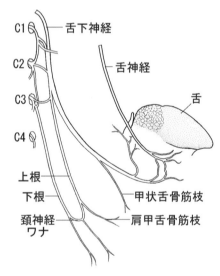

図4-15 舌下神経と頸神経ワナ

4.2 脊髄神経

脊髄神経 Nn. spinales, spinal nerves は脊髄に出入りする末梢神経で、31対ある。脊髄の各髄節に1対ずつ形成され、**椎間孔** Foramen intervertebrale を通って脊柱管を出て、同レベルの体節から発生する筋や真皮など、すべての器官に分布する。脊髄神経は出入りする脊髄の区域に従って5つのグループに分けられる。

・頚神経 Nn. cervicales　8対（C_1～C_8）
・胸神経 Nn. thoracici　12対（Th_1～Th_{12}）
・腰神経 Nn. lumbales　5対（L_1～L_5）
・仙骨神経 Nn. sacrales　5対（S_1～S_5）
・尾骨神経 N. coccygeus　1対（Co_1）

　第1頚神経は第1頚椎（環椎）と後頭骨の間，すなわち第1頚椎の上から，第8頚神経は第7頚椎の下から出るので，頚椎は7個であるが，頚神経は8対となる。胸神経以下は，対応する椎骨の下から出るので，脊髄神経の数と椎骨の数が同じになる。但し，尾骨神経は1対である。

4.2.1　脊髄神経の構成

　脊髄神経の構成はすべてのレベルで基本的に共通である。脊髄の前外側溝から出る**前根** Radix ventralis は前角細胞から起こる運動神経線維と，側角の細胞から起こる交感神経線維から構成される。また，脊髄の後外側溝から入る**後根** Radix dorsalis は感覚性線維で，これには**脊髄神経節** Ggl. spinale（後根神経節 dorsal root ganglion）が付属する。前根と後根は脊髄の腹外側部で合流して脊髄神経となり，椎間孔を通って脊柱管を出るとすぐに腹方に向かう**前枝** Ramus ventralis と，背方に向かう**後枝** Ramus dorsalis に分かれる（図4-16）。

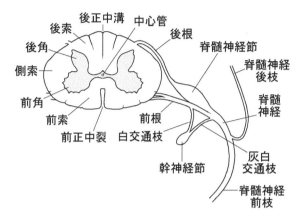

図4-16　脊髄神経の構成

　脊髄神経前枝は体幹の前面と両側面に広く分布する。一方，脊髄神経後枝は体幹の背面に分布する。なお，上肢と下肢は体幹の側面から発生するので，上肢，下肢ともに脊髄神経の前枝に支配される。

　交感神経線維は脊柱管を出るとすぐに脊髄神経から分かれて**白交通枝** Rr. communicantes albi となり，脊柱の腹側にある**幹神経節** Ggl. trunci sympathici で終わる（**節前線維** fibrae preganglionares：有髄線維）。神経節細胞から起こる**節後線維** fibrae postganglionares（無髄線維）は，今度は**灰白交通枝** Rr. communicantes grisei となって再び脊髄神経に合流し，腺，内臓や血管の平滑筋，心筋などに分布してこれらの機能を調節する。

　脊髄神経の前・後枝とも運動線維と感覚線維を含んでおり，基部では両者が混在している。しかし，末梢にいくに従って骨格筋を支配する筋枝と皮膚に分布する皮枝に分かれる。

4.2.2　皮節

　皮膚の真皮は体節の皮板より形成されるので，皮膚の一般体知覚を司る皮枝も分節的に分布し，これを**皮節** dermatome という。体幹ではこの皮節が終生保たれるので，皮膚知覚神経の分布は縞状を呈する（図4-17）。

　四肢の原基（肢芽）は，母指を上，小指を下にして発生する。従って，髄節支配は，母指側が上，小指側が下である。しかし，上肢では，肢芽が伸びるにつれて外旋するので，母指側は外側，小指側は内側になる。これに対して，下肢は強く内旋するので，母指側は内側，小指側は外側になる。四肢における感覚神経の分布にねじれが生じるのは，このような理由からである。

4.2.3 脊髄神経後枝

脊髄神経後枝 Ramus dorsalis nervi spinalis は体幹の背部に分布し，固有背筋（脊柱起立筋）を支配したり，背の皮膚の各種感覚を司ったりする。一般に後枝が支配する領域は前枝に比べて狭いので，ほとんどの脊髄神経では前枝に比べて後枝は細い。ただし例外として，第2頸神経だけは後枝の方が前枝よりも太い。脊髄神経の後枝で名前を持っているのは後頭下神経，大後頭神経，第3後頭神経だけで，その他は名前を持っていない（図4-18）。

- **後頭下神経** N. suboccipitalis：第1頸神経の後枝で，運動線維からなる。椎骨動脈の下で環椎の後弓を横切り，後頭下三角を進んで短い項部筋や頭長筋，頭半棘筋などを支配する。

- **大後頭神経** N. occipitalis major：第2頸神経の後枝で，知覚線維が主体をなす。後頭動脈の枝と伴行しながら，下頭斜筋の周りで曲がって頭半棘筋に入り，長い背筋の頭部に数本の筋枝を出した後，僧帽筋の起始部あたりで皮下に現れ，頭蓋冠まで達し，後頭部の皮膚に広く分布する。

- **第3後頭神経** N. occipitalis tertius：第3頸神経の後枝で，皮枝は僧帽筋を貫いて項部の皮膚に分布する。

4.2.4 脊髄神経前枝

脊髄神経前枝 Ramus ventralis nervi spinalis は体幹の外側部と腹部および四肢に分布するので，大部分の脊髄神経では後枝よりも太い。31対の脊髄神経のうちで，胸神経以外では，脊柱の両側で前枝が上下に吻合して神経叢を作る。

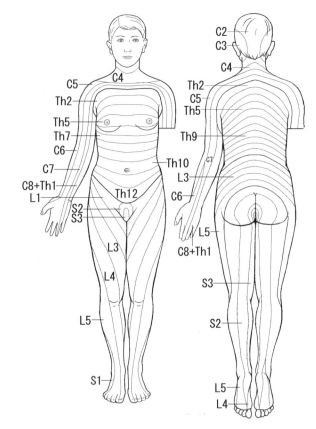

図4-17　皮節

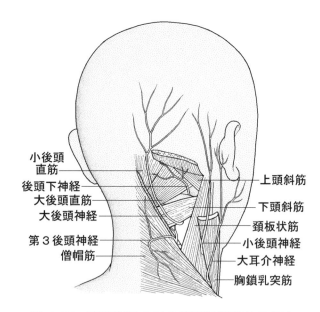

図4-18　頭頸部における脊髄神経後枝の分布

胎生初期には脊髄と体節は分節的に対応しており，体節から発生する骨格筋は同じ高さの脊髄からの運動神経を受け，その支配関係は終生変わらない。そして四肢の筋は四肢の発達に伴って，神経を引っ張りながら四肢の先端に向かって遊走していくが，この時，骨格筋は互いに上下が入り混じり合いながら遊走するので，前枝も互いに絡み合うことになる。従って頸部，上肢，腰部，下肢，尾骨部に分布する前枝はそれぞれ頸神経叢，腕神経叢，腰神経叢，仙骨神経叢，尾骨神経叢を形成することになる。各神経叢と脊髄レベルの関係は以下の通りである。

- **頸神経叢** Plexus cervicalis：$C_1 \sim C_4$
- **腕神経叢** Plexus brachialis：$C_5 \sim Th_1$
- **腰神経叢** Plexus lumbalis：$Th_{12} \sim L_4$
- **仙骨神経叢** Plexus sacralis：$L_4 \sim S_5$
- **尾骨神経叢** Plexus coccygeus（$S_4 \sim Co_1$）

一方，胸部では脊髄と体節の対応が終生保たれるので，脊髄神経も分節的に分布し，神経叢を作らない。

4.2.5 頸神経と頸神経叢

頸神経 Nn. cervicales は8対あり，それぞれが前枝と後枝に分かれ，後枝は後頸部の筋や後頭部および項部の皮膚に分布する（4.2.3を参照）。一方，前枝は頸神経叢や腕神経叢を形成し，前頸部や側頸部，上肢帯，上肢の皮膚や骨格筋に分布する。

1）頸神経叢

頸神経叢 Plexus cervicalis は $C_1 \sim C_4$ の脊髄神経前枝と舌下神経から構成される。側頸部において，前斜角筋と中斜角筋の間から出て，胸鎖乳突筋の下に広がる（図4-19）。ここから出る神経は，頸部の皮膚，舌骨下筋群，および横隔膜に分布する。

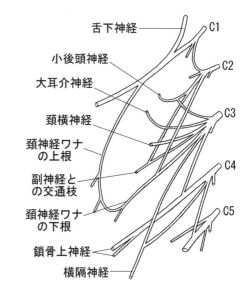

図4-19　頸神経叢

2）皮枝

頸神経叢から起こる皮枝のうちで重要なものは次の通りである。これらの皮神経はすべて胸鎖乳突筋の後縁中央部から皮下に現れ，側頸部や前頸部の皮膚に分布する（図4-20）。

- **小後頭神経** N. occipitalis minor（$C_2 \sim C_3$）：胸鎖乳突筋と僧帽筋の間を斜め後上方に進み，後頭部の皮膚に分布する。
- **大耳介神経** N. auricularis magnus（$C_3 \sim C_4$）：胸鎖乳突筋の表面を上方に向かい，耳介後部と耳下腺付近に分布する。

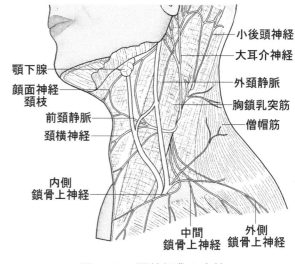

図4-20　頸神経叢の皮枝

- **頸横神経** N. transversus colli（$C_2 \sim C_3$）：胸鎖乳突筋の表面を前方に進み，側頸部と前頸部に分布する。
- **鎖骨上神経** Nn. supraclaviculares（$C_3 \sim C_4$）：数本の枝に分かれて鎖骨の上面を放射状に広がる。

3）筋枝

頸神経叢は後頸筋群に筋枝を送るほか，一部は副神経とともに胸鎖乳突筋と僧帽筋を支配する。また一部は舌骨下筋群を支配する。

- **頸神経ワナ** Ansa cervicalis：内頸静脈の外側で，舌下神経と $C_1 \sim C_2$ の前枝からなる上根と，$C_2 \sim C_3$ からなる下根がループを作る。頸神経ワナから起こる筋枝は舌骨下筋群と，舌骨上筋群の1つであるオトガイ舌骨筋を支配する。

・**横隔神経** N. phrenicus：C_4 を中心にして C_3〜C_5 から起こり，前斜角筋の前面を斜めに横切り，鎖骨下動脈の前を通って胸腔に入ると壁側心膜と縦隔胸膜の間を下行して横隔膜に達する（運動枝）。途中で心嚢（心膜枝）と胸膜に知覚枝を送るほか，横隔腹枝となって上腹部（心窩部）の腹膜にも知覚枝を送る（図4-21）。

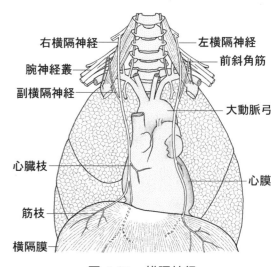

図4-21　横隔神経

横隔膜は外肋間筋とともに，吸気運動において中心的役割を果たしている。第5頚髄よりも下で脊髄が損傷されると，横隔膜の機能は残存するので自力呼吸が可能である。しかし，第4頚髄よりも上で脊髄が損傷されると，横隔膜と外肋間筋がともに麻痺するので，自力呼吸ができなくなる。

4.2.6　腕神経叢

腕神経叢 Plexus brachialis は C_5〜Th_1 の前枝から構成される（図4-22）。前斜角筋と中斜角筋の間を鎖骨下動脈とともに下外方に進み，鎖骨の下から腋窩に出て，上肢帯および上肢の皮膚や筋に分布する。

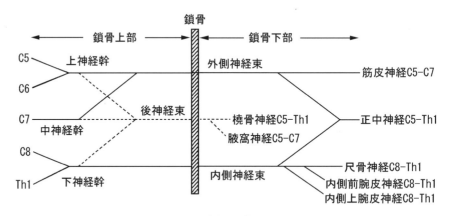

図4-22　腕神経叢の模式図

C_5 と C_6 は合流して**上神経幹** Truncus superior，C_7 は単独で**中神経幹** Truncus medius，C_8 と Th_1 は合流して**下神経幹** Truncus inferior を作るが，各神経幹は鎖骨より上方でそれぞれ，上肢骨の腹側部に分布する前部と，背側部に分布する後部に分かれる。

上および中神経幹の前部線維は合流して**外側神経束** Fasciculus lateralis，下神経幹の前部線維は単独で**内側神経束** Fasciculus medialis になる。一方，上・中・下神経幹の後部線維は1本にまとまって**後神経束** Fasciculus posterior となり，この状態で鎖骨の下を斜め外方に下行する。ここまでを**鎖骨上部** Pars supraclavicularis といい，それより末梢部を**鎖骨下部** Pars infraclavicularis という。

鎖骨下部において外側および内側神経束はさらにそれぞれ2つの部分に分かれる。外側神経束の一部は筋皮神経となり，残りの部分は内側神経束の一部と合流して正中神経となる。内側神経束の残りの部分は内側上腕皮神経と内側前腕皮神経を出した後，尺骨神経となる。一方，後神経束からは腋窩神経と橈骨神経が起こる。

1）鎖骨上部から出る枝

鎖骨上部から出る枝の大部分は上肢帯筋を支配する（図4-23）。上肢帯筋の筋腹は体幹にあって肩関節の運動を司る。解剖学的に筋の起始・停止を考えると，上肢帯の筋は体幹に始まり上肢骨に

終わるように思えるが，発生学的には上肢帯筋は上肢の筋で，上肢の基部から体幹に向かって伸び出してきたものである。従って，これらの筋が上肢の筋を支配する腕神経叢に支配されても不思議ではない。

- **肩甲背神経** N. dorsalis scapulae (C_5〜C_6)：C_5とC_6の前枝の後部線維が合流して背方に向かい，肩甲挙筋と菱形筋を支配する。
- **長胸神経** N. thoracicus longus (C_5〜C_7)：脊髄神経前枝の後部線維の成分で，腋窩の内側壁を下行し，前鋸筋を支配する。
- **内側胸筋神経と外側胸筋神経** N. pectoralis medialis et lateralis (C_5〜Th_1)：脊髄神経前枝の前部線維の成分で，鎖骨の後ろ下を通って大胸筋と小胸筋の間に達し，これらを支配する。

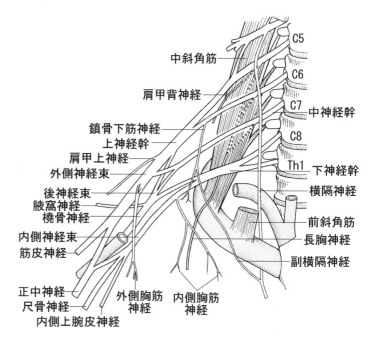

図4-23 腕神経叢

- **鎖骨下筋神経** N. subclavius (C_5)：脊髄神経前枝の前部線維成分で非常に細く，鎖骨下筋に分布する。
- **肩甲上神経** N. suprascapularis (C_5〜C_6)：脊髄神経前枝の後部線維成分で，肩甲切痕を通って肩甲骨の上縁から背面を下行し，棘上筋と棘下筋を支配する。
- **胸背神経** N. thoracodorsalis (C_7〜Th_1)：脊髄神経前枝の後部線維の成分で，肩甲骨の外側縁に沿って下行し，広背筋を支配する。

2) 鎖骨下部から出る枝

大部分は上肢に分布するが，一部は上肢帯にも分布する（図4-24）。

- **肩甲下神経** Nn. subscapulares (C_5〜C_6)：後神経束から出て肩甲骨の前面を下行し，肩甲下筋と大円筋を支配する。
- **腋窩神経** N. axillaris (C_5〜C_7)：後神経束から出て，後上腕回旋動脈とともに肩の背面に達し，小円筋と三角筋に筋枝を与えた後，**上外側上腕皮神経** N. cutaneus brachii lateralis superior となって上腕の外側および背側の皮膚に分布する。
- **筋皮神経** N. musculocutaneus (C_5〜C_7)：腕神経叢の外側神経束から出ると外方に進み，上腕の屈筋群（烏口腕筋，上腕二頭筋，上腕筋）に筋枝を出した後，**外側前腕皮神経** N. cutaneus antebrachii lateralis となって前腕橈側の皮膚に分布する。
- **内側上腕皮神経** N. cutaneus brachii medialis (C_8〜Th_1)：内側神経束から出て，上腕内側の皮膚に分布する。
- **内側前腕皮神経** N. cutaneus antebrachii medialis (C_8〜Th_1)：内側神経束から出て，前腕内側の皮膚に分布する。
- **正中神経** N. medianus (C_5〜Th_1)：外側神経束の一部と内側神経束の一部が合流したもので，上腕動脈に伴行して上腕二頭筋の内側縁に沿って下行して肘窩に達し，前腕前面の浅筋群と深筋

群の間をさらに下行して手掌において放射状に分布する。その途中で，尺側手根屈筋と深指屈筋の尺側半分を除く前腕の屈筋群と回内筋群，および橈側の手筋群（母指内転筋を除く母指球筋と虫様筋の橈側半分）に筋枝を送る。また手掌の橈側半分の皮膚に皮枝を出す。

- 尺骨神経 N. ulnaris（C_8～Th_1）：内側神経束から出て，正中神経の内側で上腕の後内側面を上腕筋膜だけに覆われて下行し，肘関節の高さでは上腕骨の内側上顆と肘頭の間を通り，前腕の前面を尺骨動脈とともに下行する。そして2本に分かれて手掌と手背の尺側に分布する。この間，前腕では前腕の屈筋群のうちで正中神経が支配しない，尺側手根屈筋と深指屈筋の尺側半に筋枝を出す。また，

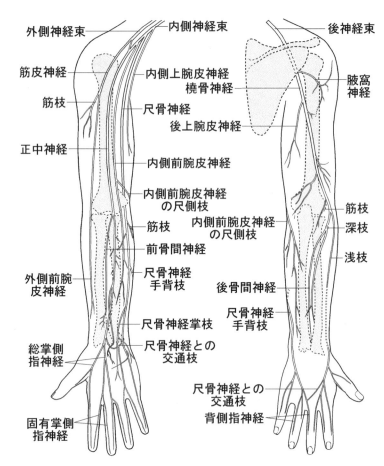

図4-24 上肢の神経

手では小指球筋，虫様筋の尺側半分，母指内転筋，すべての掌側および背側骨間筋を支配する。さらに皮枝を手掌と手背の尺側半分の皮膚に送る。肘の内側部が机の角などに当たると，前腕の尺側部にしびれ感が走るのは，この尺骨神経が刺激されたためである。

- 橈骨神経 N. radialis（C_5～Th_1）：後神経束の本流で，尺骨神経の後方から始まり，上腕深動脈とともに上腕三頭筋を貫通して上腕骨の後面を斜め外方に下行し，肘窩の外側部に現れる。肘窩で浅部と深部の2本に分枝して，前腕の橈側を下行して手に向かう。その間に上腕と前腕のすべての伸筋群に筋枝を送る。また，皮枝を上腕と前腕の背面ならびに手背の橈側半分に送る（図4-25）。

上肢には多数の筋が存在する。これらの筋を支配する神経を個々に覚えるのは大変であるが，以下のように整理することができる。
- 上腕の前面にある筋（上腕の屈筋群）：すべて筋皮神経が支配する。
- 前腕の前面にある筋（前腕の屈筋群と回内筋）：正中神経と尺骨神経が支配するが，このうち，尺骨神経支配は尺側手根屈筋と深指屈筋の尺側半分のみで，後はすべて正中神経支配である。
- 手掌にある筋：正中神経と尺骨神経が支配する。母指球筋のうち，母指内転筋だけが尺骨神経支配で，他は正中神経支配である。小指球筋はすべて尺骨神経支配である。また，虫様筋の橈側半分は正中神経支配であるが，虫様筋の尺側半分と背側および掌側骨間筋は尺骨神経支配である。
- 上腕および前腕の後面の筋（伸筋群と回外筋）：すべて橈骨神経に支配される。

3）手の皮神経

前腕前面の橈側半には**外側前腕皮神経**（筋皮神経：$C_5 \sim C_6$），尺側半には**内側前腕皮神経**（$C_8 \sim Th_1$）が分布する（図4-25）。

手掌面では，母指～第4指の正中線までは**正中神経**（$C_6 \sim C_7$）が，それよりも尺側部には**尺骨神経**（$C_8 \sim Th_1$）が分布する。

前腕後面の大部分には**後前腕皮神経**（橈骨神経：$C_6 \sim C_7$ の枝）が分布し，外側縁部には**外側前腕皮神経**

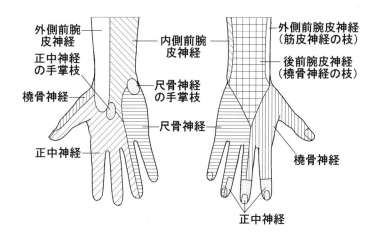

図4-25　手の皮神経

（筋皮神経の枝：C_5），内側縁には**内側前腕皮神経**（$C_8 \sim Th_1$）が分布する。

手背では，第3指の正中線より橈側には**橈骨神経**（$C_6 \sim C_7$），尺側には**尺骨神経**（$C_8 \sim Th_1$）が分布し，第2，3指および第4指橈側半の末節には**正中神経**が分布する。

4）手の運動神経麻痺

手の運動神経麻痺によって，手にはそれぞれの神経に特徴的な症状が現れる（図4-26）。

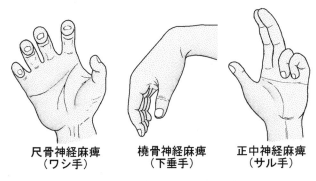

図4-26　手の運動神経麻痺

- **尺骨神経麻痺**：尺骨神経は深指屈筋の尺側半分，小指球の筋，手の骨間筋などに分布するので，これが麻痺すると骨間筋の萎縮，第4，5指の異常伸展，中および末節骨の屈曲をきたす。これを**ワシ手** claw hand という。
- **橈骨神経麻痺**：橈骨神経は前腕の伸筋群を支配するので，これが麻痺すると，母指，全基節骨，手根関節は屈曲する。すなわち手が下方に垂れ下がるので**下垂手** wrist drop という。
- **正中神経麻痺**：正中神経は母指側の屈筋，対立筋，回内筋を支配するので，これが麻痺すると母指球は萎縮し，母指の対立と屈曲，前腕の回内運動ができなくなる。被検者に「手を握るように」と指示しても，第1～3指を屈曲することができない。この状態を**サル手** ape hand という。

4.2.7　胸神経

胸神経 Nn. thoracici は12対あり，前枝と後枝に分かれて典型的な脊髄神経の構成を終生保っている。後枝はさらに内側枝と外側枝に分かれて，体幹後壁の固有背筋と背中の皮膚に筋枝と皮枝を送る。前枝は**肋間神経** Nn. intercostales となって肋間動・静脈とともに肋骨の下縁に沿って，内肋間筋と最内肋間筋の間を背方から腹方に走る。第1～6肋間神経はほぼ水平に走って胸骨縁に達するが，下位の肋間神経は前下方に向かって走り，前腹壁の正中線に達する（図4-27）。

筋枝は最内肋間筋，内・外肋間筋，肋下筋，胸横筋，上・下後鋸筋，前および側腹筋を支配する。皮枝のうち，外側皮枝は胸腹壁の外側部の皮膚に，内側皮枝は胸腹壁の前部の皮膚に分布する。

4.2.8 腰神経と腰神経叢

腰神経 Nn. lumbales は5対あり，前枝と後枝に分かれる。後枝は胸神経と同じく固有背筋と腰部の皮膚に筋枝と皮枝を送る。一方，前枝は腰神経叢を形成する（図4-28）。

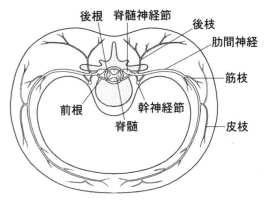

図4-27 胸神経

1）腰神経叢

腰神経叢 Plexus lumbalis は Th_{12}～L_4 の前枝で構成され，腰椎の両側で，大腰筋に覆われている。ここから出る筋枝は後腹壁の筋や内骨盤筋群，大腿の伸筋群，大腿の内転筋群を支配する。また皮枝は下腹部，鼠径部，外陰部，大腿の前面，大腿と下腿の内側面に分布する。

- 筋枝 Rami musculares：後腹壁にある腰方形筋と腸腰筋を支配する。
- 腸骨下腹神経 N. iliohypogastricus（Th_{12}～L_1）：肋下神経（第12肋間神経）の下を平行に走り，筋枝を側腹筋群に，皮枝を下腹部と骨盤外側の皮膚に送る。
- 腸骨鼠径神経 N. ilioinguinalis（L_1）：腸骨下腹神経の下を走りながら側腹筋に筋枝を送り，鼠径管を貫いて陰嚢（大陰唇）に皮枝を送る。
- 陰部大腿神経 N. genitofemoralis（L_1～L_2）：細い神経で，大腰筋の中で2本に分かれる。陰部枝は精索（子宮円索）と伴行して陰嚢（精巣挙筋や精巣白膜）あるいは大陰唇に分布し，大腿枝は鼠径部の皮膚に分布する。

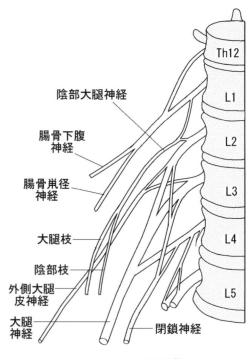

図4-28 腰神経叢

- 外側大腿皮神経 N. cutaneus femoris lateralis（L_2～L_3）：腰方形筋と腸骨筋の間を外下方に走り，上前腸骨棘の内側で鼠径靱帯をくぐり，大腿外側部の皮膚に分布する。
- 大腿神経 N. femoralis（L_2～L_4）：腰神経叢から出る最も太い神経で，大腰筋と腸骨筋の間を外下方に下りながら骨盤内の屈筋群（腸骨筋，大腰筋，小腰筋）に筋枝を送る。そして鼠径靱帯の下の筋裂孔を通って大腿前面に顔を出し，ここで筋枝を大腿の伸筋群（大腿四頭筋，縫工筋，恥骨筋の一部）に，皮枝（大腿神経前皮枝）を大腿前面の皮膚に与える。一部は伏在神経 N. saphenus となって大腿の内側面をさらに下行して，下腿内側面の皮膚に分布する。
- 閉鎖神経 N. obturatorius（L_2～L_4）：大腰筋の中を同名の動脈や静脈と伴行し，閉鎖孔を通って大腿上部の皮膚に現れる。その間，筋枝は大腿の内転筋群（恥骨筋の一部，薄筋，長内転筋，短内転筋，大内転筋）を支配し，皮枝は大腿内側の皮膚に分布する。

2）殿部と大腿部の皮神経

下肢の原基は L_1～S_1 の領域に上肢と同様に母趾側を上に，小趾側を下にして発生する。その後，

伸長するにつれて下肢は大きく内旋
し，上位の髄節に支配される頭側由来
の部分は内側面に，下位の髄節に支配
される尾側由来の部分は後面〜外側面
に変位する。従って，下肢の皮節は斜
めの縞模様を呈することになる（図
4-17を参照）。殿部は下肢の原基より
も尾方から形成されるので，皮神経も
大腿部の皮神経より下位の脊髄神経に
由来する。

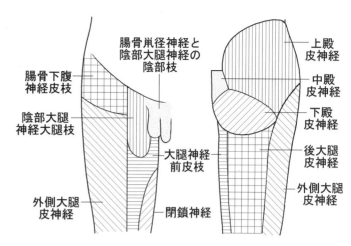

図4-29　殿部と大腿部における皮神経の分布

　外陰部には腸骨鼡径神経（L_1）と陰
部大腿神経の陰部枝（$L_1 \sim L_2$），大腿
三角には陰部大腿神経の大腿枝，大腿前面には大腿神経の前皮枝が分布する。大腿の内側面には大腿神経（$L_2 \sim L_4$）の前皮枝と閉鎖神経（$L_2 \sim L_4$）が，大腿の外側面には外側大腿皮神経（$L_2 \sim L_3$）が分布する。これらはいずれも腰神経叢に由来する皮神経である。

　殿上部には**上殿皮神経** Nn. clunium superiores（$L_1 \sim L_3$），上内側の一部には中殿皮神経 Nn. clunium medii（$S_1 \sim S_3$）が分布し，これらはともに脊髄神経の後枝である。一方，殿下部には**下殿皮神経** Nn. clunium inferiores（$S_2 \sim S_3$）が，大腿の後面には後大腿皮神経 N. cutaneus femoris posterior（$S_2 \sim S_3$）が分布し，これらはともに仙骨神経叢に由来する（図4-29）。

4.2.9　仙骨神経と仙骨神経叢

　仙骨神経 Nn. sacrales は5対あり，前枝と後枝に分かれる。後枝は後仙骨孔を出て，固有背筋や腰部の皮膚に筋枝や皮枝を送る。前枝は前仙骨孔を出て仙骨神経叢，陰部神経叢，尾骨神経叢を形成する。

1）仙骨神経叢

　仙骨神経叢 Plexus sacralis は $L_4 \sim S_5$ の前枝から構成されており，骨盤の後壁を大坐骨孔に向かって走る大きな神経叢である。筋枝を殿部の外骨盤筋や大腿の屈筋群，下腿および足のすべての筋に送る。また皮枝は殿部，会陰，大腿の後面，下腿および足の皮膚に分布する（図4-30）。

- **上殿神経** N. gluteus superior（$L_4 \sim S_1$）：大坐骨孔の梨状筋上部（梨状筋上孔）を通って殿部の深層に達し，股関節の外転筋群（中殿筋，小殿筋，大腿筋膜張筋）を支配する。
- **下殿神経** N. gluteus inferior（$L_5 \sim S_2$）：大坐骨孔の梨状筋よりも下部（梨状筋下孔）を通って殿部に達し，大殿筋を支配する。
- **後大腿皮神経** N. cutaneus femoris posterior（$S_1 \sim S_2$）：梨状筋下孔を通って坐骨神経の内側に出て，

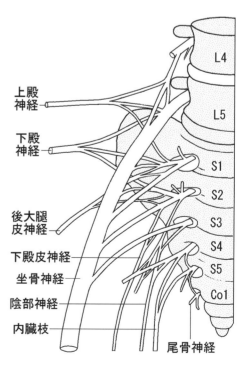

図4-30　仙骨神経叢

大殿筋の下縁で皮下に現れ，大腿後面の皮膚に分布する。
- **下殿皮神経** Nn. clunium inferiores（S_2〜S_3）：大殿筋の下縁で皮下に現れ，殿部の下半分に分布する。
- **坐骨神経** N. ischiadicus（L_4〜S_3）：人体最大の神経で，鉛筆ほどの太さがあり，全長は1mにも達する。

2）坐骨神経

坐骨神経は梨状筋下孔を通り，大殿筋や大腿二頭筋に覆われて大腿の後面を下行し，膝窩のやや上方で総腓骨神経と脛骨神経に分かれる。この間に大腿の屈筋群に筋枝を送る（図4-31）。

(1) 総腓骨神経

総腓骨神経 N. fibularis (peroneus) communis は大腿二頭筋の内側縁に沿って下行し，腓骨頭の直下で腓骨の外側を前下方に回り，外側腓腹皮神経，深腓骨神経，浅腓骨神経に分かれる。

- **外側腓腹皮神経** N. cutaneus surae lateralis：膝窩において総腓骨神経から分かれ，下腿外側の皮膚に分布する。
- **深腓骨神経** N. fibularis (peroneus) profundus：腓骨の上端外側で，長腓骨筋と長趾伸筋の起始部を貫いて下腿前側の深部に達し，前脛骨動脈に伴行して下行し，足背に至る。その間に筋枝を下腿の伸筋群（下腿前部筋群）と足背の伸筋群に送り，皮枝を足背の一部に送る。
- **浅腓骨神経** N. fibularis (peroneus) superficialis：深腓骨神経の外側で，下腿の表面を下行して足背に至る。筋枝を長および短腓骨筋に送り，皮枝を足背の皮膚に送る。

(2) 脛骨神経

脛骨神経 N. tibialis は膝窩のほぼ中央を下行し，下腿ではヒラメ筋と後脛骨筋の間を後脛骨動脈とともに走り，内果の後ろで**内側足底神経** N. plantaris medialis と**外側足底神経** N. plantaris lateralis に分かれて足底に分布する。その間に，筋枝を下腿の屈筋群と足底の屈筋群に送る。また，皮枝は下腿の後面と足底に分布する。

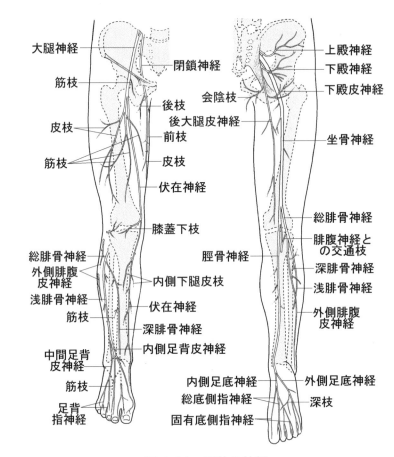

図4-31　下肢の神経

上肢と同様に，下肢にも多くの筋が存在し，これらの筋を支配する神経を個々に覚えるのは大変であり，以下のように整理することができる。
- 大腿の前面にある筋（大腿の伸筋群）：すべて大腿神経に支配される。
- 大腿の内側部にある筋（大腿の内転筋群）：すべて閉鎖神経に支配される。

- 大腿の後面にある筋（大腿の屈筋群）：大腿二頭筋の短頭（総腓骨神経）を除いて，坐骨神経の脛骨神経部に支配される。
- 下腿の前面にある筋（下腿の伸筋群）：すべて深腓骨神経に支配される。
- 下腿の外側面にある筋（腓骨筋群）：すべて浅腓骨神経に支配される。
- 足背にある筋（足の伸筋群）：手にはこれに該当する筋は存在しないが，すべて深腓骨神経に支配される。
- 足底にある筋（足の屈筋群）：すべて脛骨神経の枝である内側および外側足底神経に支配される。母趾内転筋を除く母趾球筋と虫様筋の内側2本は内側足底神経に支配され，それ以外の足底筋は外側足底神経に支配される。

3）陰部神経叢

陰部神経叢 Plexus pudendus は S_2〜S_4 の前枝から構成される。仙骨神経叢の下方で梨状筋の前方にあり，交感，副交感神経と合流して会陰や外陰部，骨盤内臓に分布する。
- 筋枝 Rami musculares：骨盤隔膜の筋（肛門挙筋や尾骨筋）を支配する。
- 内臓枝 Rami viscerale：**骨盤内臓神経** Nn. splanchnici pelvini（副交感性）と**下下腹神経叢** Plexus hypogastricus inferior（交感性）からなり，下行結腸〜直腸，膀胱，前立腺，精嚢，子宮，膣などに分布する。
- **陰部神経** N. pudendus（S_2〜S_4）：内陰部動脈に伴行して陰部神経管を通って会陰の皮膚と筋（坐骨海綿体筋，球海綿体筋，深会陰横筋），肛門の皮膚と筋（外肛門括約筋），陰嚢あるいは大陰唇の皮膚，陰茎あるいは陰核，尿道，膣などに分布する。

4）尾骨神経と尾骨神経叢

尾骨神経 N. coccygeus は1対で，後枝は尾椎部の皮膚に分布する。前枝は S_4〜S_5 とともに**尾骨神経叢** Plexus coccygeus を作り，この神経叢から出る肛尾神経 Nn. anococcygei は尾骨筋と付近の皮膚に分布する。

4.3 自律神経系

自律神経系 Systema nervosum autonomicum は平滑筋や腺に分布して循環器，呼吸器，消化器，生殖器などの機能を調節する。これらの内臓機能は我々の意思とは無関係に，自動的に調節されるので植物性機能とも呼ばれる。従って自律神経系は**植物神経系** vegetativenervous system ともいわれ，交感神経と副交感神経に分けられる。

自律神経系の中枢は脳幹と脊髄で，大脳皮質は直接的には関与しない。すなわち脳幹や脊髄の中で，既に述べた上行性伝導路と連絡して反射弓を作っている。交感神経の起始核は第8頚髄〜第2腰髄にある**中間質外側核** Nucl. intermediolateralis である一方，副交感神経の起始核は脳幹と仙髄に存在し，脳幹には**動眼神**

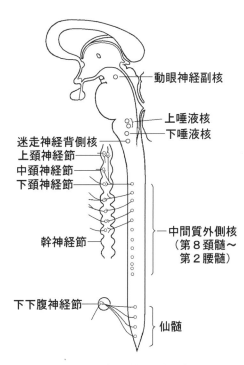

図4-32　自律神経系の中枢

経副核，上唾液核，下唾液核および迷走神経背側核があり，第2〜4仙髄には中間質外側核がある（図4-32）。

4.3.1 自律神経系の構成

自律神経系は2個のニューロンで構成される（図4-33）。

- 第1ニューロン：細胞体は脳幹や脊髄の起始核にある。第1ニューロンの神経線維を**節前線維** Fibrae preganglionaes いい，神経節内で第2ニューロンとシナプスを作る。
- 第2ニューロン：細胞体は神経節にある。この線維を**節後線維** Fibrae postganglionares といい，これが末梢の効果器に終わる。

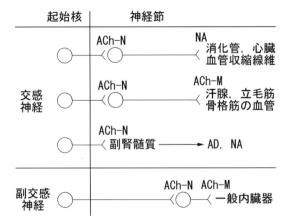

図4-33 自律神経系における神経伝達物質

一般に，交感神経系の神経節は脊柱の近くに，副交感神経系の神経節は効果器（臓器）の近く，あるいは臓器内に存在する。

交感神経，副交感神経ともに，節前線維の神経伝達物質はアセチルコリンである。副交感神経節後線維の伝達物質もアセチルコリンであるが，交感神経では一部を除いてノルアドレナリンである。

4.3.2 自律神経系の機能

すべての内臓器官には交感神経と副交感神経が分布しており，原則としてその作用は全く逆である（表4-1）。

表4-1 交感神経と副交感神経の作用

	交感神経	副交感神経
心臓	心拍数増加	心拍数減少
冠状動脈	拡張	収縮
皮膚の血管	収縮	拡張
筋の血管	拡張	収縮
気管	拡張	収縮
消化管	抑制	促進
唾液腺		分泌促進
膀胱	弛緩	収縮
男性生殖器	射精	勃起
瞳孔	散大	縮瞳
立毛筋	収縮	
汗腺（手掌）	分泌	
副腎皮質	分泌亢進	

交感神経系は副腎皮質とともに"**闘争と逃走** fight and flight"に適した状態を作ってストレスに対応する。試合を前にして興奮している時や，とっさの出来事にびっくりしたときなどの状態を思い起こしてみよう。心臓が鼓動を高めているのは心機能が亢進している証拠である。交感神経によって心拍数は増加し，拍出力も高まる。そのために冠動脈は拡張しなければならない。また，体内では大量の酸素を必要とするので，呼吸数は増加し，そのために気管支は拡張する。平常時，予備の血液を貯めている皮膚の血管は収縮して，血液を骨格筋に回す。顔面が蒼白になるのはそのためである。鳥肌が立つのは，交感神経によって立毛筋が収縮するためである。また，精神的に興奮した時，手に汗握るのも交感神経の作用である。この時，足底も汗をかいている。消化器は非常時には必要でないので，これらの機能は抑制される。唾液の分泌は消化機能と関係しているので，副交感神経によって促進される。興奮している時に咽がからからに乾くのはこのためである。

4.3.3 交感神経系

交感神経系 Systema nervosum sympathicum は以下の要素から構成されており，脳神経や脊髄神経から独立した分布経路を持つ（図4-34）。

- 第1ニューロン：細胞体は胸髄と腰髄の側角にあり，ここから出る節前線維は胸神経や腰神経の前根と**白交通枝** Rami communicantes albi を通って**幹神経節** Ggl. trunci sympathici に入り，ここで第2ニューロンとシナプスを形成する。
- 第2ニューロン：線維は**灰白交通枝** Rami communicantes grisei を通って再び脊髄神経と合流し，動脈の壁に絡みつきながら末梢に至り，全身の平滑筋や腺に分布する（節後線維）。
- **交感神経幹** Truncus sympathicus：交感神経系の本幹で，脊柱の両側を頚部から尾骨部まで走っている。
- **幹神経節** Ganglia trunci sympathici：20個ほどの神経節が交感神経幹上を数珠玉状に並んでいる。

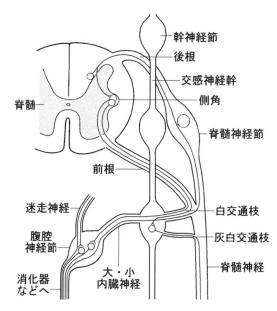

図4-34　交感神経系の構成

交感神経の主要な経路は以下の通りである。
- 涙腺や眼球，耳下腺に分布する線維は上神経節を経由する。
- 心臓に分布する線維は上・中・下神経節および上胸部神経節を通る。
- 肺に分布する線維は上胸部神経節を通る。
- 上肢の動脈に分布する線維は中神経節を通る。
- 腹腔内の消化器や腎臓に分布する線維は腹腔神経節を通る。
- 下部消化管や膀胱に分布する線維は下腸間膜神経節や下下腹神経節を通る。

4.3.4　副交感神経系

副交感神経系 Systema nervosum parasympathicum の神経核は脳幹と仙髄にあり，脳神経や脊髄神経の運動線維や感覚線維に混じって末梢器官に分布する。

1）動眼神経

動眼神経 N. oculomotorius の副交感成分は瞳孔括約筋や毛様体筋に分布して，眼球の明暗調節や遠近調節を行う。
- 第1ニューロン：細胞体は中脳の**動眼神経副核** Nucl. accessorius n. oculomotorii にある。節前線維は動眼神経とともに眼窩内に入るが，交通枝を介して**毛様体神経節** Ggl. ciliare に終わる（図4-6を参照）。
- 第2ニューロン：毛様体神経節から起こる節後線維は**短毛様体神経** N. clialis brevis となって眼球に進入して毛様体と虹彩に至り，毛様体筋と瞳孔括約筋を支配する。

2）顔面神経

顔面神経 N. facialis の副交感性部は涙腺，顎下腺，舌下腺を支配する（図4-35）。
①涙腺への伝導路
- 第1ニューロン：起始核は橋にあり，節前線維は顔面神経の膝神経節を素通りして**大錐体神経** N.

petrosus major に入り，**翼口蓋神経節** Ggl. pterygopalatinum に終わる。
- 第2ニューロン：翼口蓋神経節から起こる節後線維は，**頬骨神経** N. zygomaticus を経由して**涙腺神経** N. lacrimalis に合流し，涙腺に至る。

②顎下腺と舌下腺への伝導路
- 第1ニューロン：細胞体は**上唾液核** Nucl. salivatorius superior にあり，節前線維は顔面神経，鼓索神経，舌神経を経て**顎下神経節** Ggl. submandibulare に終わる。
- 第2ニューロン：節後線維は直接顎下腺と舌下腺に入ってこれらを支配する。

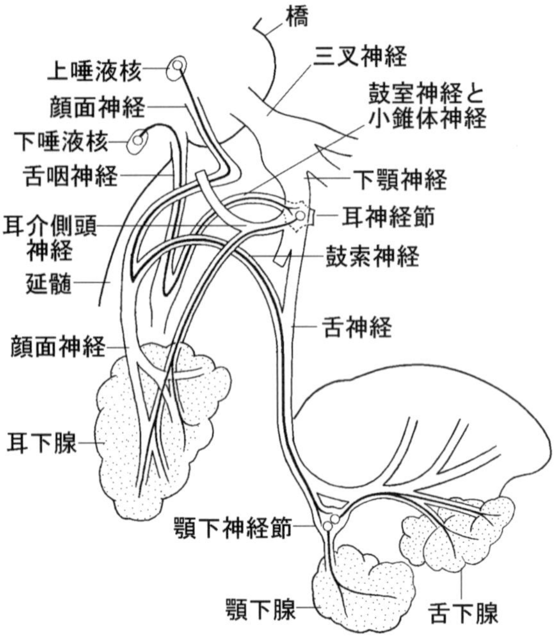

3）舌咽神経

舌咽神経 N. glossopharyngeus の副交感神経は耳下腺を支配する（図4-35）。

図4-35 唾液腺の自律神経支配

- 第1ニューロン：細胞体は**下唾液核** Nucl. salivatorius inferior にあり，節前線維は鼓室神経，小錐体神経を経て**耳神経節** Ggl. oticum に終わる。
- 第2ニューロン：節後線維は耳介側頭神経を経て耳下腺に分布する。

4）迷走神経

迷走神経 N. vagus の副交感神経線維は頸部，胸部および，骨盤内を除く腹腔内臓器に広く分布する。迷走神経の伝導路については不明な点も多い。
- 第1ニューロン：細胞体は延髄の**迷走神経背側核** Nucl. dorsalis nervi vagi にある。節前線維は迷走神経の主要成分である。
- 第2ニューロン：細胞体の多くは各臓器の壁内に存在していると考えられている。

5）一般の脊髄神経

- 第1ニューロン：起始核は脊髄灰白質（後角基部）にあり，節前線維は脊髄後根を通って脊髄神経節に入る。
- 第2ニューロン：脊髄神経節から始まる節後線維は皮膚に向かい，立毛筋や汗腺および血管に分布すると考えられている。

6）仙骨神経

仙髄には上記の一般的な脊髄副交感神経起始核のほかに，特殊な起始核があり，排便，排尿，勃起，射精などを支配する。
- 第1ニューロン：細胞体は仙髄の側角にあり，節前線維は脊髄前根を通ってS_2〜S_4の臓側枝（**骨盤内臓神経** Nn. splanchnici pelvini）となって末梢に向かう。
- 第2ニューロン：細胞体の多くは骨盤内臓器の壁内にあると考えられている。

2章　体表解剖学実習

5 頭頚部の体表解剖

5.1 頭頚部の表面観察

頭部と頚部の境界はオトガイ，下顎骨下縁，下顎角，下顎枝後縁，乳様突起，上項線，外後頭隆起を通る線である。

頭部はさらに頭と顔に分けられる。頭と顔の境界は鼻根，眼窩上縁，頬骨上縁，外耳口，顎関節，乳様突起を通る線で，頭は神経頭蓋，顔は顔面頭蓋に相当する。

5.1.1 頭の区分

頭 Caput は5部に分けられる（図5-1）。

- **頭頂部** Regio parietalis：頭頂骨にあたる部分で，正中線上を矢状縫合が走り，その最上点を**頭頂点** vertex という。
- **側頭部** Regio temporalis：側頭骨の鱗部にあたる部分で，側頭筋が覆っている。
- **前頭部** Regio frontalis：前頭骨にあたる部分。
- **後頭部** Regio occipitalis：後頭骨の後頭鱗にあたる部分。
- **側頭下部** Regio infratemporalis：頬骨弓の深部で，体表からは触知できない。

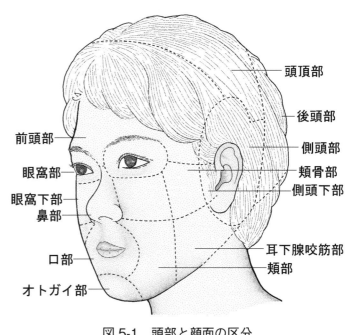

図5-1 頭部と顔面の区分

5.1.2 顔の区分

顔 Facies は以下のように区分される（図5-1）。眼窩下部，頬骨部，頬部を合わせて俗に頬（ホホ）Bucca という。

- **眼窩部** Regio orbitalis：視覚器を入れる部分。
- **眼窩下部** Regio infraorbitalis：眼窩部の下で，鼻部を挟む部分。
- **鼻部** Regio nasalis：顔面中央に突出する三角錐の部分。
- **頬骨部** Regio zygomatica：眼窩下部の外方で，外耳孔に向かって伸びる。
- **頬部** Regio buccalis：口部とオトガイの外方に広がる。
- **耳下腺咬筋部** Regio parotideomasseterica：皮下に咬筋と耳下腺がある。
- **口部** Regio oralis：上下の口唇が覆う部分。
- **オトガイ部** Regio mentalis：下顎底の正中部で隆起した領域。

5.1.3 顔面の観察

> 顔面に見られる構造物を観察し，それらの名称を確認せよ。

1) 眼窩部

眼窩部は眼球を取り巻く部分で，以下の場所を確認せよ（図5-2, 5-3）。

□眉毛（マユゲ）Supercilia
□睫毛（マツゲ）Cilia
□眼瞼 Palpebra：眼球の前を覆って保護する。上下の眼瞼が作る裂隙を**眼瞼裂** Rima palpebrarum といい，その内側端を**内眼角** Angulus oculi medialis（メガシラ），外側端を**外眼角** Angulus oculi lateralis（メジリ）という。
□眼球 Bulbus oculi
　角膜 Cornea：眼球前面の黒目の部分を覆う透明な球面状の膜。
　強膜 Sclera：眼球の前面では白目の部分で，角膜と連続しており，角膜とともに眼球の形を維持する。
　虹彩 Iris：黒目の部分で，眼球に入る光の量を調節する。
　瞳孔 Pupilla：眼球中央の虹彩が囲む孔で，光を当てると狭くなる（縮瞳）。
□涙点 Punctum lacrimale：上下の眼瞼の内側端に開いた小孔で，涙を吸収する。

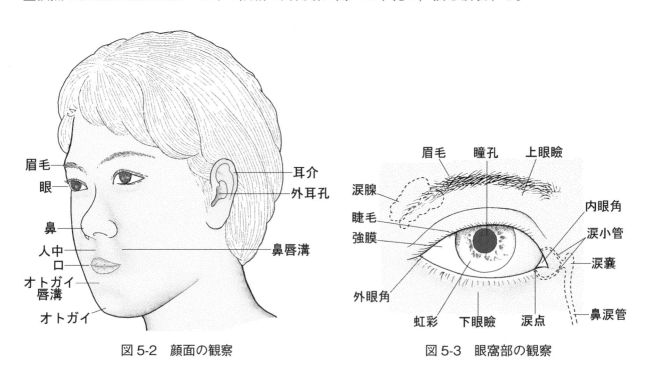

図5-2　顔面の観察　　　　　図5-3　眼窩部の観察

2) 鼻部

鼻 Nasus, nose は顔面のほぼ中央にあり，**外鼻** Nasus externus と**鼻腔** Cavum nasi からなる。鼻腔は鼻中隔で左右に分けられる（図5-4）。外鼻の上部は鼻骨が芯になり，他の部分は硝子軟骨が芯になって形を保っている。

□**外鼻孔** Naris：三角錐状の下面に開いた1対の孔で，外界と鼻腔の連絡口である。
・**後鼻孔** Choana：鼻腔の後端で，ここで鼻腔が咽頭鼻部（上咽頭）に開く。

□**鼻根** Radix nasi：外鼻の上端で最も陥凹している部分。
□**鼻背** Dorsum nasi：前正中線上で外鼻の尾根をなす。
□**鼻尖** Apex nasi：鼻背の下端で，前下方に尖っている部分。
□**鼻翼** Ala nasi：外鼻孔を外方から囲む部分。
□**鼻中隔** Septum nasi：鼻腔を左右に分ける隔壁で，特にその前下部を**キーゼルバッハの部位** Kieselbach's area といい，鼻出血の好発部位である。

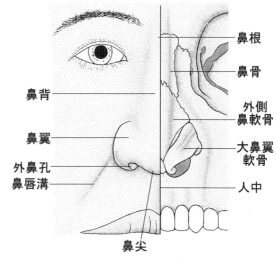

図 5-4　鼻の観察

3）口部

口部は顔面の下部にあり，消化管の起始部となる（図 5-2, 5-5）。

□**口唇** Labia oris：口輪筋を芯にして，前面は皮膚，後面は口腔粘膜が覆う。上下の口唇が作る裂隙を**口裂** Rima oris，口裂の両外側端を**口角** Angulus oris という。
□**鼻唇溝** Sulcus nasolabialis：鼻翼の外下端から口角に向かう浅い溝。年齢とともに深く，明瞭になる。
□**人中**（にんちゅう）Philtrum：上唇の正中部の浅い溝。発生期にここの癒合がうまくできなかったのが兎唇である。
□**口腔前庭** Vestibulum oris：口唇と歯列の間の狭い隙間。
□**固有口腔** Cavum oris proprium：上下の歯列，口蓋，舌，口蓋舌弓で境される腔所で，後方は咽頭口部（中咽頭）に続く。
□**口蓋扁桃** Tonsilla palatina：口蓋舌弓（前口蓋弓）と口蓋咽頭弓（後口蓋弓）の間にある。巨大なリンパ組織で，上気道炎になると腫脹して痛い。
□**口蓋垂** Uvula：軟口蓋後縁の正中から下垂する。

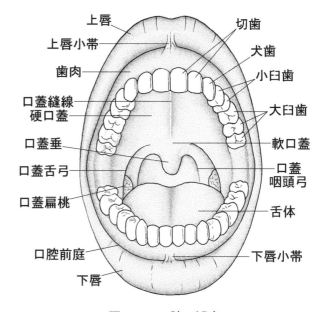

図 5-5　口腔の観察

（1）歯

歯 Dentes は食物を噛み切ったり，すりつぶしたりする器官で，成人では上下左右にそれぞれ8ずつ，計32本の**永久歯** Dentes permanentes が**歯列弓** Arcus dentales を作っている。
□**切歯** Dentes incisivi：歯列の最前部に上下左右に2本ずつある。ノミのような形をしている。
□**犬歯** Dens caninus：切歯の横後方にそれぞれ1本ずつある，先の尖った歯である。

☐**小臼歯** Dentes premolares：犬歯の後方に2本ずつある。
☐**大臼歯** Dentes molares：小臼歯の後方に3本ずつある。最も奥にある第3大臼歯を**智歯** Dentes serotinus といい，18歳を過ぎた頃から生え出す。

一方，乳幼児期に生える歯を**脱落歯** Dentes decidui（**乳歯** milk teeth）といい，上下左右に5本ずつ，計20本で構成される。切歯は上下左右に2本ずつあり，生後6ヶ月頃から，下の切歯が生え始め，生後1年頃に上の切歯が生える。その後2年ほどかけて，犬歯（上下左右に1本ずつ）と乳臼歯（上下左右に2本ずつ）が生え揃う。そして6歳頃から，生えた順に抜けて，永久歯に置き換わっていく。

(2) 口蓋

口蓋 Palatum は口腔の天井で，口腔と鼻腔を隔てる隔壁である。
☐**硬口蓋** Palatum durum：口蓋の前2/3の部分で，上顎骨の口蓋突起と口蓋骨が芯を作る。
☐**軟口蓋** Palatum molle：口蓋の後ろ1/3の部分で，軟部組織よりなる。

(3) 舌

舌 Lingua は口腔底にあり，様々な方向に走る骨格筋を芯にして，舌粘膜に覆われる（図5-6）。

☐**舌体** Corpus linguae：舌の前3/4の部分で，自由に動かすことができる。
☐**舌根** Radix linguae：舌の後ろ1/4で，分界溝という浅い溝で舌体と隔てられる。
☐**舌尖** Apex linguae：舌体の先端部分。
☐**舌背** Dorsum linguae：舌の上面。
☐**舌乳頭** Papillae linguales：舌背に見られ，以下の4種類に分類される。

糸状乳頭 Papillae filiformes：舌背一面に見られる苔状の乳頭。
茸状乳頭 Papillae fungiformes：舌背に散在性に分布し，赤い小さな点として見える。
葉状乳頭 Papillae foliatae：舌体後部の外側面に数個ずつ存在する。
有郭乳頭 Papillae vallatae：分界溝の直前に，左右それぞれに数個ずつ見られる円柱状の乳頭で，周囲を堀で囲まれている。

このうち，ヒトでは葉状乳頭と有郭乳頭に**味蕾** taste bud が存在する。

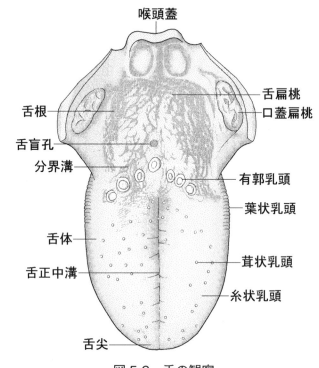

図5-6　舌の観察

4) オトガイ部

☐**オトガイ唇溝** Sulcus mentolabialis：オトガイ部と下唇を境する浅い溝で，上向きの孤を描く。
☐**オトガイ** Mentum：下顎骨の正中下端の隆起部。

5.1.4 頚部の区分

頚部の下縁は胸骨の頚切痕，鎖骨の上縁，肩峰，第7頚椎の棘突起を結ぶ線である。胸鎖乳突筋部，前頚部，外側頚部，後頚部の4部に区分される（図5-7）。

1）胸鎖乳突筋部

胸鎖乳突筋部 Regio sternocleidomastoidea は胸鎖乳突筋が存在する部位である。

- **胸鎖乳突筋** M. sternocleidomastoideus：胸骨柄の上縁と鎖骨の内側1/3から起こり，側頭骨の乳様突起に終わる強大な筋で，視診でも簡単に識別できる。顔を反対方向に向け，そのままの状態で頚を前傾すると，側頭部に浮き出してくる。
- **小鎖骨上窩** Fossa supraclavicularis minor：胸鎖乳突筋の胸骨頭と鎖骨頭および鎖骨で囲まれた小さな三角形のくぼみで，鎖骨下動脈の拍動を触れることがある。

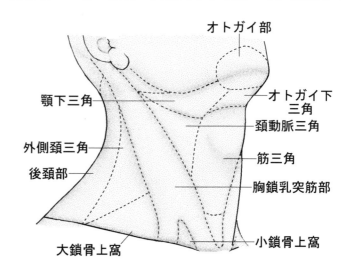

図5-7　頚部の区分

2）前頚部

前頚部 Regio cervicalis anterior は胸鎖乳突筋部よりも前で，左右の前頚三角からなる。前頚三角は胸鎖乳突筋の前縁，下顎骨の下縁，前正中線に囲まれた逆三角形の領域で，さらに顎下三角，オトガイ下三角，頚動脈三角，筋三角の4部に分けられる。

- **顎下三角** Trigonum submandibulare：下顎底，顎二腹筋の前腹および後腹で囲まれた三角形の領域で，顎下腺，顔面動・静脈，顎下リンパ節などが存在する。
- **オトガイ下三角** Trigonum submentale：顎下三角の前内側にあり，顎二腹筋の前腹内縁，舌骨の前上縁，前正中線に囲まれた領域。深部に顎舌骨筋がある。
- **頚動脈三角** Trigonum caroticum：胸鎖乳突筋の前縁，顎二腹筋後腹の下縁，甲状舌骨筋上腹の後縁で囲まれた領域で，ややくぼんでいる。ここで総頚動脈の脈拍を触れる。この他に内頚静脈，迷走神経，舌下神経，頚交感神経幹などの重要な構造物が通る。
- **筋三角** Trigonum musculare：甲状舌骨筋の上腹前縁，胸鎖乳突筋の前縁および前正中線に囲まれた領域で，正中線上で甲状軟骨の突出部（喉頭隆起）を触れる。

3）外側頚部

外側頚部 Regio cervicalis lateralis は胸鎖乳突筋の後縁，僧帽筋の前縁，鎖骨上縁で囲まれた領域で，皮膚の直下に広頚筋が広がる。深部には頭半棘筋，頭板状筋，肩甲挙筋，後斜角筋，中斜角筋，前斜角筋などがある。

- **大鎖骨上窩** Fossa supraclavicularis major：外側頚部の下部で，鎖骨の直上にできた皮膚のくぼみ。ここで外頚静脈が鎖骨下静脈に合流する。また，鎖骨下動脈が鎖骨の上縁に沿って走る。
- **肩甲鎖骨三角** Trigonum omoclaviculare：胸鎖乳突筋の鎖骨頭後縁，鎖骨上縁，肩甲舌骨筋の下腹前縁で囲まれた領域で，大鎖骨上窩とほぼ一致する。

4）後頸部

後頸部 Regio cervicalis posterior は頸部の後面で，項部（うなじ）Regio nuchalis とも呼ばれる。
□後正中溝 Sulcus medianus posterior：左右の僧帽筋と深部の頭半棘筋が作る膨らみに挟まれた，外後頭隆起から下方に伸びる皮膚の溝。

5.2 頭頸部の骨性指標

5.2.1 頭部の骨性指標

頭部では以下の骨性指標が重要である（図5-8, 5-9）。

□眼窩 Orbita：視覚器を入れる場所で前頭骨，頬骨，上顎骨，涙骨，篩骨，蝶形骨，口蓋骨で囲まれる。
□眼窩口 Aditus orbitae：眼窩上縁は前頭骨，下外側縁は頬骨，下内側縁は上顎骨が作る。全周にわたって触知できる。
□頬骨 Os zygomaticum：外眼角のすぐ下に骨性の突出として触知できる。
□頬骨弓 Arcus zygomaticus：頬骨の側頭突起と側頭骨の頬骨突起が作る。眼窩の下から外耳孔に向かって水平に走り，全長にわたって皮膚の直下に触知できる。下縁から咬筋が始まる。
□上顎骨 Maxilla：上顎骨体は鼻の両側に触れ，その中に上顎洞がある。
□乳様突起 Processus mastoideus：外耳孔の少し後下方に円錐状の突起として触知できる。胸鎖乳突筋などが停止する。
□外後頭隆起 Protuberantia occipitalis exter-na：後頭骨の正中線上の下方に触れる骨性の隆起で，その先端をイニオン inion という。
□上項線 Linea nuchae superior：外後頭隆起から始まり，ほぼ水平に走る。後頭骨の硬い部分と後頸部筋の軟らかい部分の境界がほぼ水平に伸びる。

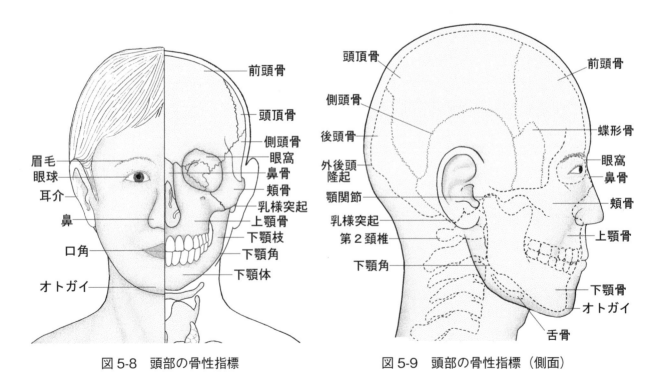

図 5-8　頭部の骨性指標　　　　　図 5-9　頭部の骨性指標（側面）

- □**下顎骨** Mandibula：下顎を作る馬蹄形の骨で，下顎体と下顎枝からなる。
- □**下顎角** Angulus mandibulae：体と枝の下縁がなす角で，下顎骨の下縁をたどっていくと，急に角度が変わるところで触知される。
- □**筋突起** Processus coronoideus：下顎枝の上部から前上方に伸びる突起で，側頭筋が停止する。閉口時には咬筋に覆われているが，咬筋前縁の中央部に指を当て大きく開口すると，咬筋の前縁で触れるようになる。
- □**関節突起** Processus condylaris：下顎枝の上部から後上方に伸びる突起で，先端は側頭骨との間で顎関節を作る。外耳道の直前あるいは外耳道の前壁に小指を当て，口を開閉すると関節頭が動くのがわかる。
- □**歯槽** Alveoli dentales：下顎体の上縁で歯を入れる。
- □**オトガイ隆起** Protuberantia mentalis：下顎骨の前正中部にある隆起で，胎生期に左右の下顎骨が癒合した場所。
- □**オトガイ結節** Tuberculum mentale：オトガイ隆起の下外側にある小結節。
- **オトガイ孔** Foramen mentale：体の外側中央部にある小孔で，下顎管の出口である。触知するのはやや困難であるが，瞳孔を通る垂線上に眼窩上孔，眼窩下孔，オトガイ孔が並ぶ。

5.2.2 頚部の骨性指標

> 頚部では以下の骨性指標が重要である（図5-10）。下記の要領で触知して確認せよ。

1）前頚部骨性指標の触察

- □**舌骨** Os hyoideum：甲状軟骨のすぐ上にあるU字形の小さな骨で，口腔底，舌および前頚部の筋が付着する。頚を少し前屈し，甲状軟骨の上縁に沿って指を押し込むと舌骨体が触知できる。
- □**甲状軟骨** Cartilago thyreoidea：喉頭の主体をなす軟骨で，頚部の前正中線上にある。
- □**喉頭隆起** Prominentia laryngea：甲状軟骨の前面中央が前方に突出した部分。男性では思春期以降にさらに突出し，声変わりと密接に関係している。これは男性の二次性徴の1つである。欧米ではアダムのリンゴ Adam's apple とも呼ばれる。喉頭隆起を母指と示指でつまみ，上下に移動すると，甲状軟骨の全体が触知できる。また，唾液を飲み込むと，甲状軟骨は上下に大きく移動する。
- □**上甲状切痕** Incisura thyroidea superior：喉頭隆起の上縁に触れるくぼみ。
- □**輪状軟骨** Cartilago cricoidea：甲状軟骨の下にある指輪状の軟骨で，第6頚椎の高さに相当する。喉頭隆起から1.5～2cm下方に甲状軟骨と輪状軟骨の境界が触知できる。
- □**気管** Trachea：輪状軟骨の下縁から始まる直径1.5cm，長さ約10cmの管で，胸骨角の高さで左右の主気管支に分岐する。輪状軟

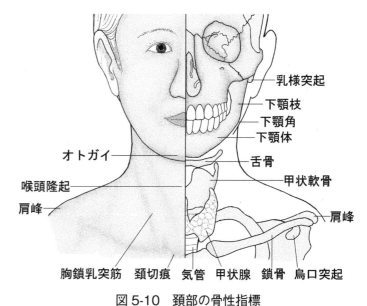

図5-10　頚部の骨性指標

骨の直下から，気管は甲状腺に覆われるので，触知できない。頸切痕の直上に指を当てて少し押し込むと，気管が触知できる。

2) 棘突起の触察

> 環椎の後結節（棘突起にあたる）は小さいために触知できないが，第2～第7頸椎の棘突起は触知できる。上にいくに従って段々と深くなるので触知しにくくなるが，第7頸椎から順に数えて確認せよ。

□第7頸椎（隆椎）の棘突起：頸を前屈させると，項の最下部正中線上で最も突出する。椎骨の棘突起を数えていく上で重要な指標になる。
□第2頸椎の棘突起：頭をやや後屈した状態で，外後頭隆起の直下を深く押さえ込むと正中線上に触れる。

3) 横突起の触察

側方から見ると横突起は頸部のほぼ中央に並ぶ。伸ばした指の指腹でこの線上を圧迫すると，最初に触れる硬い突起が横突起である。各頸椎の横突起は棘突起の高さとほぼ同じである。
□第1頸椎の横突起：乳様突起と下顎角を結ぶ中点を深く押さ込むと触知される。さらに頸を回旋すると動くのがわかる。

5.3 頭部筋の触察

5.3.1 顔面表情筋の触察

顔面筋 facial muscle は顔面の表層にある薄い筋で，顔面に表情を作るので**表情筋** mimic muscle とも呼ばれる。顔面筋の大部分は骨から起こり皮膚に停止するので**皮筋** cutaneous muscle という。顔面筋はすべて**顔面神経** N. facialis に支配される。

> 個々の筋の同定は体表解剖では難しいので，位置と形を体表に投影せよ。また，筋を作用させて様々な表情を作ってみよ（図5-11）。

・**前頭筋** Venter frontalis M. occipitofrontalis：前頭部にあり，額に皺を作る。上方では，頭頂部を覆う**帽状腱膜** Galea aponeurotica に続き，帽状腱膜は後頭部で再び薄い板状の**後頭筋** Venter occipitalis M. occipitofrontalis になる。
・前・上・後耳介筋 M. auricularis anterior, superior et posterior：耳介の前，上，後ろにある。ヒトでは退化しているので，耳介を動かせる人は少ない。
・鼻根筋 M. procerus：鼻背から起こり額の皮膚に停止する小さな筋で，眉間の皮膚を引き下げて鼻根に横皺を作る。
・皺眉筋 M. corrugator supercilii：眉間の骨から起こり，外上方に斜めに走る。鼻根上部に縦皺を作る（眉をひそめる）。
・鼻筋 M. nasalis：犬歯と切歯の歯槽隆起から起こり，鼻背，鼻翼，鼻中隔に向かう。収縮すると鼻翼は後下方に引き下げられ，外鼻孔は狭くなる。
・眼輪筋 M. orbicularis oculi：眼裂を輪状に囲み，瞼を閉じる。

- 上唇鼻翼挙筋 M. levator labii superioris alaeque nasi：内眼角から起こり，鼻根筋の表面を覆いながら上唇に終わる。鼻翼を引き上げ，外鼻孔を拡げる。
- 上唇挙筋 M. levator labii superioris：眼窩下口付近から起こり上唇に終わる。上唇を上に引き上げる。
- 小頬骨筋 M. zygomaticus minor：頬骨から起こり，内下方に走って上唇に終わる。口角を引き上げて笑いや喜びの表情を作る。
- 大頬骨筋 M. zygomaticus major：頬骨から起こり，小頬骨筋の下を平行に内下方に走って口角の皮膚に終わる。口角を外上方に引き上げ，笑いや喜びの表情を作る。

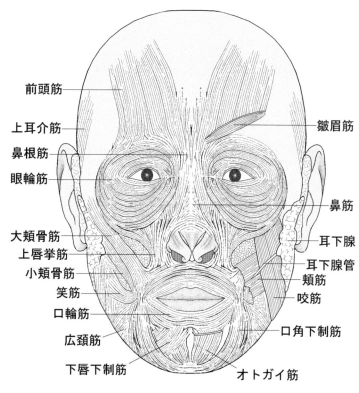

図5-11　顔面の表情筋

- **口輪筋** M. orbicularis oris：口唇の芯となる唇部と周辺部からなり，口裂を輪状に囲む。唇部が軽く収縮すると口を閉じ，両方が強く収縮すると唇を前方にとがらせる。
- 口角挙筋 M. levator anguli oris：犬歯窩から起こり，下方に向かって口角に終わる。小頬筋のすぐ深層にあり，口角を引き上げる。
- **笑筋** M. risorius：咬筋筋膜から起こり，前内方に走って口角に付く。口角を外上方に引いて笑みを作る。よく発達した人ではえくぼができる。
- 口角下制筋 M. depressor anguli oris：下顎体の下縁から起こり，上方に集束して口角に終わる。口角を引き下げ，口をへの字に曲げる。三角形をしているので三角筋とも呼ばれ，また悲しみの表情を作るので「悲しみの筋」とも呼ばれる。
- **頬筋** M. buccinator：頬を膨らませて息を吹き出す（ラッパを吹く）時に使われる。口角を外方に引いて頬粘膜を拡張させてヒダをなくす。
- オトガイ筋 M. mentalis：外側切歯を入れる下顎骨の歯槽隆起から起こり，オトガイの皮膚に終わる。オトガイ唇溝を作り，疑念の表情を作る。
- オトガイ横筋 M. transversus menti：口角下制筋がよく発達した人に見られ，二重アゴを作る。

5.3.2　咀嚼筋の触察

咀嚼筋 Mm. masticatores は下顎骨に停止して咀嚼運動を行う。咀嚼筋は下顎突起から発生するので，すべて三叉神経の第3枝である**下顎神経** N. mandibularis に支配される。咀嚼筋のうち，外側および内側翼突筋は深部にあるために，体表からは触察できない。

□**咬筋** M. masseter：浅部線維と深部線維からなる（図5-12）。浅部線維は頬骨弓の前部と中部から始まり，斜め後下方に走る。一方，深部線維は頬骨弓の中部と後部から始まり，ほぼ垂直に下

行する。

起始：頬骨弓前部と中部の下縁，および中部と後部の後面

停止：下顎枝，下顎角外面，咬筋粗面

神経：咬筋神経 N. massetericus（下顎神経の枝）

作用：下顎を引き上げる（歯を噛みしめる）

触察：頬骨弓と下顎角を結ぶ線上に3本の指腹を当て，奥歯を強く噛みしめると，咬筋が収縮して硬くなる。

□**側頭筋** M. temporalis：側頭部を覆う扇形の筋で（図5-13），ご飯を咬むとヒクヒクと動くので，この筋が広がる領域をコメカミという。停止部である下顎骨の筋突起は，閉口時には咬筋に覆われているが，大きく開口すると咬筋の前縁に現れる。

起始：側頭骨全体，側頭筋膜内面

停止：下顎骨筋突起，下顎枝

神経：深側頭神経 N. temporalis profundus（下顎神経の枝）

作用：下顎を引き上げ，かつ後方に引く。

触察：頬骨弓から側頭部にかけて扇状に広がるので，領域を想定してくまなく触知せよ。外耳道のすぐ前あたりに手掌を当て，伸ばした指で側頭部

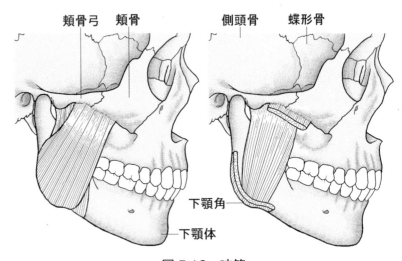

図5-12　咬筋

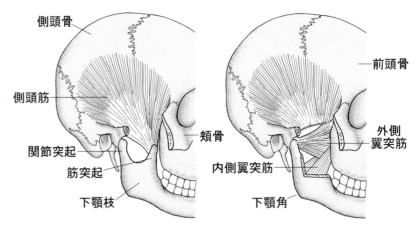

図5-13　側頭筋（左）と翼突筋（右）

（耳介の上方）をやや強く押さえた状態で歯を強く噛みしめると，指先にヒクヒクと動く側頭筋が触知される。

□**外側翼突筋** M. pterygoideus lateralis：下顎骨のすべての運動を助ける。

起始と停止：上部線維は上顎骨の側頭下面と蝶形骨大翼の側頭下稜，下部線維は蝶形骨の翼状突起外側板から起こり，上部線維は顎関節円板，下部線維は下顎骨関節突起の翼突筋窩に停止する。

神経：外側翼突筋神経 N. pterygoideus lateralis

作用：下顎骨を前方に引き出す。

□**内側翼突筋** M. pterygoideus medialis：外側翼突筋と直交する方向に走る。

起始と停止：大部分の線維は蝶形骨の翼状突起外側板の内側面にある翼突筋窩，一部の線維は翼状

突起外側板の外側面から起こり，下顎角の翼突筋粗面に終わる。

神経：内側翼突筋神経 N. pterygoideus medialis

作用：下顎骨を前上方に引き上げる。また外側にずらせて，摺りつぶし運動に関与する。

□**耳下腺** Glandula parotis：耳介の前下方にある純漿液性の唾液腺で，耳下腺管 Ductus parotideus は咬筋の前面を横切り，上顎第2大臼歯に面する頬の内側壁に開口する。流行性耳下腺炎では耳下腺が腫脹するのでお多福のような顔になる（おたふく風邪）。

5.4 頚部筋の触察

5.4.1 頚部浅層筋の触察

□**広頚筋** Platysma は頚部の最表層にある非常に薄い皮筋で，顔面下部から胸上部に広がる（図5-14）。

起始：肩峰から第2肋骨前端に至る線上の胸筋筋膜

停止：下顎，口角，咬筋筋膜，笑筋，口角下制筋，下唇下制筋

神経：顔面神経 N. facialis

作用：頚の皮膚に皺を作る。口角を下方に引く。

触察：口を軽く開けて，口角を後下方に引くように力を入れると浮き出してくる。

□**胸鎖乳突筋** M. sternocleidomastoideus：側頚部を後上方斜めに向かって走る大きな筋で，胸骨頭と鎖骨頭が合流して乳様突起に至る（図5-15）。顔を横に向けた状態で，頚を前傾すると胸鎖乳突筋が膨隆してくる。

起始：胸骨柄の上縁と前面（胸骨頭），鎖骨の内側1/3（鎖骨頭）

停止：側頭骨の乳様突起，後頭骨上項線

作用：一側が収縮すると頭を反対方向に回転させ，顔を下に向ける。両側が収縮すると頚が後屈する。

神経：副神経 N. accessorius と頚神経叢 Plexus cervicalis の筋枝（C_2, C_3）

触察：起始（胸骨柄と鎖骨の内側1/3）と停止（乳様突起と上項線）を標識し，その四辺形領域をくまなく触知する。頭を反対側に向けると，全長にわたって触知しやすくなる。また，例えば顔を右に向けると，左の胸鎖乳突筋が浮き出してくる。

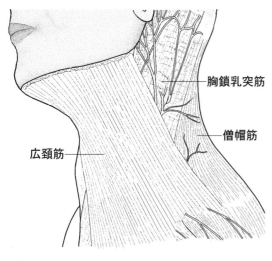

図5-14　広頚筋

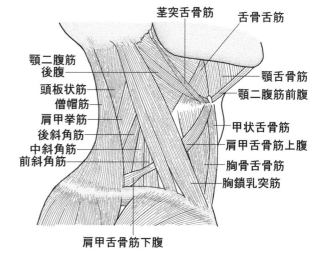

図5-15　頚部の筋（広頚筋を除去した後）

5.4.2 舌骨上筋群の触察

舌骨と下顎骨や側頭骨，舌と舌骨の間に張って，舌骨を引き上げたり下顎骨を引き下げたりする。これらの筋は小さいために個々を体表から識別するのは困難である（図 5-15，5-16）。

□顎二腹筋 M. digastricus：下顎の直下にあり，中間腱によって前腹と後腹に分かれる。

起始と停止：後腹は側頭骨の乳突切痕から起こり，胸鎖乳突筋に覆われながら前下方に下り，中間腱に終わる。前腹は下顎骨の二腹筋窩から起こり，後外方に向かって中間腱に終わる。中間腱は線維性滑車によって舌骨体に固定されている。

作用：舌骨を引き上げ，舌骨が固定されていれば，下顎を引き下げて開口運動を助ける。

神経：前腹は顎舌骨筋神経 N. mylohyoideus（下顎神経の枝），後腹は顔面神経の二腹筋枝 Ramus digastricus に支配される。

触察：前腹，後腹および下顎体で囲まれる領域を顎三角という。ここに指腹を当てて軽く押し込むと，小さめの梅干しほどの顎下腺を触れる。

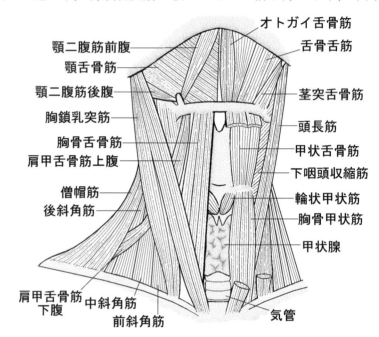

図 5-16 前頸部の筋（舌骨筋群）

□茎突舌骨筋 M. stylohyoideus

起始：茎状突起の上外側部から起こり，顎二腹筋後腹の外側を前下方に進む。

停止：舌骨体および舌骨大角。内外の二部に分かれ，顎二腹筋の中間腱を挟む。

作用：舌骨を後上方に引く。

神経：顔面神経の茎突舌骨筋枝 Ramus stylohyoideus

□顎舌骨筋 M. mylohyoideus：口腔底を作る薄い筋である。

起始：下顎骨の顎舌骨筋線から起こり，内下方に走る。

停止：舌骨体と顎舌骨筋縫線

作用：下顎骨を固定すると舌骨を挙上し，舌骨を固定すると下顎骨を後方に引く。

神経：下顎神経の顎舌骨筋神経 N. mylohyoideus

□**オトガイ舌骨筋** M. geniohyoideus：顎舌骨筋とオトガイ舌筋の間にある細くて扁平な筋である。

起始：下顎骨のオトガイ舌骨筋棘から起こり，顎舌骨筋上を左右平行に後方へ走る。

停止：舌骨体の前面

作用：舌骨を前上方に引く。舌骨を固定すると下顎骨を引き下げる。

神経：舌下神経 N. hypoglossus

5.4.3 舌骨下筋群の触察

舌骨下筋群は舌骨と胸骨上端あるいは甲状軟骨の間に張って，舌骨を下方に引き，舌骨を固定して間接的に開口運動を補助する．また，嚥下時にも働くが，筋腹が薄く，小さいために個々を触察するのは困難である（図5-15, 5-16）．

□**胸骨舌骨筋** M. sternohyoideus：前頸正中部の浅層をほぼ垂直に走る薄い筋である．
起始：胸骨柄，胸鎖関節および第1肋骨の後面から起こり，上方に向かう．
停止：舌骨体
神経：頸神経ワナ Ansa cervicalis の上根
作用：舌骨を下方に引く．

□**胸骨甲状筋** M. sternothyreoideus：胸骨舌骨筋のすぐ下をこれと平行して走る小さな筋で，甲状腺を覆う．
起始：胸骨柄および第1，2肋骨の後面
停止：甲状軟骨斜線．一部は甲状舌骨筋と筋連結を行う．
神経：頸神経ワナ Ansa cervicalis の上根
作用：甲状軟骨を下方に引く．

□**甲状舌骨筋** M. thyrohyoideus：胸骨舌骨筋の上部の外側をこれに平行して走る．
起始：甲状軟骨斜線から起こり，上方に向かう．
停止：舌骨体および大角の後面．
神経：頸神経の甲状舌骨筋枝 Ramus thyrohyoideus
作用：舌骨を引き下げ，舌骨を固定したときには甲状軟骨を引き上げる．

□**肩甲舌骨筋** M. omohyoideus：肩甲骨の上縁と舌骨の間に張る細い筋で，中間腱によって上下二腹に分かれる．全体としては内下方に膨隆した弓形に走る．
下腹：上肩甲骨横靱帯，肩甲骨上縁，烏口突起から起こり，斜め上内方に進んで中間腱に終わる．中間腱は頸筋膜の気管前葉に癒着している．
上腹：中間腱から起こり弧を描きながら上方に向かい，胸骨舌骨筋の外側で舌骨体の下縁に終わる．
神経：頸神経ワナ Ansa cervicalis
作用：舌骨を下後方に引き，頸筋膜を緊張させる．

5.4.4 外側深頸筋群の触察

斜角筋群は発生学的に見ると肋間筋や側腹筋と同じ仲間で，頸椎横突起から外下方に走り，第1および2肋骨に停止して肋骨を引き上げる．頸椎の運動に関与するが，呼吸補助筋としても重要である（図5-15, 5-16, 5-17）．椎骨の前面を上下に走る頭長筋や頸長筋，前頭直筋などの椎前筋は頭部の運動に作用するが，深部にあるので体表からは触知できない．

□**前斜角筋** M. scalenus anterior：外側筋群の最前位にあり，この前を横隔神経が走る．
起始：第3（4）～6頸椎の横突起前結節から起こり，斜め外下方に進む．
停止：第1肋骨の前斜角筋結節（リスフラン結節）
作用：第1肋骨を引き上げる．肋骨が固定されていると頸椎を前方に屈曲し，一側だけが収縮するとその方に傾ける．
神経：頸神経叢および腕神経叢の直接枝（C_4～C_7）
触察：胸鎖乳突筋鎖骨頭の起始部のすぐ外側に指を置き，後方の頸椎横突起に向かって圧迫した時

に，最初に触れる頭尾方向に走る硬い筋腹が前斜角筋である．起始から停止まで触察できる．

□**中斜角筋** M. scalenus medius：前斜角筋の直後を平行に走る．

起始：すべての頚椎の横突起前結節から起こり，斜めに前外側下方に向かう．

停止：第1肋骨の鎖骨下動脈溝の後方隆起．

作用：第1肋骨を引き上げる．肋骨を固定すると頚椎を前方に曲げ，一側だけが収縮するとその方に傾ける．

神経：頚神経叢および腕神経叢の直接枝（$C_2 \sim C_8$）

触察：前斜角筋のすぐ後方を頭尾方向に走る硬い筋腹が触れる．起始から停止まで，頚椎の横突起に向かって押しつけて確認する．なお，前斜角筋と中斜角筋の間を**鎖骨下動脈**と**腕神経叢**が走る．

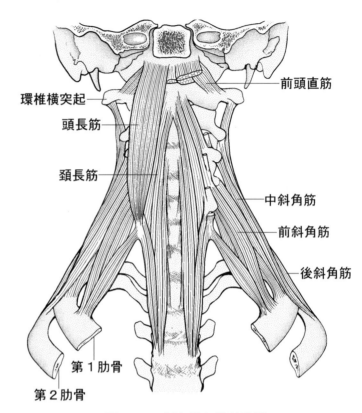

図5-17　斜角筋と椎前筋群

□**後斜角筋** M. scalenus posterior：斜角筋の最後方を斜めに走る．中斜角筋よりも小さい．

起始：第4（5）～7頚椎の横突起後結節から起こり，第1肋骨を越えて外下方に向かう．

停止：第2肋骨の外側面

作用：第2肋骨を引き上げる．肋骨を固定すると頚椎を前方に曲げ，一側だけが収縮するとその方に傾ける．

神経：腕神経叢の直接枝（$C_5 \sim C_8$）

触察：中斜角筋のすぐ後外方を，上内方から下外方に走るが，中斜角筋や肩甲挙筋との境は不明瞭である．被検者を腹臥位にして触察側の頭側に立つと触知しやすい．

> 以下の筋は体表から触知できないので，体表に投影して位置，大きさ，筋線維の走行を想定せよ．

□**頚長筋** M. longus colli：垂直部，上斜部，下斜部の3部から構成され，頚神経叢（$C_2 \sim C_6$）に支配される．垂直部は第5頚椎～上部胸椎の椎体から起こり，第2～4頚椎の椎体に終わる．上斜部は第3～6頚椎の横突起から起こり，環椎の前結節に終わる．下斜部は第1～3胸椎体から起こり，第5～7頚椎の横突起に終わる．頚を前屈する．

□**頭長筋** M. longus capitis：第3～6頚椎の横突起から起こり，後頭骨の咽頭結節に終わる．頚神経叢（$C_1 \sim C_5$）に支配される．

□**前頭直筋** M. rectus capitis anterior（C_1の前枝）：環椎の横突起から起こり，大後頭孔の前端に終わり，頚を前屈する．

5.4.5 喉頭と甲状腺の触察

喉頭は甲状軟骨や輪状軟骨，披裂軟骨などからなり，第5～6頚椎の高さにある（図5-18，5-19）。

□**甲状軟骨** Cartilago thyreoidea：喉頭の主体をなす大きな軟骨で，硝子軟骨からできている。頚部の前面正中部に船の舳先のような前面が触知できる。

□**喉頭隆起** Prominentia laryngea：甲状軟骨の前面正中部が前方に大きく突出した部分で，顔を上に向けると頚部前面の正中部に突出する（男性では特に著明）。嚥下すると上方に移動するのがわかる。

□**輪状軟骨** Cartilago cricoidea：甲状軟骨のすぐ下にある指輪状の硝子軟骨である。甲状軟骨の下端部を指でつまんで上下に動かすと，甲状軟骨との間に浅い溝が触知でき，これが甲状軟骨と輪状軟骨の境界である。

□**気管** Trachea：第6頚椎の高さで輪状軟骨に続いて始まる長さ約11cm，太さ約1.5cmの管で，食道の前を平行に下行し，胸骨角の高さで左右の主気管支に分かれる。輪状軟骨の直下から甲状腺に覆われるので起始部は触知できないが，胸骨柄の上方で皮下に触知できる。

□**甲状腺** Glandula thyroidea：喉頭のすぐ下で，気管の前面を覆う蝶形の内分泌腺である。右葉 Lobus dexer，左葉 Lobus sinister，および中央部の峡部 Isthmus に区分される。顔を上に向けると，喉頭隆起の下になだらかに膨隆する甲状腺が見える。バセドウ病では甲状腺が腫脹する（甲状腺腫）。

5.4.6 気管切開の場所

気道が閉塞されると窒息してしまうので，救命処置として**気管切開**を行い，気道を確保する必要がある。気管切開は以下の場所で行われる（図5-19）。甲状腺は血管に富む臓器で，これを傷つけると大量に出血するので，気管切開時には甲状腺を傷つけないように十

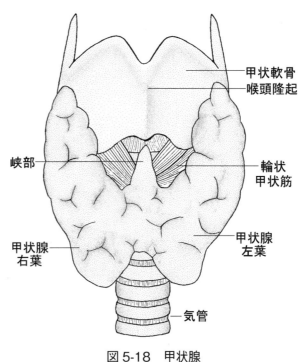

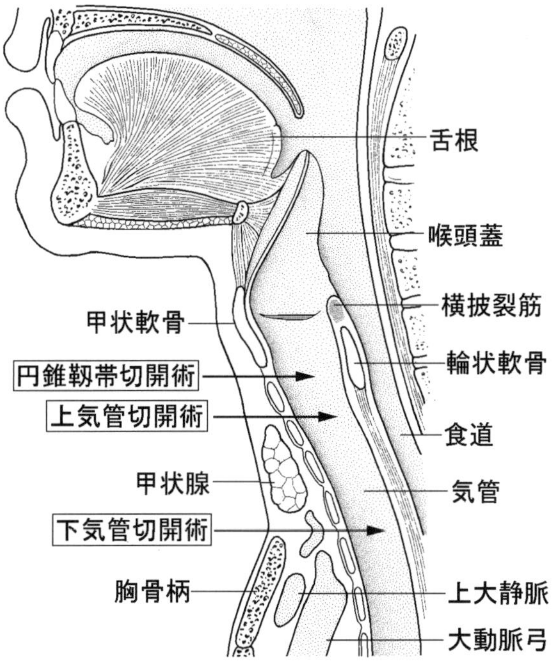

図5-18 甲状腺

図5-19 喉頭切開術と気管切開術の場所

分注意する必要がある。

> 気管切開の場所を確認せよ。

・円錐靱帯切開術：甲状軟骨と輪状軟骨の間に張る円錐靱帯を切開する。
・上気管切開術：輪状軟骨と第1気管軟骨の間を切開する。これは甲状腺峡部の直上にあたる。
・下気管切開術：甲状腺峡部の下で行う。胸骨柄の上で，気管は皮膚から直接触ることができる。

5.4.7 頸部の動脈と神経

頸部では深部に重要な血管や神経が走っている（図5-20）。

□**総頸動脈** Arteria carotis communis：頸動脈三角を上行し，喉頭隆起のやや上（第4頸椎）の高さで外頸動脈と内頸動脈に分岐する。喉頭隆起の高さで，胸鎖乳突筋の前縁を指腹で深く押し込むと，拍動する総頸動脈が触知できる。

外頸動脈からは，総頸動脈から分かれたあとすぐに上甲状腺動脈や舌動脈，上行咽頭動脈などが出ていくが，内頸動脈は頭蓋内に入るまでは枝を出さないので，人体解剖では両者の区別は容易である。

・**頸動脈洞** sinus caroticus：総頸動脈の遠位端と内頸動脈の起始部が拡張した部分で，血管壁に圧受容器があり，血圧調節に重要な役割を演じている。
・**頸動脈小体** glomus caroticum：総頸動脈の分岐部にある化学受容器で，血液の酸素分圧を感受する。
・**交感神経幹** Truncus sympathicus：内頸動脈や総頸動脈と平行して下行する。下顎角の高さに上頸神経節，頸切痕の高さに中頸神経節がある。
・**迷走神経** N. vagus：交感神経幹と平行して走る。頸の下部では，左の迷走神経は食道の前壁，右の迷走神経は食道の後壁を下行する。

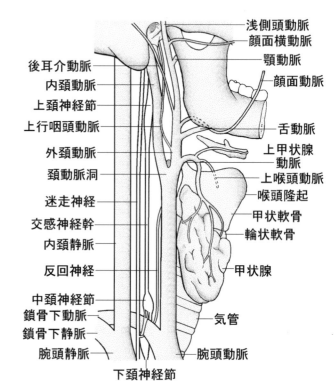

図 5-20　頸部の血管と神経

6 体幹の体表解剖

胸と腹を合わせて胴という。胴の後面を背といい，それ以外の部分を前面として扱う。

□胸の上縁：胸骨の頚切痕，鎖骨上縁，肩峰，第7頚椎の棘突起を結ぶ線。

□胸と腹の境界：剣状突起，肋骨弓，第12肋骨の下縁，第12胸椎の棘突起を結ぶ線。

□腹の下縁：恥丘の外側縁，鼡径溝，上前腸骨棘，腸骨稜，上後腸骨棘，仙骨の外側縁，尾骨，肛門，坐骨結節，陰部大腿溝を結ぶ線。

6.1 体幹前面の観察

6.1.1 胸部の区分

胸部は7つに区分される（図6-1）。

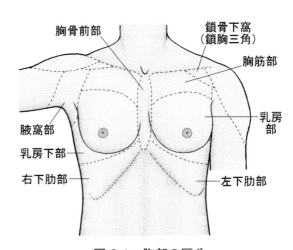

図 6-1　胸部の区分

- 鎖骨部 Regio clavicularis：鎖骨を触れる部分。
- 胸骨前部 Regio presternalis：胸骨が覆う部分で，その奥は縦隔である。
- 胸筋部 Regio pectoralis：大胸筋が覆う部分。鎖骨の下縁に沿って鎖骨下窩 Fossa infraclavicularis というくぼみがある。
- 乳房部 Regio mammaria：胸骨の両側で乳房が占める領域。成人女性では胸筋部と重なっている。男性や小児では乳房が発達していないので意味がない。
- 乳房下部 Regio inframammaria：乳房部と下肋部に挟まれた領域。
- 下肋部 Regio hypogastrica：横隔膜円蓋より下で，腹部内臓が肋骨に覆われている領域。体表解剖では胸部に属するが，人体解剖学では腹部の一部として扱われることが多い。
- 腋窩部 Regio axillaris：**腋窩** Axilla は胸の外側面で，上腕と胸壁の間にある上向きのくぼみ。成人では腋毛が生える（二次性徴の1つ）。

　□前腋窩ヒダ Plica axillaris anterior：腋窩の前を境するヒダで，大胸筋の前下縁が作る。

　□後腋窩ヒダ Plica axillaris posterior：腋窩の後ろを境するヒダで，広背筋と大円筋が作る。

6.1.2 腹部の区分

腹部は左右の副中線（上前腸骨棘と前正中線の中間点を通る垂直線），胸骨剣状突起線，肋骨下線（第12肋骨の先端を結ぶ），棘間線（左右の上前腸骨棘を結ぶ）によって9つに区分される（図6-2）。そのうち，左右の下肋部は本来は胸部に属するが，ここには腹部臓器が存在するので，便宜上，腹部として扱われることが多い。

- 下肋部 Regio hypogastrica：横隔膜円蓋の高さから左右の肋骨下縁に至るまでの領域で，腹部内臓が肋骨で覆われている。
- 上胃部 Regio epigastrica：左右の下肋部に挟まれた領域で心窩部（ミズオチ）とも呼ばれる。
- 臍部 Regio umbilicalis：臍を中心にして腹部の中央に位置する。臍は第3・4腰椎間の椎間板の

高さにある。
・左右の側腹部 Regio abdominalis lateralis：腹部中央の高さで，臍部の両側に位置する。
・恥骨部 Regio pubica：下腹部の中央で，恥丘を含む。
・左右の鼡径部 Regio inguinalis：恥骨部の左右に位置する。

6.1.3 乳房

成人女性の**乳房** Mamma は胸骨の外側縁から前腋窩線の間で，第2・3肋骨〜第6・7肋骨の高さに広がるが，個人差が著しい（図6-3）。男性では乳輪と乳頭だけがある。

- □**乳房体** Corpus mammae：胸壁から半球状に膨隆する部分。本体は脂肪組織で，中に十数個の乳腺葉が埋まっている。
- □**乳輪** Areola mammae：乳房のほぼ中央にある円形の領域で，メラニン色素の沈着によりピンクから薄い褐色を呈する。
- □**乳輪腺** Glandulae areolares（モントゴメリー腺 Glandulae Montgomeri）：乳輪に十〜十数個散在する米粒大の小膨隆で，アポクリン腺の一種である。
- □**乳頭** Papilla mammae：乳輪の中央にある突出で，思春期以降大きくなり，メラニン色素の沈着が増強する。ここに十数本の乳管が開口する。非常に敏感で，刺激すると勃起する。

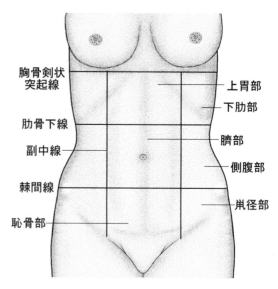

図 6-2　腹部の区分

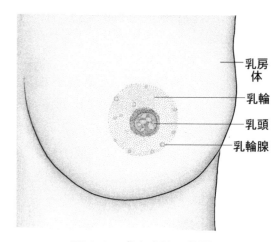

図 6-3　成人女性の乳房

6.1.4 体幹前面の骨性指標

> 体幹前面では，以下の骨性指標が体表から触知できる（図6-4）。ただし，鎖骨は上肢帯に属するので，上肢の項で述べる。

- □**胸骨** Sternum：胸の正中部にある縦に細長い扁平な骨で，胸骨柄，胸骨体，剣状突起の3部からなる（☞ p.21：図2-15を参照）。皮膚の直下にあるので，全体が触知できる。
  - □**胸骨柄** Manubrium sterni：胸骨の上部で台形を呈する。
  - □**頸切痕** Incisura jugularis：胸骨柄の上縁で，下方に向かってややくぼんでいる。
  - □**胸骨体** Corpus sterni：胸骨柄の下に続き，胸骨の大部分を占める。正中線から約2cm外側で，肋間に指腹を押し当て，左右に動かすと，胸骨体の外側縁が確定できる。
  - □**剣状突起** Processus xiphoideus：胸骨体の下に続く鋭い突起。下内方に伸びるので，ミズオチに指を当てて強く押し込む。
  - □**胸骨角** Angulus sterni：胸骨柄と胸骨体がなす角で，わずかに前方に突出している。頸切痕か

ら4cmほど下に指腹を押しあてて上下に移動すると触知できる。第2肋骨が関節を作る。

□**胸鎖関節** Articulatio sternoclavicularis：鎖骨の胸骨端と胸骨柄の鎖骨切痕が作る。

□**肋骨**（Ⅰ～Ⅻ）Costae：弓状の細長い骨で，12対ある（☞ p.21：図2-16を参照）。

□**肋骨弓** Arcus costalis：胸骨体の下端から外下方に伸びるので，左右を合わせると富士山のような形になる。第7～10肋軟骨が作る。

□**腸骨** Os ilium：寛骨の上半分を占める扁平な骨で，腸を取り囲んでいるので腸骨と呼ばれる。

　□**腸骨稜** Crista iliaca：腸骨の上縁で，全長にわたって皮膚の直下に触知できる。母指と示指を広げて腰に当てると，当たった場所はほぼ腸骨稜に一致する。

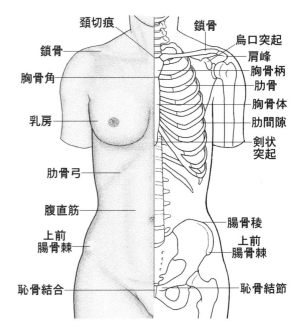

図6-4　体幹前面の骨性指標

　□**上前腸骨棘** Spina iliaca anterior superior：腸骨稜の前端で，痩せた人では著明に突出している。
□**恥骨** Os pubis：寛骨の下前半分をなす。
　□**恥骨結合** Symphysis pubica：正中線上で左右の恥骨が結合する。男性では陰茎が突出するすぐ上を，女性では陰裂上端のすぐ上を押すと触知される。
　□**恥骨結節** Tuberculum pubicum：恥骨結合のすぐ外側に触れる骨性の高まり。上前腸骨棘との間に鼡径靱帯が張っている。

6.1.5　体幹前面の水平面

1）胸鎖関節平面
胸鎖関節平面は第2胸椎の高さに相当し，この平面上には以下の構造物がある。
・静脈角 Angulus venosus：内頚静脈と鎖骨下静脈が合流する場所で，左静脈角に胸管，右静脈角に右リンパ本管が注ぐ。
・腕頭動脈が右総頚動脈と右鎖骨下動脈に分岐する。
・左側では大動脈弓が通る。

2）胸骨角平面
　胸骨角を通る水平面を**胸骨角平面** sternal angle planeといい，第4胸椎の高さに相当する。この面を境にして縦隔は上下に分けられ，臨床上重要な指標となる。
・第2胸肋関節：胸骨角の外側縁と第2肋軟骨が関節を作る。
・気管分岐部 Bifurcatio tracheae：気管はこの高さで左右の主気管支に分岐する。
・食道 Esophagus：気管分岐部の高さに第二の生理的狭窄部位がある。
・大動脈弓 Arcus aortae：上行大動脈は心膜を出て，この高さで大動脈弓に移行する。また，大動脈弓はこの高さで下行大動脈に移行する。

3）胸骨剣状突起平面

胸骨体と剣状突起の結合部を通る水平面を**胸骨剣状突起平面** xiphosternal plane といい，第9胸椎の高さに相当する。心臓の下縁や肝臓および横隔膜の上縁の指標となる。

6.2 体幹前面筋の触察

6.2.1 胸部筋の触察

□**大胸筋** M. pectoralis major：胸部前面に扇状に広がる大きな筋で，皮膚を剥離すると最初に現れる（図6-5）。成人女性ではこの上に乳房が載っている。大きく3部からなり，鎖骨部線維は外下方，胸肋部線維はほぼ水平，腹部線維は上外方に向かって走る。

起始：鎖骨部は鎖骨の内側半分，胸骨部は胸骨の外側縁と第2～7肋軟骨の前面，腹部は腹直筋鞘前葉から起こる。

停止：上腕骨の大結節稜

作用：肩関節の水平内転と内旋

神経：内側・外側胸筋神経 N. pectoralis medialis et lateralis（腕神経叢の枝：C_5～Th_1）

触察：本筋の上外側縁である三角胸筋溝を確認して，この溝を下外側方に辿って上腕骨の大結節稜まで触察する。また，下縁は前腋窩ヒダを形成する。上肢を挙上すると，下縁を上腕骨まで追跡しやすくなる。次いで鎖骨，胸骨および肋軟骨を確認し，上腕骨大結節稜から扇状に広がる領域を胸郭に押しつけながら触察する。

筋力検査：被検者は肘を約90度屈曲し，肩関節を約60度外転した状態から，体幹の前方で両方の手を接近させる。検者は被検者の肘を持ってこの運動に抵抗を加える（図6-6）。

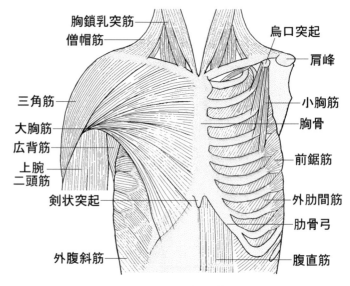

図6-5　胸部の筋

□**小胸筋** M. pectoralis minor：胸部の上外側部を上下方向に走る小さな筋で，大胸筋に完全に覆われている。

起始：第2（3）～第5肋骨の前面

停止：肩甲骨の烏口突起

作用：肩甲骨の下制と内転。肩甲骨を固定すると肋骨を挙上する。

神経：内側胸筋神経 N. pectoralis medialis（C_7～C_8）

触察：肩甲骨の烏口突起と，鎖骨中線上で第2

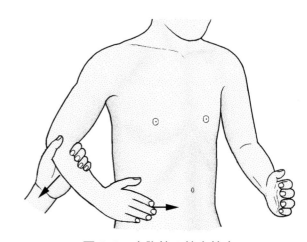

図6-6　大胸筋の筋力検査

〜第5肋骨を確認して印を付ける。烏口突起から内下方に扇状に広がる領域に手を置き，被検者に結帯動作（腰の当たりでエプロンの紐を結ぶ動作）をさせると，盛り上がってくる小胸筋が触察できる。

- **前鋸筋** M. serratus anterior：肋骨から鋸歯状に始まる薄い筋で，上部と中部は大胸筋に広く覆われている（図6-7）。筋線維は前胸部の肋骨前面から始まり，胸郭と肩甲骨の間を後方に走る。

起始：上位の9肋骨および第1肋間の腱弓
停止：肩甲骨の上角，内側縁，下角
作用：肩甲骨の外転，上方回旋，上肢を前方に押し出す。
神経：長胸神経 N. thoracicus longus（C_5〜C_7）

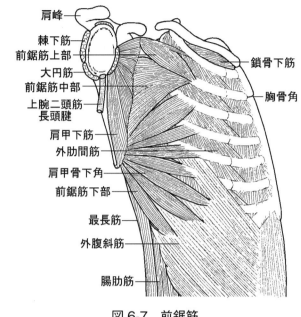

図6-7　前鋸筋

触察：肩甲骨の下角に印を付け，そこから第4〜9肋骨に向かって扇状に広がる領域を触察する。次いで，肩甲骨内側縁から第2〜3肋骨に収束する線維（中部）と，肩甲骨上角から第1肋間の腱弓に至る線維（上部）を触察する。被検者を側臥位にして上肢を前上方に挙上させ，検者は被検者と手掌面を合わせて抵抗をかけると，前鋸筋の筋腹が浮かび上がってくる。

筋力測定：被検者を壁の前に立たせ，上肢を前方に伸ばして手掌で壁を押させる。前鋸筋の筋力低下では，肩甲骨が翼状に突出する（Winging of scapula）。

- **肋間筋** M. intercostalis：上下の肋骨を結び，肋間隙を埋めている。3層構造をなす。すべて肋間神経 Nn. intercostales に支配される。このうち，体表から触知できるのは外肋間筋だけである。

外肋間筋 Mm. intercostales externi：筋線維は上外側から下内側に向かう。吸気時に肋骨を引き上げて胸郭を前方に拡げる。

内肋間筋 Mm. intercostales interni：筋線維は上内側から下外側に向かう。肋骨を引き下げて胸郭を狭める。予備呼気時に働き，通常の呼気時には特に必要はない。

最内肋間筋 Mm. intercostales intimi：大胸筋，前鋸筋，外腹斜筋などに覆われており，体表から直接触れることはできない。

6.2.2　前腹筋の触察

- **腹直筋** M. rectus abdominis：前腹壁正中線の両側を縦走する長い扁平な筋で（図6-8），腹部に力を入れると3〜4本の横溝ができる（**腱画** Intersectiones tendineae）。前腹壁の正中線上では左右の腹直筋鞘が癒合して，腱膜性の**白線** Linea alba を作る。白線上の皮膚は浅い溝を形成する（前正中溝 Sulcus mediana anterior）。前腹壁の皮膚を剥離すると皮膚直下に腹直筋鞘に包まれた腹直筋が現れる。

起始：恥骨結合の前面，恥骨結節の上縁
停止：第5〜7肋軟骨，剣状突起，肋剣靱帯
作用：体幹の屈曲。腹圧を高める。

神経：肋間神経 Nn. intercostales（第5～12胸神経の前枝）

触察：季肋部では胸郭幅の半分を占め，ほぼ同じ幅で前腹壁を下行するが，臍の高さより紡錘形に細くなり，恥骨に至る。左右胸郭幅のほぼ中央線が腹直筋の外側縁になるので，これを目印に内方に圧迫しながら，第5肋骨から恥骨まで追跡する。腹直筋の深部には骨性構造物はないので，皮膚に対して直角に圧迫しながら筋腹を触知する。

筋力検査：被検者を背臥位にして，検者は被検者の下肢を押さえる。そして，被検者に上体を起こさせる。腹直筋筋力が低下していると，体幹の屈曲ができない。また，水平位から上体を起こす時，例えば腹直筋の下半分が麻痺していると臍が正常な方向（上方）に引っ張られる（Beevor's sign）。

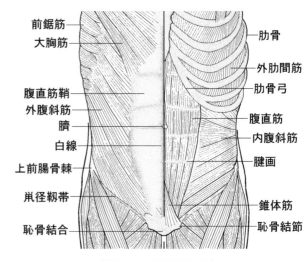

図6-8　前腹壁の筋

□**錐体筋** M. pyramidalis は前腹壁の最下部で，腹直筋下部の前にあり，頂点を上に向けた小さな三角形の薄い筋である。

起始：恥骨上縁

停止：腹直筋鞘，白線下部

作用：白線を緊張させ，腹直筋の作用を補助する。

神経：肋間神経 Nn. intercostales（第12胸神経前枝）

触察：恥骨を確認し，その直上の三角形の筋腹を触知する。被検者に膝を曲げさせて腹直筋の緊張を取り除くと，腹直筋は柔らかくなるのに対して，錐体筋はやや硬い感じがするので確認することができる。左右差が著しく，3～7％の人で欠如する。

6.2.3　側腹筋の触察

側腹壁を作る筋群で，外腹斜筋，内腹斜筋および腹横筋の3層からなる。これらの筋は発生学的に斜角筋や肋間筋と同じ仲間である（図6-8, 6-9）。

□**外腹斜筋** M. obliquus externus abdominis：側腹筋の外層をなし，皮膚を剥離すると最初に現れてくる。筋線維は外肋間筋と同じく外上から内下方に向かう。すなわち，ズボンのポケットに手を入れた時に，前腕と同じ方向に走る。

起始：第5～12肋骨の外面

停止：腸骨稜外唇の前半，鼠径靱帯，腹直筋鞘の外側縁

作用：体幹を屈曲（前屈）する。また腹圧を高める。

神経：肋間神経 Nn. intercostales（Th$_5$～

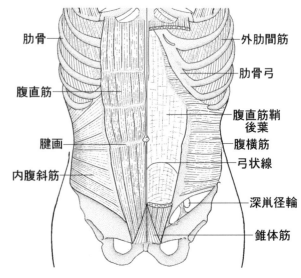

図6-9　側腹壁の筋

Th$_{12}$）

触察：上縁は肋骨弓，第 11 と 12 肋骨の先端および肋骨体に続く線，下縁は腸骨稜，鼠径靭帯，恥骨を結ぶ線を想定し，これらに囲まれる範囲を腹壁に対して直角に深く押し込んで触察する。前縁は腹直筋の外側縁，後方は第 12 肋骨の先端から外下方に向かう線を想定して触察する。本筋は第 5～12 肋骨の外側面にもあるので，この部分も触察する。

☐ **内腹斜筋** M. obliquus internus abdominis：中間層で，外腹斜筋とは反対に，下外から上内方に向かって筋線維が走る。

起始：鼠径靭帯，腸骨稜中間線，胸腰筋膜深葉

停止：第 10～12 肋骨下縁，腹直筋鞘，白線

作用：胸郭を引き下げる。体幹を前屈。同側に側屈，回旋する。胸郭を固定すると，骨盤を引き上げる。

神経：肋間神経 Nn. intercostales，肋下神経 N. subcostalis，腸骨下腹神経 N. iliohypogastricus（Th$_8$～L$_2$）

触察：外腹斜筋と同様に，胸郭および骨盤を確認しながら触察する。前方は腹直筋の外側縁まで，後方は第 12 肋骨先端より内下方に向かう線まで触察する。

☐ **腹横筋** M. transversus abdominis：深層で，内腹斜筋を停止部から外上方に剥離すると現れる薄い板状筋である。深部にあるために，触察することはできない。

起始：第 6～12 肋軟骨の内面，腰椎の肋骨突起，腸骨稜の内唇，鼠径靭帯の外側部

停止：腹直筋鞘

作用：第 6～12 肋骨を引き下げる。

神経：肋間神経 Nn. intercostales，肋下神経 N. subcostalis，腸骨下腹神経 N. iliohypogastricus，腸骨鼠径神経 N. ilioinguinalis（Th$_7$～L$_2$）

6.3 体幹後面の観察

体幹の後面を背 Dorsum, back といい，そのうち，腹の後面を **腰** Lumbus という。

☐ 背と項の境界：第 7 頸椎の棘突起と肩峰を結ぶ線
☐ 背と腰の境界：第 12 胸椎の棘突起を通る水平線
☐ 腰と殿の境界：腸骨稜と仙骨の外側縁を通る線

6.3.1 体幹後面の区分

肩甲骨，脊柱，肋骨，腸骨稜，仙骨などの骨性指標によって，背は以下の 7 部に区分される（図 6-10）。

・肩甲部 Regio scapularis：肩甲骨の部分。
・肩甲間部 Regio interscapularis：左右の肩甲部の間で，皮膚の直下に僧帽筋の中部があり，その深部に小菱形筋と大菱形筋がある。
・肩甲上部 Regio suprascapularis：肩甲部と肩甲間部より上の三角形の領域で，皮膚の直下は僧帽筋の上部で占められている。
・肩甲下部 Regio infrascapularis：肩甲間部より下，第 12 肋骨下縁よりも上で，肩甲部と脊柱部を除いた部分。皮膚の直下は広背筋で覆われており，これを通して肋骨を触れる。
・脊柱部 Regio vertebralis：脊柱がある部分

・**腰部** Regio lumbaris：肩甲下部の下で，ここには骨性組織は存在せず，3層からなる側腹筋と広背筋の一部が浅筋膜と皮膚で覆われている。
・**腰三角** Trigonum lumbale（ペティットの三角 triangle of Petit）：広背筋の前外側縁，腸骨稜，外腹斜筋後縁の間にできる小間隙。
・**仙骨部** Regio sacralis：仙骨がある部分

6.3.2　体幹後面の骨性指標

体幹後面では以下の骨性指標を体表から触知できる（図6-11）。肩甲骨は体幹の後面にあるが，上肢帯に属するので，上肢の項で述べる（7.2を参照）。

1）椎骨棘突起の触察

後正中線上で，左右の固有背筋の内側縁によって生じる縦走溝を**後正中溝** Sulcus medianus posterior といい，後正中溝の皮膚直下に椎骨の棘突起が上下に並んでいる。体幹上の高さを決める上で重要な指標になる。また，他の骨性指標との位置関係を覚えておくと便利である。

> 第7頸椎，第3，第7，第12胸椎，第4腰椎の棘突起に印を付けよ（図6-11）。

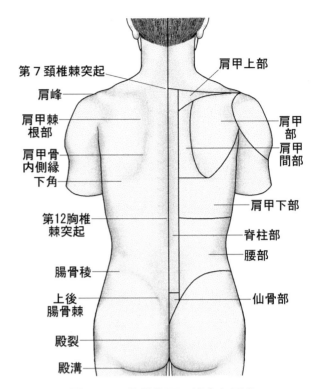

図6-10　体幹後面の観察と区分

□第7頸椎棘突起：後正中線上で，うなずいた時に最も後方に突出する。体表から棘突起を数えていく上で非常に重要である。
□第2胸椎棘突起：左右の肩甲骨の上角を結ぶ線上にある。
□第3胸椎棘突起：肩甲棘内側端の高さにある。
□第7胸椎棘突起：肩甲下角の高さにある。
□第12胸椎棘突起：第12肋骨を脊柱までたどった高さにあるのは第11胸椎の棘突起で，その1つ下にあたる。
□第4腰椎棘突起：ヤコビー線上の中央にある。
□第2仙椎の棘突起（正中仙骨稜）：左右の上後腸骨棘を結ぶ線上にある。上後腸骨棘がある所は，立位で大殿筋に力を入れると少しくぼむので，そこを**ビーナスのえくぼ**という。

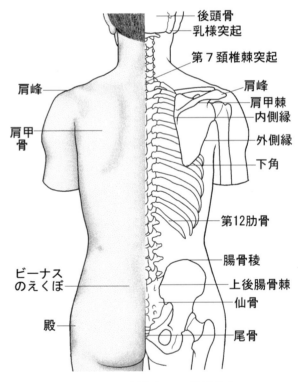

図6-11　体幹後面の骨性指標

2) 腸骨稜の触察

腸骨翼の上縁を**腸骨稜** Crista iliaca といい，全長にわたって皮膚の直下に触知される。腰に手を当てた時，母指と示指に沿って皮下に触れるのが腸骨稜である。

> 上前腸骨棘から上後腸骨棘まで，腸骨稜に沿って印を付けよ。

- □ **上前腸骨棘** Spina iliaca anterior superior：腸骨稜を前方にたどっていくと，突然触れなくなる。痩せた人では前方に突出しているので，体表から見ることもできる。
- □ **上後腸骨棘** Spina iliaca posterior superior：直立して大殿筋に力を入れると，腸骨稜の後端に一致して皮膚に浅い窪みができる。これをビーナスのえくぼといい，ここを指で押さえると上後腸骨棘が触れる。左右の上後腸骨棘を結ぶ線は第2仙骨の棘突起（正中仙骨稜）の高さにあたる。
- □ **ヤコビー線** Jacoby's line：左右の腸骨稜の最高点を結ぶ線をいい，この線上に第4腰椎の棘突起がある（図6-12）。体表解剖や臨床上重要である。

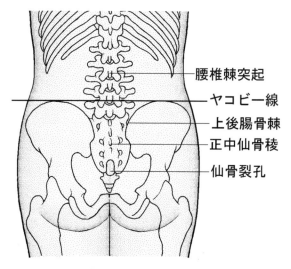

図6-12　ヤコビー線

3) 肋骨の触察

体幹後面では，**肋骨** Costae は内上方から外下方に向かって斜めに走る（図6-13）。体幹の内側部では肩甲骨や固有背筋などに覆われているので触察しづらいが，それ以外の場所では触れることができる。肋骨弓をたどると第10肋骨に至る。腋窩線上では前鋸筋のみに覆われているので，肋骨弓から上方に肋骨を数えることができる。

側腹部では肋骨弓の下に第11および12肋骨を触れる。これらは遊離肋骨である。肋骨は椎骨から斜め下方に伸びている。

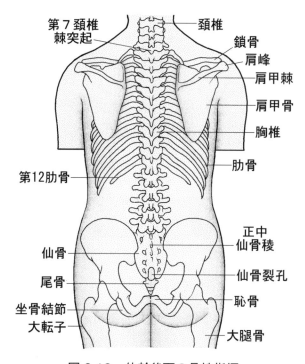

図6-13　体幹後面の骨性指標

> 第12肋骨の先端を触知し，印を付けたあと胸椎までたどれ。

- □ **第12肋骨**：腸骨稜よりも4横指上の側腹部でその先端を触れる。検者は被検者と向かい合い，母指以外の4本の指を伸ばして小指を腸骨稜の上に載せ，示指を被検者の側腹部に強く押し込むと，示指の先に第12肋骨が触知できる。第12肋骨を脊柱まで追跡すると，その高さにある棘突起は第11胸椎の棘突起である。
- □ **肋骨角**：背の外側縁よりも少し内側で，肋骨は鋭く曲がる。

4）仙骨と尾骨の触察

仙骨 Os sacrum は三角形の扁平な骨で，小児期に5個の仙椎が癒合したものである。骨盤の後ろ中央部を占め，左右の腸骨とで可動性のない**仙腸関節** Articulatio sacroiliaca を作る（図6-13）。

- □**正中仙骨稜** Crista sacralis mediana：仙椎の棘突起が上下に連なって癒合したもので，仙骨部の後正中線上で触れる。
- □**中間仙骨稜** Crista sacralis intermedia：上および下関節突起が癒合したもので，正中仙骨稜のやや外側に触れることがある。
- ・外側仙骨稜 Crista sacralis lateralis：横突起が癒合したもの。大殿筋の起始部に覆われるので，体表から触知するのは困難である。
- □**仙骨裂孔** Hiatus sacralis：仙骨の下端で，仙骨管が下方に開いている。仙骨下部の後正中線上で触れる。
- □**尾骨** Os coccygis は脊柱の下端部をなす骨で，3～5個の尾椎が癒合してできている。殿裂に沿って下から上に向かって押さえていくと，先の尖った尾骨が触知される。
- □**仙骨菱形** sacral rhomboid（ミカエリスの菱形 Michaelis' rhomboid）：腰部下端の正中部にある菱形の浅いくぼみである（図6-14）。
- ・上縁：第4腰椎の棘突起と左右の上後腸骨棘を結ぶ線
- ・下縁：左右の上後腸骨棘から殿裂の上端を結ぶ線

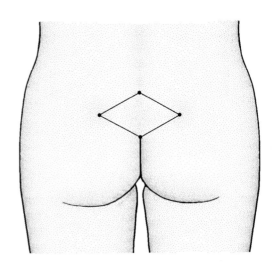

図6-14　ミカエリスの菱形

> 第4腰椎棘突起，左右の上後腸骨棘，殿裂の上端に印を付け，男性と女性で仙骨菱形の形を比較せよ。

男性に比べて，女性では横に長い菱形になる。女性では助産学的に重要で，狭いミカエリス菱形は狭骨盤を，いびつな菱形は骨盤の変形を意味する。

6.4　体幹後面筋の触察

背部筋は表層の浅背筋と深部の固有背筋に分けられる。前者の多くは腕神経叢の枝，後者は脊髄神経の後枝に支配される。

6.4.1　浅背筋の触察

- □**僧帽筋** M. trapezius：背の上部を広く覆う菱形の薄い筋で，項や背の皮膚を剥離すると最初に現れてくる。上，中，下の3部に分かれ，上部線維は斜め外下方，中部線維は水平，下部線維は斜め外上方に走る（図6-15）。

起始：後頭骨の上項線，外後頭隆起～第12胸椎の棘突起に至る正中線
停止：鎖骨の外側1/3（上部線維），肩峰と肩甲棘（中部線維），肩甲棘の内側部（下部線維）
神経：副神経の外枝と頚神経叢（C_2～C_4）
作用：肩甲骨を動かしたり固定するが，上，中，下部で作用が異なる。

上部線維：肩をすくめる。
中部線維：肩甲骨を後方に引いて固定する（肩を後方に引いて胸を張る）。
下部線維：肩甲棘の基部内側端を下方に引く。

> 外後頭隆起，肩峰，第 12 胸椎棘突起，鎖骨の外側 1/3 の点に印を付けて，僧帽筋の範囲を確定せよ。

触察：頸部後面にある上部から触察を始め，起始から肩峰の停止に向かって指をすべらせながら追跡する。

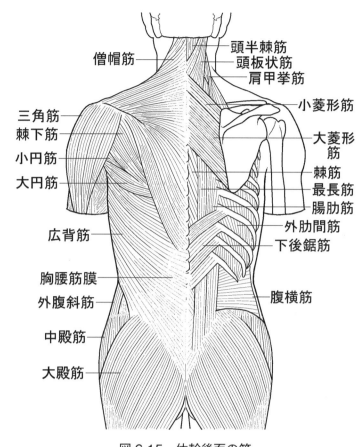

図 6-15　体幹後面の筋

□ **広背筋** M. latissimus dorsi は肩甲下部から腰部にかけて広く覆う扁平な薄い筋で，皮膚の直下に広がる。上部線維はほぼ水平外方，下部線維は斜め外上方に走る（図 6-15）。

> 第 7，12 胸椎の棘突起，上後腸骨棘，腸骨稜中央，上腕骨の小結節稜（小結節のすぐ下）に印を付けて，広背筋の範囲を確定せよ。

起始：胸腰筋膜浅葉，第 7 ～ 12 胸椎，腰椎および仙椎の棘突起，肩甲骨の下角，腸骨稜，下位 3 ～ 4 肋骨
停止：上腕骨の小結節稜
作用：肩関節の伸展，内転，内旋（上肢を背中に回す）
神経：胸背神経 N. thoracodorsalis （C_6 ～ C_8）
触察：腸骨や肋骨から起こる線維群と，仙骨や椎骨から起こる線維群に分けられる。腋窩後壁の筋腹から，腸骨稜中央部および上後腸骨棘を指標にして触察する。停止部付近は肩甲骨下角の外側を通り，大円筋の前方に回り込んでいる。他の部分の筋腹は触察しづらいが，中位胸椎と肩甲骨下角を結ぶ線を想定し，これと肩甲骨の外側縁とに囲まれる範囲を，肋骨や脊柱起立筋に押しつけながら触察する。被検者を腹臥位にして，体幹の横に伸ばした上肢を背方に伸展させると広背筋は緊張する。
筋力検査：肘を約 90 度曲げ，肩関節を約 60 度外転した状態で被検者に上腕を内転させる。検者は肘に手を当てて押し上げ，これに抵抗を加える（図 6-16）。

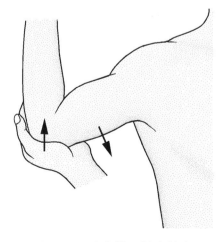

図 6-16　広背筋の筋力検査

菱形筋 M. rhomboideus は肩甲間部にあり，僧帽筋に覆われている。小菱形筋と大菱形筋は上下に並び，斜め外下方に走る（図6-17）。

> 第6頚椎と第1, 4胸椎の棘突起，肩甲骨の上角，肩甲棘の根部，下角に印を付けよ。

□**小菱形筋** M. rhomboideus minor
起始：第6, 7頚椎の棘突起と棘間靱帯
停止：肩甲骨の内側縁上部1/3
作用：肩甲骨を内転，挙上，下方回旋し，また，肩甲骨を胸郭に固定する。
神経：肩甲背神経 N. dorsalis scaplae （C$_4$～C$_6$）
触察：肩甲骨内側縁で，肩甲骨の上角と第6頚椎，肩甲棘基部と第1胸椎棘突起に至る2本の線を想定し，この間の線維を胸郭に押しつけながら触察する。

□**大菱形筋** M. rhomboideus major
起始：第1～4胸椎の棘突起と棘間靱帯
停止：肩甲骨の内側縁下部の2/3
作用：肩甲骨の内転と挙上および下方回旋を行う。また肩甲骨を胸郭に固定する。
神経：肩甲背神経 N. dorsalis scaplae （C$_4$～C$_6$）
触察：肩甲骨内側縁の下部2/3と，第1胸椎，第5胸椎の棘突起に至る2本の線を想定し，この間の線維を胸郭に押しつけて触察する。
筋力検査：小菱形筋と大菱形筋は共同して作用するので，個々に筋力を検査することはできない。被検者は肘を曲げ，腰に手を当てて上腕を後方に引く。検者は被検者の肘を持って前方に押すように，これに抵抗を加える（図6-18）。

□**肩甲挙筋** M. levator scapulae の大部分は僧帽筋に覆われており，肩甲上部で小菱形筋の外上方にある。全体としては斜め外下方に走るが，上位から起こる筋線維は肩甲骨の内側，下位から起こる線維は肩甲骨の外側に停止するので，筋全体では捻れていることに注意せよ（図6-19）。

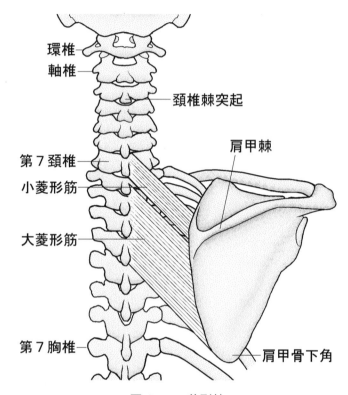

図6-17　菱形筋

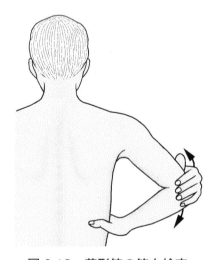

図6-18　菱形筋の筋力検査

> 環椎の横突起，側頚部中線で第5頚椎棘突起の高さ，肩甲骨の上角，肩甲棘の内側端に印を付けよ。

起始：上位4～5頚椎の横突起後結節

停止：肩甲骨の内側縁上部 1/3

作用：肩甲骨の挙上，内転，頸の回旋と側屈

神経：肩甲背神経 N. dorsalis scaplae（C_4～C_6）

触察：側頸部の中央線上で頸椎の横突起列を確認し，そのすぐ背側に位置する線維を頸椎関節突起や椎弓に押しつけるようにして触察する。また停止部付近では，僧帽筋の上から肋骨に押しつけるようにして触察する。

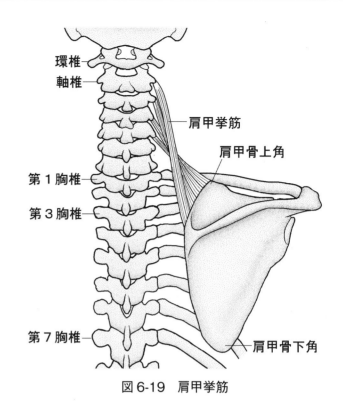

図 6-19　肩甲挙筋

6.4.2　中間背筋

後鋸筋は浅背筋と固有背筋の間にある薄い筋で，中間背筋に分類される。菱形筋や広背筋を剥離するとその下に現れる（図6-15を参照）。従って体表からは触察できない。上肢の運動とは無関係で，肋骨の運動に関与する。

☐**上後鋸筋** M. serratus posterior superior：肩甲骨の高さにあって，筋線維は内上方から外下方に走る。菱形筋に覆われている。

起始：下位の2頸椎および上位2胸椎の棘突起と項靱帯

停止：第2～5肋骨の肋骨角外側

作用：第2～5肋骨を挙上する。

神経：第2～4肋間神経

☐**下後鋸筋** M. serratus posterior inferior：腰部で広背筋の奥にあり，筋線維は内下方から外上方に走る。

起始：下位の2胸椎および上位2腰椎の高さの胸腰筋膜浅葉

停止：第9～12肋骨の外側部下縁

作用：第9～12肋骨を内方に引く。

神経：第9～11肋間神経および肋下神経（Th_9～Th_{12}）

6.4.3　脊柱起立筋の触察

脊柱起立筋は固有背筋とも呼ばれ，体幹後壁の深部に位置する。脊柱と平行に走る腸肋筋，最長筋，棘筋の3部から構成されるが，体表からはこれらの筋の境界はわからない。

> 後正中線と肋骨角を通る垂線を確定せよ。

棘突起と肋骨角の間を三等分すると，外の1/3を腸肋筋，中の1/3を最長筋，内の1/3を棘筋（多裂筋）が占める。腸肋筋と最長筋は腰部でよく発達している（図6-20, 6-21）。3筋は協同して働き，脊柱を伸展する。一側が働くと体幹を側屈，回旋する。すべて脊髄神経の後枝に支配される。

☐**腸肋筋** M. iliocostalis：さらに腰腸肋筋，胸腸肋筋，頸腸肋筋に分けられ，脊髄神経後枝（C_8～L_1）の外側枝に支配される。

・腰腸肋筋

　起始：腸骨稜，仙骨，下位腰椎の棘突起，胸腰筋膜の内面

　停止：第12肋骨下縁，第11〜4肋骨角

・胸腸肋筋

　起始：第12〜7肋骨上縁

　停止：第7〜1肋骨角

・頚腸肋筋

　起始：第7〜3肋骨上縁

　停止：第6〜4頚椎の横突起

　触察：腰腸肋筋，胸腸肋筋，頚腸肋筋の境界は不明瞭で，1本の線維束として触知される。腰背部では後正中線の両側に縦走する最長筋のすぐ外側を走る。腰部で，最長筋は硬く感じられるが，腸肋筋は比較的軟らかい。まず腸骨稜を確認し，外方から内方に向かって触察していくと，左右骨盤幅の中央やや内側に腸肋筋の腸骨起始部の外側縁を触れる。肋骨部では最長筋よりも薄いので，肋骨から剥がすように指を押し込んで確認する。

□**最長筋** M. longissimus

さらに胸最長筋，頚最長筋，頭最長筋の3部に分けられ，脊髄神経後枝の外側枝に支配される。

・胸最長筋

　起始：腸骨稜，仙骨，腰椎の棘突起，下位胸椎の棘突起，胸腰筋膜

　停止：上位腰椎の副突起，全胸椎の横突起，腰椎肋骨突起，肋骨角

・頚最長筋

　起始：第6(5)〜1胸椎の横突起

　停止：第5〜2(1)頚椎横突起

・頭最長筋

　起始：第3頚椎〜第3胸椎の横突起と関節突起

　停止：側頭骨の乳様突起

　触察：胸最長筋，頚最長筋，頭最長筋の境界は不明瞭で，1本の線維束として触知される。腰背部では後正中線の両側を縦走する長大な盛り上がりを作る。まず最初に腸骨稜を確認する。左右骨盤幅の中央やや内側に腸肋筋の腸骨起始部の外側縁を触れる。その内側を触察すると，上後腸骨棘付近に硬い筋腹の外側縁を触れる。この筋腹の幅を確認し，仙骨や腰椎の椎弓に向かっ

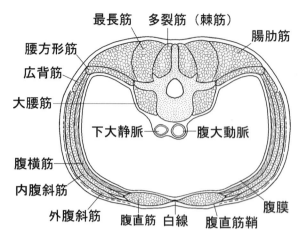

図6-20　固定背筋の横断（腰椎の高さ）

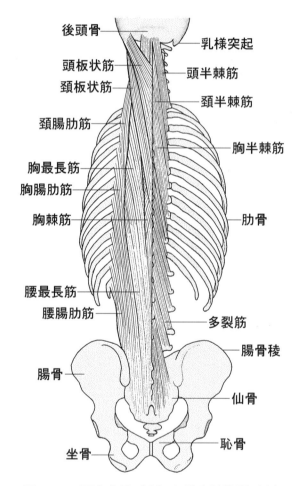

図6-21　固有背筋（左）と横突棘筋群（右）

て圧迫しながら触察する。最長筋は肋骨部でやや外方に移動し，肋骨角と胸椎の棘突起のほぼ中央を縦走する。頚部では肩甲挙筋や頚板状筋，頭板状筋に覆われるので，筋腹に直接触れることはできないが，頚椎の横突起列を確認し，そのすぐ後方を浅層の筋の上から椎弓方向に圧迫しながら触察する。

□**棘筋** M. spinalis

棘筋は最長筋の内側にあり，棘突起と横突起の間にできた溝を埋めている。下位の棘突起から起こり，数個上位の棘突起に終わる。棘筋も胸棘筋，頚棘筋，頭棘筋の3部に分かれ，第2～8頚神経後枝および第1～12胸神経後枝の内側枝に支配される。但し，胸部中央よりも上部では頚板状筋や頭板状筋に覆われているので，直接は触察できない。

起始：胸棘筋は上位2腰椎と下位3胸椎の棘突起，頚棘筋は上位2胸椎と下位2頚椎から起こる。頭棘筋は頭半棘筋の一部と考えられる。

停止：胸棘筋は第9～2胸椎の棘突起，頚棘筋は第4～2頚椎の棘突起に停止する。頭棘筋は頭半棘筋の内側縁に合流する。

作用：脊柱起立筋の作用を助けて脊柱を後屈する。

触察：胸椎下部では棘突起のすぐ外側で触れる。

6.4.4 腰方形筋

腰方形筋 M. quadratus lumborum は腰椎の両側で，第12肋骨と腸骨稜の間に張る方形の筋である。前部の筋線維は上外方，後部線維は上内方に向かう（図6-22）。体幹の後面にあるが，発生学的には側腹筋と同じ仲間である。

起始：第2～5腰椎の肋骨突起，腸骨稜，腸腰靱帯

停止：第12肋骨下縁，第1～4腰椎肋骨突起

神経：第12胸神経と第1～3腰神経の前枝

作用：腰椎の屈曲・伸展，骨盤の挙上，第12肋骨の固定と引き下げ。

触察：脊柱起立筋よりも深部にあるが，腸骨近くの起始部では脊柱起立筋よりも外側にあるのでこの部分で触察することができる。腸骨稜を確認し，左右の骨盤幅の中央よりもやや外側に起始部の外側縁があるので，腸骨稜のすぐ頭側に指を当てて押し込み，内側方向に圧迫しながら腸骨稜に沿って内側方に指をすべらせていく。腸骨稜を離れると腸肋筋に覆われるので，腸肋筋の外側縁を確認しながら，順次上方にたどっていく。

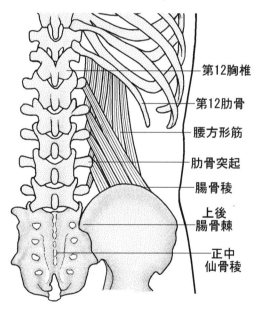

図6-22 腰方形筋

6.5 内臓の体表投影

6.5.1 胸部内臓の前面投影

1) 気管

□気管 Trachea：長さ約 10cm，直径約 1.5cm の管で，輪状軟骨に続いて始まり，上縦隔を下行する（図 6-23）。前面に甲状腺が付着しているので，起始部と頸切痕の直上でしか触れることはできない。後方を食道が平行に下行する。気管の壁は十数個の馬蹄形をした気管軟骨（硝子軟骨）でできているので，比較的硬い管状物として触知できる。

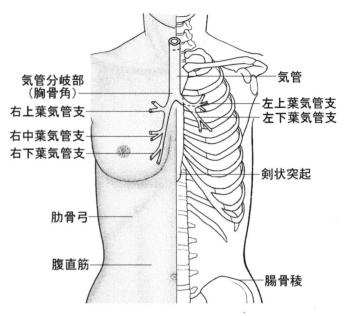

図 6-23 気管と気管支の体表投影

□気管分岐部 Bifurcatio trachea：胸骨角の高さにあり，左右の**主気管支** Bronchus principalis に分かれる。

左主気管支の方が右よりも細く，外方に鋭く曲がるので，気管内異物の 90％は右主気管支に落ち込む。主気管支は左右とも 2〜3cm で，**葉気管支** Bronchi lobares に分かれる。

・右主気管支は上・中・下葉気管支の 3 本に分かれる。
・左主気管支は上・下葉気管支の 2 本に分かれる。

2) 肺

肺 Pulmo は左右にあり，胸腔の大部分を占める。右肺の体積は 1,200ml，左肺は 1,000ml で，右の方が少し大きい。右肺は水平裂と斜裂によって上葉，中葉，下葉の 3 葉に，左肺は斜裂によって上葉と下葉の 2 葉に分かれている（図 6-24）。

肺境界とは肺と隣接臓器の境界のことで，X 線写真だけでなく，打診によってもある程度正確に知ることができる。

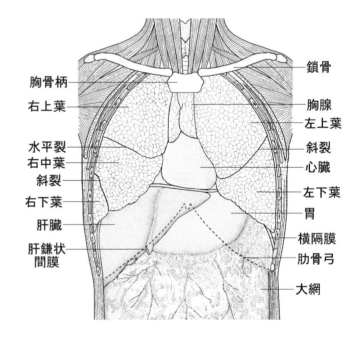

図 6-24 胸腔内臓器の概観

> **打診の方法**
> 　左の中指を伸ばして体表面上に密着させる。右の中指を軽く曲げて，指尖（指の先端）で左中指の末節をスナップを効かせて垂直に叩く。肺や胃底のように空気を含む器官の上を打診すると「ポンポン」と響く音がする。一方，心臓や肝臓のような実質臓器の上を叩くと「コンコン」とやや硬い音がする。

- 肺下面 inferior boundary of the lung：安静呼吸では約1cm，深呼吸では3〜5cm上下する。右肺の下面は第6肋骨下縁〜7肋骨上縁にあり，肺肝境界と一致する。左肺の下面は下に胃底あるために，打診では決定しにくい。
- 肺上面 superior boundary of the lung：安静時呼吸で0.5cm，深呼吸では1.5cm上下する。
- 肺尖 Apex pulmonis：小鎖骨上窩にあり，前面では鎖骨の上1.5〜2cm，背面では第7頸椎の高さに相当する。
- 斜裂 Fissura obliqua：左右ほぼ対称で，肩甲棘の基部（第3胸椎棘突起の高さ）から斜め前下方に向かい，腋窩線上で第5肋骨の高さ，鎖骨中線上で第6肋軟骨の高さになる。
- 水平裂 Fissura horizontalis：後腋窩線上で第5肋骨の高さから始まり，前下方に向かって，右胸骨線あたりで第6肋軟骨の高さで終わる。

3）心臓

心臓 Cor は胸骨直下の中縦隔にあり，正中よりもやや左に偏位している（図6-25）。打診によって境界を決めることができる。

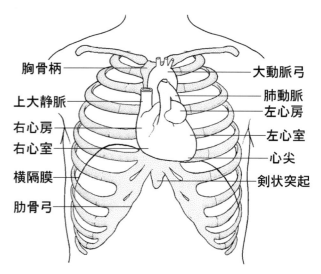

図6-25 心臓の位置と大きさ

> 心臓を体表に投影し，右縁，下縁，上縁，左縁にテープを貼って心臓の位置と大きさを確定せよ。

- 右縁：胸骨右縁で，第2〜5肋軟骨の高さに相当する。
- 左縁：胸骨左縁で第2肋骨と左鎖骨中線第5肋骨を結ぶ線
- 上縁：右縁と左縁の最上部を結ぶ線
- 下縁：第5肋骨の高さで，胸骨右縁から左鎖骨中線に至る。
- 心尖拍動：左鎖骨中線，第5肋間隙で触れる。

心臓は右縁を底辺とする三角おむすびの形をしており，頂点は心尖である。右心房は心臓の右下部にあり，上方と下方から上大静脈と下大静脈が右心房に開口する。右心房の左側に右心室がある。左心室は右心室の後方にあり，左心房はその上にある。すなわち，右心房と右心室を合わせた右心系は心臓の前面にあり，左心房と左心室を合わせた左心系は右心系の後方にある。この立体的な位置関係を人体解剖学実習（見学）で確かめておくこと。

(1) 心陰影

胸部X線単純写真で，心陰影は「ダルマさん」の形をしており，右に2つ，左に4つの膨隆が見える（図6-26）。これらは以下の部位に対応する。

- 右第Ⅰ弓：上大静脈の陰影
- 右第Ⅱ弓：右心房の陰影
- 左第Ⅰ弓：大動脈弓の陰影

- 左第Ⅱ弓：肺動脈の陰影
- 左第Ⅲ弓：左心房の陰影
- 左第Ⅳ弓：左心室の陰影

(2) 心音の発生部位と聴診領域

心音 heart sound は心臓の弁の閉鎖音と血流による摩擦音である（図6-27）。

- 僧帽弁音：僧帽弁（二尖弁）は胸骨左縁で第4肋間付近にあるが，僧帽弁の閉鎖音は左鎖骨中線，第5肋間（心尖部）で最もよく聴取できる。
- 三尖弁音：三尖弁は胸骨右縁のやや内側で第5肋骨の高さにあるが，三尖弁の閉鎖音は胸骨右縁の第5肋間隙付近で最もよく聴取できる。
- 大動脈弁音：大動脈弁は前正中線第3肋間の高さにある。大動脈への流出音は胸骨右縁，第2肋間隙の高さで最もよく聴診できる。
- 肺動脈弁音：肺動脈弁は胸骨左縁第3肋骨の高さにある。肺動脈流出音は胸骨左縁のやや外方で第2肋間隙付近で最もよく聴診できる。

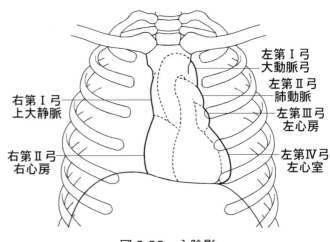

図6-26　心陰影

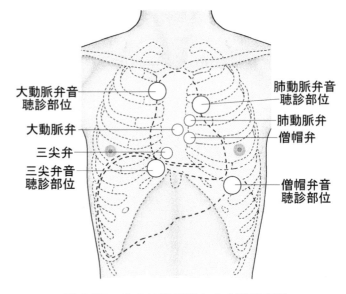

図6-27　弁の体表投影と心音聴診部位

(3) 聴診

聴診器を用いて心音の検査を行うことを**聴診** ausculation という。心音は被検者の胸壁に耳を当てても聴くことができる。健康な人では2種類の心音を聴診することができる。

- **第1心音**：収縮期の初期（緊張期）に，心室が急速に収縮し，三尖弁と僧帽弁が閉鎖することによって生じる。
- **第2心音**：収縮期の終わりに，大動脈弁と肺動脈弁が閉鎖することによって生じる。

(4) 心雑音

心雑音 cardiac murmur は第1，第2心音以外に聞こえる心音で，弁狭窄や弁閉鎖不全など，病的であることが多い。

- 収縮期雑音 systolic murmur：大動脈弁や肺動脈弁が狭窄すると，収縮期に血液が狭い隙間を通過するために渦が起こり，雑音が生じる。また，僧帽弁や三尖弁に閉鎖不全があると，心室から心房へ血液が逆流して雑音が生じる。
- 拡張期雑音 diastolic murmur：大動脈弁や肺動脈弁の閉鎖不全によって，拡張期に血液の逆流が起こる。また，僧帽弁や三尖弁が狭窄すると心雑音が生じる。

(5) 心電図胸部誘導の電極の位置

単極肢誘導 unipolar extremity lead の3つの関電極は両手首と左足首に置くが，位置はあまり

正確でなくてもよい．しかし，**単極胸部誘導** unipolar precordial lead の6つの関電極は正確に設置する必要がある．

> 単極胸部誘導の電極設置場所に印を付けよ（図6-28）．

V_1：第4肋間で胸骨の右縁
V_2：第4肋間で胸骨の左縁
V_3：V_2 と V_4 を結ぶ線の中点
V_4：第5肋間左鎖骨中線
V_5：V_4 と同じ高さで前腋窩線
V_6：V_4 と同じ高さで中腋窩線

4）縦隔

縦隔 Mediastinum は胸腔のうち，左右の肺に挟まれた部分で，胸骨の奥にある．胸骨角平面で上縦隔と下縦隔に分けられ，下縦隔はさらに前縦隔，中縦隔，後縦隔に分けられる（図6-29）．

下縦隔の左縁は心圧痕のために，胸骨角の高さで急速に外下方に向かう．また，右縁は胸骨角の高さで正中線を離れ，第6肋骨の高さで胸骨右縁になり，緩やかに外下方に向かう．

- **上縦隔** Mediastinum superius：ほぼ正中線上にある狭い部分で，胸腺，気管，食道，大動脈，腕頭静脈，上大静脈，迷走神経，横隔神経，反回神経などがある．
- **前縦隔** Mediastinum anterius：心臓よりも前の部分で，小児期には胸腺があるが，中高齢者では少量の脂肪組織だけがある．
- **中縦隔** Mediastinum medius：心臓，大血管の起始部，気管分岐部，横隔神経がある．
- **後縦隔** Mediastinum posterius：下行大動脈，奇静脈，半奇静脈，迷走神経，食道，胸管などが通る．

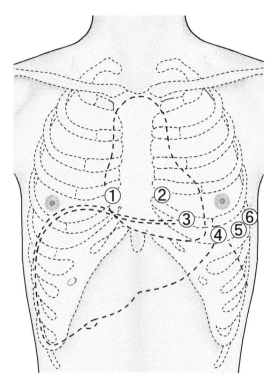

図6-28　胸部誘導電極の設置場所

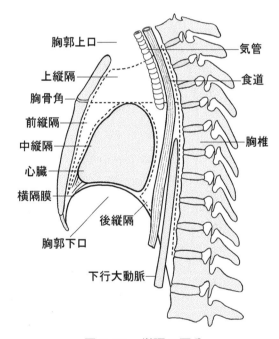

図6-29　縦隔の区分

6.5.2　腹部内臓の前面投影

> 腹部内臓を体表に投影して位置や大きさを確認せよ（図6-30〜6-32）．

1）下肋部

下肋部 Regio hypogastrica は横隔膜円蓋の高さから下，左右の肋骨下縁に至るまでの領域で，

腹部内臓が肋骨で覆われている。体表解剖では胸部の一部であるが，人体解剖では腹部として扱われる。
・右下肋部：腹壁の直下に肝臓の右葉と右結腸曲，深部に右の副腎と腎臓がある。
・左下肋部：腹壁直下に胃底，深部に食道下部，膵尾，脾臓および左結腸曲があり，さらにその奥に左の副腎と腎臓がある。

2）上胃部

上胃部 Regio epigastrica は左右の下肋部に挟まれた領域で，心窩部（ミズオチ）とも呼ばれる。奥には胃体と幽門，十二指腸の上部と下行部の一部，肝臓の右葉の一部と左葉，胆嚢，膵臓の大部分がある。

3）臍部

臍部 Regio umbilicalis は臍を中心にした前腹部の中央部にあり，臍は第3腰椎間板の高さにある。臍周囲の皮下には臍傍静脈と吻合する静脈が多くあり，肝硬変などでは臍を中心にして静脈が放射状に怒張する（メデューサの頭 Caput Medusa）。

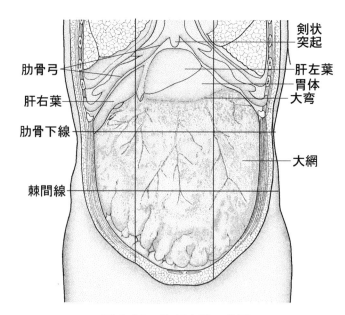

図6-30　腹部内臓の位置

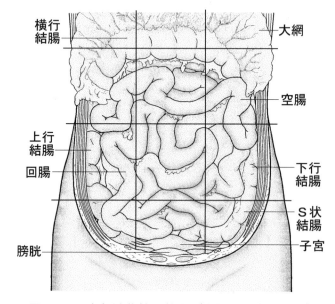

図6-31　腹部消化管の位置（大網を上方に反転）

> メデューサはギリシャ神話に出てくる怪物ゴルゴーネスの三人姉妹の一人で，美少女であったが，女神アテネと美貌を競って怒りを買い，髪を蛇にされてしまった。

腹膜腔内には大網 Omentum majus に覆われて小腸と腸間膜があり，胃と小腸の間を横行結腸が右から左に向かって走る。後腹壁では腎臓の内側縁から尿管が出て下行する。

4）側腹部

側腹部 Regio abdominalis lateralis は臍部の両側にある。
・右側腹部：腹壁の直下には大網，上行結腸，小腸の一部がある。深部では右腎臓の外側縁がかかる。
・左側腹部：表面近くには大網と下行結腸があり，深部では左腎臓の外側縁がかかっている。

5）恥骨部

恥骨部 Regio pubica は下腹部の中央で，深部には小腸の一部とS状結腸の一部がある。膀胱が極度に膨満すると，恥骨上縁で膀胱底を触れることがある。子宮底は妊娠3ヶ月以降になると腹壁を通して触知できる。右外側縁の深部には回盲部と虫垂がある（図6-33）。

- マックバーネーの点 McBurney's point：臍と右の上前腸骨棘を結ぶ線の外1/3の点で，ここに虫垂の基部がある。虫垂炎の時にここを押すと圧痛を訴える。
- ランツの点 Lanz's point：左右の上前腸骨棘を結ぶ線の右1/3の点で，虫垂の先端がこの付近に存在する。

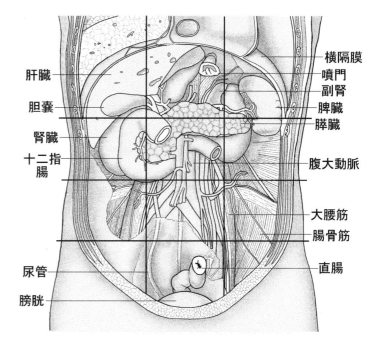

図6-32 腹膜後器官の位置

6）鼠径部

鼠径部 Regio inguinalis は下腹部の左右を占め，体表近くに鼠径靱帯や鼠径管が存在する（☞ p.178：図9-16を参照）。

- 右鼠径部：深部には盲腸と虫垂がある。
- 左鼠径部：深部には下行結腸の下端とS状結腸の起始部がある。
- 鼠径靱帯 Ligamentum inguinale：恥骨結節と上前腸骨棘を結ぶ。これは外腹斜筋の腱膜が折り畳まれてできた靱帯で，外腹斜筋の下縁となる。

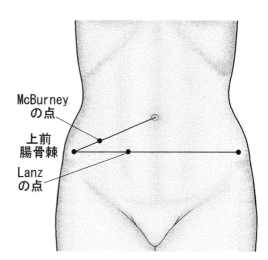

図6-33 恥骨部

- 鼠径管 Canalis inguinalis：外腹斜筋腱膜の深部で，内腹斜筋と腹横筋の腱膜が鼠径靱帯に付着しており，横筋筋膜との間にトンネル様の裂隙を作っている。鼠径管の内側端は浅鼠径輪となって皮下に開口し，外側端は深鼠径輪となって腹膜腔に開口する。ここを男性では精索が走り，女性では子宮円索が通る。

6.5.3 内臓の後面投影

重要臓器を体幹後面に投影して，その位置を確認せよ（図6-34）。

□肺
　肺尖：第7頸椎棘突起の高さ
　斜裂：ほぼ左右が対称で，第3胸椎棘突起の高さから始まり，腋窩線上では第5肋骨の高さを通る。
　肺の下縁：安静時，肩甲線上では第10胸椎棘突起の高さ。

□横隔膜：上向きのアーチを描き，最高点は第9胸椎棘突起の高さ。
□心臓：その人の握り拳よりも少し大きい。正中線よりもやや左に偏位しており，第5胸椎の棘突起〜第9胸椎棘突起の高さにある。
□腎臓：右上腹部に肝臓があるので，右の腎臓は左の腎臓よりも1椎体分低い位置にある。
　右腎：第12胸椎の棘突起〜第2腰椎棘突起の下縁の高さにある。
　左腎：第11胸椎の棘突起〜第2腰椎棘突起の中央の高さにある。
　腎門：第1腰椎の棘突起の高さで，後正中線よりも約5cm外側にある。
□脊髄：男性では第1腰椎体，女性では半椎体ほど下で脊髄円錐となって終わる。
□腰椎穿刺の場所：ヤコビー線から第4腰椎の棘突起を求め，その直上の第3腰椎間板の高さで行う。

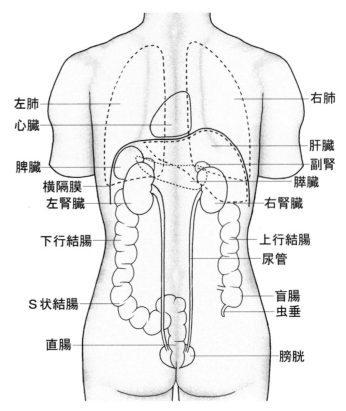

図6-34　内臓の体幹後面への投影

7 上肢の体表解剖

上肢は上肢帯 shoulder girder と自由上肢 free upper limb からなる。自由上肢骨は上肢帯骨（鎖骨と肩甲骨）を介して体幹の骨格と間接的に連結している。

7.1 上肢の概要

7.1.1 上肢表面からの観察

以下の各部位を体表で確認せよ（図 7-1）。

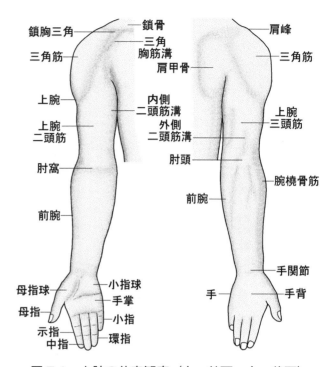

図 7-1 上肢の体表観察（左：前面，右：後面）

1) 上肢前面の観察

- □**鎖骨下窩** Fossa infraclavicularis：鎖骨の下縁，大胸筋の上外側縁，三角筋の内側縁で囲まれた三角形の領域で，**鎖胸三角**とも呼ばれる。ややくぼんでいる。
- □**三角胸筋溝**：Sulcus deltoidopectoralis：大胸筋と三角筋間の浅い溝で，この下を橈側皮静脈が通る。
- □**三角筋** M. deltoideus：肩の丸い膨らみを作る三角形の筋。筋肉注射の場所である。
- □**上腕二頭筋** M. biceps brachii：上腕前面の膨らみを作る筋で，肘関節を屈曲するとさらに盛り上がる（力こぶ）。
- □**内側二頭筋溝** Sulcus m. biceps medialis：上腕の内側面で，上腕二頭筋と上腕三頭筋の境界をなす浅い溝
- □**肘窩** Fossa cubitalis：肘関節前面の浅いくぼみ
- □**母指球** Thenar：手掌の母指側で，筋が作る膨らみ
- □**小指球** Hypothenar：手掌の小指側で，筋が作る小さな膨らみ

2) 上肢後面の観察

- □**肩峰** Acromion：肩で上外方に最も突出している部分
- □**上腕三頭筋** M. triceps brachii：上腕後面の膨らみを作る筋
- □**外側二頭筋溝** Sulcus m. biseps lateralis：上腕の外側面で，上腕二頭筋と上腕三頭筋の境界をなす浅い溝
- □**肘頭** Olecranon：肘関節を屈曲した時，肘の先端にあたる。

7.1.2 自由上肢の区分

自由上肢は以下のように区分される（図 7-2）。

- 三角筋部 Regio deltoidea：肩から上腕の外側上部にかけて三角筋の筋腹が盛り上がって作る逆三角形の領域で，境界は明瞭である。
- 鎖骨下部 Regio subclavicularis：鎖胸三角にあたる部分
- 肩甲部 Regio scapularis：肩甲骨が存在する部分
- 上腕部 Regio brachialis：上腕骨を取り囲む部分で，三角筋部と腋窩部の遠位境界線から肘部の近位境界線までをいう。内側・外側二頭筋溝によって前上腕部と後上腕部に分けられる。
- 肘部 Regio cubitalis：肘関節を含む領域で，上腕骨遠位端の内側・外側上顆を結ぶ上顆線 epicondylar line（ヒュッテル線 Hueter's line）を中心に，近位，遠位に3横指ずつをいう。さらに内側・外側上顆を通る面で前肘部と後肘部に分けられる。

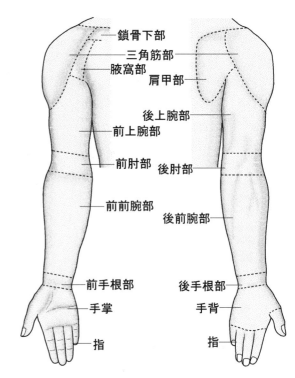

図7-2　上肢の区分（左：前面，右：後面）

- 前腕部 Regio antebrachialis：肘部よりも遠位，手根関節（手首）よりも近位の領域。さらに屈筋側の前前腕部と伸筋側の後前腕部に分けられるが，境界は明瞭でない。
- 手 Manus：手根関節よりも遠位で，前面を手掌 Palm，後面を手背 Dorsum manus という。手はさらに以下の3部に分けられる。

    手根 Carpus：手の近位部で，手根骨がある部分

    中手 Metacarpus：手根よりも遠位で，中手骨がある部分。拳を握ると，中手と指の境界が明瞭になる。

    指 Digirum：指骨がある部分。中手との境界は，表面で5本に分かれている場所よりも少し近位になる。

7.1.3　上肢の筋

上肢の筋は上肢帯の筋，上腕，前腕および手の筋に分類される（図7-3，7-4）。

1）上肢帯の筋

上肢帯筋の多くは体幹にあって，体幹の骨から起こって上肢帯骨（肩甲骨と鎖骨）に停止する筋と，上肢帯骨から起こり，上腕骨の上部に停止して上腕の運動をつかさどる筋からなる。これらはすべて腕神経叢から出る神経に支配される。

- 外側上肢帯筋：三角筋 M. deltoideus
- 後上肢帯筋：棘上筋 M. supraspinatus，棘下筋 M. infraspinatus，小円筋 M. teres minor，大円筋 M. teres major
- 前上肢帯筋：肩甲下筋 M. subsucapularis

2）上腕の筋
(1) 上腕前面の筋
上腕の前面にある筋は屈筋群に属し，すべて腕神経叢（外側神経束）の筋皮神経に支配される。
- 上腕二頭筋 M. biceps brachii：長頭 Caput longum と短頭 Caput breve を持つ。
- 烏口腕筋 M. coracobrachialis
- 上腕筋 M. brachialis

(2) 上腕後面の筋
上腕後面にある筋は伸筋群に属し，すべて橈骨神経に支配される。
- 上腕三頭筋 M. triceps brachii：長頭 Caput longum，内側頭 Caput mediale，外側頭 Caput laterale の3つの筋頭を持つ。
- 肘筋 M. anconeus

3）前腕の筋
(1) 前腕前面の筋
前腕前面にある筋は屈筋群に属し，多くは正中神経，一部は尺骨神経に支配される。発生学的に，回内筋も屈筋群と同じ仲間である。
- 円回内筋 M. pronator teres
- 橈側手根屈筋 M. flexor carpi radialis
- 長掌筋 M. palmaris longus
- 尺側手根屈筋 M. flexor carpi ulnaris
- 浅指屈筋 M. flexor digitorum superficialis
- 長母指屈筋 M. flexor pollicis longus
- 深指屈筋 M. flexor digitorum profundus
- 方形回内筋 M. pronator quadratus

このうち，尺側手根屈筋と深指屈筋の内側半分が尺骨神経に支配される。

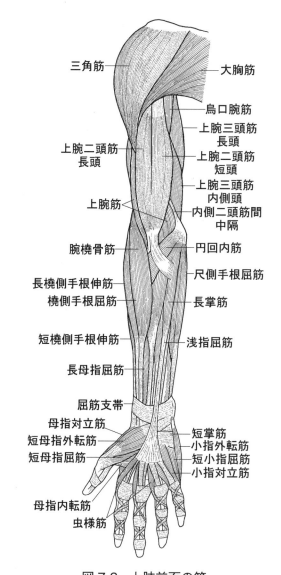

図7-3　上肢前面の筋

(2) 前腕後面の筋
前腕の後面にある筋は伸筋群に属し，すべて橈骨神経に支配される。発生学的に回外筋も伸筋群と同じ仲間である。

- 腕橈骨筋 M. brachioradialis
- 長橈側手根伸筋 M. extensor carpi radialis longus
- 短橈側手根伸筋 M. extensor carpi radialis brevis
- 指伸筋 M. extensor digitorum
- 長母指外転筋 M. abductor pollicis longus
- 示指伸筋 M. extensor indicis
- 尺側手根伸筋 M. extensor carpi ulnaris
- 短母指伸筋 M. extensor pollicis brevis
- 小指伸筋 M. extensor digiti minimi
- 長母指伸筋 M. extensor pollicis longus
- 回外筋 M. supinator

4) 手の筋

手の筋の大部分は手掌側にあり，正中神経または尺骨神経に支配される。

(1) 母指球筋

手掌の橈側部にある高まりを母指球 Thenar といい，以下の筋によって作られる。このうち，母指内転筋は尺骨神経，それ以外は正中神経に支配される。
- 短母指外転筋 M. abductor pollicis
- 短母指屈筋 M. flexor pollicis brevis
- 母指対立筋 M. opponens pollicis
- 母指内転筋 M. adductor pollicis

(2) 小指球筋

手掌の尺側部にある高まりを小指球 Hypothenar といい，以下の筋によって作られる。これらの筋はすべて尺骨神経に支配される。
- 短掌筋 M. palmaris brevis
- 小指外転筋 M. abductor digiti minimi
- 短小指屈筋 M. flexor digiti minimi brevis
- 小指対立筋 M. opponens digiti minimi

(3) 中手筋

母指球と小指球の間の手掌にある小さな筋で，大部分は尺骨神経に支配される。手背に筋は存在しない。
- 虫様筋 Mm. lumbricales：橈側の2本を正中神経，尺側の2本を尺骨神経が支配する。
- 骨間筋 Mm. interossei：掌側に3本，背側には4本あり，すべて尺骨神経が支配する。

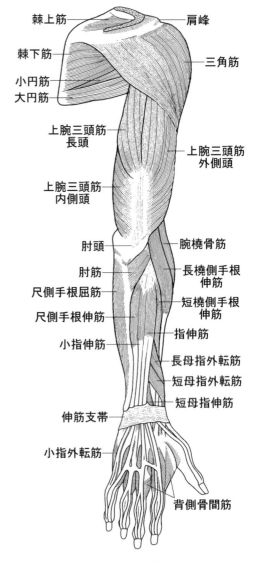

図 7-4　右上肢後面の筋

7.2　上肢の骨性指標

上肢では以下の骨性指標が体表から触知できる（図7-5）。

7.2.1　上肢帯骨の触察

1) 鎖骨

鎖骨 Clavicula（☞ p.23：図2-19を参照）は全長にわたって皮膚の直下に触知できる。

□**鎖骨体** Corpus claviculae：頚切痕から肩峰に向かってほぼ水平に伸びる。痩せた人では全長にわたって浮き出て見える。

□**胸骨端** Extremitas sternalis：鎖骨体を内方に辿ると胸骨端が触知できる。胸骨柄の鎖骨切痕とで胸鎖関節を作る。

□**肩峰端** Extremitas acromialis：鎖骨体を外方に辿る。肩峰端に近い部分は上背方に弯曲しており，ここで肩鎖関節が触知できる。

2）肩甲骨

肩甲骨 Scapula では以下の骨性指標を確認せよ（図7-6）。

- □ **内側縁** Margo medialis：棘突起から3～4横指外側を上下に走るので，その付近に指腹を当てて左右に動かすと内側縁が触知できる。
- □ **上角** Angulus superior：内側縁を上方にたどると上角に至る。肩甲挙筋が付着するので触知しにくい。左右の上角を結ぶ線は第2胸椎棘突起の高さにあたる。
- □ **下角** Angulus inferior：内側縁を下方にたどると下角に至る。腕を背中に回すと浮き上がってくるので簡単に見つけられる。左右の下角を結ぶ線は第7胸椎の棘突起の高さにあたる。
- □ **外側縁** Margo lateralis：下角から上外方に斜めにたどる。広背筋や大円筋，小円筋に覆われるので，上にいくにつれて触知しにくくなる。
- □ **烏口突起** Processus coracoideus：鎖骨の肩峰端付近の下を指先で押さえ込むと触知される。強く押さえ込むと不快な痛みを感じる。
- □ **肩甲棘** Spina scapulae：内側縁の上1/4あたりに基部があり，上外方に伸びてその先端は肩峰になる。上下に筋（棘上筋と棘下筋）があるので，簡単に触知できる。左右の内側端を結ぶ線は第3胸椎の棘突起の高さにあたる。
- □ **肩峰** Acromion：肩の上外側端に触知される。幅は3～4cmである。

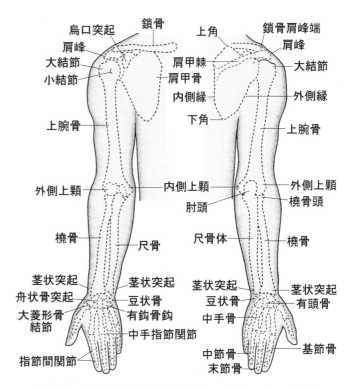

図7-5　右上肢の骨性指標（左：前面，右：後面）

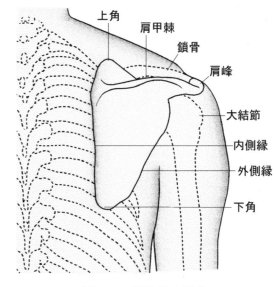

図7-6　肩甲骨の触察

7.2.2　上腕の骨の触察

上腕骨 Humerus は上腕の中軸部を走り，筋に包まれているので，以下の場所しか触知できない（☞ p.24：図2-21を参照）。

- □ **大結節** Tuberculum majus：肩峰の直下やや内方に触れる。上肢を内・外旋すると移動するので確認できる。
- □ **小結節** Tuberculum minus：大結節を触れた位置よりもやや内方に指腹を置き，上腕を強く外旋すると触れるようになる。
- □ **結節間溝** Sulcus intertubercularis：大結節と小結節の間で，ここを通る上腕二頭筋長頭の腱が「ク

リクリ」と触知される。
- □**外側上顆** Epicondylus lateralis：肘部の後面外側部で皮膚の直下に触知できる。
- □**内側上顆** Epicondylus medialis：肘部の後面内側端で触知できる。
- □**尺骨神経溝** Sulcus nervi ulnaris：内側上顆の後上方にあり，この溝を尺骨神経が通る。机の角などがここに当たると，「ビリッ」としびれた感覚が小指に向かって走る。

上顆線と肘三角
- □**上顆線** epicondylar line（ヒュッテル線 Hueter's line）：内側上顆と外側上顆の両端を結ぶ線で，肘関節伸展時にはこの線上に肘頭の頂点がくる（図7-7）。
- □**肘三角** Trigonum cubiti（ヒュッテルの三角 Hueter's triangle）：肘関節屈曲時に内側上顆，外側上顆，肘頭の頂点が作る三角形で，二等辺三角形をなす。

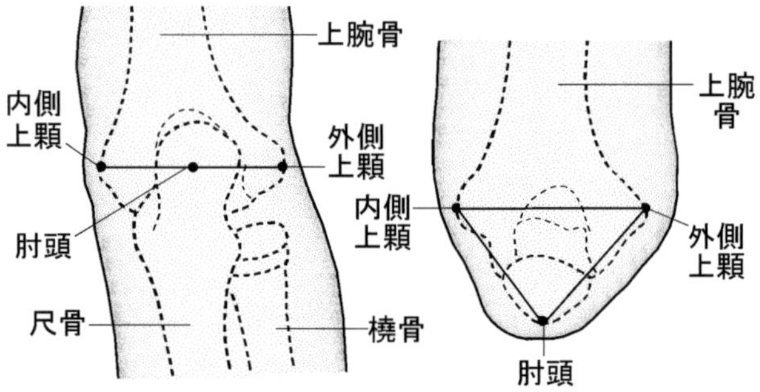

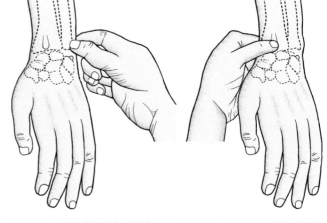

図7-7　上顆線（伸展時）と肘三角（屈曲時）

7.2.3　前腕の骨の触察

1) **尺骨** Ulna は前腕の小指側にある（☞ p.25：図2-22）。
- □**尺骨体** Corpus ulnae：前腕の後面と外側面で，肘から手首まで全長にわたって触知できる。
- □**肘頭** Olecranon：滑車切痕の背面で，肘を曲げた時に最も突出する部分。
- □**尺骨頭** Caput ulnae：尺骨下端のやや肥厚した部分。手首の後外側面で触知できる。
- □**茎状突起** Processus styloideus：尺骨頭のすぐ前方に指を当て，手首を回外すると触れるようになる（図7-8）。

図7-8　尺骨茎状突起の触察　　図7-9　リスター結節の触察

2) **橈骨** Radius は前腕の母指側にある（☞ p.25：図2-22を参照）。
- □**橈骨頭** Caput radii：尺骨肘頭の外側下方で触知できる。
- □**橈骨体** Corpus radii：前腕の外側を下行する。遠位ほど触知しやすい。
- □**茎状突起** Processus styloideus：手関節の外側部ではっきりと触知される。
- □**橈骨結節** Tuberculum radii（リスター結節 Lister's tubercle）：橈骨茎状突起より橈骨幅の1/3背方のところに，長軸方向に伸びる小さな突起として触知される（図7-9）。

7.2.4　手の骨の触察

1) 手根骨 Ossa carpi
- □**舟状骨** Os scaphoideum：手関節を尺側に屈曲すると，橈骨茎状突起のすぐ遠位側で触知される（図7-10）。また，タバコ窩に指腹を押し込むと，舟状骨の底が触知できる。

☐ **大菱形骨** Os trapezium：手根の橈側側面で，第1中手骨を近位方向に辿ると，中手手根関節とそのすぐ近位に大菱形骨が触知される。手関節を尺側に屈曲すると触れやすくなる（図7-11）。

☐ **三角骨** Os triquetrum：手関節を橈側に屈曲すると，尺骨茎状突起のすぐ遠位で触知しやすくなる（図7-12）。

☐ **豆状骨** Os pisiforme：手根の手掌面で尺側端にある。手関節を伸展すると大豆大の豆状骨を触知できる（図7-13）。

・**有鈎骨** Os hamatum：有鈎骨鈎 Hamulus ossis hamati は母指と示指の指間部と豆状骨を結ぶ線上にあるので，この線と小指球の橈側縁が交わるあたりを母指の指腹で強く押さえると，小指球筋の深部に有鈎骨鈎が触知される（図7-14）。

・**月状骨** Os lunatum：手背面で，有頭骨と橈骨の間にあるので，まず有頭骨背面のくぼみを確認し，そこに指腹を置いて手関節を屈曲すると，有頭骨の近位側に触知されるようになる（図7-15）。

・**小菱形骨** Os trapezoideum：手背面において，第2中手骨の近位延長線上で，大菱形骨のすぐ尺側に触知される。

・**有頭骨** Os capitatum：第3中手骨の長軸延長線上にある。手背で，第3中手骨を近位に向かって辿ると，その先にある小さな陥凹が有頭骨の背面である（図7-16）。

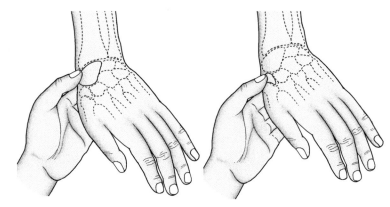

図7-10　舟状骨の触察　　図7-11　大菱形骨の触察

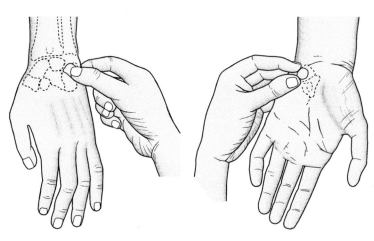

図7-12　三角骨の触察　　図7-13　豆状骨の触察

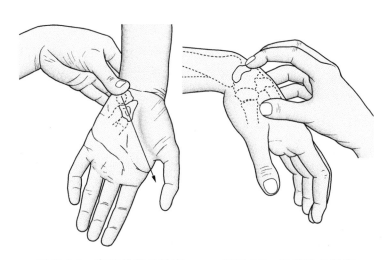

図7-14　有鈎骨鈎の触察　　図7-15　月状骨の触察

2) **中手骨** Ossa metacarpalia

手背面で，各指に対応して全長にわたって触知することができる（☞ p.26：図2-23を参照）。

3) 指骨 Ossa digitorum manus

手背側では各指の基節骨，中節骨，末節骨を触知することができる（☞ p.26：図 2-23 を参照）。

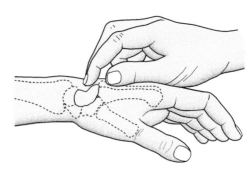

図 7-16　有頭骨の触察

7.3　上肢筋の触察

7.3.1　上肢帯筋の触察

□**三角筋** M. deltoideus：肩関節を上外方から覆う大きな逆三角形の筋で，筋肉注射の場所としても重要である（図 7-17）。

起始：鎖骨の外側 1/3，肩峰上面，肩甲棘
停止：上腕骨の三角筋粗面
神経：腋窩神経 N. axillaris（$C_4 \sim C_6$）
作用：全体としては肩関節を外転し，前部線維は肩関節を屈曲，後部線維は伸展する。
触察：被検者を背臥位にする。三角胸筋溝を鎖骨から三角筋粗面までたどると，前部線維の内側縁が確認できる。三角胸筋溝よりも外上方で，鎖骨から起こり，三角筋粗面に至る前部線維を上腕骨に押しつけながら触知する。背臥位では前部線維の筋腹は比較的薄く感じられる。肩峰から三角筋粗面に至る中部線維を前部線

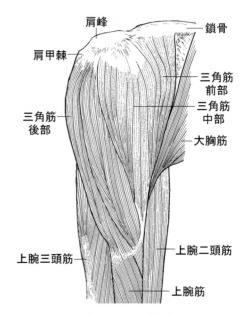

図 7-17　三角筋

維や後部線維との境に注意して，上腕骨に押しつけながら触察する。中部線維の後方部は腹臥位の方が触知しやすい。また腹臥位で，肩甲棘内側縁と三角筋粗面を結ぶ線上に指を置き，外上方に指を移動すると，後部線維の内側縁が確認できる。この外側で，肩甲棘から起こり，三角筋粗面に至る後部線維を肩甲骨や上腕骨に押しつけながら触察する。
筋力検査：被検者は上肢をまっすぐにして，肩関節を約 60 度外転する。検者は上肢を体幹に押しつけるように力を加え，被検者はこれに抵抗する。

□**棘上筋** M. supraspinatus：肩甲骨の棘上窩を埋めている（図 7-18, 7-19）。

起始：棘上窩，棘上筋膜
停止：上腕骨大結節
神経：肩甲上神経 N. suprascapularis（C_5）
作用：肩関節の外転時に三角筋を補助する。関節窩に上腕骨頭を固定する。上腕骨頭を外旋する。
触察：被検者を腹臥位にして，検者は触察側に立つ。肩甲骨の上角と肩甲棘を確認し，その間を埋める棘上筋を，棘上窩に向かって直角に押さえつけるように触察する。棘上筋の外

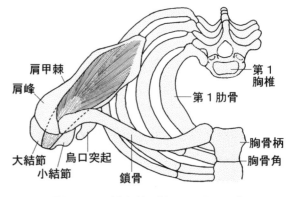

図 7-18　棘上筋（上から見た図）

側部1/3は鎖骨や肩峰に妨げられて触知しにくいので，指を肩鎖関節の下に押し込むようにして，できるだけ外側部まで触知する。

筋力検査：被検者は上肢を体幹に沿って下垂させ，この位置から肩関節を外転させる。検者は被検者の肘を持ってこれに抵抗を加える。

□**棘下筋** M. infraspinatus：肩甲骨の棘下窩の大部分を埋めている（図7-19）。

起始：棘下窩，棘下筋膜

停止：上腕骨大結節の中央部と肩関節包

神経：肩甲上神経 N. suprascapularis（C_5, C_6）

作用：小円筋と協同して，上腕骨頭を外旋する。

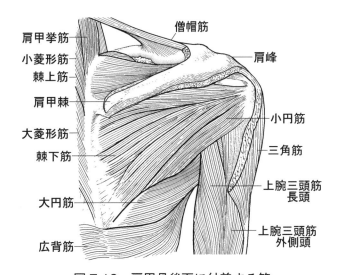

図7-19 肩甲骨後面に付着する筋

触察：被検者を腹臥位にして，検者は触察側に立つ。肩甲骨の内側縁，外側縁および肩甲棘に囲まれた棘下窩のうち，外側縁部（小円筋）と下角部（大円筋）を除いた領域を本筋が占める。いくつかの線維束に分けて肩甲骨に向けて押しつけ，筋線維に沿って触診する。棘下筋の外側部は肩峰に覆われているので，その下に指を押し込むようにして触診する。

筋力検査：被検者は肘を約90度屈曲し，前腕を前方に向けて肘を体幹に当てる。この位置から被検者は上腕を外旋する。検者は被検者の前腕を持ってこれに抵抗を加える（図7-20）。

□**小円筋** M. teres minor：棘下筋と大円筋に挟まれた細い筋である（図7-19）。

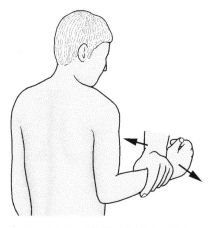

図7-20 棘下筋の筋力検査

起始：肩甲骨の後面で外側縁付近，棘下筋膜

停止：上腕骨大結節，肩関節包

神経：腋窩神経 N. axillaris（C_5）

作用：上腕骨頭の内転と外旋，および上腕骨を関節窩の方に引く。

触察：被検者を腹臥位にし，検者は触察側に立つ。肩甲骨の後面下方で，棘下筋と大円筋の間の溝を確認し，その溝に沿って外上方に指を移動させると小円筋の筋腹に至る。外下方より肩甲骨の外側縁中央部に向けて圧迫し，最初に触れるのが小円筋である。小指ぐらいの大きさの筋腹を，棘下筋との境に注意しながら，肩甲骨と上腕骨に押しつけるようにして触知する。

□**大円筋** M. teres major は肩甲骨背面の下約1/4を覆っている（図7-19）。

起始：肩甲骨の下角後面

停止：上腕骨の小結節稜

神経：肩甲下神経 N. subscapularis（$C_5 \sim C_7$）

作用：肩関節の内転と内旋，および上腕骨を後方に引く。
触察：被検者を腹臥位または側臥位にして，検者は同側に立つ。肩甲骨下角を確認し，その後面で大円筋の起始と筋腹を触知する。そこから上外方に走り，上腕三頭筋長頭の前方を通り，上腕骨小結節稜に向かう筋腹を触知する。起始部を離れると骨性の支えがなくなるので触知しにくくなる。肩甲骨よりも外側では，大円筋と広背筋は上下に平行して走り，後腋窩ヒダを作る。その前外側部を占める広背筋だけをつまむと，両者の境が確認できる。

□**肩甲下筋** M. subscapularis：肩甲骨の肋骨面（肩甲下窩）を埋める。大部分は肩甲骨に覆われており，外側の一部しか触知できない（図7-21）。

起始：肩甲下窩，肩甲下筋膜
停止：上腕骨の小結節と小結節稜，肩関節包
神経：肩甲下神経 N. subscapularis（C_5, C_6）
作用：上腕を内方に引き，内方に回す。
触察：被検者を背臥位にして，検者は被検者の触察側に立つ。被検者に上肢を外転させ，まず広背筋と大円筋を確認する。その内側から指を肩甲骨と肋骨の間に深く挿入し，肩甲骨肋骨面に向けて圧迫して肩甲下筋を触察する。肩甲骨肋骨面から上腕骨頭の上方に回り込む線維がこの筋である。内側縁や上角付近の線維は触知しにくい。付着部付近に腕神経叢があるので注意すること。

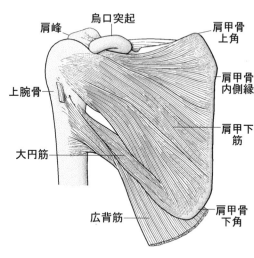

図7-21　肩甲下筋

回旋筋腱板

　肩関節の関節窩は浅いので少し安定性に欠ける。これを補うために，四方から以下の4つの筋の腱が肩関節包に癒合して補強している。これらの腱を**回旋筋腱板** rotator cuff（musculotendinous cuff）という（図7-22）。

・上方：棘上筋
・後方：棘下筋
・前方：肩甲下筋
・後下方：小円筋

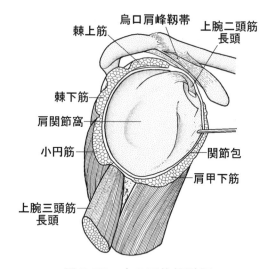

図7-22　右の回旋筋腱板

7.3.2　上腕前面筋の触察

　上腕前面にある筋は屈筋群で，すべて筋皮神経に支配される。また後面の筋は伸筋群に属し，橈骨神経に支配される（図7-23）。

□**上腕二頭筋** M. biceps brachii：上腕の前面に膨らみを作る筋で，長頭と短頭を持ち，肘関節を屈曲すると力こぶを作る（図7-23, 7-24）。

起始：長頭は肩甲骨の関節上結節，短頭は烏口突起から起こる。
停止：橈骨粗面，前腕筋膜

神経：筋皮神経 N. musculocutaneus（C_6, C_7）
作用：肘関節の屈曲と前腕の回外を行う。前腕を固定すると肩関節を屈曲する。上腕二頭筋は二関節筋で, 肩関節の安定化にも寄与する。
触察：被検者を背臥位にして, 検者は同側に立つ。肘関節を屈曲させ, 腕前面の中央2/3で上腕二頭筋の筋腹を確認する。次いで近位に向かって, 上腕骨の大結節と小結節の間を通る上腕二頭筋長頭の腱を確認する。その腱の外側縁に沿って遠位方向にたどり, 本筋の外側縁と上腕筋との境を触察する。あるいは橈骨粗面上で付着腱を確認し, その外側縁を近位方向にたどってもよい。また橈骨粗面上で, 付着腱の内側縁を烏口突起までたどり, 本筋の内側縁と短頭の腱を触察する。内側縁付近には正中神経や上腕動脈が通るので注意する。

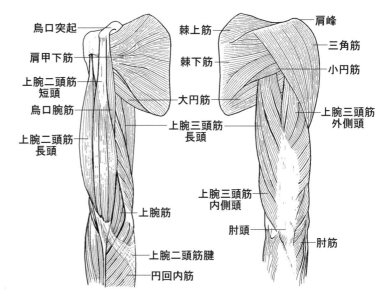

図7-23　右上腕の筋（左：前面, 右：後面）

　長頭と短頭の境は上腕前面の正中やや内側を圧迫すると確認できる。上腕筋は上腕骨に密着しているので硬く感じるが, 本筋は比較的軟らかく, つかみ上げると容易に上腕骨より持ち上がるので, 両者が区別できる。また, 本筋は上腕骨に平行に走るのに対して, 上腕筋は上外側から下内側へ斜めに走ることに注意する。

筋力検査：被検者は前腕をやや回外位にして肘関節を屈曲する。検者は被検者の前腕を持ってこれに抵抗を加える。

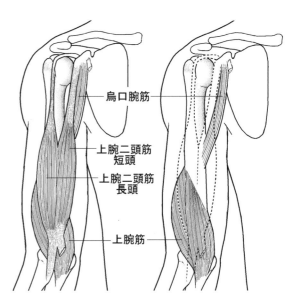

図7-24　上腕の屈筋群
右の図では上腕二頭筋（点線）を除去している

□烏口腕筋 M. coracobrachialis
起始：肩甲骨の烏口突起
停止：上腕骨の内側面中部で, 小結節稜の下方
神経：筋皮神経 N. musculocutaneus（C_6, C_7）
作用：肩関節の屈曲と内転
触察：被検者を背臥位にして, 検者は同側に立つ。肩甲骨烏口突起より起こり, 上腕内側部を並行する2本の筋腹のうち, 外側にあるのが上腕二頭筋の短頭, 内側深部を走るのが烏口腕筋である。上腕骨に押しつけるようにして, 上腕骨中央部まで触察する。本筋の後ろを筋皮神経が通るが, 筋よりも硬い感じがする。

□上腕筋 M. brachialis
起始：上腕骨の前面で三角筋停止部の下方，内側・外側上腕筋間中隔，肘関節包前面
停止：尺骨鉤状突起，尺骨粗面，肘関節包前面
神経：筋皮神経 N. musculocutaneus（C_5〜C_7）
作用：肘関節の屈曲
触察：被検者を背臥位にして検者は触察側に立つ。上腕筋は上腕骨の長軸に対して上外側から下内側に斜めに走る。三角筋粗面を確認し，その後下方で，比較的硬い，"コロコロ"と上腕骨の上を転がる筋が上腕筋である。その外側縁を確認しながら，上腕二頭筋の下層で尺骨鉤状突起に向かう筋腹を，上腕骨に押しつけながら確認する。上腕二頭筋を内方に押しつけるようにすると，一部を除いて上腕筋の大部分が触察できる。内側縁付近には正中神経と上腕動脈が通るので注意する。

7.3.3 上腕後面筋の触察

□上腕三頭筋 M. triceps brachii：上腕の後面にあり，橈骨神経に支配される（図7-25）。
起始：長頭は肩甲骨の関節下結節，外側頭は上腕骨後面の橈骨神経溝より下内側方と上外側方，および内側と外側上腕筋間中隔，内側頭は上腕骨の下部後面から起こる。
停止：尺骨肘頭
神経：橈骨神経 N. radialis（C_6〜C_8）
作用：肘関節の伸展，肩関節の外転位では，長頭は肩関節の内転を補助する。
触察：被検者を腹臥位にして検者は同側に立つ。上腕三頭筋の内側頭は上腕後面で，橈骨神経溝以遠のすべての領域を占めるので，尺骨肘頭，

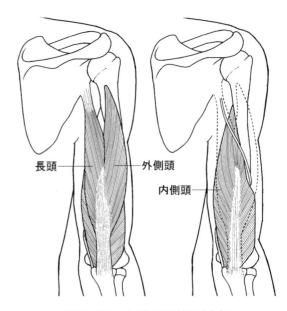

図7-25 上腕三頭筋の触察

上腕骨内側上顆，外側上顆を確認し，そこから外側は上腕骨の遠位約1/3まで，内側は上腕骨頭の直下までの領域をくまなく触察する。内側縁付近には尺骨神経が通るので注意せよ。外側頭は上腕三頭筋の共通腱から橈骨神経溝より近位に至り，視察も容易である。上腕骨頭の直下まで触察できるが，橈骨神経が横切る部位には注意を要する。

長頭も容易に視察でき，共通腱から上内側方に向かい，小円筋と大円筋の間を貫くのを確認しながら，肩甲骨関節下結節まで触察する。内側頭は上腕骨に貼り付いて可動性が乏しいのに対して，外側頭と長頭は比較的自由に上腕骨の上で動くのを確認する。

筋力検査：被検者は肘関節を約90度屈曲した状態から肘関節を伸展させる。検者は被検者の前腕を持って，これに抵抗を加える。

□肘筋 M. anconeus
起始：外側上顆と外側側副靱帯
停止：尺骨背面の上部1/4
神経：橈骨神経（C_7〜C_8）
作用：肘関節の伸展に際して上腕三頭筋を助け，関節包を緊張させる。

7.3.4 前腕前面筋の触察

前腕の前面にある筋は屈筋群に属し，多くは正中神経，一部は尺骨神経に支配される。すべての筋は上腕骨の内側上顆から起こるので，起始に近い部分では各筋を区別して体表から触察することはできない（図7-26）。しかし，前腕の遠位1/3では，表層を走るこれらの筋の腱を区別できる。

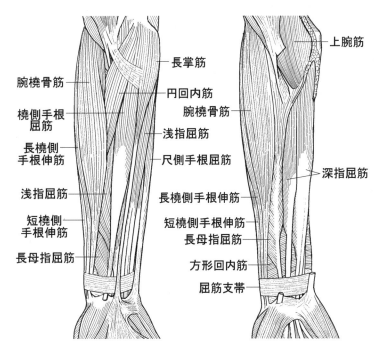

図7-26　右前腕前面の筋（左：前面，右：後面）

1）前腕前面浅層の筋

□**長掌筋** M. palmaris longus：長い腱となって前腕前面を下行し，手首では屈筋支帯の上を通って手掌腱膜に終わる（図7-26）。手関節を屈曲すると腱が浮かび上がってくるのはこのためである。この筋は下肢では足底筋に対応する。約5％の人で欠如する。

起始：上腕骨内側上顆
停止：手掌腱膜
神経：正中神経 N. medianus（C_8〜Th_1）
作用：手関節を屈曲する。
触察：母指と小指を対立させて手関節を屈曲すると，手関節掌側面の中線上に索状の腱が浮き上がってくる（図7-27）。この腱を上腕骨の内側上顆に向かって，できるだけ近位まで触察する。

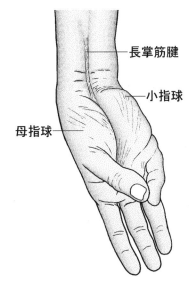

図7-27　長掌筋の触察

□**橈側手根屈筋** M. flexor carpi radialis
起始：上腕骨内側上顆
停止：第2，3中手骨底の掌側
神経：正中神経 N. medianus（C_6〜C_8）
作用：前腕を回内し，手を外転する。
触察：指を軽く握り，手関節を屈曲かつ橈側偏位させると，長掌筋腱のすぐ橈側に腱が触知される。近位方向に向かって上腕骨内側上顆の起始部まで触察する（図7-28）。
筋力検査：被検者は指を自然に伸ばした状態で，手関節を屈曲かつ橈側に偏位させる。検者は被検者の手を持ってこれに抵抗を加える。

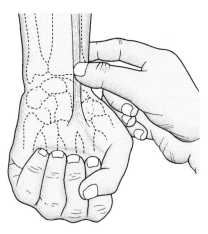

図7-28　橈側手根屈筋腱の触察

□円回内筋 M. pronator teres：橈側手根屈筋の起始部から外下方に分かれる小さな筋である。
起始：上腕頭は内側上顆と内側上腕筋間中隔，尺骨頭は尺骨の鉤状突起から起こる。
停止：橈骨の外側面
神経：正中神経 N. medianus（C_6～C_7）
作用：前腕を回内し，かつ屈曲する。
触察：肘窩のやや下方で，前腕前面のほぼ中央部に指を当て，前腕を回内させると緊張する筋腹を触れる。

□尺側手根屈筋 M. flexor carpi ulnaris
起始：上腕骨内側上顆，尺骨肘頭
停止：豆状骨，有鉤骨鉤，第5中手骨底
神経：尺骨神経 N. ulnaris（C_7～Th_1）
作用：手を内側（尺側）に内転する。
触察：上腕骨内側上顆の起始部から前腕の最内側を下行する。手関節を屈曲かつ尺側に偏位させると，手関節の部分で豆状骨の近位部に腱が触察できる（図7-29）。
筋力検査：被検者は指を自然に伸ばした状態で，手関節を屈曲かつ尺側に偏位させる。検者は被検者の手を持ってこれに抵抗を加える。

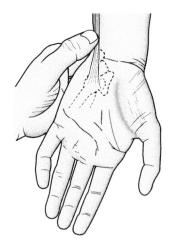

図7-29　尺側手根屈筋腱

□浅指屈筋 M. flexor digitorum superficialis
起始：上腕骨内側上顆，尺骨粗面内側，橈骨の上方前面
停止：第2～5指の中節骨
神経：正中神経 N. medianus（C_7～Th_1）
作用：第2～第5指の中節を屈曲する。
触察：上腕骨内側上顆の起始部と尺骨体の上方2/3の場所から線維を確認する。長掌筋腱と尺側手根屈筋腱の間をやや強く押さえ込んで，手首掌側面上で浅指屈筋の腱を確認する。また前腕上部では，指を屈曲すると固くなる筋腹が触知できる。
筋力検査：被検者に，第Ⅱ～Ⅴ指の近位指節間関節の屈曲を命じる。検者は被検者の4本の指の中節に指を当て，これに抵抗を加える。

2）前腕前面深層の筋
　以下の筋は前腕前面の表層筋に覆われているので，体表から触察することはできない。起始と停止を確定し，その走行をイメージせよ。また，筋力検査の方法を記載しておく。
□長母指屈筋 M. flexor pollicis longus
起始：橈骨頭は橈骨前面，上腕頭は上腕骨内側上顆から起こる。
停止：母指末節骨
神経：正中神経（C_6～C_7）
作用：母指を屈曲する。
筋力検査：被検者は母指の指節間関節を屈曲する。検者は被検者の母指の末節を持って抵抗を加える。

□**深指屈筋** M. flexor digitorum profundus
起始：尺骨前面と骨間膜
停止：第Ⅱ～Ⅴ指の末節骨
神経：橈側半は正中神経，尺側半分は尺骨神経に支配される（C_7～Th_1）
作用：第Ⅱ～Ⅴ指の末節を屈曲する。
筋力検査：被検者に第Ⅱ～Ⅴ指の遠位指節間関節を屈曲させる。検者は被検者の指の末節を持って抵抗を加える。

□**方形回内筋** M. pronator quadratus
起始：尺骨前面下1/4
停止：橈骨前縁と前面
神経：正中神経（C_6～Th_1）
作用：前腕を回内する。
筋力検査：被検者に前腕の回内を命じる。検者は被検者の手を持ってこれに抵抗を加える。前腕の回内は円回内筋と方形回内筋が協同して行うので，筋力検査では両者の筋力を区別することはできない。

7.3.5 前腕後面筋の触察

前腕後面の筋は伸筋群に属し，手関節や指の伸展を行う。上腕骨の外側上顆およびその周辺から起始するので，起始部では，体表から個々の筋腹を区別して触察することは困難である。しかし，前腕の遠位1/3ではそれぞれの腱を区別することができるので，これを手掛かりにして筋腹を触察する（図7-30）。すべて橈骨神経に支配される。

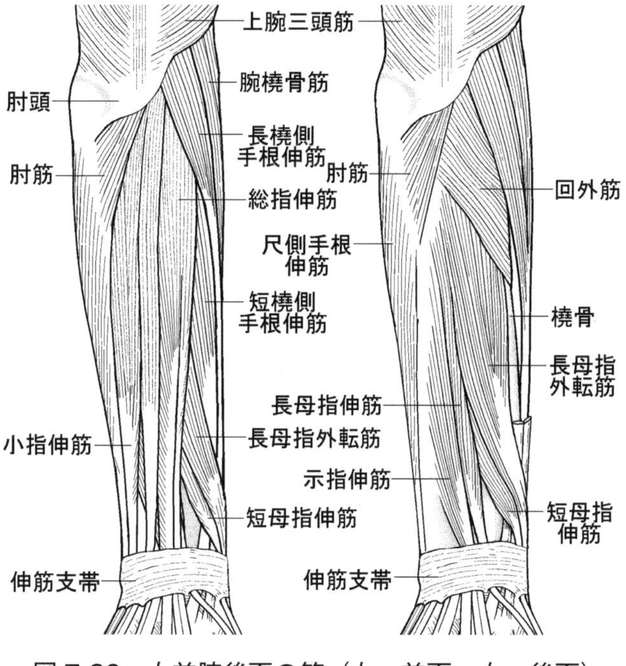

□**腕橈骨筋** M. brachioradialis：前腕の近位部外側面に盛り上がっているので，筋腹を体表からでも観察することができる。
起始：上腕骨の外側顆上稜（上腕骨の外側縁）と外側筋間中隔
停止：橈骨茎状突起の近位部橈側面
神経：橈骨神経 N. radialis（C_5～C_6）
作用：前腕を屈曲しかつ外転する。
触察：前腕の近位部前面で，肘窩の外側縁として触知できる。肘関節を軽く曲げ，握り拳を作ってテーブルの端の下に置いて，拳でテーブルを持ち上げるように力を入れると，筋腹が明瞭に確認できる（図7-31）。外側上顆上方の起部から筋の走行に沿って触知する。

図7-30 右前腕後面の筋（左：前面，右：後面）

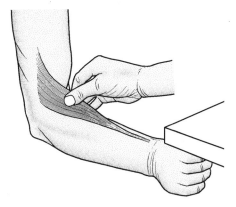

図7-31 腕橈骨筋の触察

筋力検査：被検者は前腕をやや回内して母指を上に向けた状態から、母指を自分の顔に近づけるように肘関節を屈曲する。検者は被検者の手首を持ってこの運動に抵抗を加える（図7-32）。

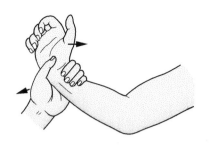

図7-32　腕橈骨筋の筋力検査

□長および短橈側手根伸筋 M. extensor carpi longus et brevis（図7-33）
起始：上腕骨外側顆上縁，上腕骨外側顆
停止：第2，3中手骨底
神経：橈骨神経 N. radialis（$C_6 \sim C_7$）
作用：手を伸ばし，かつ外転する。
触察：被検者に，手を軽く握った状態で手関節を伸展してもらう。検者は被検者の手を持ってこの運動に抵抗を加えると，腕橈骨筋のすぐ後方で，外側上顆に向かって前腕を上行する筋腹が触察できる。第2，第3中手骨の近位部や手関節付近でもこれらの筋の腱が明瞭になる。
筋力検査：被検者は手の指を軽く曲げた状態（指に力を入れない）で，手関節を伸展かつ橈側に偏位させる。検者は被検者の手を持ってこの運動に抵抗を加える。

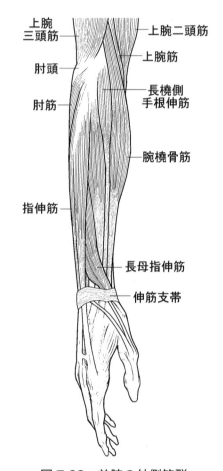

図7-33　前腕の外側筋群

□総指伸筋 M. extensor digitorum communis
起始：上腕骨外側顆
停止：第2～5中手骨底と末節骨底
神経：橈骨神経 N. radialis（$C_6 \sim C_8$）
作用：第2～第5指の中手指節関節を伸展する。
触察：指と手関節を伸展させると，手根骨とMP関節の間の手背で腱が浮き出して見える。また，長および短橈側手根伸筋のすぐ尺側に指を当てて指を伸展すると，収縮して固くなる本筋の筋腹が触知される。
筋力検査：被検者に，第Ⅱ～Ⅴ指の中手指節関節を伸展してもらう。検者は被検者の4本の指の基部を持って，これに抵抗を加える。

□尺側手根伸筋 M. extensor carpi ulnaris
起始：上腕骨外側顆とその周辺，尺骨の上方後部
停止：第5中手骨底
神経：橈骨神経 N. radialis（$C_6 \sim C_8$）
作用：手を伸ばし，同時に内転する。
触察：手関節を伸展させ，手を尺側に外転させるとよく触れる。
筋力検査：被検者は指を軽く曲げた（指の力を抜いた）状態で手関節を伸展かつ尺側に偏位させる。検者は被検者の手を持ってこれに抵抗を加える。

□**長母指伸筋** M. extensor pollicis longus
起始：前腕骨間膜，尺骨中部後面
停止：母指末節骨底
神経：橈骨神経 N. radialis（C_6〜C_8）
作用：母指を伸ばす。
触察：母指を伸展かつ外転すると，解剖学的嗅煙草壺の尺側縁として腱が浮き出してくる（図7-33，7-34）。
筋力検査：被検者に母指を伸展させ，検者はこれに抵抗を加える。

□**短母指伸筋** M. extensor pollicis brevis
起始：前腕骨間膜，橈骨の下部後縁
停止：母指の基節骨底
神経：橈骨神経 N. radialis（C_6〜C_8）
作用：母指の基節を伸ばし，母指を外転する。
触察：解剖学的嗅煙草壺の橈側縁をなす2本の腱のうち，尺側の腱を確認する（図7-34）。
筋力検査：被検者に母指を伸展させ，検者はこれに抵抗を加える。

□**長母指外転筋** M. abductor pollicis longus
起始：尺骨外側縁，前腕骨間膜
停止：第1中手骨底
神経：橈骨神経 N. radialis（C_6〜C_8）
作用：母指を外転する。
触察：解剖学的嗅煙草壺の橈側縁をなす2本の腱のうち，橈側の腱を確認する（図7-34）。
筋力検査：被検者は母指と示指の間に鉛筆を挟み，そこから母指を外転させる。検者はこれに抵抗を加える。

□**解剖学的嗅煙草壺**
　母指を強く外転かつ伸展すると，手根背面の母指の基部にくぼみができる。ヨーロッパではここに嗅煙草を置いて嗅いでいたので，解剖学的嗅煙草壺（タバチュール）という。この尺側縁は長母指伸筋の腱が作る。橈側縁をなす2本の腱のうち，尺側は短母指伸筋，橈側は長母指外転筋の腱である。

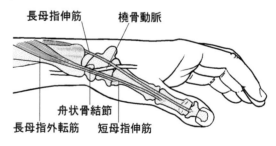

図7-34　解剖学的嗅煙草壺（タバチュール）

ここを近位方向に向かって押すと舟状骨底が触知される。また，ここでは橈骨動脈の脈拍も触知される（図7-34）。

7.3.6　手掌筋の触察

　手掌にある筋は母指球筋群，小指球筋群および中手筋群に分けられる（図7-35）。

1）母指球筋の触察

　母指球筋は以下の4筋からなり，手掌に母指球という膨らみを作る。このうち母指対立筋，短母

指外転筋，短母指屈筋は正中神経（C_6～C_7）に支配されるが，母指内転筋だけは尺骨神経（C_8～Th_1）に支配される（図7-35，7-36）。

□**母指内転筋** M. adductor pollicis：母指球の遠位尺側部をなす。

起始：屈筋支帯および第2，第3中手骨底の掌面（斜頭）と第3中手骨全掌面（横頭）

停止：斜頭と横頭が合流して，母指の基節骨および第1中手骨頭尺側の種子骨

作用：母指の内転（小指方向に引く）

神経：尺骨神経 N. ulnaris 掌枝の深枝（C_8, Th_1）

触察：検者は母指の指腹を被検者の母指球の遠位縁（横頭）や尺側縁（斜頭）に沿って押し当て，被検者に母指を示指の方に近づけさせる（内転する）と，緊張する母指内転筋の筋腹が触知される。

筋力検査：被検者は母指と示指の間に紙を挟み，検者は紙を引っ張る。

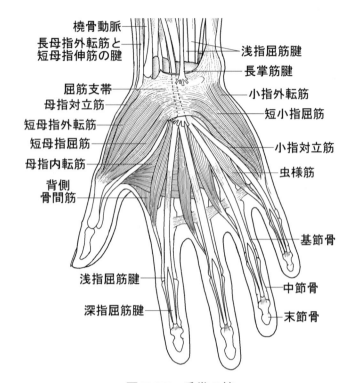

図7-35　手掌の筋

□**短母指外転筋** M. abductor pollicis brevis：母指球の近位橈側部を占める。

起始：舟状骨粗面および屈筋支帯の橈側端前面

停止：第1中手骨頭の橈側種子骨および母指基節骨底

神経：正中神経 N. medianus（C_6～Th_1）

作用：母指の外転（他の指から遠ざける）

触察：母指球の中央部に指を当て，母指を示指から遠ざける（外転させる）と緊張する筋腹がわかる。

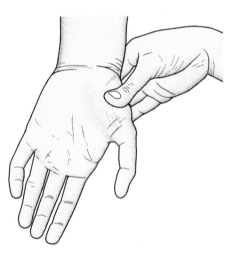

図7-36　母指球の触察

筋力検査：被検者は母指を外転位に保ち，検者はこれに抵抗を加える。

□**短母指屈筋** M. flexor pollicis brevis：母指球の中央部をなす。

起始：屈筋支帯の橈側端（浅頭）と大・小菱形骨，有頭骨（深頭）

停止：第1中手骨頭の橈側種子骨，母指の基節骨底（浅頭），第1中手骨頭の尺側種子骨，母指基節骨底

作用：母指の基節を曲げる。

神経：正中神経 N. medianus（C_6～Th_1）

触察：母指球の尺側縁に指を当て，母指の中手指節関節を屈曲させると緊張する筋腹が触知される。

筋力検査：被検者は母指の中手指節関節を屈曲し，検者はこれに抵抗を加える。

□**母指対立筋** M. opponens pollicis：母指球の近位橈側部をなし，多くの場合，短母指外転筋の深層にある。

起始：屈筋支帯，大菱形骨結節

停止：第1中手骨の体と頭

作用：母指を他の指と対立させる。

神経：正中神経 N. medianus（$C_6 \sim Th_1$）

触察：第1中手骨のすぐ尺側に指を当て，母指を小指と対立させると緊張する筋腹が触知される。

筋力検査：被検者は母指を小指に対立するように力を入れ，検者はこれに抵抗する。

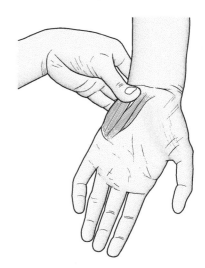

2）小指球筋の触察

小指球は短掌筋，小指外転筋，短小指屈筋，小指対立筋からなり，すべて尺骨神経 N. ulnaris に支配される（図7-37）。

□**短掌筋** M. palmaris brevis

起始：手掌腱膜の尺側縁

停止：手の尺側縁の皮膚

作用：手掌腱膜を緊張させて，小指球の皮膚に皺を作る。

神経：尺骨神経掌枝の浅枝（C_8，Th_1）

図7-37 小指球の触察

□**小指外転筋** M. abductor digiti minimi：小指球の内側縁にある（図7-38）。

起始：豆状骨，屈筋支帯

停止：小指基節骨底の尺側種子骨

作用：小指を外転する。

神経：尺骨神経掌枝の深枝（C_8，Th_1）

触察：小指球の尺側縁に指を当て，小指を外転すると緊張する筋を触知する。

筋力検査：被検者は小指を外転し，検者は被検者の小指に指を当てて抵抗する。

□**短小指屈筋** M. flexor digiti minimi brevis

起始：屈筋支帯，有鈎骨鈎

停止：小指外転筋腱と合流し，小指基節骨底の尺側種子骨に終わる。

作用：小指の基節を屈曲する。

神経：尺骨神経掌枝の深枝（（C_7），C_8，Th_1）

触察：小指球のほぼ中央部に指を当て，小指の中手指節関節を屈曲すると触知される。

筋力検査：被検者は小指の中手指節関節を屈曲し，検者は指でこれに抵抗を加える。

□**小指対立筋** M. opponens digiti minimi：小指球の外側縁にある。

起始：屈筋支帯，有鈎骨鈎

停止：第5中手骨の体および頭の尺側縁

作用：小指を母指に対立させる。

神経：尺骨神経掌枝の深枝（（C_7），C_8，Th_1）

筋力検査：被検者は小指の先で母指球を触れようとし，検者は被検者の小指に指を当ててこれに抵抗を加える。

3) 中手筋の触察

中手筋は中手骨間にあり，すべて屈筋群に属する。虫様筋の母指側の2筋だけは正中神経，それ以外は尺骨神経（$C_8 \sim Th_1$）に支配される。

□**虫様筋** Mm. lumbricales：円柱状の小さな筋で，深指屈筋腱から出て遠位方向に向かう（図7-39）。

起始：第1，2虫様筋は1頭で，第2および第3指に向かう深指屈筋腱の橈側縁から起こる。第3～4虫様筋は2頭を持ち，第3～5指に至る深指屈筋腱の橈側および尺側から起こる。

停止：第2～5指基節骨の外側縁。ここで指伸筋の腱と合流して指背腱膜に付着する。

作用：第2～5指の中節骨と末節骨を伸ばし，基節骨を曲げる。

神経：橈側の2本は正中神経，尺側の2本は尺骨神経掌枝の深枝（C_8，Th_1）

触察：第2中手骨の橈側に沿って指を当て，近位および遠位指節間関節を伸展させたままで中手指節関節を屈曲させると触知される。

筋力検査：被検者は第Ⅱ～Ⅴ指の指節間関節を伸展する。検者は被検者の指の中節に指先を当ててこれに抵抗を加える。

□**掌側骨間筋** Mm. interossei palmares：虫様筋より深部に3本あり，中手骨の掌側面から起こって手掌に向かう（図7-40）。

起始：第1掌側骨間筋は第2中手骨の尺側から，第2と3掌側骨間筋は第4と5中手骨の橈側面から起こる。

停止：それぞれ起始する中手骨の同側で第2，4，5指の基節骨に付き，一部はその指の指背腱膜に合流する。

作用：第2，4，5指を第3指に近づける（第2，4，5指を内転する）。

神経：尺骨神経掌枝の深枝（C_8，Th_1）

筋力検査：被検者と検者は指を交互に入れて手をできるだけ深く組む。被検者は指を閉じて検者の指を挟み，検者は指を抜こうとする。

□**背側骨間筋** Mm. interossei dorsales：2頭筋で4本あり，中手骨の間を埋めている（図7-30，7-38，7-40）。

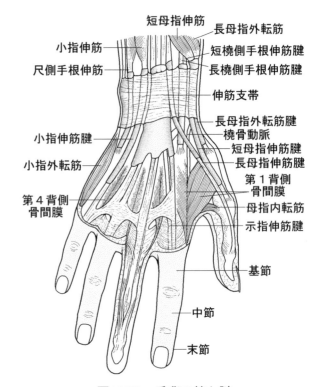

図7-38 手背の筋と腱

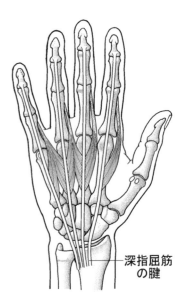

図7-39 手の虫様筋

起始：第1〜5中手骨の相対する底の
　　側面
停止：第2, 3指基節骨底の橈側面と
　　第3, 4指基節骨底の尺側面、およ
　　び指背腱膜
作用：第2, 3指を橈側に引き、第4,
　　5指を尺側に引く。
神経：尺骨神経掌枝の深枝（C_8, Th_1）
筋力検査：被検者は示指、環指、小指
　　を外転させる。検者は指でもってこ
　　の運動に抵抗を加える。

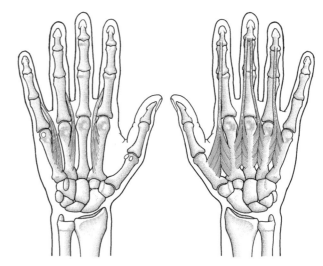

図7-40　掌側骨間筋（左）と背側骨間筋（右）

7.4　手の機能

手の筋は繊細で、それだけに手の機能は複雑である。

7.4.1　手の区分

手根関節よりも遠位の部分を**手** Manus, hand という（図7-41）。解剖学的位置において、手の前面を**手掌** Palm、後面を**手背** Dor-sum manus といい、その境界を橈側縁と尺側縁というが、明瞭な境界ではない。

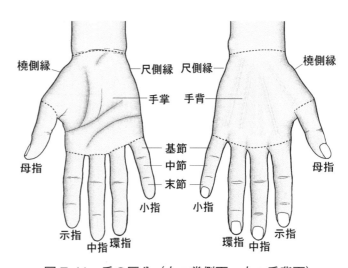

図7-41　手の区分（左：掌側面，右：手背面）

一般的には、5本に分かれている部分を**指** Digitum, finger という。しかし、指の基節骨はもっと近位から始まるので、骨学的な指と体表解剖学的な指では始まる部位が異なっている。母指は基節と末節（中節を欠く）、他の指は基節、中節、末節からなる。

・第1指：**母指**（おやゆび）Pollex, thumb
・第2指：**示指**（ひとさしゆび）index finger
・第3指：**中指**（なかゆび）
　middle finger
・第4指：**環指**（くすりゆび）
　ring finger
・第5指：**小指**（こゆび）
　little finger

7.4.2　手の表面観察

手に見られる様々な構造物を観察せよ（図7-42）。

□**母指球** Thenar：手掌の母指側にある膨らみで母指対

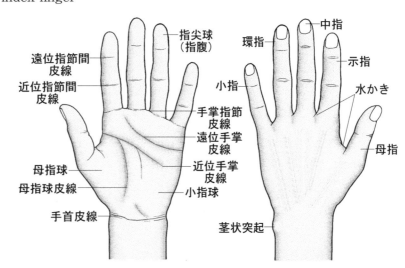

図7-42　手の観察（左：掌側面，右：手背面）

立筋，短母指外転筋，短母指屈筋，母指内転筋によって　形成される。
□小指球 Hypothenar：手掌の小指側にある膨らみで短掌筋，小指外転筋，短小指屈筋，小指対立筋によって形成される。

1）手掌皮線

　手背では皮膚と深部組織との結合はゆるいので，手背の皮膚は伸縮性や可動性に富んでいる。一方，手掌面には**手掌皮線**と呼ばれる線状のシワが縦横に走っており，これらの手掌皮線や手掌中央の三角部において，皮膚が深層の手掌腱膜や指屈筋腱と密着しているために，手掌の皮膚は一部を除いて可動性に乏しい。
□手首皮線 wrist crease：手根関節の屈曲によって生じる屈曲線
□母指球皮線 thenar crease：母指球の内側縁に沿って走る。
□近位手掌皮線 proximal palmar crease：手掌の橈側縁から始まる水平の皮線
□遠位手掌皮線 distal palmar crease：手掌の尺側縁から始まる水平の皮線
□手掌指節皮線 palmophalangeal crease：指と手掌を境する皮線
□近位指節間皮線：近位指節間関節の高さに一致する。
□遠位指節間皮線：遠近位指節間関節の高さに一致する。
□水かき web：指間基部で手掌の皮膚が作る。

2）爪

　爪 Unguis, nail は表皮の細胞が角化して密に圧平された硬い板状の構造物である（図7-43）。爪のおかげで容易に物がつかめる。また爪は，手や足の末端部を守っている。

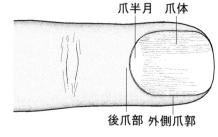

図7-43　指の爪

□爪体 Corpus unguis：指背側面の末端部を覆っている部分。下には血行が良好な爪床があるので，赤味を帯びて見える。
□爪半月 Nail lunula：爪の近位端にある半月状の白い部分
□爪母基 nail matrix：爪半月の下にある。爪母基の表層にある細胞が角化して死滅し，爪の細胞になる。すなわちここで爪が伸びていく。
□爪郭 nail fold：爪を両側および近位側から覆う皮膚の角化部で，特に機能はない。

7.4.3　手弓

　足の足弓と同様に手にも**手弓** arch of hand がある。手掌の中央に生じる陥凹と手指の屈曲によってできる手弓は手の運動，特に把握 prehension 時に重要な意味を持っている。手弓は3方向のアーチからなり，これを利用することにより，摘む pick，摘み取る nip off，握る grip，掴む grasp，ひったくる grab，もつ hold など，手に特有な種々の屈曲運動が可能になる。

・縦の手弓 longitudinal arch of the hand：手根骨，中手骨，指節骨からできる縦方向のアーチである。ただし，手根骨と中手骨の部分は固定されている。機能的には示指と中指が作る弓が重要である（図7-44）。
・横の手弓 transverse arch of the hand：手掌中央部に陥凹を作る横向きのアーチで，手根骨の遠位列が作る手根骨アーチと中手骨頭が作る中手骨アーチがある（図7-44，7-45）。手根骨同士，中手骨同士は靱帯で結合されているのであまり変形しない。

- 斜の手弓 oblique arch of the hand：母指と他の指の対立によって生じるアーチで，把握動作において最も重要である。

7.4.4 手と指の運動

母指以外の運動を表す解剖学的用語と臨床的用語はほぼ同じである。ここでは日本整形外科学会身体障害委員会および日本リハビリテーション医学会評価基準委員会の定める「関節可動域表示ならびに測定法」に基づく表現を用い，解剖学的表現と異なる場合には（　）の中に解剖学的表現を記載している（図7-46）。

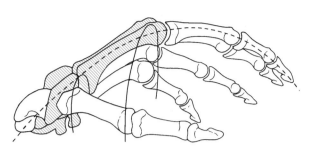

図7-44　手の横弓（実線）と縦弓（破線）斜線部は固定部分

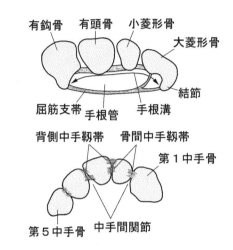

図7-45　手の横弓
（上：手根骨の遠位列、下：中手骨頭）

1）前腕の運動
- 回内 pronation：手掌を下に向けるように前腕を回旋する。
- 回外 supination：手掌を上に向けるように前腕を回旋する。

2）手根関節の運動
- 背屈 dorsal flexion（伸展 extension）：手根関節を手背の方に曲げる。
- 掌屈 palmar flexion（屈曲 flexion）：手根関節を手掌の方に曲げる。
- 橈屈 radial flexion（外転 abduction）：手根関節を母指側に曲げる。
- 尺屈 ulnar flexion（内転 adduction）：手根関節を小指側に曲げる。

3）指の運動
- 伸展 extension：指の関節を伸ばす。
- 屈曲 flexion：指の関節を曲げる。
- 外転 abduction：中指から他の指を遠ざける。
- 内転 adduction：中指に他の指を近づける。

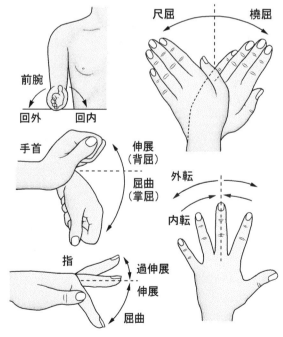

図7-46　手と指の運動

4）母指の運動
母指の運動表現は臨床的表現と解剖学的表現とでは大きく異なる（図7-47）。他の指の手根中手関節にはほとんど可動性がないのに対し，母指の手根中手関節は鞍関節で，互いに直角な2方向に運動できる。
- □伸展 extension：指節間関節を伸ばす。

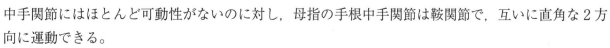

- 屈曲 flexion：指節間関節を曲げる。
- 掌側外転 palmar abduction（外転 abduction）：手根中手関節を使って手掌平面から手掌側に母指を立てる。
- 掌側内転 palmar adduction（内転 adduction）：手根中手関節を使って，手掌側に立っている母指を手掌平面に戻す。
- 橈側外転 radial abduction（伸展 extension）：手根中手関節を使って手掌平面内で母指を中指から遠ざける。ほかの指における外転に相当する。
- 尺側内転 ulnar adduction（屈曲 flexion）：手根中手関節を使って手掌平面内で母指を中指に近づける。ほかの指の内転に相当する。
- 対立 opposition：母指の指腹をほかの指の指腹に接触させる。
- 復位運動 retroposition：対立位から元の位置に戻す運動。

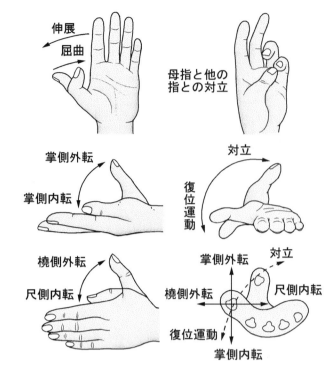

図7-47　母指の運動

5）様々な把握運動

手弓や，手および指を使って把握する運動は以下のように分類される（古典的分類による）。

- 鉤握り hook grasp：カバンを下げる時の握り方で，4本の指を屈曲させてカバンのとってにひっかけて軽く握る。
- 筒握り cylindrical grasp：傘をさしたり，ハンマーの柄を握る時の方法で，4本の指を母指球に近づけて筒を作る。
- こぶし握り fist grasp：コインなどの小さな物を手掌の中に握り込む動作で，すべての指を屈曲させる。
- 球握り spherical grasp：太いビンのふたを開ける時の動作で，母指の手根関節と他の指の中手指節関節を外転し，ふたの側面に各指の指腹を当てる。
- 指尖つかみ tip prehension：床に落ちた針を拾う時の動作で，母指と示指の指尖，特に爪を使って細い物や小さい物をつかむ繊細な動作である。
- 掌側面つかみ palmar prehension：母指と示指，あるいは母指と示指および中指の指腹を向かい合わせてその間で物をつかむ動作。軽い物や小さいものをつかむときの繊細な動作である。
- 側面つかみ lateral prehension：母指の指腹と示指の側面で鍵を持ったり，コーヒーカップのとってを持つ動作である。中指，環指，小指を示指に添えることによってより大きな力が発揮される。

7.4.5　手の肢位

- **安静肢位** resting position：睡眠時や麻酔下でみられる肢位で，手根関節を軽度に屈曲し，母指は軽度外転屈曲して第2指の末節側面に対立させる。第2～5指は軽度屈曲位で，各指の長軸を延長すると舟状骨結節に集束する。手では指を伸展する筋よりも屈曲する筋の方が強いので，手の力を抜くとこのような状態になる（図7-48）。

□ **機能肢位** functional position：手根関節を軽度背屈・尺屈し，母指は軽度掌側外転・屈曲し，第2～5指は軽度屈曲位で，母指と他の指の指尖がほぼ等間隔にあり，各指の長軸を延長すると，舟状骨結節に集束する。神経麻痺や外傷などの時，上肢装具で固定する場合にはこの機能的肢位で行う。この肢位では，手の重要な機能である「つかむ」動作すなわち屈筋群の活動に有利で，力も発揮しやすい。

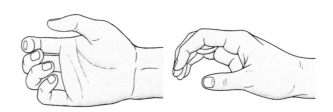

図7-48　手の安静肢位（左）と機能肢位（右）

7.4.6　手の神経麻痺

各種神経麻痺によって起こる典型的な手の変化は以下の通りである（図7-49）。

- **視床手** thalamic hand：脳血管障害などによって視床が障害された時に見られる肢位で，MP関節は屈曲，PIPとDIP関節は伸展する。視床障害では近位筋よりも遠位筋の方が麻痺の程度は軽く，そのために手内筋の作用が優位になるためと考えられる。
- **ワシ手** claw hand：尺骨神経麻痺によって起こる。尺骨神経は深指屈筋の尺側部，小指球筋，手の骨間筋などを支配するので，尺骨神経が麻痺すると，骨間筋は萎縮し，第4，5指が異常伸展し，中・末節が屈曲する。

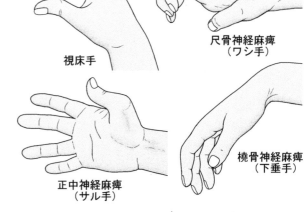

図7-49　手の各種神経麻痺

- **サル手** ape hand：正中神経麻痺によって起こる。正中神経は母指側の屈筋，対立筋，回内筋を支配するので，正中神経が麻痺すると母指球筋が萎縮する。また「手を握って下さい」と命じても，母指の対立と屈曲，前腕の回内運動ができなくなる。
- **下垂手** drop hand：橈骨神経の麻痺で起こる。この神経は前腕の伸筋群を支配するので，橈骨神経が麻痺すると，すべての指は屈曲し，手根関節も屈曲して，手の背屈ができなくなる。

8 下肢の体表解剖

下肢と体幹の境界は恥丘の外側縁，鼠径溝，上前腸骨棘，腸骨稜，上後腸骨棘，仙骨の外側縁，尾骨，肛門，坐骨結節，陰部大腿溝である。

8.1 下肢の概要

8.1.1 下肢表面からの観察

以下の部位を観察せよ（図8-1）。

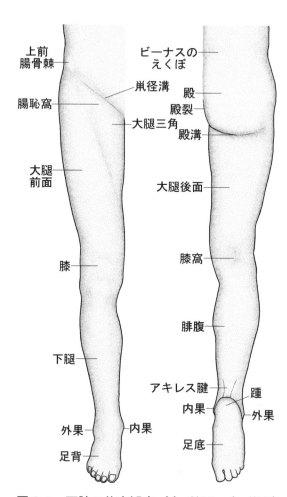

図8-1 下肢の体表観察（左：前面，右：後面）

1) 前面
- □**鼠径溝** Sulcus inguinalis：上前腸骨棘から恥骨結節に向かう浅い溝で，腹部と下肢の境界をなす。
- □**大腿三角** Trigonum femorale（スカルパの三角）：鼠径靱帯，縫工筋の内側縁，長内転筋の外側縁が囲む三角形の領域で，ここを大腿動・静脈や大腿神経が通る。
- □**腸恥窩** Fossa iliopectinea：大腿三角の中で，腸腰筋と恥骨筋の前面に当たる三角形の領域は浅く陥凹している。
- □**膝蓋骨** Patella：大腿四頭筋腱の中にできた人体最大の種子骨で，膝の前面を覆う。

2) 後面
- □**殿裂** Crena ani：左右殿部の盛り上がりが接してできる深い縦裂で，肛門裂ともいう。
- □**殿溝** Sulcus gluteus：殿部と大腿の境をなす溝で，殿筋を覆う厚い皮下脂肪の下縁にあたる。
- □**膝窩** Fossa poplitea：膝関節の後面にあるくぼみ。
- □**腓腹**（フクラハギ）Sura：下腿後面の膨らみで，下腿三頭筋によってできる。
- □**内果** Malleolus medialis：足首の内側面に突出する半球状の高まりで，一般にウチクルブシと呼ばれる。脛骨下端の内果によってできる。
- □**外果** Malleolus lateralis：足首の外側面に突出する半球状の高まりで，一般にソトクルブシと呼ばれる。腓骨下端の外果によってできる。内果に比べて低い位置にある。

8.1.2 下肢の区分

下肢は殿部，大腿部，膝部，下腿部および足の部分に区分される（図8-2）。
- **殿部** Regio glutealis：上縁は腸骨稜，下縁は殿溝，内側縁は仙骨と尾骨の外側縁，外側縁は大腿筋膜張筋に囲まれる領域で，ヒトでは特有の大きな膨らみを作る。

- **大腿部** Regio femoralis：大腿部の上縁は，前面では鼡径溝，後面では坐骨結節，殿溝，大転子の上端を結ぶ線である。下縁は不明瞭で，膝部に連続的に移行する。外側面では上前腸骨棘と脛骨外側顆を結ぶ線，内側面では恥骨結節と脛骨内側顆を結ぶ線によって**前大腿部** Regio femoralis anterior と**後大腿部** Regio femoralis posterior に分けられる。
- **膝部** Regio genus：膝蓋骨底より3横指上の線と，脛骨粗面遠位端を通る線に挟まれた領域で，上下ともに明瞭な境界はない。脛骨の内側顆，外側顆を通る垂線によって，さらに**前膝部** Regio genus anterior と**後膝部** Regio genus posterior に分けられる。
- **下腿部** Regio cruris：膝部より下で，下縁は内果と外果を結ぶ線である。内側面では脛骨の内側顆と内果を結ぶ垂線，外側面では脛骨の外側顆と外果を結ぶ線でさらに**前下腿部** Regio cruris anterior と**後下腿部** Regio cruris posterior に分けられる。
- **足** Pes：内果と外果を結ぶ線よりも遠位の領域で，体表解剖学ではさらに踵部，足背および足底に分けられる。**踵部** Regio calcanea は一般にカカトと呼ばれる部分で，踵骨が存在する場所に相当するが，境界は不明瞭である。**足背** Dorsum pedis（足の甲）と**足底** Planta pedis（足のうら）の境界は足の側縁とされるが，これも境界は不明瞭である。

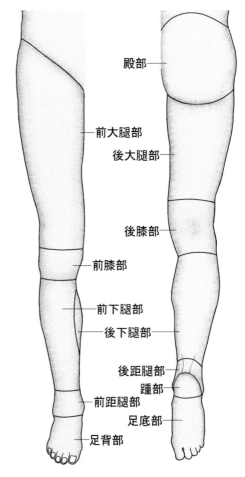

図8-2　下肢の区分（左：前面，右：後面）

8.1.3　下肢の筋

下肢の筋は骨盤筋，大腿筋，下腿筋および足筋の4群に分けられる（図8-3～8-6）。

1）骨盤筋

骨盤筋は下肢帯やその付近から起こり，大腿骨に停止して大腿の運動を行う。さらに内骨盤筋と外骨盤筋に分けられる。

(1) 内骨盤筋

内骨盤筋は腰椎や骨盤の内面から起こり，大腿骨の小転子に停止する。腰神経叢の枝に支配され，股関節を屈曲する（図8-3, 8-4）。
- **腰筋** M. psoas：大腰筋 M. psoas major と小腰筋 M. psoas minor
- **腸骨筋** M. iliacus：腸骨窩を埋める。

腰筋と腸骨筋を合わせて**腸腰筋** M. iliopsoas という。

(2) 外骨盤筋

外骨盤筋は伸筋群に属し，筋腹が骨盤外にある。仙骨神経叢の枝に支配され，大腿を伸展，外転，外旋する（図8-4, 8-5, 8-6）。

- 大殿筋 M. gluteus maximus
- 中殿筋 M. gluteus medius
- 小殿筋 M. gluteus minimus
- 大腿筋膜張筋 M. tensor fascia latae
- 梨状筋 M. piriformis
- 内閉鎖筋 M. obturatorius internus
- 上双子筋 M. gemellus superior
- 下双子筋 M. gemellus inferior
- 大腿方形筋 M. quadratus femoris

中殿筋，小殿筋，大腿筋膜張筋は上殿神経，大殿筋は下殿神経に支配される。また，梨状筋，内閉鎖筋，上・下双子筋，大腿方形筋は坐骨神経の枝に支配される。このうち大殿筋，中殿筋，大腿筋膜張筋以外は深部にあって，体表からは触知できないので，人体解剖学実習（見学）で確認せよ。

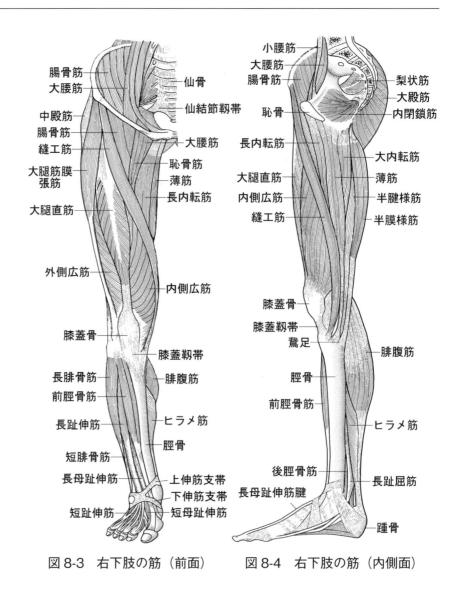

図8-3　右下肢の筋（前面）　　図8-4　右下肢の筋（内側面）

2）大腿の筋

大腿に筋腹がある筋群で，大腿前面にある伸筋群，内側面にある内転筋群および後面にある屈筋群に分けられる。

(1) 大腿前面の筋

横断面では大腿の前半分を占める筋群で，すべて大腿神経に支配され，膝関節を伸展する（図8-3, 8-4, 8-6）。

- 縫工筋 M. sartorius：大腿前面を上外側から下内側に斜めに走る。人体で最長の筋線維でできている。
- 大腿四頭筋 M. quadriceps femoris：以下の4筋からなる。

  大腿直筋 M. rectus femoris　　　　　内側広筋 M. vastus medialis
  外側広筋 M. vastus lateralis　　　　　中間広筋 M. vastus intermedius

(2) 大腿内側の筋

寛骨から起こって外下方に斜走し，一部を除いて大腿骨の内側面に停止する。大腿の内側部を占

める筋群で, すべて閉鎖神経に支配され, 大腿を内転する (図8-3, 8-4, 8-5)。
・恥骨筋 M. pectineus
・薄筋 M. gracilis
・長内転筋 M. adductor longus
・短内転筋 M. adductor brevis
・大内転筋 M. adductor magnus
・外閉鎖筋 M. obutratorius externus

(3) 大腿後面の筋
大腿後面にあり, 坐骨神経に支配され, 膝関節を屈曲する (図8-5, 8-6)。
・大腿二頭筋 M. biceps femoris
　　長頭 Caput longum と 短頭 Caput breve
・半膜様筋 M. semimembranosus
・半腱様筋 M. semitendinosus

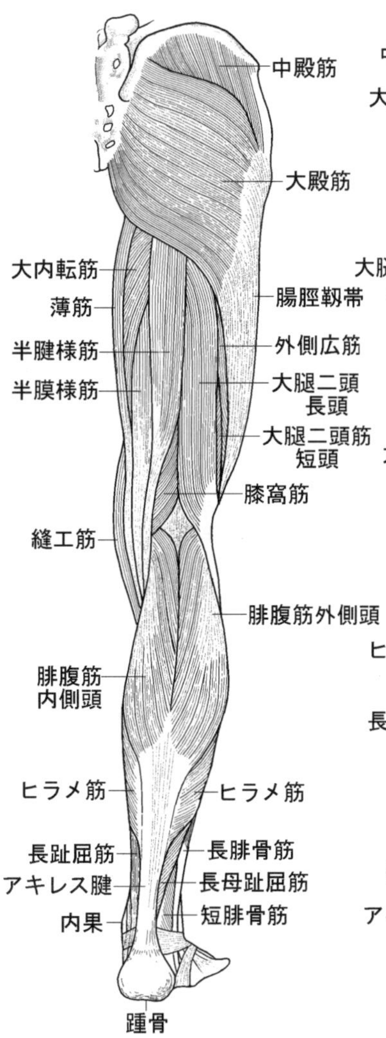

図8-5 右下肢の筋 (後面)　　図8-6 右下肢の筋 (外側面)

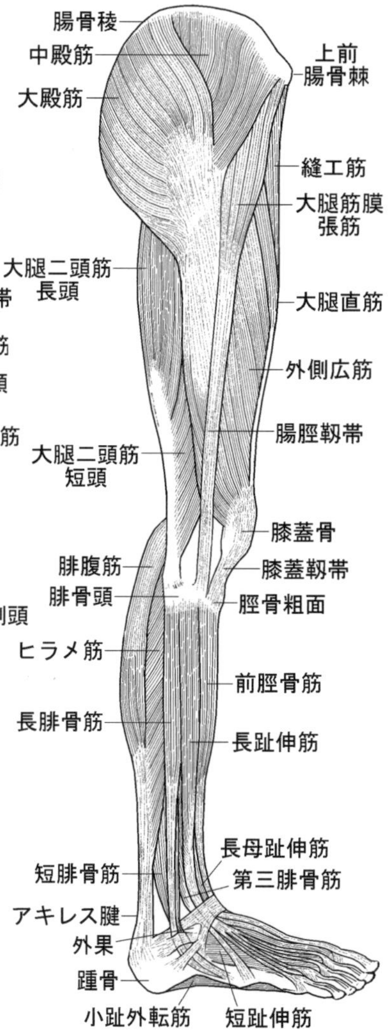

3) 下腿の筋
下腿の筋は伸筋群, 屈筋群, 腓骨筋群の3群に分けられる。

(1) 下腿前面の筋
下腿の前面にあり, 足関節や足の指を伸展させる。すべて深腓骨神経に支配される (図8-3, 8-6)。
・前脛骨筋 M. tibialis anterior
・長母趾伸筋 M. extensor hallucis longus
・長趾伸筋 M. extensor digitorum longus
・第三腓骨筋 M. fibularis tertius

(2) 下腿外側の筋
下腿の外側にあり, 浅腓骨神経に支配される (図8-6)。
・長腓骨筋 M. fibularis longus
・短腓骨筋 M. fibularis brevis

(3) 下腿後面の筋
下腿の後面にあり, 足関節や足の趾を屈曲する。すべて脛骨神経に支配される (図8-4, 8-5, 8-6)。
・下腿三頭筋 M. triceps surae：腓腹筋の外側および内側頭とヒラメ筋を合わせたものである。これらは共通の太いアキレス腱となって踵骨隆起に停止する。
　腓腹筋 M. gastrocnemius (外側頭 Caput laterale と内側頭 Caput mediale)

ヒラメ筋 M. soleus
・長母趾屈筋 M. flexor hallucis longus
・足底筋 M. plantaris
・膝窩筋 M. popliteus
・長趾屈筋 M. flexor digitorum longus
・後脛骨筋 M. tibialis posterior

4）足の筋

足部に筋腹がある短い筋で、すべて足の趾の運動を司る。基本的に手の筋と同じ構成であるが、手のような繊細な運動はできない。足背、母趾球、小趾球、および中足の筋に分類される（図8-7）。

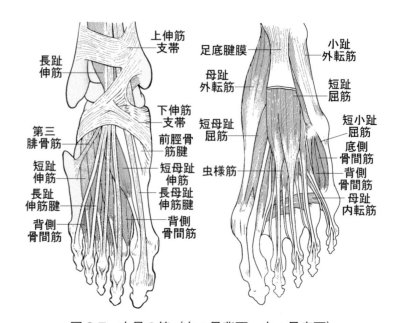

図8-7　右足の筋（左：足背面，右：足底面）

(1) 足背の筋

深腓骨神経に支配され、足の趾を伸展する。但し、手には足背の筋に相当する筋はない。
・短母趾伸筋 M. extensor hallucis brevis
・短趾伸筋 M. extensor digitorum brevis

(2) 母趾球の筋

足底の母趾側にある筋群で、すべて脛骨神経の枝に支配される。
・母趾外転筋 M. abductor hallucis
・短母趾屈筋 M. flexor hallucis brevis
・母趾内転筋 M. adductor hallucis

このうち、母趾外転筋と短母趾屈筋は内側足底神経、母趾内転筋は外側足底神経に支配される。

(3) 小趾球の筋

足底の小趾側にある筋群で、すべて脛骨神経の枝である外側足底神経に支配される。
・小趾外転筋 M. abductor digiti minimi
・小趾対立筋 M. opponens digiti minimi
・短小趾屈筋 M. flexor digiti minimi brevis

(4) 中足の筋

中足の足底部にある。
・短趾屈筋 M. flexor digitorum brevis
・虫様筋 Mm. lumbricales（4本）
・背側骨間筋 Mm. interossei dorsales（4本）
・足底方形筋 M. quadratus plantae
・底側骨間筋 Mm. interossei plantares（3本）

これら中足筋のうち、短趾屈筋と第1虫様筋は内側足底神経に支配され、他の筋は外側足底神経に支配される。脛骨神経は正中神経と尺骨神経を合わせたようなもので、そのうち、内側足底神経は正中神経、外側足底神経は尺骨神経に相当する。このように、上肢と下肢では骨格だけでなく、筋や神経支配においても、多くの共通性が認められる。

8.2 下肢の骨性指標

下肢で体表から触察できる以下の骨性指標を確認せよ（図8-8）。

8.2.1 骨盤の触察

1）腸骨の触察

□腸骨稜 Crista iliaca：腸骨翼の上縁をなし，全長にわたって皮膚直下に触知できる。腰に手を当てた時，母指と示指は必ず腸骨稜の上に載っている。

□上前腸骨棘 Spina iliaca anterior superior：腸骨稜の前端で前方に著明に突出している。脚長などを計測する時に重要なポイントとなる。

□下前腸骨棘 Spina iliaca anterior inferior：上前腸骨棘の3〜4cm下方にある。大腿直筋に覆われているので，体表から触知することは困難である。

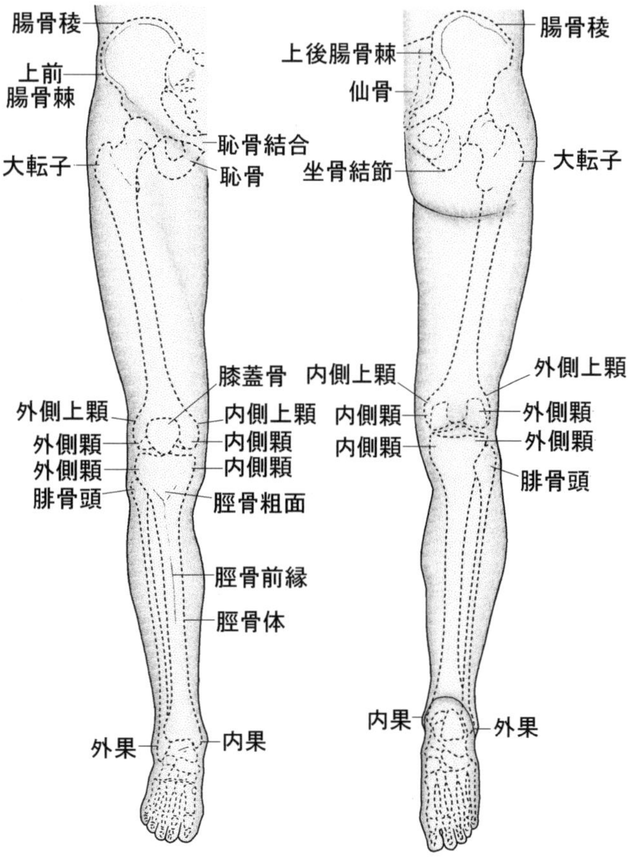

□腸骨結節 Tuberculum iliacum：上前腸骨棘から数cm上後方で，腸骨稜が肥厚した部分として触察できる。

□上後腸骨棘 Spina iliaca posterior superior：腸骨稜の後端に当たり，やや肥厚している。腸骨稜を後方にたどっていくと，仙骨との移行部でわずかな高まりとして触知できる。立位で，殿筋に力を入れて膝をグッと伸ばすと，腸骨稜の後端で皮膚が陥凹する場所がある（ビーナスのえくぼ）。そこを押さえると触知できる。ただし，痩せて殿筋が萎縮している人では，逆に突出していることもある。

図8-8 右下肢の骨性指標（左：前面，右：後面）

2）恥骨の触察

以下の部分が体表から触察できる。

□恥骨結合 Symphysis pubica：前正中線上にあり，男性では陰茎根のすぐ上を強く押し込むと触知される。女性では恥丘中央で，陰裂上端の直上を強く押し込むと触知される（図8-9）。

□恥骨結節 Tuberculum pubicum：恥骨結合のすぐ両外側で，骨性の突出が触知される。

□鼠径靱帯 Ligamentum inguinale：上前腸骨棘と恥骨結節を結ぶ丈夫な結合組織性の索状物である。鼠径溝の少し上に指腹をあて，鼠径溝と直角の方向に指を動かすと，索状の抵抗を感じる。

□恥丘 Mons pubis：恥骨結合や恥骨稜，恥骨結節

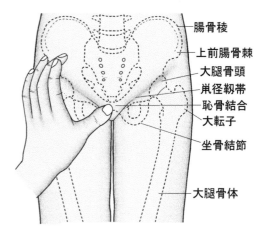

図8-9 恥骨の触察

の上を覆う厚い脂肪組織によってできる高まりで，ビーナスの丘とも呼ばれる。思春期以降，陰毛が生えてくる。

3) 坐骨の触察

- **坐骨結節** Tuberculum ischiadicum：坐骨の下端にあたる。椅子に座って，殿部と椅子の間に手を入れると，大きな結節を触れる。被検者を腹臥位にして，殿溝に母指頭を当て，上方深部に向かって指を押し込むと触知できる（図8-10）。股関節の伸展時では，坐骨結節は大殿筋に覆われているが，股関節を屈曲すると大殿筋の下縁から顔を出してくる。
- **仙結節靱帯** Ligamentum sacrotuberale：仙骨の下部外側縁と坐骨結節を結ぶ線を想定する。母指を大転子の上に当て，殿裂に深く差し込んだ母指以外の指を外上方に向けて強く屈曲すると，大殿筋の深部に硬い索状物として触知できる。非常に硬く，固定されているので，骨と間違うほどである。

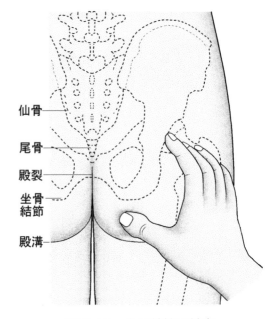

図8-10　坐骨結節の触察

8.2.2　大腿の骨の触察

- **大腿骨頭** Caput femoris：大腿三角の上外側角あたりに位置する。前面は腸腰筋に覆われているので，触知は困難である。
- **大転子** Trochanter major：被検者は側臥位になって股関節を約45度屈曲した時に，上前腸骨棘と坐骨結節を結ぶ線を**ローゼル・ネラトン線** Roser-Nelaton's line という（図8-11）。そのほぼ中点に指腹を当ててまっすぐに押し込むと，大転子が触知される。立位では，ズボンの外側の縫い目の線上で，恥骨結合の高さに触れる。太った女性では大転子の上がむしろくぼんでいることもある。

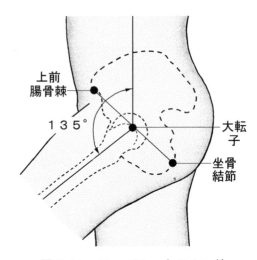

図8-11　ローゼル・ネラトン線

- **小転子** Trochanter minor：体と頚の移行部で内下方に向かって突出しているが，内転筋群に覆われているために，触察は困難である。
- **内側顆**と**外側顆** Condylus medialis et lateralis：大腿骨の遠位端で内下方や外下方に膨隆する。膝蓋骨の両側で，大きな骨性の突出として触知する（図8-12）。
- **内側上顆**と**外側上顆** Epicondylus medialis et lateralis：内側顆と外側顆の上端部。膝蓋骨上縁の高さで大腿の側面に指を当て，上下に移動すると触知できる。
- **膝蓋骨** Patella：膝関節伸展位で大腿四頭筋の力を抜くと，膝関節の前面で，全周にわたって簡単に触知されるし，大腿骨の膝関節面上を左右に動かすこともできる。大腿四頭筋の緊張時や膝関節屈曲時では，大腿骨に密着して動かない。

8.2.3 下腿骨の触察

1) 脛骨の触察

- **内側顆**と**外側顆** Condylus medialis et lateralis：脛骨の近位端で内方と外方に大きく膨隆しているので，膝蓋骨下縁の高さで簡単に触知できる。
- **脛骨粗面** Tuberositas tibiae：脛骨上端前面で，前方に大きく突出している。膝関節伸展位で，大腿四頭筋の力を抜いてやると，膝蓋骨と脛骨粗面の間を張る膝蓋腱が触知され，その部分は浅くくぼんでいる。
- **脛骨体** Corpus tibiae：三角柱状で前縁は鋭く，下腿のほぼ全長にわたって触知できる。
- **内果** Malleolus medialis：足首の内側面で半球状に突出しているので，簡単に触知される。

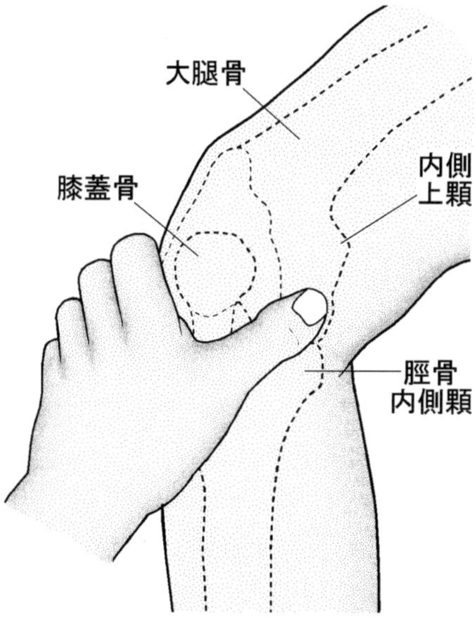

図 8-12 大腿骨の内側顆の触察

2) 腓骨の触察

腓骨は外方から腓骨筋に覆われているので，以下の2カ所しか触察できない。

- **腓骨頭** Caput fibulae：下腿の外側面で，脛骨の外側顆あるいは膝蓋骨の下端よりも3～4cm下後方を押さえると，皮膚の直下に触知できる（図8-13）。
- **外果** Malleolus lateralis（ソトクルブシ）：足首の外側面で半球状の高まりとして触知できる。内果よりもやや低い位置にあることに注意せよ。

8.2.4 足の骨の触察

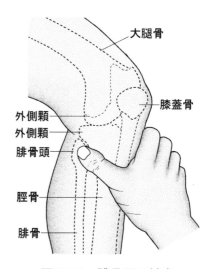

図 8-13 腓骨頭の触察

足でも，筋の多くは足底側にあるので，足背では多くの骨性指標を触れることができる。

- **踵骨隆起** Tuber calcanei：踵骨体から後方に隆起する部分で，踵として触知する。ここに下腿三頭筋腱が停止する。
- **舟状骨粗面** Tuberositas ossis navicularis：舟状骨の内側縁から下方に向かって突出する隆起で，皮下に触れることができる（☞ p.33：図2-35 を参照）。
- **第5中足骨粗面**：第5中足骨近位端の外側面から膨隆する比較的長い突起で，足の外側縁の皮下に触れる（☞ p.33：図2-34 を参照）。

> 下肢における個々の骨性分節の長さを計るための計測点として，上前腸骨棘，大転子，脛骨内側顆の上縁，内果などは臨床上重要である。このほかにも，筋の起始や停止を確定した上で筋を触察しなければならないので，これらの骨性指標は重要である。

8.3 下肢筋の触察

8.3.1 内骨盤筋の触察

□**腸腰筋** M. iliopsoas：腸骨筋と大腰筋および小腰筋からなる（図8-14）。これらは腰椎の椎体や肋骨突起，腸骨の内面から起こり，鼠径靭帯をくぐって大腿骨の小転子に停止する。

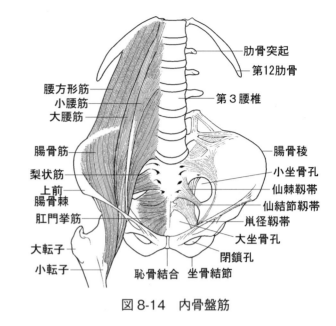

図8-14 内骨盤筋

□**腸骨筋** M. iliacus

起始：腸骨上縁，腸骨窩

停止：小転子，大腰筋の内側

神経：腰神経叢の筋枝，大腿神経（$L_2 \sim L_4$）

作用：股関節の屈曲

触察：腸骨筋は腸骨窩（腸骨翼の内面が作る凹面）の全体を埋めている。被検者は背臥位になり，膝を屈曲させて腹筋の緊張をとる。検者は鼠径部に手掌を当て，腸骨翼に向かって強く押すと，腸骨翼の内側面上で触知できる。この時，被検者が股関節を屈曲させると，腸骨筋が緊張するのがわかる。また，大腿三角では外側半分の底を作るので，拍動する大腿動脈のすぐ外側を指腹で強く圧迫すると，筋腹が触察できる。ただし，大腰筋との境界は不明瞭である。

□**大腰筋** M. psoas major

起始：$Th_{12} \sim L_4$の椎体，$L_1 \sim L_5$の肋骨突起

停止：小転子

神経：腰神経叢の筋枝（$Th_{12} \sim L_4$）

作用：股関節の屈曲

触察：起始部は腰椎の両側で深部にあるために触察は不可能である。腸骨窩では腸骨筋の内側で腸骨に密着しており，鼠径靭帯の下を通って股関節の前面を覆う。触察によって腸骨筋との区別は困難である。

□**小腰筋** M. psoas minor：約半数の人で，大腰筋の表面線維の一部が腸骨筋膜を経て腸骨に終わることがあり，これを小腰筋という。

起始：第12胸椎と第1腰椎の椎体側面

停止：大腰筋の前を下行し，薄い腱で腸恥隆起付近の筋膜に放散する。

神経：腰神経叢の筋枝（$L_1 \sim L_2$）

作用：腰椎の側屈

腸腰筋の筋力検査法：被検者を背臥位となり，下肢をまっすぐにした状態から，膝関節を屈曲させながら股関節を屈曲する。検者は被検者の大腿に手を当てて，これに抵抗を加える（図8-15）。

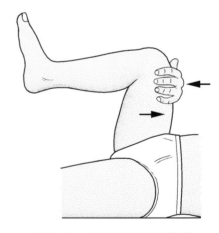

図8-15 腸腰筋の筋力検査

8.3.2 外骨盤筋（殿部の筋）の触察

□**大殿筋** M. gluteus maximus：直立歩行するために，ヒトでは特によく発達している（図8-5, 8-6, 8-16）。ただし，殿部にヒト特有の大きな膨らみを作っているのは大殿筋ではなく，むしろその上を覆っている厚い脂肪組織である。脂肪組織の厚さは3〜5cmもあり，天然の座布団の役割を演じている。

起始：後殿筋線，仙骨と尾骨の後面，仙結節靱帯および胸腰筋膜

停止：腸脛靱帯，殿筋粗面

神経：下殿神経 N. gluteus inferior（L_4〜S_2）

作用：股関節の伸展と外旋

触察：①上後腸骨棘，②大転子，③坐骨結節，④大腿骨の上1/3の4点に印を付けよ。この4点を結ぶ平行四辺形内を，筋線維は上内方から下外方に斜走している。大殿筋の下縁は殿溝と一致していないことに注意せよ。立位で股関節を伸展したり，膝関節を極度に伸展したりすると，大殿筋は硬くなって膨隆する。

筋力検査：被検者は腹臥位となり，下肢を伸ばした状態で，下肢を床から上げる（股関節を伸展する）。検者は被検者の大腿に手を置いて，この運動に抵抗を加える（図8-17）。

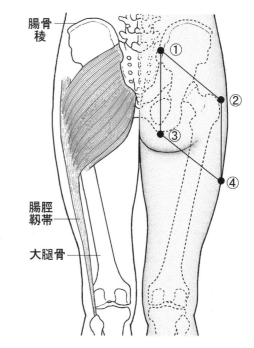

図8-16 大殿筋の触察

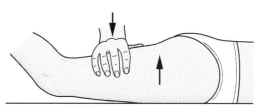

図8-17 大殿筋の筋力検査

□**中殿筋** M. gluteus medius（図8-5, 8-6, 8-18）

起始：前・後殿筋線の間，腸骨稜の外唇および殿筋膜

停止：大転子先端の外側面

神経：上殿神経 N. gluteus superior（L_4〜S_2）

作用：股関節の外転

触察：上後腸骨棘，腸骨稜，上前腸骨棘，大転子の4点を標識する。腸骨翼の外面を扇状に広がっており，内側部は大殿筋に覆われている。前部は厚くて硬く，線維は後下方に向かう。後部は軟らかく，線維は前下方に向かう。股関節を外転させる（すもうの四股を踏む）と硬く緊張する。

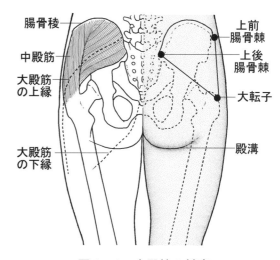

図8-18 中殿筋の触察

□**小殿筋** M. gluteus minimus（図8-20）

起始：前・下殿筋線の間，下殿筋線の下方

停止：大転子の内側面

神経：上殿神経 N. gluteus superior（$L_4 \sim S_1$）
作用：股関節の外転と内旋
触察：中殿筋の外側半分の奥にあり，この扇形の領域を想定する。線維は外下方に向かうが，触察はできない。

中殿筋と小殿筋の筋力検査法：被検者は腹臥位になり，膝を屈曲する。そして大腿を内旋する。検者は被検者の足首を持ってこの運動に抵抗を加える（図8-19の上）。また，被検者は背臥位になって両下肢を揃えてまっすぐに伸ばす。この状態から被検者は股関節を外転する。検者は被検者の下腿を持って，この運動に抵抗を加える（図8-19の下）。

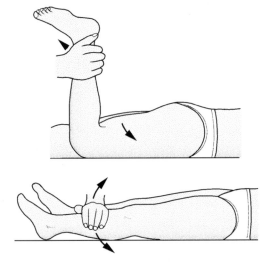

図8-19 中殿筋と小殿筋の筋力検査

□**大腿筋膜張筋** M. tensor fasciae latae（図8-3, 8-6）
起始：上前腸骨棘
停止：脛骨外側顆（腸脛靱帯）
神経：上殿神経 N. gluteus superior（$L_4 \sim S_2$）
作用：腸脛靱帯を緊張させる。股関節の屈曲と外転
触察：上前腸骨棘では縫工筋や大腿直筋よりも後方から起こり，大転子の前方を通って腸脛靱帯に停止する。上前腸骨棘，大転子，脛骨外側顆にマークして，筋線維の走行に沿って触察する。直立位で膝関節を強く伸展させると，大転子の上方で緊張した筋腹を触知する。その時，大腿の外側面で硬く触知されるのが腸脛靱帯である。

8.3.3 股関節の外旋筋群

股関節の外旋筋群は骨盤の後面で，坐骨，仙骨，閉鎖孔周辺から起こり，筋線維は大転子の周辺に集束する。範囲としては上後腸骨棘，坐骨結節，大転子を結ぶ領域にあるが，小殿筋よりも深層にあるので，体表からの触察は不可能である（図8-20）。人体解剖の実習（見学）で詳しく観察せよ。

・**梨状筋** M. piriformis
起始：仙骨前面の上3つの前仙骨孔の近傍
停止：大転子上縁
神経：仙骨神経叢（$S_1 \sim S_2$）
作用：股関節を外旋，外転する。

・**上双子筋** M. gemellus superior
起始：坐骨棘
停止：内閉鎖筋腱（転子窩）

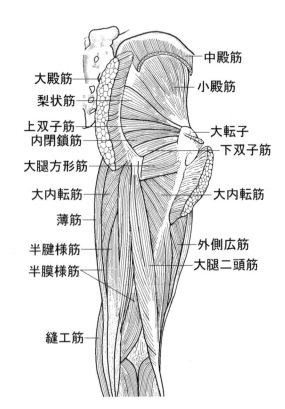

図8-20 外骨盤筋と大腿後面の筋

神経：仙骨神経叢（$L_4 \sim S_1$）
作用：股関節を外旋する。

・下双子筋 M. gemellus inferior
起始：坐骨結節
停止：内閉鎖筋の腱，転子窩
神経：仙骨神経叢（$L_4 \sim S_1$）
作用：股関節を外旋する。

・内閉鎖筋 M. obturatorius internus
起始：寛骨内面の閉鎖膜周辺
停止：転子窩の上部
神経：仙骨神経叢の枝（$L_5 \sim S_3$）
作用：股関節を外旋する。

・大腿方形筋 M. quadratus femoris
起始：坐骨結節の外面前部
停止：大転子下部，転子間稜
神経：仙骨神経叢の枝（$L_4 \sim S_1$）
作用：股関節を外旋，内転する。

8.3.4 大腿前面筋の触察

□縫工筋 M. sartorius（図 8-21）
起始：上前腸骨棘
停止：鵞足（脛骨粗面の内側：図 8-22）
神経：大腿神経 N. femoralis（$L_2 \sim L_3$）
作用：股関節の屈曲と外旋
触察：上前腸骨棘から始まり，大腿前面を下内方に斜めに横切り，脛骨近位端内側の鵞足に終わる。鵞足では膝窩の内側壁を作る 3 本の腱のうちの最前部に位置する。わずかに膝を屈曲すると触れやすくなる。またあぐらをかくと，大腿の上面に浮き上ってくる。
筋力検査：被検者はイスに腰掛けて膝を約 90 度曲げ，大腿を外旋させる。検者は被検者の足首を持って，この運動に抵抗を加える（図 8-23）。

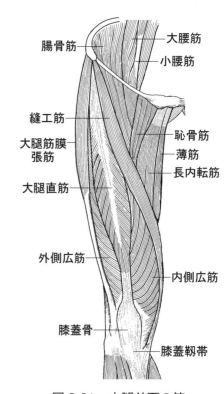

図 8-21　大腿前面の筋

□大腿直筋 M. rectus femoris（図 8-21, 8-24, 8-25）
起始：下前腸骨棘
停止：膝蓋骨底，脛骨粗面
神経：大腿神経 N. femoralis（$L_2 \sim L_4$）
作用：膝関節を伸展するが，股関節と膝関節をまたぐ二関節筋であり，股関節の屈曲も行う。
触察：下前腸骨棘（上前腸骨棘の 3cm ほど下）と脛骨粗面を結ぶ幅約 3cm の領域を想定する。大

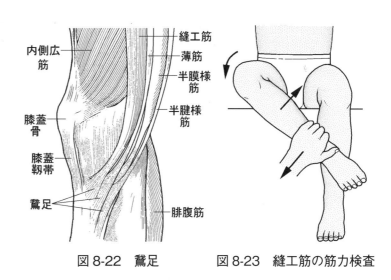

図 8-22　鵞足　　図 8-23　縫工筋の筋力検査

腿前面の中央部で，皮膚の直下を縦走する，コロコロとした筋腹を触知する。また膝蓋骨の直上では，本筋の腱が触知できる。座位で股関節を屈曲すると，大腿直筋の筋腹が膨隆する。また，立位で膝関節を強く伸展すると，膝蓋骨の両側で内側および外側広筋が大きく膨隆するので，その間の陥凹部に大腿直筋の腱が触知される。

□内側広筋 M. vastus medialis（図8-3, 8-4, 8-24）
起始：転子間線の下部，粗線の内側唇
停止：膝蓋骨の内側縁と上縁，中間広筋の停止腱
神経：大腿神経 N. femoralis（$L_2 \sim L_3$）
作用：膝関節の伸展
触察：転子間線，大腿骨前内側面と内転筋群前縁との間，膝蓋骨内側上縁を結ぶ線を想定する。大腿の上半分では内転筋群と接して，上に行くほど筋腹は細くなる。大腿の下半分では大腿前面の内側半分と内側面を作る。筋腹は膝蓋骨よりも下方まで達していることに注意する。立位で膝関節を強く伸展させると，大腿の上半分では内転筋群との境界に，上外方から下内方に斜めに走る浅い溝ができる。大腿の下半分では大腿前面の内側半に大きな膨隆を作る。

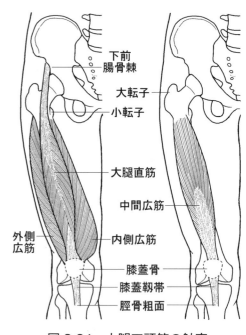

図8-24 大腿四頭筋の触察

□外側広筋 M. vastus lateralis（図8-3, 8-6, 8-24）
起始：転子間線上部，大転子下端，殿筋粗面外側，粗線外側唇上半分
停止：膝蓋骨の外側縁と上縁，中間広筋と大腿直筋の停止腱
神経：大腿神経 N. femoralis（$L_3 \sim L_4$）
作用：膝関節の伸展
触察：外側広筋は大腿前面の外側半分と外側面を作るので，大腿直筋の外側縁と大腿二頭筋外側縁の境界に注意しながら，大転子の直下から膝蓋骨の外側上縁までたどる。ただし，大腿の外側面は腸脛靱帯によって広く覆われている。膝関節を強く伸展すると，大腿の下半分では膝蓋骨の直上の高さまで筋腹が大きく膨隆する。

□中間広筋 M. vastus intermedius（図8-25）
起始：大腿骨体前面
停止：膝蓋骨底
神経：大腿神経 N. femoralis（$L_2 \sim L_4$）
作用：膝関節の伸展
触察：転子間線，大腿骨前面と外側広筋の深層，膝蓋骨を結ぶ線を想定する。ただし，大部分は外側広筋に覆われているので体表から触察はできない（図8-25）。

これら4つの筋は共通の大腿四頭筋腱と

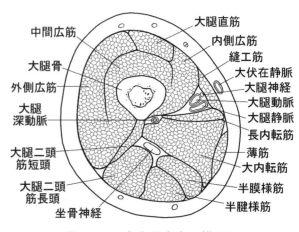

図8-25 右大腿中央の横断面

なって，脛骨上部前面にある脛骨粗面に停止する。大腿四頭筋腱のうち，膝蓋骨の下縁と停止部の脛骨粗面の間を特に**膝蓋靱帯** Ligamentum patellae という。膝蓋骨は大腿四頭筋腱の中にできた種子骨である。

大腿四頭筋の筋力検査法：被検者は背臥位になって膝を伸展する。検者は被検者の膝の下を一方の手で支え，他方の手で足首を持って膝の伸展運動に抵抗を加える（図8-26）。

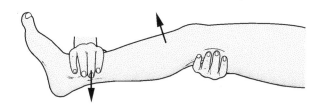

図8-26　大腿四頭筋の筋力検査

8.3.5　大腿内転筋群の触察

大腿の内転筋群は大腿内側の上半分を占める。大部分の筋は閉鎖神経に支配され，股関節を内転する（図8-27，8-28，8-29）。

□**恥骨筋** M. pectineus

起始：恥骨上枝，恥骨櫛，恥骨靱帯

停止：恥骨筋線

神経：閉鎖神経 N. obturatorius と大腿神経 N. femoralis（$L_2 \sim L_3$）

作用：股関節の内転

触察：恥骨筋は大腿三角の内側半分の底を作る。鼠径溝の中央部で大腿動脈の脈拍を確認し，そのすぐ内側方を指腹でやや強く圧迫すると，恥骨筋の筋腹が触知できる。

□**長内転筋** M. adductor longus

起始：恥骨結合

停止：内側唇の中 1/3

神経：閉鎖神経 N. obturatorius（$L_3 \sim L_4$）

作用：股関節の内転

触察：内転筋群の最前部で，恥骨結合と大腿骨中央の高さを結ぶ線上にある。股関節を外転すると，薄筋の前に緊張した筋腹が触れる。この筋の上縁は大腿三角の内側縁をなす。

□**短内転筋** M. adductor brevis

起始：恥骨結合と恥骨結節の間

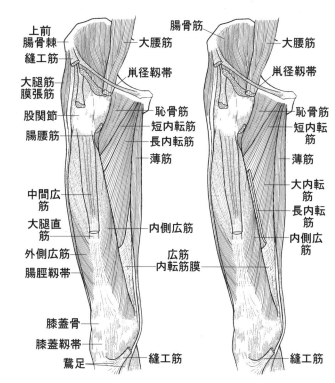

図8-27　大腿の内転筋群
（左：縫工筋と大腿直筋を除去，右：さらに長内転筋を除去）

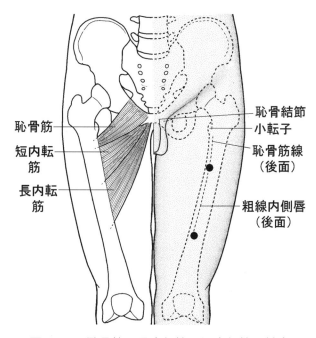

図8-28　恥骨筋，長内転筋，短内転筋の触察

停止：内側唇の上 1/3
神経：閉鎖神経 N. obturatorius と大腿神経 N. femoralis（$L_2〜L_3$）
作用：股関節の内転
触察：恥骨筋の下方にあるが，長内転筋に覆われているので触察は困難である。

□薄筋 M. gracilis
起始：恥骨結合外側縁
停止：鵞足
神経：閉鎖神経 N. obturatorius（$L_2〜L_4$）
作用：股関節の内転
触察：股関節を強く外転（広く開脚）すると，大腿の内側面でピンと張って，痛くなる筋である。大腿内側面の中央線上を鵞足に向かう，強く緊張した筋腹を触知する。恥骨結合から大腿骨内側顆までたどることができる。

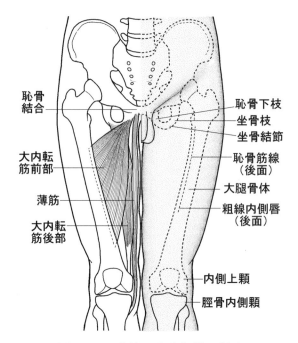

図 8-29　薄筋と大内転筋の触察

□大内転筋 M. adductor magnus
起始：坐骨下枝前面，坐骨結節下面
停止：内側唇，小転子〜内側上顆
神経：閉鎖神経 N. obturatorius（$L_3〜L_4$）と脛骨神経 N. tibialis
作用：股関節の内転
触察：大腿内側面で薄筋よりも後方で触れる。坐骨結節，大腿骨の上 1/3〜内転筋結節を結ぶ三角形を想定し，長内転筋と内側広筋，半膜様筋に挟まれた領域を触察する。

□小内転筋 M. adductor minimus：大内転筋の最上部と見なされている筋で，しばしば大内転筋と分離できない。
起始：坐骨下枝，恥骨下枝
停止：内側唇上端，殿筋粗面の近傍
神経：閉鎖神経 N. obturatorius（$L_3〜L_4$）
作用：大腿を内転する。

□外閉鎖筋 M. obturatorius externus
起始：寛骨外面の閉鎖孔縁，閉鎖膜
停止：転子窩
神経：閉鎖神経 N. obturatorius（$L_3〜L_4$）
作用：股関節の外旋と内転
内転筋群の筋力検査法：被検者は背臥位になり，少し開脚して下肢を伸ばす。この状態から大腿を内転する。検者は被検者の膝あたりを持って，この運動に抵抗を加える。

8.3.6 大腿後面筋の触察

大腿後面の筋はすべて坐骨結節から起始し，大腿の上半分では大腿後面の中央約 1/3 の幅で，ひと塊りの筋として触知される。大腿の下半分では「人」の字状に内方と外方に分かれて，膝窩の上半分を作る（図 8-20，8-30）。

□**大腿二頭筋** M. biceps femoris：ハムストリングの外側部を占め，膝窩の上外側壁を作る。

起始：長頭は坐骨結節後面，短頭は大腿骨粗線外側唇の下半分から起始する。

停止：腓骨頭，下腿筋膜

神経：長頭は脛骨神経 N. tibialis（$L_5 \sim S_2$）に，短頭は総腓骨神経 N. fibularis communis（$L_4 \sim S_1$）に支配される。

作用：膝関節の屈曲

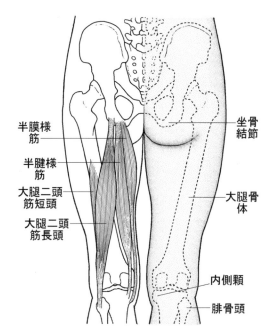

図 8-30　大腿後面の筋の触察

触察：長頭は腓骨頭から坐骨結節に向かって，皮膚の直下で全長にわたって触知できる。短頭は長頭の深部にあるので，大腿骨後面の中央部から腓骨頭にかけて，長頭の前縁に指を入れ，大腿骨に押しつけるようにして触察する。

□**半膜様筋** M. semimembranosus：大腿二頭筋長頭の起始の外側から起こり，下内方に向かって下行する。上半分は薄い腱膜で，下半分に筋腹がある。

起始：坐骨結節

停止：深鵞足，斜膝窩靱帯，下腿筋膜

神経：脛骨神経 N. tibialis（$L_4 \sim S_1$）

作用：膝関節の屈曲

触察：停止部では，膝窩の内側壁を作る 2 本の腱のうち，内方の太い腱として触知される。上方にたどるとすぐに硬い腱が終わり，筋腹に移行する。これを坐骨結節に向かってたどっていくと，大腿中央の高さまでは半腱様筋の腱の内側に沿って筋腹が触知できる。大腿の上部では薄い膜様の腱になる。

□**半腱様筋** M. semitendinosus：大腿二頭筋の起始の内側から起こり，内下方に向かって斜めに下行する。上半分は太い筋腹を持つが，下半分は腱である。

起始：坐骨結節

停止：脛骨内側顆（浅鵞足）

神経：脛骨神経 N. tibialis（$L_4 \sim S_2$）

作用：膝関節の屈曲

触察：停止部では，膝窩の内側壁を作る 2 本の腱のうち，外方を走る。これを上方にたどると，大腿中央の高さまで腱として触知される。さらに坐骨結節に向かっ

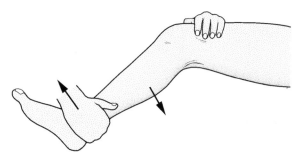

図 8-31　大腿屈筋群の筋力検査

て上方にたどると筋腹に移行するが，大腿二頭筋長頭との区別は困難になる。

大腿屈筋群の筋力検査法：被検者は下肢を伸展して背臥位となり，この状態から膝関節を屈曲する。検者は一方の手を被検者の膝に軽く当て，もう一方の手で足首を持って，この運動に抵抗を加える（図8-31）。

8.3.7 下腿前面筋の触察

下腿前面の筋は脛骨の外側を脛骨と平行に走り，腱となって足背に向かう（図8-32, 8-33, 8-34）。

□**前脛骨筋** M. tibialis anterior

起始：脛骨上半分の外側面，下腿骨間膜上2/3の前面，下腿筋膜

停止：内側楔状骨，第1中足骨底の足底面

神経：深腓骨神経 N. fibularis profundus（$L_4 \sim S_1$）

作用：足関節の伸展（背屈）と内返し

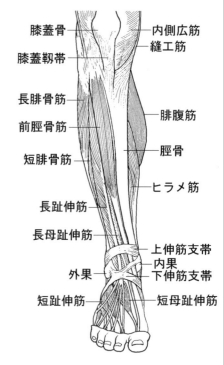

図8-32 下腿前面の筋

触察：下腿の上半分では，脛骨のすぐ外側に太い筋腹が触知される。下腿の下1/3では腱になり，足関節の高さでは，平行に走る3本の腱のうちの最内側を通って第1中足骨底に向かう。足関節を背屈すると，足背の基部で，腱が浮き上がって見える。

筋力検査：被検者は下肢を伸ばして背臥位になり，足関節を背屈させる。検者は被検者の足を持って，この運動に抵抗を加える（図8-35A）。

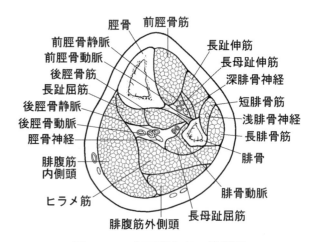

図8-33 右下腿上部の横断面

□**長趾伸筋** M. extensor digitorum longus

起始：脛骨上端の外側面，腓骨前縁，下腿骨間膜，下腿筋膜

停止：第Ⅱ〜Ⅴ趾の趾背筋膜

神経：深腓骨神経 N. fibularis profundus（$L_4 \sim S_1$）

作用：第Ⅱ〜Ⅴ趾の伸展（背屈），足関節の外返し

触察：下腿の上半分では，前脛骨筋の外側を平行に走る筋腹を触れる。前脛骨筋との境は浅い溝になっているので，皮膚の上から同定可能である。下腿の下1/3では，前脛骨筋との間に長母趾伸筋が顔を出す。足関節の高さでは，平行に走る3本の腱の最も外側が本筋の腱で，足の趾を伸展（背屈）すると足背を扇状に広がる4本の腱が見える。

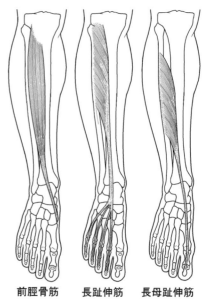

図8-34 下腿伸筋群の触察

筋力検査：被検者は背臥位になり，下肢を伸展，第Ⅱ～Ⅴ趾を背屈させる。検者は被検者の足の趾を持って，この運動に抵抗を加える（図8-35B）。

□**長母趾伸筋** M. extensor hallucis longus
起始：腓骨中央の内側面，下腿骨間膜
停止：母趾の趾背腱膜（母趾末節骨底，基節骨底）
神経：深腓骨神経 N. fibularis profundus（L_4～S_1）
作用：母趾の背屈と足関節の内返し
触察：起始部は前脛骨筋や長趾伸筋の深層にあるが，下腿の下1/3では，両筋の間から顔を出すので，皮膚を介して筋腹が触知できる。足関節の高さでは，平行に走る3本の腱の真ん中にあり，足背では母趾を背屈すると，母趾に向かって走る腱が浮き上がってくる。
筋力検査：被検者は背臥位になり，下肢を伸ばす。そして母趾を背屈させる。検者は被検者の母趾を持って，この運動に抵抗を加える（図8-35C）。

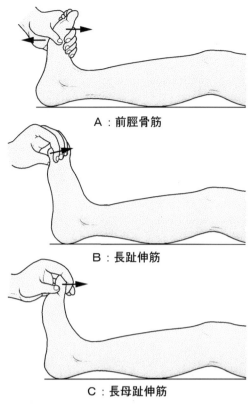

A：前脛骨筋
B：長趾伸筋
C：長母趾伸筋

図8-35　下腿伸筋群の筋力検査

8.3.8 下腿外側筋の触察

下腿外側面の中央部を，腓骨を覆うようにして下行する。また，筋線維の大部分は腓骨から起始するので，腓骨筋群とも呼ばれる（図8-36，8-37）。

□**長腓骨筋** M. fibularis longus
起始：脛骨の外側顆，脛腓関節包，腓骨頭から腓骨体の上部1/3，前・後下腿筋膜中隔および下腿筋膜
停止：内側楔状骨および第1中足骨底
神経：浅腓骨神経 N. fibularis superficialis（L_5～S_1）
作用：足関節の外返しと底屈
触察：腓骨頭と外果を結ぶ垂線上を下行する筋腹が触知できる。前方を長趾伸筋，後方をヒラメ筋が平行に走る。外果のやや上方で腱となり，外果の

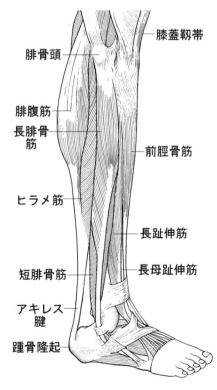

図8-36　下腿の外側筋群

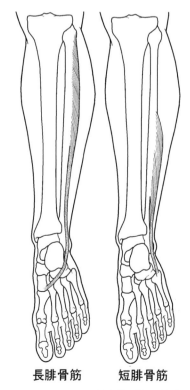

長腓骨筋　　短腓骨筋

図8-37　下腿外側筋群の触察

後ろ下を回って足底に至る。

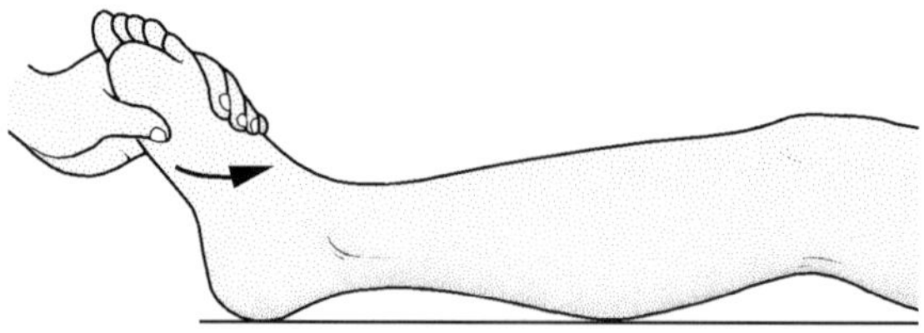

□**短腓骨筋** M. fibularis brevis
起始：腓骨の外側面
停止：第5中足骨粗面
神経：浅腓骨神経 N. fibularis superficialis（L_5〜S_1）
作用：足関節の外反と底屈
触察：長腓骨筋の深層を長腓骨筋と平行に走るので，直接触知するのは困難である。腱は外果の後ろで長腓骨筋腱の前に出て，その外側を前方に進んで足底の外側部に至る。
腓骨筋の筋力検査法：被検者は背臥位になって下肢を伸展し，足を外返しする。検者は被検者の足を持ってこれに抵抗を加える（図8-38）。

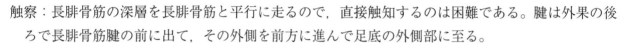

図8-38　腓骨筋の筋力検査

8.3.9　下腿後面筋の触察

下腿三頭筋 M. triceps surae は外側と内側の二頭を持つ腓腹筋とヒラメ筋を合わせたもので，下腿後面に大きな膨らみ（腓腹 Sura：フクラハギ）を作る。3つの筋の遠位部は合わさって**アキレス腱** Tendo Achillis となり，踵骨隆起に停止する（図8-39）。

□**腓腹筋** M. gastrocnemius
起始：内側頭は大腿骨の内側上顆，外側頭は外側上顆から起始する。
停止：アキレス腱となって踵骨隆起に停止する。
神経：脛骨神経 N. tibialis（L_4〜S_2）
作用：二関節筋で，足関節の底屈と膝関節の屈曲を行う。
触察：大腿骨の内側上顆と外側上顆から始まり，下腿後面の上半分で大きな膨らみを作る筋腹を触れる。内側頭と外側頭の近位端は膝窩下半分の内側と外側壁を作るので，筋腹は膝関節よりも高いところから始まることに注意すること。下腿の下半分ではアキレス腱に移行する。足関節を底屈して背伸びをすると，腓腹筋が盛り上がるので，遠位端がはっきりと見えるが，内側頭と外側頭で終わる高さが少し異なることにも注意せよ。

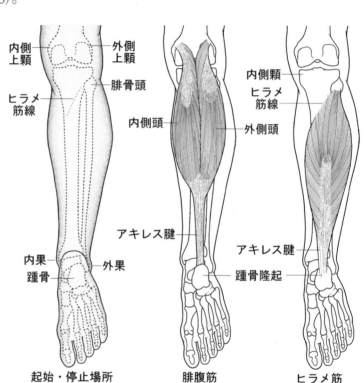

図8-39　下腿三頭筋の触察

□**ヒラメ筋** M. soleus
起始：脛骨のヒラメ筋線と内側縁，腓骨頭，ヒラメ筋腱弓
停止：アキレス腱（踵骨隆起）
神経：脛骨神経 N. tibialis（L_4〜S_3）

作用:足関節の底屈

触察:腓骨頭,脛骨内側縁の上1/3(腓骨頭から内下に45度),踵骨隆起の3点を結ぶ領域を想定する。下腿の下部1/3ではアキレス腱の両側にヒラメ筋の筋腹を触知する。また下腿の上半分では,下腿の外側面で,腓腹筋と長腓骨筋の間に顔を覗かせている。片足立ちで,踵を浮かせた方の膝関節を軽く曲げて足関節を底屈させると,緊張したヒラメ筋が触察できる。

下腿三頭筋の筋力検査法:被検者は背臥位で下肢を伸ばし,足関節を底屈させる。検者は被検者の足を持って,これに抵抗を加える(図8-40)。

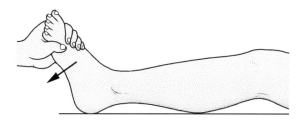

図8-40 下腿三頭筋の筋力検査

□長趾屈筋 M. flexor digitorum longus(図8-41)

起始:脛骨の後面,下腿骨間膜

停止:第Ⅱ～Ⅴ趾の末節骨底

神経:脛骨神経 N. tibialis ($L_5 \sim S_2$)

作用:第Ⅱ～Ⅴ趾のDIP関節の屈曲

触察:本筋は脛骨の後面を走るので,表面から筋腹を触知することはできない。脛骨のヒラメ筋線,脛骨の後面,内果後方を結ぶ領域を想定する。長母趾屈筋と後脛骨筋の内側を下り,内果の後ろを通って屈筋支帯の下をくぐり,前方に曲がって足底に終わる。

筋力検査:被検者は背臥位で下肢を伸ばし,第Ⅱ～Ⅴ趾の末節を屈する。検者は被検者の趾を持って,これに抵抗を加える(図8-42)。

□長母趾屈筋 M. flexor hallucis longus(図8-41)

起始:腓骨後面の下2/3,下腿骨間膜後面下部

停止:母趾末節骨底

神経:脛骨神経 N. tibialis ($L_5 \sim S_2$)

作用:母趾の底屈

触察:本筋も下腿後面の深部にあるので,体表から筋腹は触知できない。腓骨後面の下2/3,脛骨後面,内果後方を結ぶ線を想定して走行をたどる。

筋力検査:長指屈筋の筋力検査法と同様に,被検者は下肢を伸ばして背臥位となり,母趾の末節を屈する。検者は被検者の母趾を持って,これに抵抗を加える。

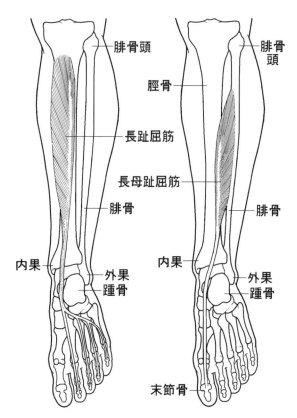

図8-41 長趾屈筋と長母趾屈筋の触察

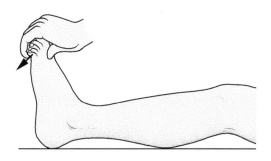

図8-42 長趾屈筋の筋力検査

□**後脛骨筋** M. tibialis posterior（図 8-43）

起始：脛骨後面，腓骨内側面，下腿骨間膜後面

停止：舟状骨粗面，外側・中間・内側楔状骨，立方骨，第 2〜4 中足骨底の側面

神経：脛骨神経 N. tibialis（L_5〜S_2）

作用：足関節の底屈

触察：後脛骨筋も下腿後面の深部にあるので，筋腹を触知することはできない。下腿骨間膜，脛骨と腓骨の間，内果後方を結ぶ線を想定して走行を辿る。

筋力検査：被検者は背臥位になって下肢を伸展し，足を内返しする。検者は被検者の足を持って，この運動に抵抗を加える（図 8-44）。

> 長趾屈筋，長母趾屈筋，後脛骨筋の触察はできないが，筋力検査法は知っておく必要がある。

8.3.10　足背筋の触察

□**短母趾伸筋** M. extensor hallucis brevis

起始：踵骨体の外側上面

停止：中足骨のあたりで腱となり，母趾基節骨底に停止する。

神経：深腓骨神経 N. fibularis profundus（L_4〜S_1）

作用：母趾を上外方に伸展する。

触察：足根部背面で，長母趾伸筋腱の外側を斜め前内方に向かって走る。足根部背面の

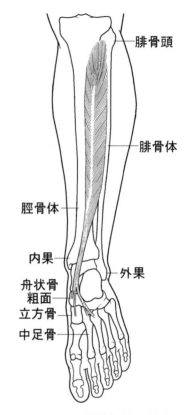

図 8-43　後脛骨筋の触察

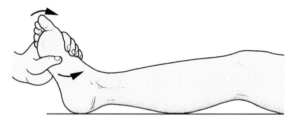

図 8-44　後脛骨筋の筋力検査

中央部で，長母趾伸筋腱のすぐ外側に指を当て，母趾を伸展すると，収縮する筋腹が触知される（図 8-32 を参照）。

筋力検査：被検者は下肢を伸ばして背臥位になり，母趾を背屈する。検者は被検者の母趾を持ってこれに抵抗を加える。

□**短趾伸筋** M. extensor digitorum brevis

起始：踵骨前部の背側面と外側面から起こる。

停止：第Ⅱ〜Ⅳ趾に向かう腱は長趾伸筋の腱と合流し，第Ⅱ〜Ⅳ趾の背側腱膜に終わる。

神経：深腓骨神経 N. fibularis profundus（L_4〜S_1）

作用：第Ⅱ〜Ⅳ趾を上外方に伸展する。

触察：足根部背面で，短母趾伸筋の外側にあり，通常 3 本の腱となって前内側方に向かう。足根部背面の外側部に指を当て，第Ⅱ〜Ⅳ趾を伸展すると，収縮する筋腹が触知される（図 8-32 を参照）。

筋力検査：被検者は下肢を伸ばして背臥位になり，第Ⅱ〜Ⅴ趾を背屈する。検者は被検者の趾を持ってこれに抵抗を加える。

8.3.11 足底の筋の触察

　足底の，特に地面に接する部分の皮膚は非常に厚く，またそのような場所には厚い脂肪組織が存在する。さらに，足底の大部分は丈夫な**足底腱膜** Aponeurosis plantaris で覆われているので，足底筋の多くは表面から直接触れることができない（図8-45）。足底の筋は母趾球の筋，小指趾の筋，中足の筋の3群に分けられる。

1）母趾球の筋

　足底の内側遠位部の膨らみを母趾球といい，以下の3筋によって形成される（図8-46, 8-47）。

□**母趾外転筋** M. abductor hallucis

起始：踵骨隆起の内側部，足の屈筋支帯，足底腱膜，舟状骨粗面

停止：第1中足骨頭の下内側にある種子骨，母趾の基節骨底

神経：内側足底神経 N. plantaris medialis（$L_5 \sim S_1$）

作用：母趾の基節骨を足底内方に曲げる。

触察：足底の内側縁に沿って踵から母趾に向かって走る。筋腹がある踵に近い部分では足底腱膜の幅は狭く，母趾外転筋は薄い腱膜で覆われているだけなので，容易に触察可能である。

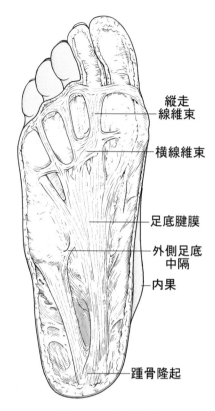

図8-45　足底腱膜

□**短母趾屈筋** M. flexor hallucis brevis：足底筋の第3層をなし，足底の遠位半分では内側腹は母趾外転筋のすぐ外側を走る。しかし，厚い皮膚や足底筋膜に覆われているので，触察は困難である。

起始：内側・中間楔状骨，足底踵骨立方靱帯，長底側靱帯から始まり2腹に分かれる。

停止：内側腹は母趾外転筋とともに第1中足骨頭の内側種子骨に，外側腹は母趾内転筋とともに第1中足骨頭の外側種子骨および母趾基節骨底に終わる。

神経：内側足底神経 N. plantaris medialis（$L_5 \sim S_2$）

作用：母趾を足底側・外側方に内転する。

筋力検査：被検者は背臥位になって下肢を伸展し，母趾を底屈する。検者は被検者の母趾を持って，これに抵抗を加える。

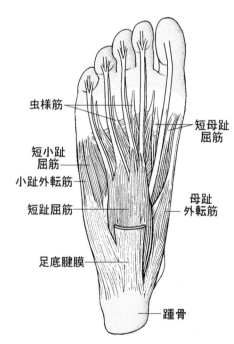

図8-46　右足底浅層の筋

□**母趾内転筋** M. adductor hallucis：足底筋の第3層をなし，短母趾屈筋の外側にある。斜頭と横頭からなる2頭筋である。深層にあるので触知は不可能である。

起始：斜頭は立方骨，外側楔状骨，長足底靱帯および第2〜4中足骨から起こり，斜め内前方に向かう。横頭は第3〜5中足趾節関節包と第3〜5中足骨頭から起こり，水平内側に向かう。

停止：第1中足骨頭の外側種子骨および母趾基節骨底
神経：外側足底神経 N. plantaris lateralis（S_1〜S_2）
作用：母趾を足底側と外側方に内転する。

2）小趾球の筋

足底の外側遠位部にある小さな膨らみを小趾球といい，以下の3筋によって形成される（図8-46）。各筋は小さく，しかも足底の皮膚が硬いために，各筋を体表から区別するのは困難である。

□**小趾外転筋** M. abductor digiti minimi：小趾の筋の中で最大，最長の筋である。

起始：踵骨隆起外側部，踵骨外側面，長足底靱帯から起こり，前外側方に向かう。
停止：第5中足骨粗面，小趾基節骨底
神経：外側足底神経 N. plantaris lateralis（S_1〜S_2）
作用：小趾を第Ⅳ趾から遠ざける。
触察：検者は足の外側縁に指腹を当て，被検者の小趾を外転させると皮膚の直下に収縮する筋腹を触れる。

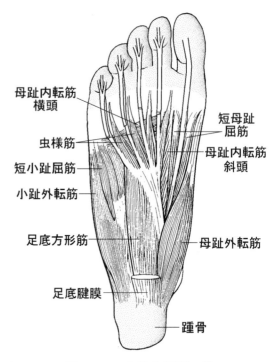

図8-47　右足底深層の筋

□**短小趾屈筋** M. flexor digiti minimi brevis：小趾外転筋のすぐ内側にある。
起始：長足底靱帯と第5中足骨底から起こり，前外側方に向かう。
停止：小趾外転筋と合流して小趾基節骨底に停止する。
神経：外側足底神経 N. plantaris lateralis（S_1〜S_2）
作用：小趾基節骨を屈曲する。

□**小趾対立筋** M. opponens digiti minimi：短小趾屈筋の一部と見なされている。

3）中足の筋

足底の中央部にあるが，丈夫な足底腱膜に覆われているので触察は困難である。

□**短趾屈筋** M. flexor digitorum brevis
起始：踵骨隆起の内側結節と足底腱膜から起こる。
停止：中足骨頭当たりで4本の腱に分かれ，それぞれが二股に分かれて第Ⅱ〜Ⅴ趾の中節骨底に終わる。
神経：内側足底神経 N. plantaris medialis（L_5〜S_1）
作用：第Ⅱ〜Ⅴ趾の中節骨を足底方向に屈曲する。

□**足底方形筋** M. quadratus plantae
起始：踵骨の内側面と下面から起こる2頭筋である。
停止：前方で合流し，長趾伸筋腱の外側縁に終わる。

神経：外側足底神経 N. plantaris lateralis （S₁〜S₂）
作用：長趾屈筋の作用を助けて，第Ⅱ〜Ⅴ趾を屈曲する。

□足の**虫様筋** Mm. lumbricales：4本あり，長趾屈筋の4本の腱の内側に位置する（図8-47）。
起始：長趾屈筋の腱から起こる。第1虫様筋は1頭，第2〜4虫様筋は隣接する腱の対向面から起こる2頭を持つ。
停止：第Ⅱ〜Ⅴ趾の基節骨の内側で，その背側腱膜に終わる。
神経：内側の2本は内側足底神経 N. plantaris medialis （L₅〜S₁），外側の2本は外側足底神経 N. plantaris lateralis （S₁〜S₂）に支配される。
作用：第Ⅱ〜Ⅴ趾の基節骨を屈曲する。

□底側骨間筋 Mm. interossei plantares
起始：第Ⅲ〜Ⅴ趾中足骨の内側縁
停止：第Ⅱ〜Ⅴ趾の基節骨の内側に，伸筋腱と一緒になって停止する。
神経：外側足底神経 N. plantaris lateralis （S₁〜S₂）
作用：第Ⅱ〜Ⅴ趾を内側方向に引き，基節骨を屈曲する。

□背側骨間筋 Mm. interossei dorsales
起始：4本あり，それぞれが2頭でもって第1〜5中足骨の相対する面から起こる。
停止：第Ⅱ〜Ⅳ趾の基節骨に終わる。第1背側骨間筋は第Ⅱ趾の内側，第2〜4背側骨間筋は第Ⅱ〜Ⅳ趾の外側に停止する。
神経：外側足底神経 N. plantaris lateralis （S₁〜S₂）
作用：第1背側骨間筋は第Ⅱ趾を内側方に引き，第2〜4背側骨間筋は第Ⅱ〜Ⅳ趾を外側方に引く。

3章　人体解剖学実習

9 体幹前面の解剖

9.1 体幹前面の観察

　胸部と頸部の境界は頸切痕から鎖骨の上縁，肩峰を通って第7頸椎の棘突起に至る線，胸部と腹部の境界は剣状突起，肋骨弓，第12肋骨の下縁および第12胸椎の棘突起を通る線である。また，腹部と下肢の境界は鼡径溝である。

9.1.1 体幹前面の体表解剖

体表から以下の構造物を確認せよ（図9-1）。

- □**胸骨** Sternum：胸の正中部にある縦長い扁平な骨。奥に縦隔がある。
  - □**胸骨柄** Manubrium sterni：胸骨の上部をなす逆台形の部分。
  - □**頸切痕** Incisura jugularis：胸骨柄の上縁で，下方に向かって少し陥凹している。
  - □**胸骨体** Corpus sterni：胸骨の大半をなす部分で，骨髄穿刺の場所として使われる。
  - □**剣状突起** Processus xiphoideus：胸骨体の下端から後下方に伸びる鋭い突起。
  - □**胸骨角** Angulus sterni：胸骨柄と胸骨体がなす角で，体表からでもかすかな稜線として触知できる。この高さで第2肋骨が関節を作る。

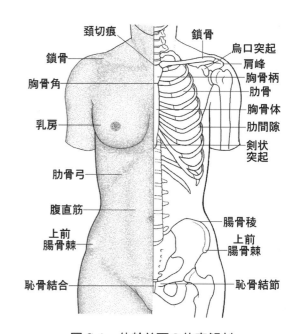

図9-1　体幹前面の体表解剖

- □**鎖骨** Clavicula：胸骨柄と肩甲骨の肩峰を連結する細長い骨で，緩やかなS字状を呈する。全長にわたって触知できる。痩せた人では浮き出て見える。
  - □**胸骨端** Extremitas sternalis：鎖骨の内側端で，胸骨柄の上外側縁（鎖骨切痕）との間で胸鎖関節 Articulatio sternoclavicularis を作る。
  - □**肩峰端** Extremitas acromialis：鎖骨の外側端で，肩甲骨の肩峰との間で肩鎖関節 Articulatio acromioclavicularis を作る。
- □**肩峰** Acromion：肩甲骨の上外側縁で，体表では肩の先端よりも少し上内側を指で押さえると，硬い骨部を触れる。前後に3cmほどの幅がある。
- □**肋骨** Costae（Ⅰ～Ⅻ）：弓状の細長い骨で，12対ある。12個の胸椎と胸骨とで胸郭を作る。体幹前面では，肋骨は上外方から下内方に向かって斜めに走る。側胸部や前胸部に指を置いて，上下に動かすと各肋骨が触知できる。
- □**肋間隙** Spatium intercostale：肋骨間の間隙で，肋間筋によって埋められている。
- □**肋骨弓** Arcus costalis：胸骨の下端から両側外下方に伸びるアーチで，第7～10肋軟骨が作る。
- □**臍** Umbilicus：腹部中央の正中線上にあり，胎生期の臍帯の付着部の名残り。
- □**腹直筋** M. rectus abdominis：腹部の中央部を上下方向に対をなして走る。

- □ **腱画** Intersectiones tendineae：腹直筋に形成された中間腱で，3～4本見られる。筋肉質の人が腹筋に力を入れると，腱画に一致して横溝が現れる。
- □ **恥骨** Os pubis：寛骨下半分の前部を占める。
  - □ **恥骨結合** Symphysis pubica：正中線上で左右の恥骨が軟骨結合（線維軟骨）する。恥丘の下部に指を当てて強く押し込むと触知できる。
  - □ **恥骨結節** Tuberculum pubicum：恥骨結合のすぐ外側に触れる骨性の高まりで，鼡径靱帯の内側端が付着する。
- □ **腸骨** Os ilium：寛骨の上半分を占める。
  - □ **腸骨稜** Crista iliaca：腸骨の上縁で，全長にわたって皮下に触知できる。
  - □ **上前腸骨棘** Spina iliaca anterior superior：腸骨稜の前端で，ここから腸骨稜が突然触知できなくなる。痩せた人では前方に突出している。
- □ **鼡径靱帯** Ligamentum inguinale：上前腸骨棘と恥骨結節の間に張る丈夫な結合組織索。
- □ **鼡径溝** Sulcus inguinalis：腹部と下肢の境界をなす浅い溝で，鼡径靱帯とほぼ平行に，1～2cm下を走る。

9.1.2 乳房

成人女性の**乳房** Mamma は，上下が第2～6肋骨，左右が胸骨線～腋窩線に広がる半球状の膨隆で，大胸筋の筋膜の上に載っている（図9-2）。ただし個人差が著しい。乳房の大部分は脂肪組織で，その中に十数個の乳腺組織が存在する。男性では乳輪と乳頭のみである。

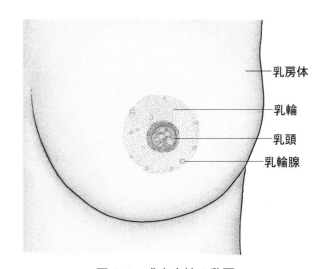

図9-2 成人女性の乳房

- □ **乳房体** Corpus mammae：乳房全体の膨らみ。
- □ **乳輪** Areola mammae：乳房の中央にある円形の部分で，メラニン色素が沈着しており，薄い褐色を呈する。大きさや色素沈着の程度は個人によってまちまちである。
- □ **乳輪腺** Glandulae areolares（**モントゴメリー腺** Glandulae Montgomeri）：乳輪部に十～数個ある小さな突出で，アポクリン腺の一種である。
- □ **乳頭** Papilla mammae：乳輪の中央部にある小半球状の突出で，十数本の乳管がここに開口する。非常に敏感で，刺激すると勃起する。乳輪と同様に褐色を呈している。

9.1.3 体幹前面の基準線

身体を区分したり，位置を表現するために以下の垂線（縦線）と水平線（横線）が決められている。体幹前面では以下の線が重要である（図9-3, 9-4）。

1）垂線

- □ **前正中線** anterior median line：身体前面の正中を通る垂線。
- □ **胸骨線** sternal line：胸骨の外側縁を通る線。前正中線から約2cm外側の肋間隙に指を当てて左右に動かすと，胸骨の外側縁がわかる。

□胸骨傍線 parasternal line：胸骨線と鎖骨中線の中間を通る垂線。
□鎖骨中線 midclavicular line：鎖骨の中央を通る垂線。
□乳頭線 mamillary line：乳頭を通る垂線で，鎖骨中線とほぼ一致する。ただし，成人女性では個人差があるので，鎖骨中線を使った方がよい。
□前腋窩線 anterior axillary line：前腋窩ヒダを通る垂線。
□中腋窩線 midaxillary line：腋窩の中心を通る垂線。
□後腋窩線 posterior axillary line：後腋窩ヒダを通る垂線。

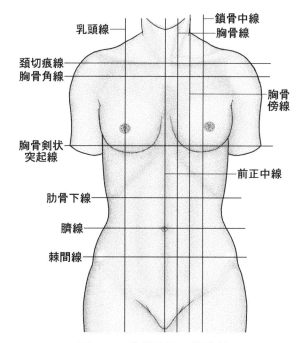

図9-3 体幹前面の基準線

2）水平線
□頚切痕線 jugular notch line：頚切痕を通る水平線で，第2胸椎の高さにあたる。
□胸骨角線 sternal angle line：胸骨角を通る水平線で第4～5胸椎の高さにあたる。
□胸骨剣状突起線 xiphosternal line：胸骨体と剣状突起の結合部を通る線で，第9胸椎の高さにあたる。
□幽門通過線：胸骨柄上縁の頚切痕と恥骨結合の上縁を結ぶ線の中点を通る水平線で，第1腰椎の高さに相当する。
□肋骨下線：最下肋骨（第12肋軟骨）の下端を結ぶ線で，第3腰椎の高さにあたる。
□臍線 umbilical line：臍を通る水平線で，第4腰椎の高さにあたる。
□棘間線 interspinous line：左右の上前腸骨棘を結ぶ水平線で，第5腰椎の高さにあたる。
□腸骨稜頂線（ヤコビー線 Jacoby's line）：左右の腸骨陵の最上点を結ぶ線で，第4腰椎の高さを通る。

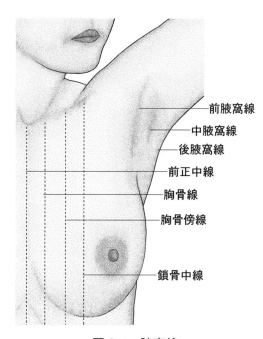

図9-4 腋窩線

9.1.4 体幹前面の区分

1）胸部の区分
胸部は6部に区分される（図9-5）。
・鎖骨下窩 Fossa infraclavicularis（鎖胸三角 Trigonum clavipectorale）：三角筋と大胸筋の境部で，浅くくぼんでいる。
・胸筋部 Regio pectoralis：大胸筋が広がっている部分。

- 乳房部 Regio mammaria：女性では乳房が盛り上がっている部分。
- 乳房下部 Regio inframammaria：乳房部の下で，下縁は胸骨剣状突起線である。
- 腋窩部 Regio axillaris：前腋窩ヒダと後腋窩ヒダで境界されるくぼみで，成人では腋毛が生えている。
- 胸骨前部 Regio presternalis：胸骨が存在する部分。奥に縦隔が存在する。

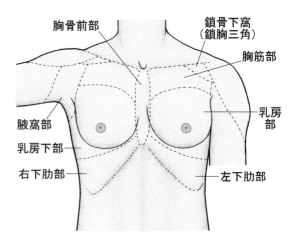

図 9-5 胸部の区分

2）腹部の区分

体表解剖では胸と腹の境界は肋骨弓であるが，人体解剖学では胸骨剣状突起線よりも下を腹として扱い，腹部は①～③の線によって以下の9部に区分される（図9-6）。

①副中線：前正中線と上前腸骨棘を結ぶ線の中点を通る垂線で，腹直筋の外側縁にほぼ相当する。
②肋骨下線：左右の肋骨弓の下端を結ぶ線で，第3腰椎の高さに相当する。
③棘間線：左右の上前腸骨棘を結ぶ線で，第5腰椎の高さにあたる。

- 左右の下（季）肋部 Regio hypochondrica sinistra et dextra：本来は胸の一部であるが，ここには上腹部臓器があるので人体解剖学実習では腹部として扱う。
- 上胃部 Regio epigastrica：左右の下肋部に挟まれた部分で，心窩部（ミズオチ）とも呼ばれる。

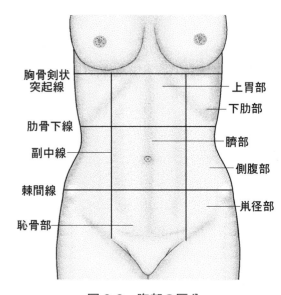

図 9-6 腹部の区分

- 臍部 Regio umbilicalis：臍を中心にした部分で，腹部の中心部を占める。
- 左右の側腹部 Regio abdominis lateralis sinistra et dextra：臍部の左右を占める部分。
- 恥骨部 Regio pubica：下腹の中央部。
- 左右の鼠径部 Regio inguinalis sinistra et dextra

9.1.5　体幹前面の皮膚剥離

図9-7のように，メスで皮膚に切開を加え，皮下組織と筋膜の間で皮膚をきれいに剥離せよ。

①鎖骨の上縁に沿って肩峰まで。
②前正中線上を頸切痕から恥骨結合まで。臍の部分は円形に避けよ。
③剣状突起を通るほぼ水平線。
④上前腸骨棘から鼠径溝に沿って恥骨結合まで。

メスで深さ2mmほど皮膚を切開し，皮膚切開部を有鈎ピンセットでしっかりと摘み上げ，メスの柄を使って皮下組織と筋膜の間を鈍的に分けていくと，皮膚がきれいに剥離できる。皮下脂肪も皮膚の方に付けるようにして，きれいに除去せよ。

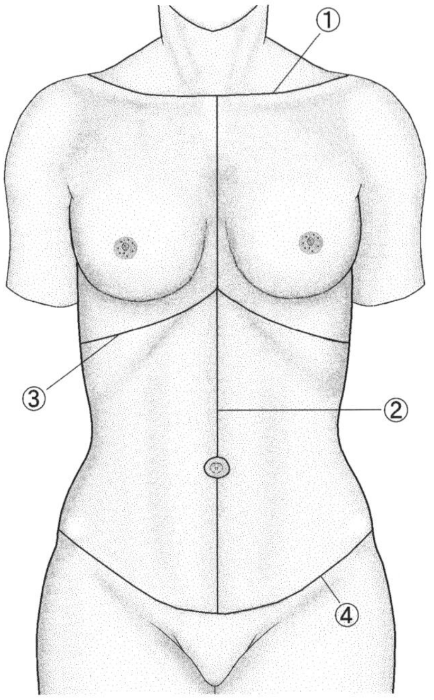

9.2 胸部筋の解剖

鎖骨を覆うように，皮膚の直下に薄い広頸筋が上胸部まで広がっている。また胸筋筋膜の表面には多数の細い皮神経が走っている（図9-8）。

- □**橈側皮静脈** V. cephalica：大胸筋と三角筋の境（三角胸筋溝）を走る皮静脈で，腋窩静脈に注ぐ。
- □**鎖骨上神経** Nn. supraclaviculares：鎖骨の上を外下方に向かい，胸上部に扇状に広がって分布する。
- □**肋間神経外側皮枝** R. cutaneus lateralis nn. intercostales：前鋸筋の内側縁上に分節的に顔を出す。
- □**肋間神経前皮枝** R. cutaneus anterior nn. intercostales：胸骨の外側縁や腹直筋の外側縁から分節的に顔を出す。

図9-7 体幹前面の皮膚切開線

9.2.1 胸部浅層筋の解剖

乳房を観察した後，乳房の脂肪組織を除去せよ。大胸筋の表面を覆う**胸筋筋膜** Fascia pectoralis が現れるので，これを剥離して大胸筋を剖出せよ（図9-8, 9-9）。

□**大胸筋** M. pectoralis major

起始：鎖骨部 Pars clavicularis は鎖骨の内側 1/2〜2/3，胸肋部 Pars sternocostalis は胸骨の前表面，腹部 Pars abdominalis は腹直筋鞘。

停止：鎖骨部，胸肋部，腹部が扇状に集束して上腕骨の大結節稜に停止する。

神経：内側・外側胸筋神経 N. pectoralis medialis et lateralis（腕神経叢の枝：C_5〜Th_1）

作用：上腕の内転と内方への回旋。

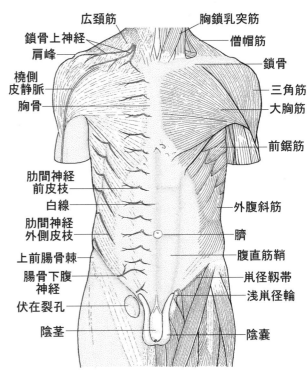

図9-8 体幹前面の皮神経と浅層の筋

鎖骨部，胸肋部と腹部ともに起始で大胸筋を切り，停止に向かって反転せよ。大胸筋の下に小胸筋が現れる（図9-9）。

□**小胸筋** M. pectoralis minor

起始：第2（第3）〜第5肋骨

停止：烏口突起の内側縁

神経：内側胸筋神経 N. pectoralis medialis
　　　（腕神経叢の枝：C_7〜C_8）

作用：肩甲骨の外側角を下方に引く。また肩甲骨を固定すると，第2〜5肋骨を引き上げて胸郭を拡げる（呼吸補助筋）。

> 小胸筋を起始より切断し，停止に向かって上方に反転せよ。側胸部で扇状に広がる前鋸筋の全貌が現れる（図9-10）。

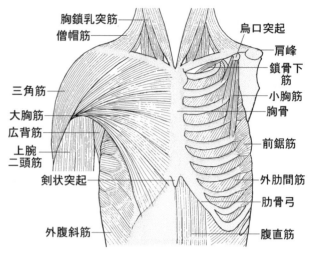

図9-9　胸部の筋

□**前鋸筋** M. serratus anterior：起始部が鋸歯状を呈する。筋がよく発達した人では，側胸部に起始部が浮き出している。

起始：上位8〜9本の肋骨上面

停止：肋骨後面と肩甲骨前面の間を通って肩甲骨の内側縁に停止する。

神経：長胸神経 N. thoracicus longus（腕神経叢の枝：C_5〜C_7）

作用：肩甲骨下角を前外側方に引く。

> 前鋸筋を第2〜6肋骨の起始部で切り，停止に向けて反転せよ。

9.2.2　胸部深層筋の観察

前鋸筋の深層には，肋間隙を埋めるようにして肋間筋が張っている。肋間筋は3層に分かれるが，発生学的にはこれらは腹部の側腹筋群や頚部の斜角筋群と同じ仲間で，体節の下分節から生じる。肋間筋はすべて肋間神経に支配される。

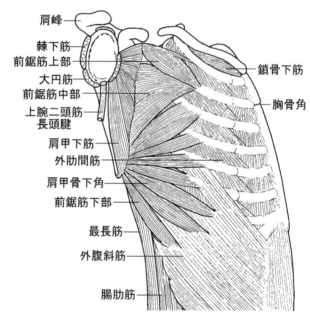

図9-10　前鋸筋と外肋間筋

> 2〜3の肋間隙で以下の筋や神経および動脈，静脈を確認せよ。確認が終われば順次それらを除去してもよい（図9-11, 9-12）。

□**外肋間筋** Mm. intercostales externi：筋線維は上外側から下内側に向かう（外腹斜筋と同じ）。

□**内肋間筋** Mm. intercostales interni：筋線維は上内方から下外方に走る。

□**最内肋間筋** Mm. intercostales intimi：筋線維の走行は内肋間筋とほぼ同じ。

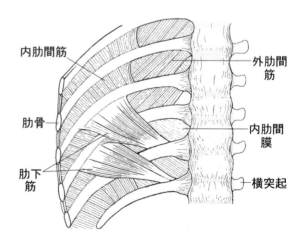

図9-11　後胸壁の肋間筋（前から見た図）

□**肋間神経** N. intercostalis, **肋間動脈** A. intercostalis と**肋間静脈** V. intercostalis：これらは内肋間筋と最内肋間筋の間を，肋骨の下縁に沿って走っており，上から静脈，動脈，神経（VAN）の順で走る（図 9-12）。

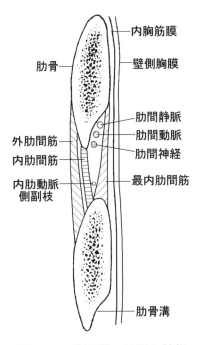

図 9-12　肋間動・静脈と神経

> 肋間筋，肋間神経，肋間動・静脈は，胸腔および胸部臓器の解剖（p.225 ～ 239）において，肺を取り出した後，胸腔後面壁を観察するとよくわかる。

9.3　腹部筋の解剖

9.3.1　腹壁表層の観察

腹部の皮膚を剥離すると，筋膜の表面に以下の構造物が見られる（図 9-8 を参照）。

□**皮神経**：肋間神経や腰神経叢から起こる多数の皮神経が見える。
□**腹直筋鞘** Vagina m. recti abdominis：腹直筋を包む丈夫な筋膜
□**白線** Linea alba：正中線上で，左右の腹直筋鞘が癒合した部分
□**臍輪** Anulus umbilicalis：白線のうち，臍の周囲にある線維輪

1）恥骨部
□**陰茎ワナ靱帯** Lig. fundiforme penis：白線下部から起こり，陰茎をワナ状に囲む（男性のみ）。
□**陰茎提靱帯** Lig. suspensorium penis：恥骨結合から起こり陰茎の筋膜に付く（男性）。

2）鼠径部
精巣挙筋筋膜 Fascia cremasterica と**精巣挙筋** M. cremaster（内腹斜筋の続き）
□**鼠径靱帯** Lig. inguinale：恥骨結節と上前腸骨棘を結ぶ結合組織性の索状物で，体表からでもやや硬い抵抗として触れる。**鼠径溝** Sulcus inguinalis はこの 1 ～ 2cm 下をほぼ平行に走る。
□**浅鼠径輪** Anulus inguinalis superficialis：鼠径靱帯の内側端に形成される鼠径管の出口で，腱膜で囲まれている（図 9-16 を参照）。

9.3.2　前腹筋の解剖

□**腹直筋鞘前葉** Lamina anterior vaginae m. recti abdominis：腹直筋を前方から包む腱膜。

> メスを用いて腹直筋鞘前葉を白線より少し外側で上端から下端まで切開せよ。また，その切開線の上端と下端で外方に切開して腹直筋を剖出せよ（図 9-13）。腹直筋鞘と腱画は密着しているので，メスで削るようにして剥離せよ。

□**腹直筋** M. rectus abdominis
起始：恥骨結合の前，恥骨櫛
停止：剣状突起の前面，第 5 ～ 7 肋軟骨表面
神経：肋間神経 Nn. intercostales, 肋下神経 N. subcostalis, 腸骨下腹神経 N. iliohypogastricus（Th$_5$

~ L_1)

作用：体幹を前屈する。また腹圧を高める。
- □腱画 Intersectiones tendineae：腹直筋を区画する3～4本の中間腱で，腹直筋鞘前葉と癒着している。
- □錐体筋 M. pyramidalis：腹直筋の下端にある三角形の小さな筋で，4～5％の人で欠如する。

起始：恥骨櫛
停止：白線
神経：肋下神経 N. subcostalis（Th_{12}, L_1）
作用：白線を張り，腹直筋の作用を助ける。

> 腹直筋を腹直筋鞘から剥離せよ。また，臍の高さで腹直筋を横切して上下に反転して，腹直筋の後面を包む被膜を観察せよ（図9-14）。

- □腹直筋鞘後葉 Lamina posterior vaginae m. recti abdominis：弓状線よりも上部で腹直筋の後面を包む。
- □弓状線 Linea arcuata：腹直筋の後面を覆う膜の，臍の高さよりもやや下方に横走する上向きのアーチ。腹直筋鞘は弓状線の上と下で構成が異なっている（図9-15）。弓状線よりも上では，外腹斜筋腱膜と内腹斜筋腱膜の前葉が腹直筋鞘の前葉を形成し，内腹斜筋腱膜の後葉と腹横筋腱膜は腹直筋鞘の後葉を形成している。一方，弓状線よりも下では，内腹斜筋腱膜と腹横筋腱膜も腹直筋鞘の前葉に加わり，腹直筋の後面は薄い横筋筋膜だけに覆われるようになる。弓状線はこの移行部を示す線である。
- □横筋筋膜 Fascia transversalis：腹膜と腹筋の間にある非常に薄い筋膜で，弓状線よりも上では腹直筋鞘後葉とともに腹直筋の後面を覆う。一方，弓状線よりも下では腹直筋鞘の後葉はなく，直接腹直筋の後面を覆う。

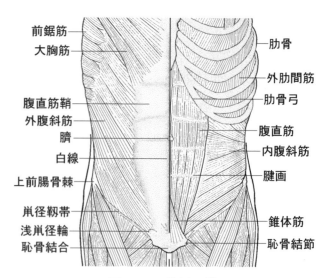

図9-13 腹壁の筋

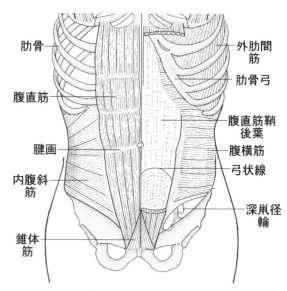

図9-14 腹横筋と腹直筋鞘後葉

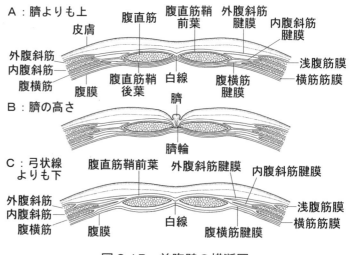

図9-15 前腹壁の横断図

9.3.3 側腹筋の解剖

　側腹筋は筋板の下分節から形成されるので，発生学的には胸部の肋間筋や頚部の斜角筋と同じ仲間であり，3層の筋から構成される（図9-13，9-14，9-15）。すべて脊髄神経の前枝によって支配される。

□**外腹斜筋** M. obliquus externus abdominis：側腹筋の外層をなす。筋線維は，ズボンのポケットに手を入れた時，前腕と同じ方向に走る。

起始：下位7本の肋骨表面

停止：腸骨陵外側唇の前半分と白線

神経：肋間神経 Nn. intercostales（$Th_5 \sim Th_{11}$），肋下神経 N. subcostalis（$Th_{12} \sim L_1$）

作用：体幹の前屈と腹圧を高める。

□**浅腹筋膜** Fascia m. abdominis superficialis：外腹斜筋の前面を包む筋膜で，外腹斜筋の内側縁で外腹斜腱膜となり，腹直筋鞘の前葉に移行する（図9-15）。

> 外腹斜筋の剥離
> ①外腹斜筋を，第6～9肋骨では起始部で切断せよ。
> ②第9と10肋骨の起始部の中点から腸骨稜まで外腹斜筋を縦に切断せよ。
> ③②の下端から浅鼠径輪の上端まで腱膜を切断せよ。
> ④外腹斜筋を前内方に，腹直筋まで反転せよ。
> ⑤下に残った部分を鼠径靱帯の方に反転せよ。この操作によって鼠径管の全容が現れる。また側腹部に内腹斜筋が現れる。

□**内腹斜筋** M. obliquus internus abdominis：側腹筋の中層で，筋線維は外腹斜筋と交わる方向に走る。

起始：胸腰筋膜，腸骨陵中間線の前半または前2/3，鼠径靱帯の外側2/3

停止：第10～12肋骨の軟骨，腹直筋鞘の後葉を介して白線

神経：肋間神経 Nn. intercostales，肋下神経 N. subcostalis，腸骨下腹神経 N. iliohypogastricus（$Th_8 \sim L_2$）

作用：胸郭を下げる。体幹の前屈と同側に側屈，回旋する。胸郭を固定すると骨盤を引き上げる。

□**精巣挙筋** M. cremaster

　内腹斜筋の一部が精管や精巣動・静脈とともに精索を作り，精巣に向かう。男性のみ。

起始：内腹斜筋の内側縁，鼠径靱帯

停止：精索の一部となって精巣へ至る。

神経：陰部大腿神経 N. genitofemoralis の陰部枝 Ramus genitalis（L_1, L_2）

作用：精巣を引き上げる。男性では，大腿内側の皮膚を刺激すると精巣が挙上する（**精巣挙筋反射** cremasteric reflex）。

> 内腹斜筋の剥離
> 　外腹斜筋と同じ要領で，内腹斜筋を停止部で切断し，外方に反転せよ。この時，筋の深部にある肋間神経や鼠径靱帯に注意せよ。

□**腹横筋** M. transversus abdominis：側腹筋第3層の筋。

起始：下位6本の肋軟骨の深部表面，腰椎肋骨突起，腸骨陵内側唇の前2/3，鼠径靱帯の外側1/3

停止：剣状突起，白線，恥骨結合
神経：肋間神経 Nn. intercostales，肋下神経 N. subcostalis，腸骨下腹神経 N. iliohypogastricus，腸骨鼠径神経 N. ilioinguinalis（L$_7$～L$_2$）
作用：第6～12肋骨を引き下げる。

9.3.4　鼠径部の解剖

□**鼠径管** Canalis inguinalis：は側腹筋層の下端を外上方から内下方に貫く約4cmの間隙である。

> 鼠径部の皮下組織を除去して以下の構造物を確認せよ（図9-16）。

□**浅鼠径輪** Anulus inguinalis superficialis：鼠径管の出口で内側端にある。
□**深鼠径輪** Anulus inguinalis profundus：鼠径管の入口で，横筋筋膜が内精筋膜に移行する場所にある。

鼠径管を通る構造物
1）男性
　精索 Funiculus spermaticus：浅鼠径輪から出て精巣に向かう索状物で，以下のものからなる。
□**精管** Ductus deferens：精巣上体の下端から始まり，鼠径管を通って骨盤腔に入ると膀胱の後ろに回り，膀胱の直下にある前立腺に入る。
□**精巣動脈** A. testicularis：腹大動脈の直接の枝で，精巣に分布する。

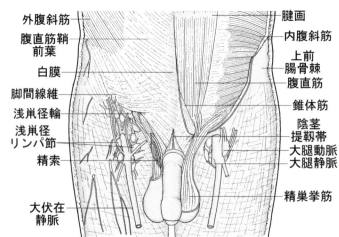

図9-16　鼠径部

　精管動脈 A. ductus deferentis：内腸骨動脈の枝で，精管を養う。
　蔓状静脈 V. pampiniformis：精巣動脈に絡みつくように走る。鼠径管を通って骨盤腔に入ると精巣静脈 V. testicularis となり，右は下大静脈に，左は左腎静脈を介して下大静脈に注ぐ。
□**精巣挙筋** M. creamster：内腹斜筋線維の一部。

2）女性
□**子宮円索** Lig. teres uteri：子宮広間膜の中を外下方に下り，鼠径管を通って大陰唇に終わる。

10 頭頸部の解剖

10.1 頸部の体表解剖

10.1.1 頸部表面からの観察

> 表面から次の場所を頸部で確認せよ（図10-1）。

- □下顎骨 Mandibula
  - □下顎体 Corpus mandibulae
  - □オトガイ Mentum
  - □下顎枝 Ramus mandibulae
  - □下顎角 Angulus mandibulae
- □側頭骨 Os temporale
  - □乳様突起 Processus mastoideus
- □舌骨 Os hyoideum
- □甲状軟骨 Cartilago thyroidea
  - □喉頭隆起 Prominentia laryngea：甲状軟骨が前方に突出した部分。
- □胸骨 Sternum
  - □胸骨柄 Manubrium sterni
  - □頸切痕 Incisura jugularis
- □輪状軟骨 Cartilago cricoidea
- □甲状腺 Glandula thyroidea
- □気管 Trachea
- □鎖骨 Clavicula
  - □胸骨端 Extremitas sternalis
  - □肩峰端 Extremitas acromialis
- □肩甲骨 Scapula
  - □肩峰 Acromion
- □胸鎖乳突筋 M. sternocleidomastoideus

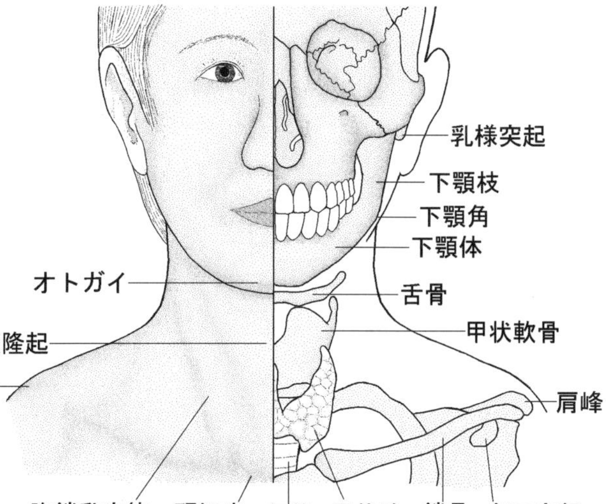

図10-1 頸部の体表解剖

10.1.2 頸部の区分

　頸部と頭部の境界はオトガイ，下顎骨下縁，下顎角，顎関節，乳様突起，上項線を経て外後頭隆起に至る線である。また，頸部と胸部の境界は胸骨柄と鎖骨の上縁，肩峰，第7頸椎の棘突起を結ぶ線である。頸部は前頸部，胸鎖乳突筋部，外側頸部，後頸部の4部に区分される（図10-2）。

- □前頸部 Regio cervicalis anterior：胸鎖乳突筋よりも前の部分で，さらに4つの部分に区分される。
  - □顎下三角 Trigonum submandibulare：顎

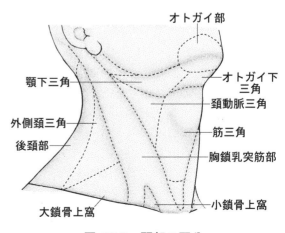

図10-2 頸部の区分

二腹筋の前腹と後腹および下顎骨が囲む三角形の領域。

- □**頸動脈三角** Trigonum caroticum：胸鎖乳突筋の前縁，肩甲舌骨筋の上腹，顎二腹筋の後腹で囲まれる領域で，深部を総頸動脈，内頸動脈，迷走神経などが通る。
- □オトガイ下三角 Trigonum submentale：左右の顎二腹筋前腹と舌骨の間。
- □筋三角 Trigonum musculare：胸鎖乳突筋の前縁，肩甲舌骨筋と正中線が囲む。

□胸鎖乳突筋部 Regio sternocleidomastoidea：胸鎖乳突筋が占める場所。

□外側頸部 Regio cervicalis lateralis（後頸三角 Trigonum cervicale posterius）：頸部前面のうち，胸鎖乳突筋よりも外側で，肩甲鎖骨三角 Trigonum omoclaviculare（大鎖骨上窩 Fossa supraclavicularis major）を含む。

□後頸部 Regio cervicalis posterior（項部 Regio nuchalis）：頸部後面

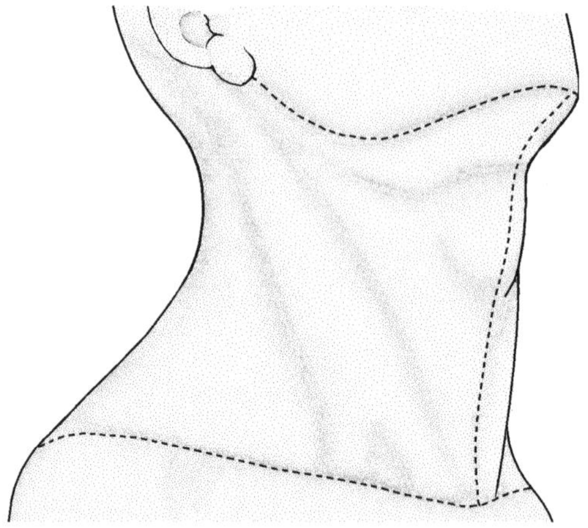

10.2 頸部の解剖

10.2.1 頸部浅層の解剖

> 皮膚を切開して剥離し，外方に反転せよ（図10-3）。皮膚の直下には非常に薄い広頸筋が広がっているので，最初は注意深く，切開部付近で広頸筋の線維を見つけて，筋を皮膚から剥離するようにして，浅く広頸筋を剖出せよ。

□**広頸筋** Platysma：皮膚直下にある薄い皮筋（図10-4）。

起始：肩峰から第2肋骨前端に至る線上の胸筋筋膜
停止：下顎，口角，咬筋筋膜，笑筋，口角下制筋，下唇下制筋
神経：顔面神経 N. facialis
作用：頸の皮膚にシワを作る。口角を下方に引く。

> 広頸筋を剥離せよ。胸鎖乳突筋の表面には静脈が走っており，また中央部後縁からは多くの神経が現れるので注意せよ（図10-5）。

□**外頸静脈** V. jugularis externa：胸鎖乳突筋の上をほぼ垂直に下行し，鎖骨上縁の高さで胸鎖乳突筋の後縁において鎖骨

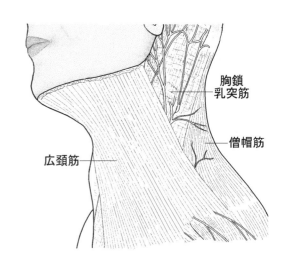

図10-3　頸部の皮膚切開線（点線）

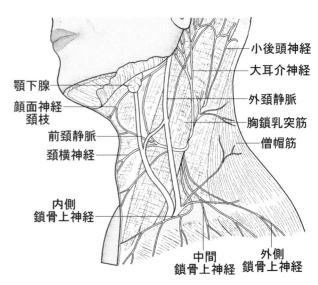

図10-4　広頸部

図10-5　頸部の皮神経

下静脈に注ぐ。
- □前頸静脈 V. jugularis anterior：胸鎖乳突筋の前から胸鎖乳突筋の上を斜めに横切って下行し，外頸静脈に注ぐ。
- □小後頭神経 N. occipitalis minor（C_2〜C_3）：胸鎖乳突筋の後縁を上行する。
- □大耳介神経 N. auricularis magnus（C_3〜C_4）：胸鎖乳突筋の後縁から出て，外頸静脈に沿って上行する。
- □頸横神経 N. transversus colli（C_3）：胸鎖乳突筋の後縁で大耳介神経とほぼ同じ高さから顔を出し，胸鎖乳突筋の表面を横切る。
- □鎖骨上神経 Nn. supraclaviculares（C_3〜C_5）：胸鎖乳突筋の後縁から顔を出し，下行して鎖骨の上面や上胸部の皮下に扇状に広がる。内側，中間および外側鎖骨上神経の3部に分けられる。

胸鎖乳突筋を起始から停止まできれいに剖出せよ（図10-6）。

- □胸鎖乳突筋 M. sternocleidomastoideus：側頸部を斜め後上方に走る大きな二頭筋で，例えば顔を右に向け，そのままの状態で頸を前傾すると，左の胸鎖乳突筋が浮き出してくる。

起始：胸骨部は胸骨柄の上縁と前面，鎖骨部は鎖骨の内側1/3から起始する。

停止：乳様突起と上項線

神経：副神経 N. accessorius と頸神経叢の枝（C_2, C_3）

作用：顔を作用筋の反対方向に向ける。例えば，顔を左に向けた時には右の胸鎖乳突筋が働いている。両方が同時に収縮すると頸を後屈する。

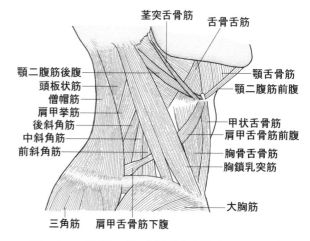

図10-6 頸部の筋（広頸筋を除去したあと）

胸鎖乳突筋を胸骨と鎖骨の起始で切断し，停止部に向かって反転せよ。この時胸鎖乳突筋の上を走る静脈や神経を同定したあと，切断してもよい。胸鎖乳突筋の深層を多くの重要な血管や神経が通過するので注意せよ（図10-7）。

- □総頸動脈 A. carotis communis：胸鎖乳突筋の前縁の深部を上行する。ここから出る動脈はなく，すぐに内頸動脈と外頸動脈に分かれる。
- □内頸静脈 V. jugularis interna：総

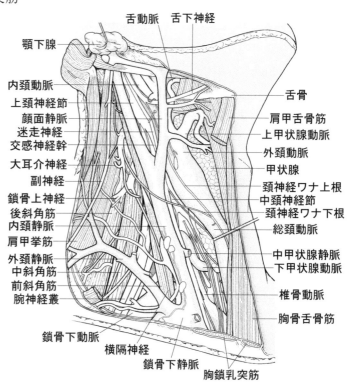

図10-7 胸鎖乳突筋部の血管と神経（胸鎖乳突筋を除去）

頚動脈の外側をほぼ平行に下行し，鎖骨下静脈と合流して腕頭静脈になる。
- □**胸管** Ductus thoracicus：左内頚静脈と左鎖骨下静脈が合流する左静脈角に注ぐ。
- □**右リンパ本幹** Ductus lymphaticus dexter：右内頚静脈と右鎖骨下静脈の合流点（右静脈角）に注ぐ。
- □**頚神経ワナ** Ansa cervicalis：上根（舌下神経 + C_1, C_2）と下根（C_2, C_3）がループを作る。内頚静脈のすぐ表層に見られる。
- □**迷走神経** N. vagus：総頚動脈と内頚静脈の間を平行に下行する。
- □**交感神経幹** Truncus sympathecus：迷走神経とともに下行する。3つの神経節を持つ。

10.2.2 前頚部の解剖

> 前頚部の表面を覆う結合組織性の頚筋膜浅葉 Lamina superficialis fasciae cervicalis を除去せよ。

1) 顎下三角

> 顎二腹筋の前腹と後腹，および下顎骨の間で以下の構造物を確認せよ（図10-8）。

- □**顔面静脈** V. facialis：顔面からの血液を集め，側頚部において内頚静脈に注ぐ。
- □**顔面動脈** A. facialis：舌動脈に次いで外頚動脈より分かれ，顔面静脈よりも少し深層を走る。下顎角のすぐ下の顎下三角で拍動を触れる。
- □**顎下腺** Glandula submandibularis：大唾液腺の一つで，導管は舌下小丘に開口する。混合腺であるが，漿液腺の割合がおよそ7割を占める。

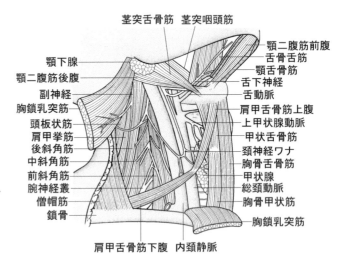

図10-8 顎下三角部の血管と神経

2) 前頚部の筋

> 表層から順に，確認できたものは起始あるいは停止で切断して反転せよ。そして，それよりも下層の構造物を観察せよ（図10-9）。

(1) 舌骨上筋群

舌骨より上にある筋で，舌骨と下顎骨や頭蓋骨の間に張って，下顎を下方に引くことによって開口運動を行う。

- □**顎二腹筋** M. digastricus：前腹と後腹からなり，支配する神経が異なる。これは，前腹は下顎突起，後腹は第2咽頭弓から発生していることを示している。
  - ・前腹 Venter anterior
    起始：舌骨体

停止：下顎骨の二腹筋窩
神経：下顎神経 N. mandibularis
・後腹 Venter posterior
起始：側頭骨乳突切痕
停止：舌骨体
神経：顔面神経 N. facialis
作用：舌骨を引き下げる。舌骨が固定されていると下顎を引き下げ，嚥下運動を助ける。

□**茎突舌骨筋** M. stylohyoideus：側頭骨の茎状突起から斜め下内方に走る。
起始：茎状突起
停止：舌骨小角
神経：顔面神経 N. facialis
作用：舌骨を後上方に引く。

□**顎舌骨筋** M. mylohyoideus
起始：下顎骨顎舌骨筋線
停止：舌骨体，下顎骨と舌骨間の中心縫線
神経：顎舌骨神経 N. mylohyoideus
作用：舌骨を挙上し，舌骨を固定すると下顎を引き下げる。

□**オトガイ舌骨筋** M. geniohyoideus：顎二腹筋を舌骨の付着部で切断し，反転するとその奥に現れる。
起始：オトガイ棘
停止：舌骨体
神経：舌下神経 N. hypoglossus
作用：舌骨を前上方に引く。舌骨を固定すると下顎骨を引き下げる。

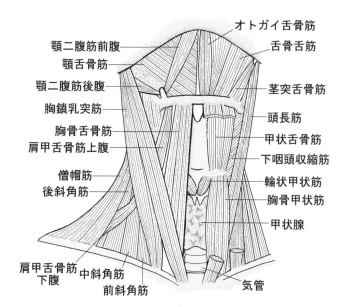

図 10-9　前頚部の筋（舌骨筋群）

(2) 舌骨下筋群
　舌骨と胸骨あるいは甲状軟骨との間に張って，舌骨を下に引いて開口運動を補助する。頚神経ワナ Ansa cervicalis に支配される。

□**胸骨舌骨筋** M. sternohyoideus
起始：胸骨柄，鎖骨胸骨端
停止：舌骨体
作用：舌骨を下方に引く。

□**胸骨甲状筋** M. sternothyreoideus
起始：胸骨柄，第1肋軟骨
停止：甲状軟骨
作用：甲状軟骨を下方に引く。

□**甲状舌骨筋** M. thyreohyoideus
起始：甲状軟骨
停止：舌骨大角

作用：舌骨を引き下げる。舌骨を固定すると甲状軟骨を引き上げる。

□**肩甲舌骨筋** M. omohyoideus：下腹と上腹からなる二腹筋で，頚神経ワナに支配される。

・下腹 Venter inferior
　　起始：肩甲骨上縁，肩甲横靱帯
　　停止：気管前葉
・上腹 Venter superior
　　起始：気管前葉
　　停止：舌骨体

作用：舌骨を後下方に引き，頚筋膜を緊張させる。

3）前頚部の筋よりも深部の解剖

> 表面にある筋の起始または停止を切断して反転すると，以下の構造物が現れる（図10-10）。

□**舌骨** Os hyoideum
□**甲状軟骨** Cartilago thyroidea
□**輪状軟骨** Cartilago cricoidea
□**気管** Trachea
□**甲状腺** Glandula thyroidea：輪状軟骨の下方で，気管の前面に付着する内分泌腺。
　右葉と左葉 Lobus dexter et sinister
　甲状腺峡部 Isthmus glandulae thyroideae
□**上皮小体** Glandula parathyroidea：甲状腺の裏に付着する上下2対の米粒大の内分泌腺。
□**上，中，下甲状腺動脈** A. thyroidea superior, media et inferior
□**食道** Esophagus：頚部では気管の深部をほぼ平行に下行する（図10-11）。
□**反回神経** N. laryngeus recurrens：迷走神経の枝で，気管と食道の間を上行し，喉頭の声帯筋を支配する。
・右反回神経：右鎖骨下動脈を引っかけるようにして迷走神経から分かれて上行する。
・左反回神経：大動脈弓を引っかけるようにして迷走神経から分かれて上行する。
□**下喉頭神経** N. laryngeus inferior：反回神経の枝で，気管と食道の間を上行する。

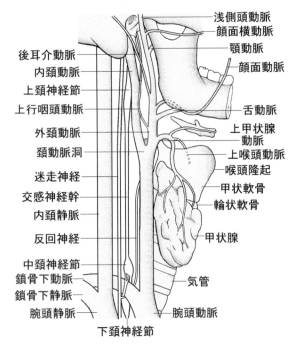

図10-10　頚部の血管と神経

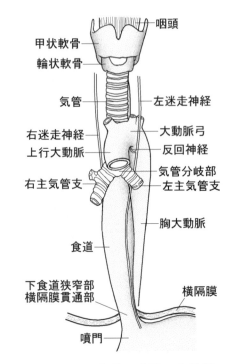

図10-11　気管、食道、大動脈

4）頚動脈三角

頚動脈三角 Trigonum caroticum は胸鎖乳突筋の前縁，肩甲舌骨筋の上腹，顎二腹筋の後腹で囲

まれる領域で，深部を総頸動脈，内頸動脈，迷走神経，交感神経幹などが通る（図10-10を参照）。
- □**内頸静脈** V. jugularis interna：主として脳からの血液を集め，甲状腺の下方で鎖骨下静脈と合流して腕頭静脈になる。
- □**総頸動脈** A. carotis communis：喉頭隆起のやや上の高さ（第4頸椎）で内頸動脈と外頸動脈に分かれる。甲状軟骨上縁の高さで，胸鎖乳突筋の前縁（頸動脈三角）を押さえると総頸動脈の脈を触れる。
- □**内頸動脈** A. carotis interna：総頸動脈から外頸動脈と分岐した後，頭蓋腔に入るまで枝分かれしない。
- □**外頸動脈** A. carotis externa：すぐに上甲状腺動脈や上行咽頭動脈，舌動脈などの枝を出すので，内頸動脈と簡単に区別できる（図10-12）。
    - **頸動脈小体** Glomus caroticum：頸動脈分岐部の内側にある小体で，血液中のO_2やCO_2の濃度を感知する。肉眼での同定は困難である。
    - **頸動脈洞** Sinus caroticus：内頸動脈起始部のやや膨らんだ部位で，血圧の受容器である。
- □**迷走神経** N. vagus：頸動脈鞘に包まれて総頸動脈と内頸静脈に伴行する。
- □**頸部交感神経幹**：迷走神経よりも深部を，これとほぼ平行に走る。3つの神経節を持っている。
    - □**上頸神経節** Ganglion cervicale superius：第2～3頸椎の高さにあり，長さ2.5cm程の細長い紡錘形をしている。神経節から細い枝を多数出す。
    - □**中頸神経節** Ganglion cervicale medium：小さいので同定しづらい。
    - □**頸胸神経節** Ganglion cervicothoracicum（星状神経節 Ganglion stellatum）：交感神経幹が鎖骨下動脈の下に潜り込む直前にある。明瞭な膨らみを持つ。

5）外頸動脈の枝

外頸動脈を上方に向かって剖出していくと，順に以下の動脈を出すが，現段階では全部を追跡することはできない（図10-12）。
- □**上甲状腺動脈** A. thyroidea superior
- □**上行咽頭動脈** A. pharyngea ascendens
- □**舌動脈** A. lingualis
- □**顔面動脈** A. facialis：下顎角の高さで分かれ，顔面の表面近くに広く分布する。
- □**後頭動脈** A. occipitalis
- □**後耳介動脈** A. auricularis posterior：外耳孔の下を後方に向かう。
- □**顎動脈** A. maxillaris：顎関節の下方で分かれ，顔面の深部に向かう。
- □**顔面横動脈** A. transversa faciei
- □**中側頭動脈** A. temporalis media
- □**浅側頭動脈** A. temporalis superficialis：外耳孔の前を通って側頭部に扇状に広がる。 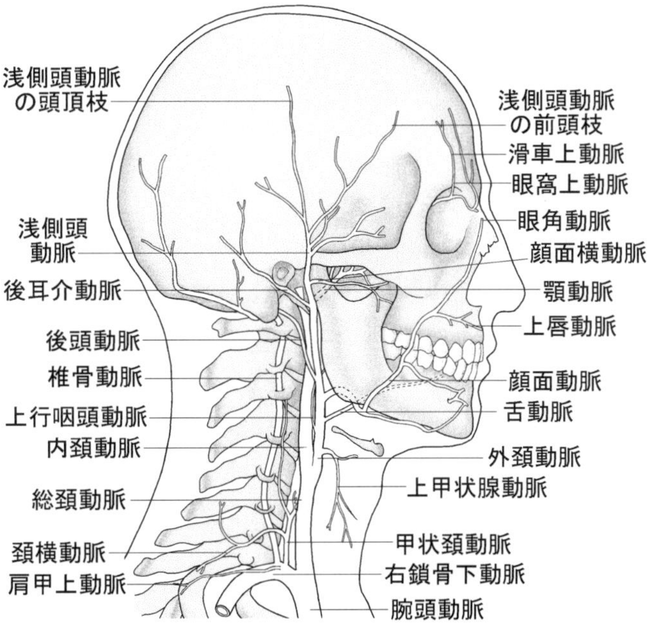

図10-12　外頸動脈の分布

10.2.3 外側頸部の解剖

外側頸部 Pars cervicalis lateralis は前頸部のうちで,胸鎖乳突筋の後縁よりも外側の領域をさし,大鎖骨上窩を含む。

1) 外側頸部の筋

> 頸筋膜の気管前葉を観察した後,これを除去せよ。そして胸鎖乳突筋の後方で以下の筋を同定せよ（図10-13）。

斜角筋群 Mm. scaleni は前斜角筋,中斜角筋,後斜角筋からなり,頸神経叢の枝（C_2～C_8）に支配される。前斜角筋と中斜角筋は第1肋骨,後斜角筋は第2肋骨を引き上げる。また,肋骨が固定されていると頸椎を前屈し,一側だけが働くと頸を同方向に倒す。

□前斜角筋 M. scalenus anterior（C_5～C_7）
起始：第3～5頸椎横突起
停止：第1肋骨の前斜角筋結節

□中斜角筋 M. scalenus medius（C_2～C_8）
起始：第1～7頸椎の横突起
停止：第1肋骨の鎖骨下動脈溝と第2肋骨

□後斜角筋 M. scalenus posterior（C_5～C_8）
起始：第5～7頸椎横突起
停止：第2,3肋骨椎前筋

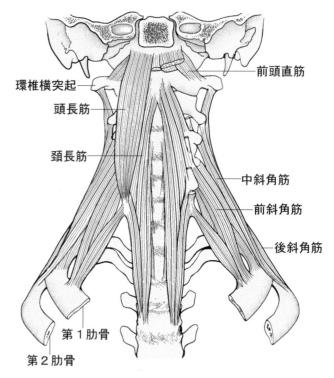

図10-13 斜角筋と椎前筋群

2) 椎前筋群

椎前筋群は喉頭や気管,食道などに覆われているので現時点では全貌を観察することができない。頭部離断後に観察することができる。

□頸長筋 M. longus colli：垂直部,上斜部,下斜部の3部から構成され,頸神経叢（C_2～C_6）に支配される。

①垂直部 Pars verticalis
　起始：第5頸椎～上部胸椎の椎体
　停止：第2～4頸椎の椎体

②上斜部 Pars obliqua superior
　起始：第3～6頸椎横突起
　停止：環椎の前結節

③下斜部 Pars obliqua superior
　起始：第1〜3胸椎体
　停止：第5〜7頸椎の横突起
☐頭長筋 M. longus capitis（頸神経叢枝 C_1〜C_5）
起始：第3〜6頸椎横突起
停止：後頭骨の咽頭結節
☐前頭直筋 M. rectus capitis anterior（C_1, C_2 の前枝）
起始：環椎の横突起
停止：大後頭孔の前端
☐外側頭直筋 M. rectus capitis lateralis（C_1, C_2 の前枝）
起始：環椎横突起の前部
停止：頸静脈孔の後外側部，後頭顆の外側部

3）外側頸部の神経

☐副神経 N. accessorius：胸鎖乳突筋の後縁から顔を出し，肩甲挙筋の表面を下行して僧帽筋に入る。胸鎖乳突筋を起始で切断し，上方に向って3/4以上反転すると見えてくる。
☐頸神経叢 Plexus cervicalis：C_1〜C_4 の前枝で構成される（図10-14）。
☐頸神経ワナ Ansa cervicalis：上根（舌下神経＋C_1, C_2）と下根（C_2, C_3）がループを作る。内頸静脈の上に見られる。
☐横隔神経 N. phrenicus（C_3〜C_5：C_4 が中心）：前斜角筋の前を通る。横隔膜を支配する。
☐腕神経叢 Plexus brachialis：C_5〜Th_1 の前枝から構成される神経叢で，鎖骨下動脈とともに前斜角筋と中斜角筋の間を通って外下方に伸びる（図10-15）。
　鎖骨と斜めに交わるので，鎖骨上部と鎖骨下部に分けられる。現時点では鎖骨上部から出る神経の一部が観察できるだけである。

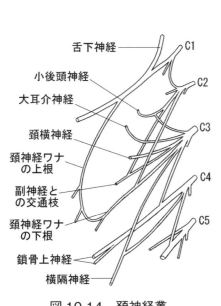

図10-14　頸神経叢

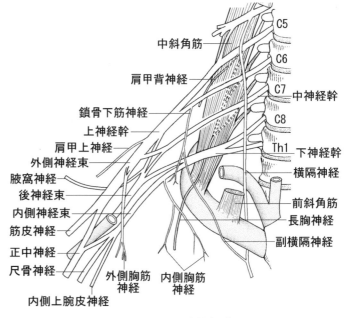

図10-15　腕神経叢

4）腕神経叢の鎖骨上部から出る枝

☐肩甲背神経 N. dorsalis scapulae：中斜角筋を貫き，大・小菱形筋と肩甲挙筋にいく。

□鎖骨下筋神経 N. subclavius：鎖骨下筋にいく。
□長胸神経 N. thoracicus longus：前鋸筋にいく。
□肩甲上神経 N. suprascapularis：肩甲切痕を通って棘上筋と棘下筋にいく。

10.2.4 胸鎖関節の観察

胸鎖関節 Articulatio sternoclavicularis は胸骨柄の鎖骨切痕と鎖骨胸骨端が作る関節で、以下の靱帯で結合する（図10-16）。
□前胸鎖靱帯 Lig. sternoclaviculare anterius
□後胸鎖靱帯 Lig. sternoclaviculare posterius
□肋鎖靱帯 Lig. costoclaviculare
□鎖骨間靱帯 Lig. interclaviculare
□関節円板 Discus articularis：関節内にあり、線維軟骨でできている。

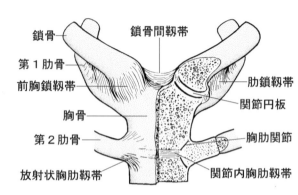

図10-16　胸鎖関節

これらの靱帯を観察し終われば順次切断せよ。この時、鎖骨の下を重要な血管や神経が走っているので、これらを傷つけないように注意せよ。

鎖骨下動脈とその枝（図10-17）
□鎖骨下動脈 A. subclavia：右は腕頭動脈から、左は大動脈弓から直接出る太い動脈で、鎖骨の奥を外方向に向かって走る。鎖骨下動脈は起始部から第1肋骨の外側縁までで、腋窩動脈に移行するまでに以下の枝を出す。
□椎骨動脈 A. vertebralis：鎖骨下動脈の最初の枝で、上行して脳に向かう。
□甲状頸動脈 Truncus thyrocervicalis：椎骨動脈のすぐ外側で起こり、上方に向かってすぐに下甲状腺動脈 A. thyroidea inferior と上行頸動脈 A. cervicalis ascendens、頸横動脈 A. transversa colli に枝分かれする。

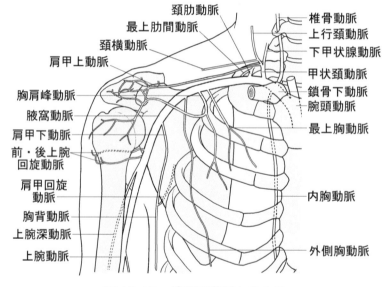

図10-17　鎖骨下動脈とその枝

□内胸動脈 A. thoracica interna：甲状頸動脈とほぼ同じ場所から下方に向かう。
□頸肋動脈 Truncus costocervicalis：甲状頸動脈のすぐ外側から上方に向かう。
□鎖骨下静脈 V. subclavia：前斜角筋の前を通る。
　これらの血管は上肢の解剖（☞ p.240：14章）において、鎖骨を除去すると全貌が観察できる。

10.3 頭部の体表解剖

10.3.1 頭部表面からの観察

体表から以下の構造物を観察せよ（図10-18）。

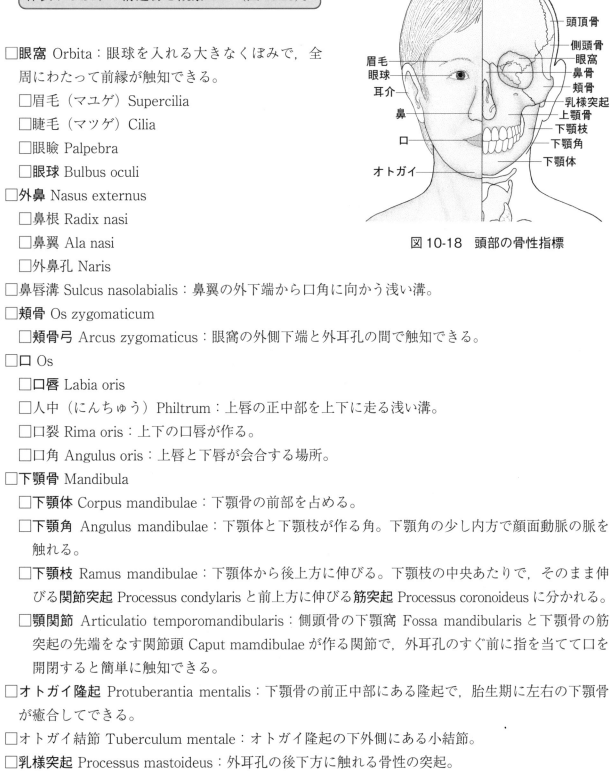

図10-18 頭部の骨性指標

□眼窩 Orbita：眼球を入れる大きなくぼみで，全周にわたって前縁が触知できる。
　□眉毛（マユゲ）Supercilia
　□睫毛（マツゲ）Cilia
　□眼瞼 Palpebra
　□眼球 Bulbus oculi
□外鼻 Nasus externus
　□鼻根 Radix nasi
　□鼻翼 Ala nasi
　□外鼻孔 Naris
□鼻唇溝 Sulcus nasolabialis：鼻翼の外下端から口角に向かう浅い溝。
□頬骨 Os zygomaticum
　□頬骨弓 Arcus zygomaticus：眼窩の外側下端と外耳孔の間で触知できる。
□口 Os
　□口唇 Labia oris
　□人中（にんちゅう）Philtrum：上唇の正中部を上下に走る浅い溝。
　□口裂 Rima oris：上下の口唇が作る。
　□口角 Angulus oris：上唇と下唇が会合する場所。
□下顎骨 Mandibula
　□下顎体 Corpus mandibulae：下顎骨の前部を占める。
　□下顎角 Angulus mandibulae：下顎体と下顎枝が作る角。下顎角の少し内方で顔面動脈の脈を触れる。
　□下顎枝 Ramus mandibulae：下顎体から後上方に伸びる。下顎枝の中央あたりで，そのまま伸びる関節突起 Processus condylaris と前上方に伸びる筋突起 Processus coronoideus に分かれる。
　□顎関節 Articulatio temporomandibularis：側頭骨の下顎窩 Fossa mandibularis と下顎骨の筋突起の先端をなす関節頭 Caput mamdibulae が作る関節で，外耳孔のすぐ前に指を当てて口を開閉すると簡単に触知できる。
□オトガイ隆起 Protuberantia mentalis：下顎骨の前正中部にある隆起で，胎生期に左右の下顎骨が癒合してできる。
□オトガイ結節 Tuberculum mentale：オトガイ隆起の下外側にある小結節。
□乳様突起 Processus mastoideus：外耳孔の後下方に触れる骨性の突起。
□上項線 Linea nuchae superior：頭部後面で触れることのできる後頭骨の下縁。
□外後頭隆起 Protuberantia occipitalis externa：上項線の正中部でやや突出している。イニオン Inion とも呼ばれる。

10.3.2 頭部の区分

1) 頭の区分
頭部は以下の4部に区分される（図10-19）。
- 前頭部 Regio frontalis
- 頭頂部 Regio parietalis
- 側頭部 Regio temporalis
- 後頭部 Regio occipitalis

2) 顔面の区分 Regiones faciales
顔面は以下の7部に区分される（図10-19）。
- 眼窩部 Regio orbitalis
- 眼窩下部 Regio infraorbitalis
- 頬骨部 Regio zygomatica
- 頬部 Regio buccalis
- 鼻部 Regio nasalis
- 口部 Regio oralis
- オトガイ部 Regio mentalis

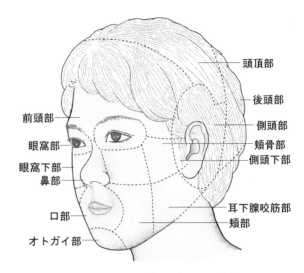

図10-19　頭部と顔面の区分

10.4　顔面の解剖

10.4.1　顔面浅層の解剖

> 図のように切開線を入れて顔面の皮膚を剥離せよ（図10-20）。顔面の表情筋をきれいに剥離するには非常に慎重な作業が必要である（図10-20）。表情筋はすべて顔面神経 N. facialis に支配される。

1) 表情筋の解剖
表情筋は皮膚に停止するので，皮筋とも呼ばれる。

☐**広頚筋** Platysma（図10-4を参照）
起始：胸部上部，筋三角部の筋膜や皮膚
停止：顎下部の表情筋に交わる。
神経：顔面神経 N. facialis

☐**前頭筋** Venter frontalis：前頭部にあり，額に横皺を作る。上方では，頭頂部を覆う**帽状腱膜** Galea aponeurotica に移行する。

☐**前・上・後耳介筋** M. auricularis anterior, superior et posterior：耳介の前，上および後ろにある。ヒトでは退化しているので，耳

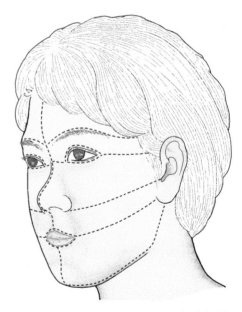

図10-20　顔面の皮膚切開線（点線）

を動かせる人は少ない。
- □**眼輪筋** M. orbicularis oculi：眼裂を取り巻いて眼瞼を閉じる。
- □**皺眉筋** M. corrugator supercili：眼輪筋に覆われている。鼻根上部に皺を作る（眉をひそめる）。
- □**眉毛下制筋** M. depressor supercili：眼輪筋の内側部に続く。
- □**鼻根筋** M. procerus：鼻背から起こり額の皮膚に停止する小さな筋で，眉間の皮膚を下方に引き下げて鼻根に皺を作る。
- □**鼻筋** M. nasalis：犬歯と切歯の歯槽隆起から起こり，鼻背，鼻翼，鼻中隔に向かう。収縮すると鼻翼は後下方に引き下げられ，外鼻孔が狭くなる。
- □**鼻中隔下制筋** M. depressor septi：鼻中隔を引き下げ，鼻孔を広げる。

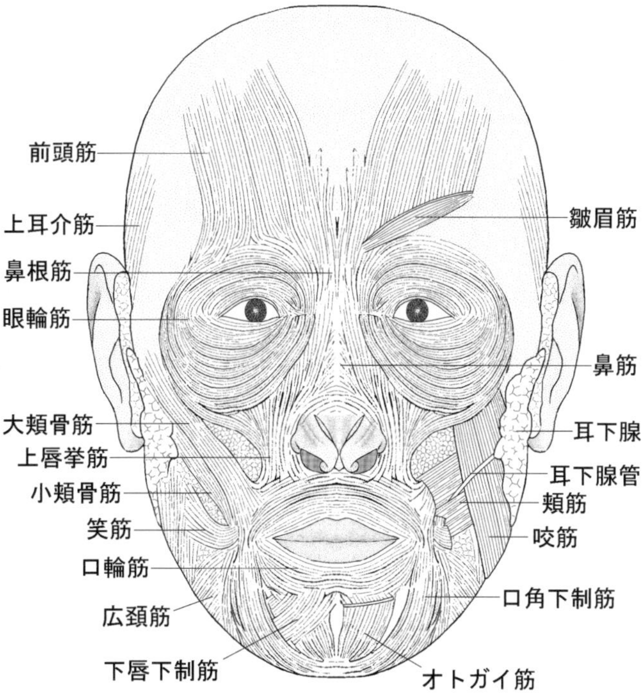

図 10-21　顔面の表情筋

- □**口輪筋** M. orbicularis oris：口唇にあって，口裂を囲む。
- □**上唇鼻翼挙筋** M. levator labii superioris alaeque nasi：内眼角から起こり，鼻根筋の表層を覆いながら上唇に停止する。鼻翼を引き上げて外鼻孔を拡げる。
- □**小頬骨筋** M. zygomaticus minor：頬骨から起こり，内下方に走って上唇に終わる。上唇挙筋の外側にあり，口角を引き上げて笑いや喜びの表情を表す。
- □**大頬骨筋** M. zygomaticus major：頬骨から起こり，小頬骨筋の下外側を平行に走り，口角の皮膚に終わる。口角を上外方に引き上げ，笑いや喜びの表情を作る。
- □**上唇挙筋** M. levator labii superioris：眼窩下口付近から起こり，上唇に終わる。上唇を引き上げる。
- □**口角挙筋** M. levator anguli oris：犬歯窩から起こり下方に向かって口角に終わる。小頬骨筋のすぐ深層にあり，口角を引き上げる。
- □**笑筋** M. risorius：咬筋筋膜から起こり，前内方に走って口角に終わる。口角を外上方に引き上げて笑みを作る。よく発達した人ではえくぼを作る。
- □**口角下制筋** M. depressor anguli oris：下顎体の下縁から起こり，上方に集束して口角に終わる。口角を引き下げて，口をへの字に曲げる。
- □**オトガイ筋** M. mentalis：外側切歯の歯槽隆起のところで下顎骨より起こり，オトガイの皮膚に終わる。オトガイ唇溝を作る。
- □**オトガイ横筋** M. transversus menti：口角下制筋がよく発達した人に見られ，二重アゴを作る。
- □**頬筋** M. buccinator：深層にあり，頬を膨らませて息を吹き出す（ラッパを吹く）時に使われる。口角を外方に引いて頬粘膜を拡張させ，ヒダを無くする。

顔面の表情筋を剥離せよ。その下に血管や神経が現れる。

2）顔面表層の神経の観察

□**大耳介神経** N. auricularis magnus：耳の直前を上方に広がる。
□**眼窩上神経** N. supraorbitalis：眼神経の枝で，上眼窩孔より出て前頭部に広がる。
□**眼窩下神経** N. infraorbitalis：上顎神経の枝で，下眼窩孔より出て上顎部に広がる。
□**オトガイ神経** N. mentalis：下顎神経の枝で，オトガイ孔より出て口角外下部に広がる。
これらの神経はほぼ垂直線上から顔を出す。
□**顔面神経** N. facialis：運動性線維は，耳下腺の内側から出て上顎部と下顎部に扇状に広がる。

3）顔面の動脈の観察（図10-12を参照）

□**顔面動脈** A. facialis：耳介の下端の高さで外頚動脈から分枝し，咬筋の表面を通って口角に向かう。下顎角のすぐ前に指を当てて，下顎骨を下から押し上げると，顔面動脈の拍動を触れる。
　下唇動脈 A. labialis inferior：下唇の中を前方に進む。
　上唇動脈 A. labialis superior：上唇の中を前方に進む。
　眼角動脈 A. angularis：顔面動脈の続きで，外鼻に沿って上行し，内眼角に向かう。
□**後耳介動脈** A. auricularis posterior：外耳孔に向かって後方に進む。
□**顎動脈** A. maxillaris：外頚動脈の枝で，外耳孔の高さに始まり，咬筋の下にもぐる。
　□**中硬膜動脈** A. meningea media：棘孔を通って頭蓋に入り，脳硬膜の大部分に分布する。
□顔面横動脈 A. transversa faciei
□**浅側頭動脈** A. temporalis superficialis：外頚動脈の終枝で，耳の前を通って側頭部に広がる。外耳孔のすぐ前を指で押さえると脈拍を触れる。

4）顔面の静脈の観察

□**内頚静脈** V. jugularis interna：内頚動脈の分布領域（脳）からの血液を集め，頚静脈孔から頭蓋を出る。外頚動脈の分布領域からの静脈も合流する。鎖骨の高さで鎖骨下静脈と合流する場所を静脈角 Angulus venosus という。
□**外頚静脈** V. jugularis externa：内頚静脈の後方を下行して鎖骨下静脈に合流する（図10-22）。
□前頚静脈 V. jugularis anterior
□**顔面静脈** V. facialis：内頚静脈に合流する。
□後頭静脈 V. occipitalis：外頚静脈に続く。
□後耳介静脈 V. auricularis posterior：外頚静脈に流入する。
□下顎後静脈 V. retromandibularis：浅側頭静脈の続き。
□**浅側頭静脈** V. temporalis superficialis：浅側頭動脈の分布とほぼ一致する。顔面静脈と合流して内頚静脈に注ぐ。

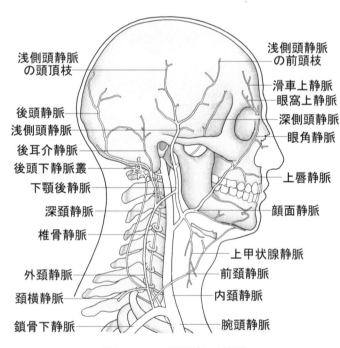

図10-22　頭頚部の静脈

10.4.2 顔面深層の解剖

> 咬筋筋膜と耳下腺筋膜を剥離して次の構造物を観察せよ（図10-21, 10-23）。

- □**耳下腺** Glandula parotis：最大の唾液腺で，下顎枝と咬筋の上にある。純奨液腺で，サラサラの唾液を分泌する。
- □**耳下腺管** Ductus parotideus：太さ3〜4mm，長さ5〜6cmの管で，咬筋の上を前方に進み，咬筋の前縁で頬筋を貫いて，上顎の第2大臼歯に面した耳下腺乳頭 Papilla parotidea において口腔に開口する。

  耳下腺の中を貫いた顔面神経が頬部に放射状に広がる。

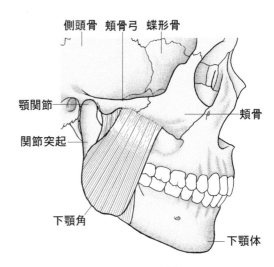

図10-23　咬筋

- □**咬筋** M. masseter：浅部線維と深部線維の2部から構成される。

起始：浅部線維は頬骨弓の前部と中部の下縁から起こり，斜め後ろ下方に走る。深部線維は頬骨弓の中部および後部の後面から起こり，ほぼ垂直に下行する。

停止：下顎骨筋突起外側表面，下顎枝，下顎角外側表面

神経：咬筋神経 N. massetericus（下顎神経の枝）

作用：下顎を引き上げる。下顎角と頬骨弓を結ぶ領域に指腹を当てて，奥歯を食いしばると硬くなった筋腹を触れる。

> 鋸を使って頬骨弓の前端と後端で切断し，咬筋を下方に反転せよ。側頭筋の停止が見える（図10-24）。

- □**側頭筋** M. temporalis：側頭部を扇状に覆う。

起始：側頭窩，下側頭線

停止：筋突起先端の内側面，下顎枝の前部〜第3大臼歯の上方。

神経：深側頭神経 N. temporalis profundus（下顎神経の枝）

作用：下顎を引き上げ，かつ後方に引く。頬骨弓から側頭部にかけて手を当てる

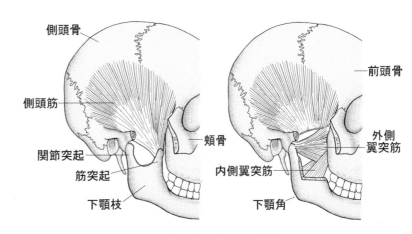

図10-24　側頭筋（左）と翼突筋（右）

と，手掌が当たる領域に筋腹が広がる。この状態で奥歯を噛みしめると，収縮する側頭筋の筋腹が当てた手掌部分で触知できる。

深側頭神経と深側頭動脈を剖出した後側頭下窩を開け。次いで下顎頭を残して，下顎頸と下顎枝の部分で下顎骨を切断せよ（図 10-25）。この時，下歯槽神経や下歯槽動脈を切らないように注意せよ。

□**内側翼突筋** M. pterygoideus medialis
起始：翼突窩とこれに接する上顎の一部，翼状突起外側板下端
停止：下顎骨内側の翼突筋粗面
神経：内側翼突筋神経 N. pterygoideus medialis（下顎神経の枝）
作用：下顎骨を引き上げ，下顎骨を前方に移動するのを助ける。また，下顎を外側にずらしたり，回旋する運動に協調する。

□**外側翼突筋** M. pterygoideus lateralis
起始：蝶形骨側頭下稜（上頭），外側翼突板外側表面（下頭）
停止：下顎頸の前部，下顎関節の関節包
神経：外側翼突筋神経 N. pterygoideus lateralis（下顎神経の枝）
作用：下顎骨のすべての運動を助ける。両方が同時に働くと下顎を前方に付き出し，一側が働くと下顎は他側の関節頭を中心にして前方に回転する。両側が交互に作用すると臼歯によるすりつぶし運動ができる。

顎関節

顎関節 Auticulatio temporomandibularis は側頭骨の下顎窩 Fovea mandibularis と下顎骨の関節頭 Caput mandibulae からなり，両者の間には関節円板 Discus articularis が介在する（図 10-25）。口の開閉を行う。外耳孔のすぐ前にあるので，外耳孔に小指を入れて口を開閉すると，動く関節頭がわかる。

・関節包 Capsula articularis：顎関節全体を緩く包む。
・外側靱帯 Lig. laterale：関節包の外側面を補強する。
・茎突下顎靱帯 Lig. stylomandibulare：茎状突起の先端から下顎枝の後縁に至る。関節包とは直接接触しない。
・蝶下顎靱帯 Lig. sphenomandibulare：蝶形骨棘から下顎骨小舌に至る。関節包とは直接接触しない。

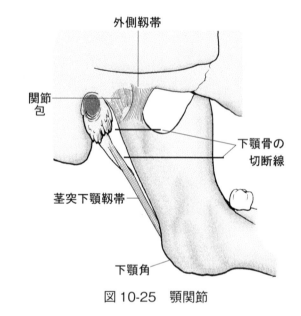

図 10-25　顎関節

顎関節付近の靱帯を切断せよ。そして関節包を切開して関節頭を外せ。頬脂肪体を除去して外側翼突筋を外前方に反転し，翼突筋静脈叢や顎静脈も除去せよ。

10.4.3 側頭下窩の解剖

1) 側頭下窩における神経の観察（図10-26）

□下顎神経 N. mandibularis：卵円孔から顔を出し，放射状に以下の神経に枝分かれする。

　□耳介側頭神経 N. auriculotemporalis：浅側頭動脈に伴行する。

　□深側頭神経 N. temporalis profundus：運動性の成分で，側頭筋を支配する。

　□外側翼突筋神経 N. pterygoideus lateralis：運動性の成分で，外側翼突筋を支配する。

　□内側翼突筋神経 N. pterygoideus medialis：運動性の成分で，内側翼突筋を支配する。

　□咬筋神経 N. massetericus：運動性の成分で，咬筋を支配する。

　□頬神経 N. buccalis：頬部の皮膚や粘膜に分布。

　□下歯槽神経 N. alveolaris inferior：下顎孔に入る。

　□舌神経 N. lingualis：感覚性で舌の一般知覚を司る。

□鼓索神経 Chorda tympani：顔面神経（中間神経）の感覚性で舌神経に合流し，舌体の味覚を伝える。

□耳神経節 Ganglion oticum：卵円孔の直下で，下顎神経の内側，内側翼突筋の後縁にある。

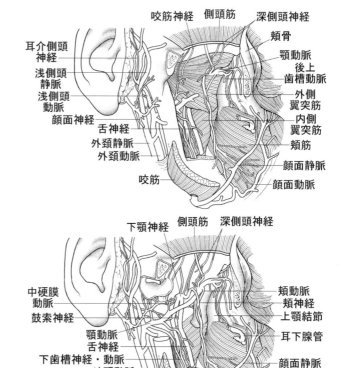

図10-26　側頭下窩
上：咬筋と頬骨弓を除去、下：外側翼突筋を除去

2) 動脈の観察

□顎動脈 A. maxillaris：外耳孔の高さで外頸動脈は顎動脈と浅側頭動脈に分かれる。顎動脈は前方に向かい，以下の枝を出す。

　□中硬膜動脈 A. meningenia media：棘孔を通って中頭蓋窩に入り，脳硬膜に分布する。

　□下歯槽動脈 A. alveolaris inferior：下歯槽神経に伴行して下顎孔に入る。

　□深側頭動脈 A. temporalis profunda：側頭筋を養う。

3) 舌周辺の筋と神経

□顎二腹筋後腹 Venter posterior M. digastricus：側頭骨の乳突切痕から起こり，前下方に走る。

□茎突舌骨筋 M. stylohyoideus：茎状突起の上外側部から起こり，顎二腹筋後腹の外側を前下方に走る。

□茎突舌筋 M. styloglossus

□茎突咽頭筋 M. stylopharyngeus

□舌咽神経 N. glossopharyngeus：茎突舌筋と茎突咽頭筋の間を通る。舌根部に分布して一般知覚

と味覚を伝える。
- □**顔面神経** N. facialis：茎乳突孔から顔を出す。一部は鼓索神経となって舌神経と合流するが，運動線維は耳下腺の中から放射状に顔面の表情筋に広がる。

10.5 頭蓋内の解剖

10.5.1 脳の摘出

以下の方法に従って脳を摘出せよ。
- 遺体を背臥位にして，頚の下に木枕を置け。
- メスを用いて頭頂から左右の耳介頂点に向かって頭皮を切れ。
- 頭皮を頭蓋骨から剥離して前後方に反転せよ。
- ギプスカッター（電動回転鋸）を用いて，外後頭隆起のやや上と眉弓を結ぶ線上で，頭蓋骨を全周にわたって切れ。この時，脳硬膜を傷つけないように注意せよ。切り残した骨はノミを使って割った方が安全である。
- 脳硬膜を頭蓋骨から剥離し，頭蓋冠を取り外せ。
- ハサミを用いて正中矢状線から両側に1cm離れた線で脳硬膜を切れ。また，骨の切断線に沿って脳硬膜を耳の後方まで切り，脳硬膜を両外方に反転せよ。
- ハサミで大脳鎌の前端を鶏冠から切断し，大脳鎌を後方に反転せよ。
- 左手で脳を支えながら，右手の指を前頭葉の下面に入れて嗅球を頭蓋底から剥がせ。嗅神経は細いので，この操作で切れてしまう。
- 視神経と眼動脈を視神経管の入口で切れ。
- 下垂体漏斗を切れ。
- 動眼神経と滑車神経を上眼窩裂の入口で切れ。
- 内頚動脈を下垂体漏斗の両側で切れ。
- 自由になった部分の脳をさらに手前に少し引くと，小脳テントが見えてくる。メスを用いて小脳テントを頭蓋骨に沿ってできるだけ後方まで切れ（両側）。
- 三叉神経を橋の表面から少し残して切れ。
- 外転神経を頭蓋骨面から少し残して切れ。
- 顔面神経と内耳神経を内耳孔から少し残して切れ。
- 内頚静脈，舌咽神経，迷走神経副神経を頚静脈孔から少し残して切れ。
- 舌下神経を舌下神経管から少し残して切れ。
- 延髄と椎骨動脈を大後頭孔の高さで切れ。
- 脳の上面に左手掌を当て，右の手で脳を手前に引くと，脳を取り出すことができる。
- 脳硬膜と頭蓋冠を元通りにして，頭皮をかぶせよ。
- 取り出した脳や脳硬膜，頭蓋窩を観察せよ。

10.5.2 脳の観察

> 取り出した脳の解剖は中枢神経系の項に詳しく記載している（p.365～400）。ここでは脳の底面から出る脳神経を確認せよ（図10-27）。

- □嗅神経 N. olfactorius
- □視神経 N. opticus
- □動眼神経 N. oculomotorius
- □滑車神経 N. trochlearis
- □三叉神経 N. trigemimus
- □外転神経 N. abducens
- □顔面神経 N. facialis
- □内耳神経 N. vestibulo-cochlearis
- □舌咽神経 N. glossopharyngeus
- □副神経 N. accessorius
- □迷走神経 N. vagus
- □舌下神経 N. hypoglossus

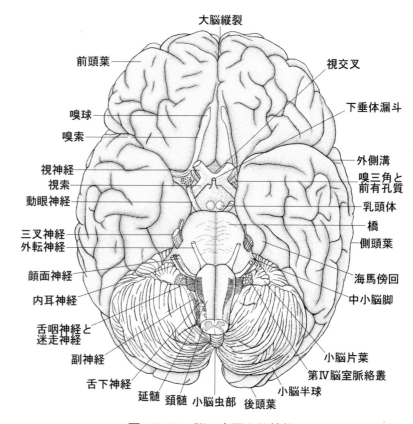

図 10-27　脳の底面と脳神経

10.5.3 脳膜

脳膜 Meninges encephali は脳実質を包む被膜で、以下の3層から構成される（図10-28）。

- □**脳硬膜** Dura mater encephali：外葉（頭蓋骨の骨膜）と内葉（脳固有の硬膜）からなる。大部分では外葉と内葉が密着しているが、一部でその中に**硬膜静脈洞** Sinus durae matris が通る。
- □**脳クモ膜** Arachnoidea encephali：薄くて軟らかい結合組織性の被膜。取り出した脳の表面を覆っている。
- □**脳軟膜** Pia mater encephali：脳実質に密着する非常に薄い結合組織性の被膜で、血管に富む。
- □**硬膜下腔** Cavum subdurale：硬膜とクモ膜の間の狭い腔所。
- □**クモ膜下腔** Cavum subarachnoideale：クモ膜と軟膜の間の腔所で、脳脊髄液で満たされている。
- □**クモ膜顆粒** Granulationes arachnoideale：クモ膜下腔を流れる脳脊髄液を吸収して静脈洞に排出する。

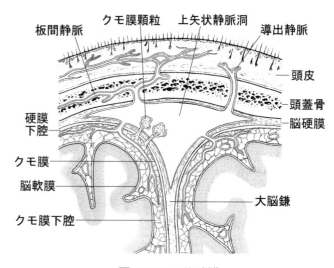

図 10-28　脳髄膜

脳硬膜

脳硬膜は以下の3ヶ所で脳に向かって大きく突出し，脳を固定する（図10-29）。

- □ **大脳鎌** Falx cerebri：大脳縦裂の中で，左右の大脳半球の間に介在する。前端は鶏冠に付着し，後端は小脳テントに停止する。
- □ **小脳テント** Tentorium cerebelli：大脳横裂の中で，大脳半球と小脳の間に張る。
- □ **小脳鎌** Falx cerebelli：左右の小脳半球の間に介在する。

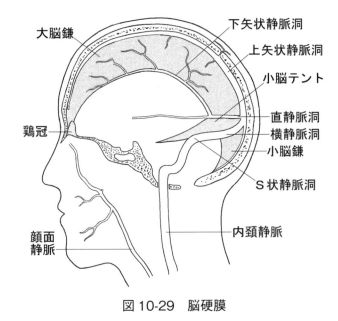

図10-29　脳硬膜

10.5.4　頭蓋窩の観察

頭蓋底は前，中，後頭蓋窩の3階構造になっている。

骨性の構造物や頭蓋から出ていく脳神経を同定せよ（図10-30）。

1) **前頭蓋窩** Fossa cranii anterior：前1/3で，最も浅い。
- □ **鶏冠** Crista galli：前頭蓋窩の前端正中部にある骨性の突起で，大脳鎌が付着する。
- □ **篩板** Lamina criburosa：鶏冠の両側にあり，嗅球が載っている。
- □ **嗅神経** Nn. olfactorii：第1脳神経。篩板の穴を貫いて鼻腔に向かう。脳の摘出時に切れているので，神経線維を見つけることは困難である。

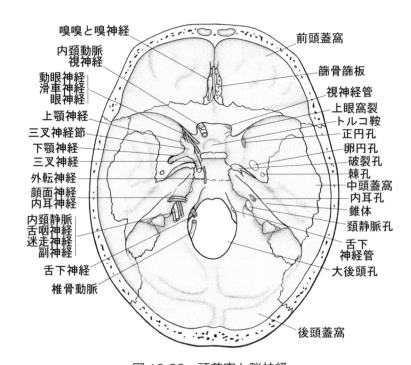

図10-30　頭蓋窩と脳神経

2) **中頭蓋窩** Fossa cranii media：頭蓋中部の両側を占める。
- □ **視神経** N. opticus：第2脳神経で，蝶形骨の小翼の下から顔を出す。
- □ **視交叉** Chiasma opticum：下垂体（トルコ鞍）の前方で左右の視神経が半交叉してできる。
- □ **視神経管** Canalis opticus：視神経と眼動脈（内頚動脈の枝）が通る。
- □ **トルコ鞍** Sella turcica：蝶形骨体の上面にできたくぼみ。
  - □ **鞍隔膜** Diaphragma sellae：トルコ鞍を覆う被膜で，中心を下垂体漏斗が貫く。
  - □ **下垂体** Hypophysis：鞍隔膜の下にあり，トルコ鞍を埋めている。
- □ **大翼** Ala major：蝶形骨のうち，蝶の羽根にあたる。
- □ **中硬膜動脈** A. meningenia media：側頭部の硬膜の中を扇状に広がる。頭蓋骨の内側面を見ると，

動脈による圧痕が刻印されている。
- □三叉神経 N. trigeminus：第5脳神経。脳神経のうちで最も太い。
- □上眼窩裂 Fissura orbitalis superior：以下のものが通る。
    - □動眼神経 N. oculomotorius：第3脳神経
    - □滑車神経 N. trochlearis：第4脳神経
    - □眼神経 N. ophthalmicus：三叉神経の第1枝。
    - □外転神経 N. abducens：第6脳神経。内頸動脈の外側を通る。

3) 後頭蓋窩 Fossa cranii posterior
- □内耳孔 Porus acusticus internus：側頭骨錐体の内側面にあり，以下のものが通る。
    - □顔面神経 N. facialis：第7脳神経。
    - □内耳神経 N. vestibulocochlearis：第8脳神経。
- □頸静脈孔 Foramen jugulare：以下のものが通る。
    - □舌咽神経 N. glossopharyngeus：第9脳神経
    - □迷走神経 N. vagus：第10脳神経
    - □副神経 N. accessorius：第11脳神経
    - □内頸静脈 V. jugularis interna
- □舌下神経管 Canalis hypoglossus：舌下神経 N. hypoglossus（第12脳神経）が通る。
- □大後頭孔 Foramen magnum：以下のものが通る。
    - □椎骨動脈 A. vertebralis：鎖骨下動脈の枝で，第6～第1頸椎の横突孔を貫き，大後頭孔から頭蓋内に進入する。
    - □延髄 Medulla oblongata：脳を摘出したあとの遺体では延髄の断面が見える。

> 硬膜を剥離して三叉神経をさらに詳細に観察せよ。

- □三叉神経 N. trigeminus
    - □三叉神経節 Ganglion trigeminale：トルコ鞍の両側斜面にある大きな神経節。そこから3本の太い神経に分かれる。
    - □眼神経 N. ophthalmicus：上眼窩裂を通って眼窩に入る。
    - □上顎神経 N. maxillaris：正円孔 Foramen rotundum を通って頭蓋を出る。
    - □下顎神経 N. mandibularis：卵円孔 Foramen ovale を通って頭蓋を出る。
- □内頸動脈 A. carotis interna：トルコ鞍の両側にある。内頸動脈の第1枝である眼動脈 A. ophthalmica は視神経管に入る。

11 腹腔および腹部内臓器の解剖

腹膜腔 Cavum peritonei は横筋筋膜に覆われており，その内面に腹膜が付着している。

11.1 腹膜腔の開検

> 図のように横筋筋膜と腹膜をハサミで切開して腹腔を開け（図 11-1）。
> ①左右の上前腸骨棘を結ぶ線。
> ②正中線のすぐ左外側で，第①線から肋骨弓まで。
> ③第①線から腹直筋の外縁に沿って鼡径靱帯まで。

11.1.1 前腹壁内面の観察

> 腹膜の内側面を観察せよ（図 11-2）。

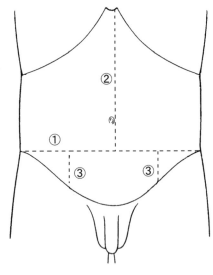

図 11-1 腹膜の切開線（点線）

1）右上部
- □肝鎌状間膜 Lig. falciforme hepatis：肝臓を右葉と左葉に分け，かつ前腹壁に連結固定する。
- □肝円索 Lig. teres hepatis：肝鎌状間膜の下縁を走る索状物で，臍から肝臓に向かって伸びる。胎生期の臍静脈が閉鎖して遺残物として残っている。

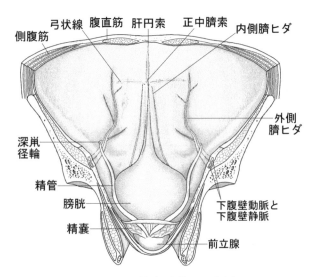

図 11-2 前腹壁後面の観察

2）正中下部
- □正中臍索 Lig. umbilicale medianum：胎生期の尿膜管の名残りで，膀胱底の正中部より腹膜に移行し，腹膜の裏側の正中線上を臍まで伸びる。
- □内側臍ヒダ（動脈索）Plica umbilicalis medialis：正中臍索の両外側で，膀胱底の外側縁から臍に向かって伸びる。胎生期の臍動脈の名残り。
- □外側臍ヒダ Plica umbilicalis lateralis：外腸骨動脈および外腸骨静脈の枝である下腹壁動脈と下腹壁静脈によってできるヒダで，腹直筋の後面を上行する。

11.1.2 腹腔内臓器の観察

> 横筋筋膜と腹膜を開き，そのままの状態で腹腔内臓器を観察せよ（図 11-3）。

- □大網 Omentum majus：腹膜直下で，消化管の前面をエプロン状に覆う前後2葉の膜で，前胃間

膜が引き伸ばされたものである。胃の大弯から始まる前葉は、腹腔の下端まで達するとこで反転し、後葉となって横行結腸の前面に付着して終わる。一面に広がる黄色い粒状のものは、ここに沈着した脂肪組織で、太った人ほど多い。ビール腹はこれが原因である。

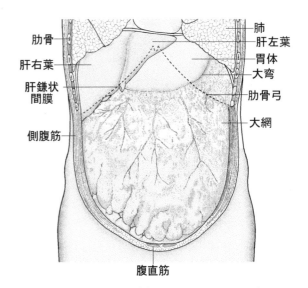

図11-3 大網（腹壁を開いたところ）

> 大網を上方（胃に向かって）反転せよ。
> 以下の臓器が現れる（図11-4）。

1) 上腹部
□肝臓 Hepar, liver：右上腹部を占める褐色の大きな臓器で、正常人では多くの場合、前下縁は肋弓より下には出ない。
□肝円索 Lig. teres hepatis：肝鎌状間膜の下縁をなす索状物で、胎生期の臍静脈が閉鎖したもの。
□胆嚢 Vesica fellea：肝臓の下面にある小さなナスのような形の袋で、胆汁を一時的に蓄え、濃縮する。
□胃 Ventriculus（Gaster）：前後に扁平で、左右に広い大きな袋である。

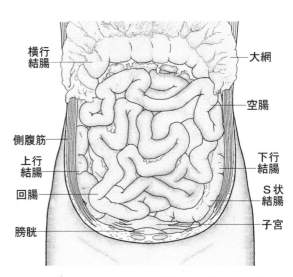

図11-4 消化管の概観（大網を上方に反転）

2) 側腹部，臍部，恥骨部，鼡径部
□大腸 Intestinum crassum：腹膜腔の周囲四方を囲む太い消化管で、走行により次のように区分される。
　□上行結腸 Colon ascendens：右側腹部を上行する。腸間膜を失い、右後腹壁に固定されている。
　□盲腸 Cecum：回腸との結合部から下方に伸びる行き止まりの部分で、内側下端に**虫垂** Appendix vermiformis が付く（図11-5）。
　□横行結腸 Colon transversum：肝臓の直下から左に向かう。腸間膜を持っている。

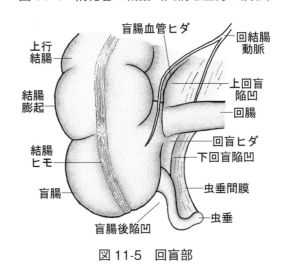

図11-5 回盲部

　□下行結腸 Colon descendens：左側腹部を下行する。腸間膜を失い、左後腹壁に固定されている。
　□S状結腸 Colon sigmoideum：左側腹壁を離れ、緩やかなループを描きながら正中線に近づいてくる。

□**結腸膨起** Haustra coli：結腸の全長にわたって腸管壁がモコモコと膨隆している。
□**小腸** Intestinum tenue：腹膜腔の中央部を埋める細い消化管で，腸間膜によって後腹壁に結びついている（十二指腸は除く）。空腸と回腸の間には肉眼解剖学的にも組織学的にも明瞭な境界は存在しない。
　□**空腸** Jejunum：小腸の口側約2/5で，左上腹部を占める。
　□**回腸** Ileum：小腸の肛門側約3/5で，右下腹部を占める。

11.1.3　腸間膜の観察

体腔の内面を覆う腹膜や胸膜と体腔内臓器の表面を覆う漿膜は連続しており，本来は同じものである（図11-6）。腹膜や胸膜が漿膜に移行する場所では，上下あるいは左右から腹膜や胸膜が互いに接近して2葉性となる。この部分を一般に間膜という。間膜は体腔内臓器を体壁に固定するとともに，これらの臓器に分布する血管や神経の通り道となる。そのうち，腸管をつり下げる間膜を**腸間膜** Mesenterium という。肝鎌状間膜や肝冠状間膜も肝臓を体壁や横隔膜に固定している。

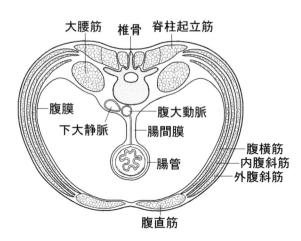

図11-6　腹膜と腸間膜

> 大網と横行結腸を上方に反転し，小腸を下方に引くと**横行結腸間膜**が見える。横行結腸間膜が後腹壁に付着する高さで，腹膜腔を上部と下部に分ける。

1）腹膜腔上部における間膜の観察

> 肝臓と前腹壁の間に手を入れて，肝臓を前腹壁に固定する間膜を確認せよ。

□**肝鎌状間膜** Lig. falciforme hepatis：肝臓の前面を前腹壁に固定する。また，この間膜によって肝臓は左葉と右葉に分けられる。
□**肝円索** Lig. teres hepatis：肝鎌状間膜の下縁をなす索状物で，前腹壁の後面を下行して臍に向かう。これは胎生期に臍静脈と下大静脈を結んでいた静脈管 Ductus venosus が生後閉鎖して，結合組織性の索状物として残ったものである。

> 肝鎌状間膜と肝円索を確認した後，横隔膜と肝臓の間に手を入れてみよ。また，肝臓と横隔膜を上に押し上げ，胃を下におろすと小網が見える。

□**肝冠状間膜** Lig. coronarium hepatis：肝臓の上表面を横隔膜に結び付けている。
□**小網** Omentum minus：肝臓と胃や十二指腸をつなぐ間膜で，肝胃間膜と肝十二指腸間膜からなり，この中を**固有肝動脈** A. hepatica propria，**総胆管** Ductus choledochus および**門脈** V. portae が通る。
　肝胃間膜 Lig. hepatogastricum：小網のうち，肝臓と胃を結ぶ部分。
　肝十二指腸間膜 Lig. hepatoduodenale：小網のうち肝臓と十二指腸を結ぶ部分。

左季肋部で，胃と十二指腸の間に手を入れ，胃底を内方に，横行結腸を下方に押すと脾臓が見える。

2）腹膜腔下部における腸間膜

横行結腸を上方に，小腸を右下方に引き下げて腸間膜を観察せよ。

☐**腸間膜** Mesenterium：消化管を後腹壁に結び付ける装置で，腔腹壁から伸びる左右の腹膜からできている。この中を，腸管に分布する血管や神経が通る。
　☐**腸間膜根** Radix mesenterii：第2腰椎の左から右仙腸関節に向かって伸びている。

空腸や回腸の腸間膜は"ひろげた扇"のようなもので，扇の先端で腸管を包んでいると思えばよい。腸間膜根は"扇の要"の部分で，ここで腔腹壁に付着している。この腸間膜のおかげで，空腸や回腸は腹膜腔の中で自由に動くことができる。消化管のうち，十二指腸，上行結腸および下行結腸は発生の過程で腸間膜を失い，後腹壁あるいは左右の側腹壁に固定されている（図11-7）。

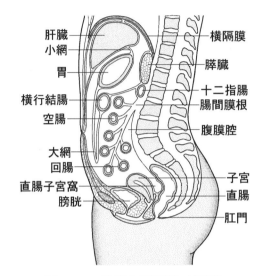

図11-7　腹膜と腸間膜（縦断）

☐**十二指腸空腸曲** Flexura duodenojejunalis：ほぼ水平に左に向かって進んできた十二指腸はここでほぼ直角に曲がって空腸に移行する。
☐**トライツの靱帯** Treitz's ligament：十二指腸と空腸の移行部にある結合組織で，空腸の起始部を後腹壁にしっかりと結び付ける。

小腸を左上方に押し上げて，回盲部（回腸から結腸への移行部）を観察せよ。

☐**盲腸** Cecum：回腸が結腸に移行する部分より下に伸び，盲端に終わる。
☐**虫垂** Appendix vermiformis：盲腸の内側下端から伸びる鉛筆ほどの太さの突起。虫垂ではリンパ組織がよく発達しており，ここに起こった炎症を**虫垂炎** Appendicitis という。

11.1.4　骨盤腔の観察

骨盤腔は腹膜腔の下端で，急に狭くなった部分である。

小腸を上方に押し上げて，骨盤腔を観察せよ（図11-8）。女性ではここに子宮や卵巣があるために，骨盤腔の様子は男性と女性で大きく異なっている。

1）男性の場合

☐**膀胱** Vesica urinaria：恥骨結合に接して骨盤腔の前部を占める。膀胱底のみが見える。
☐**直腸** Rectum：S状結腸の続きで，骨盤後部正中線上を下行する。

□直腸膀胱窩 Excavatio rectovesicalis：膀胱の後面と直腸の前面の間では，腹膜腔が下方に向かって陥凹している。

2）女性の場合
□膀胱 Vesica urinaria：男性と同じ。
□子宮 Uterus：膀胱と直腸の間にある小型のナスの形をした筋性の臓器。
□卵管 Tuba uterina：子宮底の両側に伸びる細い管。
□卵巣 Ovarium：卵管に抱えられるようにある小指頭大の器官。但し，老人の卵巣は萎縮しているので小さい。
□直腸 Rectum：男性と同じ位置にある。
□子宮広間膜 Lig. latum uteri：子宮の表面を包む腹膜は，子宮の外側縁で前後が接近して2葉性となり，骨盤の側壁に達する。これによって子宮は骨盤外壁に固定される。また，これによって，骨盤腔は前後の2部に分けられる。
　□膀胱子宮窩 Excavatio vesicouterina：膀胱と子宮の間にあり，下方にややくぼんでいる。
　□直腸子宮窩 Excavatio rectouterina：直腸と子宮の間にある深いくぼみで，**ダグラス窩** Douglas pouch とも呼ばれ，女性では腹膜腔の最下端となる。どのような体位にあっても，ここに腹水が最も溜まりやすい。また，膣を経由すると簡単に到達できることから，臨床上重要な意味を持っている。

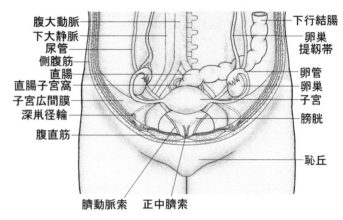

図 11-8　女性の骨盤腔

11.1.5　腹部内臓の動脈

> 小腸間膜や結腸間膜の漿膜を剥離して次のものを観察せよ（図11-9）。

1）上腸間膜動脈

上腸間膜動脈 A. mesenterica superior は腹腔動脈のすぐ下で腹大動脈から分岐し，十二指腸の肛門側半分から横行結腸の口側3/4に分布する。上腸間膜動脈から出る枝は以下の通りである。
・下膵十二指腸動脈 Aa. pancreaticoduodenales inferiores：膵臓と十二指腸の間を通る。
・空腸動脈 Aa. jejunales
・回腸動脈 Aa. ilei

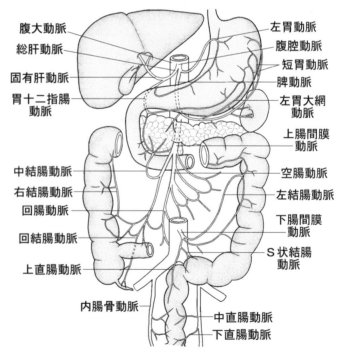

図 11-9　腹部消化管に分布する動脈

- 回結腸動脈 A. ileocolica：回腸，盲腸および上行結腸へ。
- 右結腸動脈 A. colica dextra：上行結腸へ。
- 中結腸動脈 A. colica media：横行結腸へ。

> 小腸を右に押し上げて下行結腸，S状結腸への血管を観察せよ。

2）下腸間膜動脈

下腸間膜動脈 A. mesenterica inferior は腎動脈よりも下方で腹大動脈から分岐して，横行結腸の肛門側1/4〜直腸の上1/3に分布する。下腸間膜動脈の枝は左腸骨窩に広がる。
- 左結腸動脈 A. colica sinistra：下行結腸へ。
- S状結腸動脈 Aa. sigmoideae：S状結腸へ。
- 上直腸動脈 A. rectalis superior：直腸の上1/3へ。

腹腔内の消化器系には腹大動脈から分岐する3本の動脈が分布する。そのうち，前腸から発生する胃，十二指腸の口側半分，肝臓，膵臓および脾臓には腹腔動脈が，中腸から発生する十二指腸の肛門側半分〜横行結腸の口側3/4には上腸間膜動脈が，後腸から発生する横行結腸の肛門側1/4〜直腸の上1/3には下腸間膜動脈が分布する。

11.1.6 門脈

門脈 V. portae は消化管のうち腹腔動脈，上腸間膜動脈，下腸間膜動脈の分領域を流れた血液を集め，肝臓に送る（図11-10）。

1）上腸間膜静脈

上腸間膜静脈 V. mesenterica superior が分布する領域は上腸間膜動脈の分布領域とほぼ一致し，主として右腸骨窩に存在する消化管からの血液を集める。
- 回結腸静脈 V. ileocolica：回腸，盲腸，上行結腸から。
- 右結腸静脈 V. coliaca dextra：上行結腸から。
- 中結腸静脈 V. colica media：横行結腸から。
- 膵十二指腸静脈 Vv. pancreaticoduodenales：膵臓と十二指腸の間を通る。
- 空腸静脈 Vv. jejunales と回腸静脈 Vv. ilei

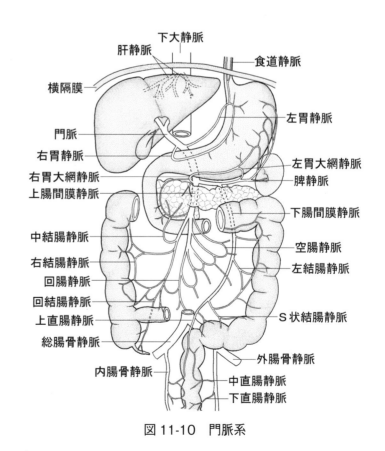

図11-10 門脈系

2）下腸間膜静脈

下腸間膜静脈 V. mesenterica inferior の分布領域は下腸間膜動脈の分布領域と一致し，左腸骨窩

にある消化管からの血液を集める。
- 左結腸静脈 V. colica sinistra：下行結腸から。
- S状結腸静脈 Vv. sigmoideae：S状結腸から。
- 上直腸静脈 V. rectalis superior：直腸の上1/3から。

なお，腹腔動脈が分布する領域からの血液を集める静脈のうち，**脾静脈** V. lienalis，**左および右胃静脈** V. gastrica sinistra et dextra，**右胃大網静脈** V. gastroepiploica dex-tra などは直接門脈に流れ込む。その他の静脈は上および下腸間膜静脈に合流した後，門脈に流れ込む。

11.2 消化管の摘出と観察

> 空腸の起始部とS状結腸と直腸の移行部を，それぞれ約2cmの間隔をあけて2ヶ所，タコ糸で結紮し，その間をハサミで切断せよ。小腸の腸間膜根は後腹壁から少し離して切断せよ。また横行結腸間膜とS状結腸間膜は消化管との付着部で切断せよ。上行結腸と下行結腸は後腹壁に固定されているので，これらを手で鈍的に剥離せよ。このようにすると，空腸からS状結腸までの消化管を取り出すことができる（図11-11）。

11.2.1 上腹部内臓と血管，神経

> 腸間膜根をピンセットでほぐしながらその中を通る血管などを同定せよ。

1) 小網とその周辺

□**肝十二指腸間膜** Lig. hepatoduode-nale：肝臓と十二指腸を結ぶ間膜で，小網の下半分をなし，中に以下のものが通る。

　□**固有肝動脈** A. hepatica propria：肝臓に酸素を供給する栄養動脈で，前内側部を通る。

　□**総胆管** Ductus choledochus：前外側部を通る。遺体では，変化した胆汁が染み込んでいるために，緑色に染まっていることが多い。

　□**門脈** V. portae：消化管で吸収された栄養素を肝臓に運ぶ機能血管で，前二者の間を通る。固有肝動脈よりも明らかに太い。

2) 腹腔動脈とその周辺（図11-9を参照）

□**腹腔動脈** Truncus celiacus：横隔膜の直下で大動脈から始まり，すぐに以下の動脈に分かれて胃，

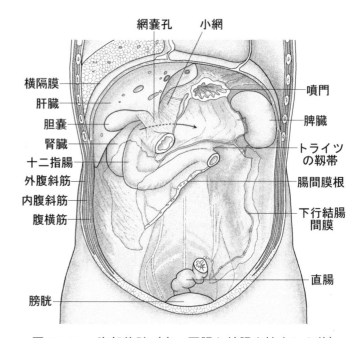

図11-11　腹部後壁（空・回腸と結腸を摘出した後）

十二指腸の口側半分，肝臓，膵臓および脾臓に分布する。
- □**左胃動脈** A. gastrica sinistra：胃の小弯側に上方から分布する。
- □**総肝動脈** A. hepatica communis：さらに以下の動脈に分岐する。
    固有肝動脈 A. hepatica propria：肝臓および胆嚢に分布する。
    右胃動脈 A. gastrica dextra：胃の小弯側に下方から分布する。
    胃十二指腸動脈 A. gastroduodenalis：右胃大網動脈 A. gastroepiploica dextra や上膵十二指腸動脈 A. pancreaticoduodenalis superior となって胃の大弯側や十二指腸上部および膵臓に分布する。
- □**脾動脈** A. lienalis：本流は脾臓に分布する。また，一部は短胃動脈 Aa. gastricae breves となって胃底部に分布する。
- ・**腹腔神経叢** Plexus celiacus：腹腔動脈起始部を囲む神経線維網。
- ・**腹腔神経節** Ganglion celiaca：その中に見られる大きな神経節。

3) 上腸間膜動脈とその周辺

- □**上腸間膜動脈** A. mesenterica superior：腹腔動脈のすぐ下から枝分かれし，扇状に広がって十二指腸後半〜横行結腸の前部3/4に分布する。
    上腸間膜動脈神経叢 Plexus mesentericus superior

4) 膵臓とその周辺の観察

> 腸間膜と，膵臓および十二指腸の周辺にある結腸間膜を反転せよ。

- □**膵臓** Pancreas：腹膜後器官の1つで，前面のみが腹膜に覆われ，後腹壁に固定されている（図11-12）。
    - □**膵頭** Caput pancreatis：膵臓の右側端部で，逆コの字型をしている十二指腸の中に頭を突っ込んでいる。
    - □**鉤状突起** Processus uncinatus：膵頭から下方に膨隆している。
    - □**膵尾** Cauda pancreatis：左端部で細くなった部分。膵島は尾部に多く分布する。この左側に脾臓がある。

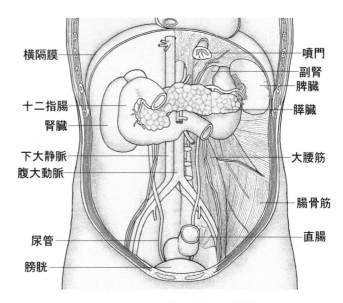

図 11-12　十二指腸と膵臓

11.2.2 上腹部臓器の摘出

1）胃の摘出（図11-13）

以下の要領で胃を摘出せよ。
①食道裂孔の下で，食道と噴門の間を二重に結紮し，その間をハサミで切断せよ。
②幽門と十二指腸の移行部を二重に結紮し，その間をハサミで切断せよ。
③大弯に沿ってハサミで大網を切離せよ。
④小弯に沿って小網を切離せよ。

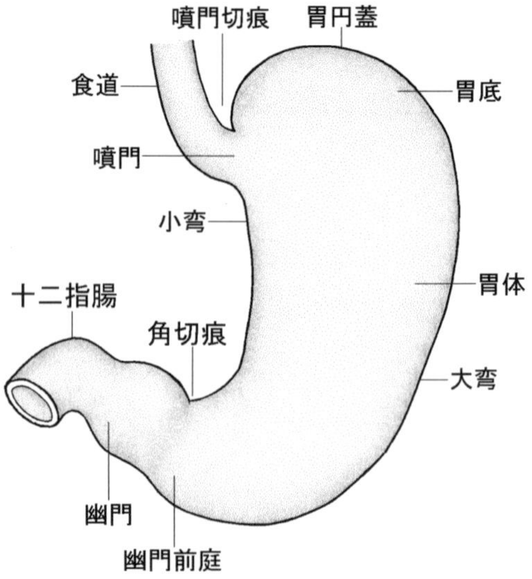

図11-13　胃の前面

2）肝臓と十二指腸，膵臓，脾臓の摘出

①腹腔動脈を腹大動脈の起始部で切れ。
②下大静脈を横隔膜の下と腎静脈の上で切れ。
③上腸間膜動脈を腹大動脈の起始部で結紮し，切断せよ。
④肝臓は肝鎌状間膜で前腹壁に，肝冠状間膜で横隔膜に固定されている。この2つを肝臓の表面で切断すると，肝臓は自由になる。
⑤十二指腸と膵臓を後腹壁から剥離せよ。また横隔脾ヒダを切断して脾臓を自由にせよ。
この操作によって肝臓，十二指腸，膵臓，脾臓を一緒に摘出することができる。

11.3 摘出した腹部臓器の観察

11.3.1 胃の観察

胃 Ventriculus は食道に続き，前後に扁平で左右に広く膨らんだ部分で，上腹部を占める。

胃 Gaster（Ventriculus）を机の上に置いて各部位を確認せよ（図11-13を参照）。

- 前壁 Paries anterior
- 胃底 Fundus ventriculi
- 後壁 Paries posterior
- 胃体 Corpus ventriculi
- 大弯 Curvatura ventriculi major
- 幽門 Pylorus
- 小弯 Curvatura ventriculi minor
- 幽門括約筋 M. sphincter pylori
- 噴門 Cardia：胃の上端で食道が開口する場所。

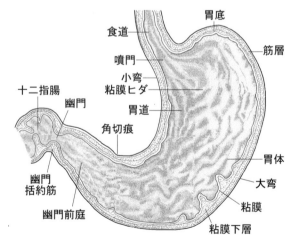

図11-14　胃の内腔面

大弯に沿って幽門から噴門までハサミで胃壁を切り，左右に拡げて内面を肉眼あるいはルーペで観察せよ（図11-14）。

- **胃道** Magenstrasse：小弯に沿って縦走する粘膜ヒダ。
- **胃粘膜ヒダ** Plicae gastricae：内面を不規則に走る粘膜のヒダ。
- **胃小区** Areae gastricae：粘膜表面に無数にある小区画。
- **胃小窩** Foveolae gastricae：胃小区の中央に開いた小孔で，胃腺が開口する。

11.3.2　十二指腸の観察

十二指腸を腹腔内にあった状態で机の上に置いて観察せよ（図11-15）。

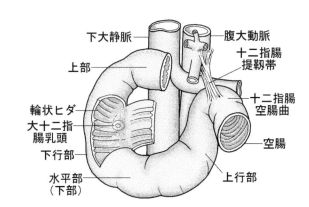

図11-15　十二指腸

- □**十二指腸** Duodenum は胃に続く部分で，逆コの字を描く。腸間膜を失って後腹壁に固定されている。
  - □**上部** Pars superior：幽門に続く部分で，右に向かって進む。
  - □**上十二指腸曲** Flexura duodeni superior：上部と下部の移行部。
  - □**下行部** Pars descendens：上部に続き，下に向かって進む部分。
  - □**下十二指腸曲** Flexura duodeni inferior：下行部と水平部の移行部。
  - □**水平部** Pars horizontalis：下行部に続き，左に向かって進む部分。
  - □**上行部** Pars ascendens：水平部に続き，上に向かって進む部分。
  - □**十二指腸空腸曲** Flexura duodenojejunalis：十二指腸と空腸の移行部で，十二指腸提靱帯（トライツの靱帯）が目印となる。

十二指腸の太さおよび各部位の長さを測定して記録せよ。
突隆部に沿って十二指腸を切開し，以下の構造物を観察せよ。

- □**輪状ヒダ** Plicae circulares：内腔をほぼ一周するような粘膜のヒダ。
- □**腸絨毛** Villi intestinales：輪状ヒダの表面を被うビロードのような小さなヒダの集合。
  輪状ヒダと腸絨毛は小腸の全長にわたって観察されるが，肛側にいくに従って発達は悪くなる。
- □**大十二指腸乳頭** Papilla duodeni major：下行部の凹弯側で，膵管と合流した後，総胆管 Ductus choledochus が開口するためにできた粘膜の高まり。
- □**小十二指腸乳頭** Papilla duodeni minor：大十二指腸乳頭よりも数cm吻側で，約10％の人に見られる。副膵管 Ductus pancreaticus accessorius が開口する。

11.3.3　肝臓の観察

肝臓の大きさ，重さ，色，感触を記録せよ。腹膜に覆われている部分と覆われていない部分に注意せよ。

1) 肝臓の前面（図 11-16）
- □肝鎌状間膜 Lig. falciforme hepatis：前面で，左葉と右葉を分ける。
- □肝円索 Lig. teres hepatis：肝鎌状間膜の下縁をなす索状物で，臍静脈が閉鎖したもの。
- □右葉 Lobus hepatis dexter：肝鎌状間膜よりも右で，肝臓の約3/4を占め，右上腹部にある。
- □左葉 Lobus hepatis sinister：肝鎌状間膜よりも左で，肝臓の約1/4。正中線を越えて左上腹部に伸びる。

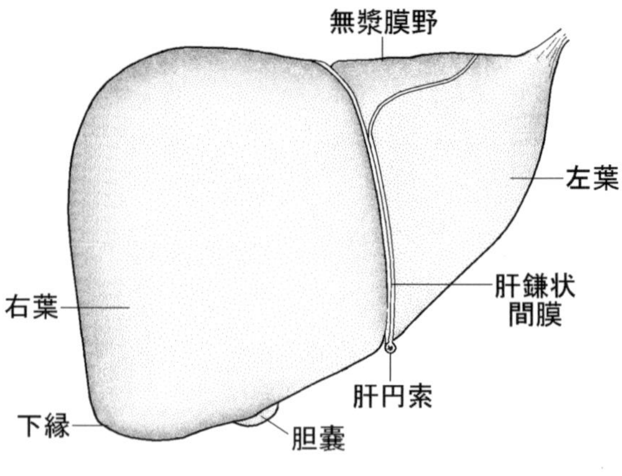

図 11-16 肝臓の前面

2) 肝臓の底面（図 11-17）
- □胆嚢 Vesica fellea：肝臓の底面に付着する小さいナスぐらいの袋。
- □肝門 Porta hepatis：肝臓底面中央の陥凹部で，そこから以下の管が出入りする。
  - □門脈 V. portae：消化管や脾臓を流れた血液を集めて肝臓に運ぶ。
  - □固有肝動脈 A. hepatica propria：腹腔動脈の枝で，動脈血を肝臓に送る。
  - □左右の肝管 Ductus hepaticus sinister et dexter：胆汁を肝臓から運び出す。
  - □総胆管 Ductus choledochus：総肝管と胆嚢管が合流したもので，大十二指腸乳頭で十二指腸に開口する。
- □方形葉 Lobus quadratus
- □尾状葉 Lobus caudatus

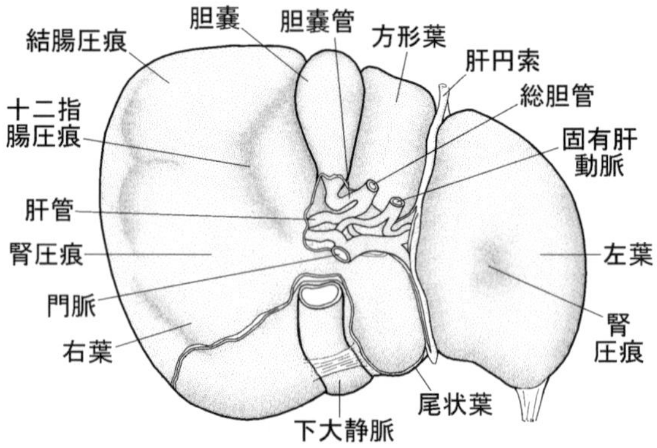

＊肝臓の底面には隣接臓器によってできたいくつかの圧痕が見られる。

図 11-17 肝臓の下面

3) 肝臓の横隔面（図 11-18）

肝冠状間膜のあった部分は漿膜を欠いており，無漿膜野と呼ばれる。
- □肝冠状間膜 Lig. coronarium hepatis：肝臓の横隔面（上面）を横隔膜に固定する。
- □下大静脈 V. cava inferior：肝臓の後面中央部に接して上行し，横隔膜を貫通して右心房に入る。
- □肝静脈 V. hepatica：通常3本あり，下大静脈に注ぐ。

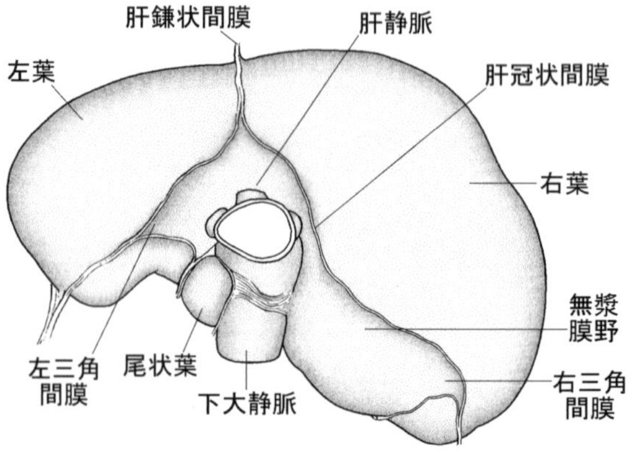

図 11-18 肝臓の横隔面

> 肝臓をメスで割断し，断面をルーペで観察せよ。

- □肝小葉 Lobuli hepatis：直径1〜2mmの多面体で，肝臓の構成単位である。肝臓は無数の肝小葉でできているので，どのような方向に切っても断面は同じように見える。

11.3.4 胆道系の観察

胆道は，肝臓で作られた胆汁を十二指腸に排出するための通路である（図11-19）。

- □左右の**肝管** Ductus hepatis sinister et dexter
- □**総肝管** Ductus hepaticus communis：左右の肝管が合流したもの。
- □**胆嚢管** Ductus cysticus：総肝管と胆嚢を結ぶ。
- □**総胆管** Ductus choledochus：胆嚢管と総肝管が合流したもの。

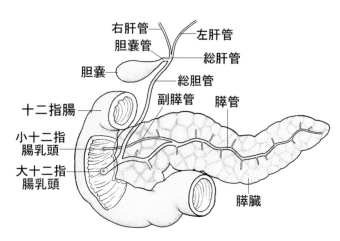

図 11-19　胆道と膵管

> 総胆管を同定した後，その走行を十二指腸まで辿れ。総胆管が十二指腸壁に進入する直前で，膵管が総胆管に合流する。

- □**胆嚢** Vesica fellea は小さいナスのような形の袋で，肝臓の下面に付着している。遺体では胆嚢や胆管が緑色に変色していることがよくある。これは胆汁色素（ビリルビン）が変化して緑色になるためである。

> 胆嚢の外観を観察し，大きさ，形，感触を記録した後，胆嚢を切開して内面を観察せよ。

- □**胆嚢体** Corpus vesicae felleae：胆嚢の中央部。
- □**胆嚢頚** Collum vesicae felleae：胆嚢管に続く細い部分。
- □**胆嚢管** Ductus cysticus：総肝管と胆嚢を結ぶ管。

11.3.5 膵臓の観察

□**膵臓** Pancreas は腹膜の後方にあって後腹壁に固定されている（腹膜後器官）。

> 膵臓の外観を観察し，大きさや重さ，色調，感触などを記録せよ（図11-19，11-20）。

- □**膵頭** Caput pancreatis：膵臓の右端で広い部分。
- □**鉤状突起** Processus uncinatus：膵頭の下部をなす鉤状の部分。
- □**膵切痕** Incisura pancreatis：鉤状突起が膵体に移行する場所。
- □**膵体** Corpus pancreatis：膵臓の中央部で，左右に長い部分。
- □**膵尾** Cauda pancreatis：膵臓の左端で，細くなった部分。
- □**膵管** Ductus pancreaticus：膵臓内を右に進み，総胆管に開口する。

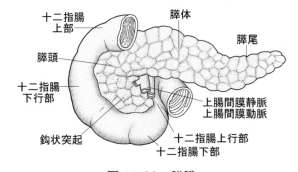

図 11-20　膵臓

①ピンセットで組織片を除去しながら，膵管を膵頭から膵尾に向かって追跡せよ（図11-19を参照）。
②膵管からゾンデを挿入し，総胆管を介して大十二指腸乳頭に開口することを確認せよ。
③約1割の人では副膵管が見られる。これは膵体を走る膵管をそのまま延長した方向に伸び，大十二指腸乳頭よりも少し口側の小十二指腸乳頭に開口する。

　膵臓の大部分は蛋白，糖質，脂質を分解する消化酵素を分泌する外分泌腺からなり，外分泌腺部の間に**膵島** pancreatic islet（ランゲルハンス島 islet of Langerhans）と呼ばれる内外分泌腺が島状に点在する。ただし，肉眼では外分泌腺部か内分泌腺部かを区別することはできない。膵島は血糖を調節する上で中心的役割を果たしているホルモン（グルカゴンやインスリン）を分泌するので非常に重要である。解剖学の教科書で調べてみよ。

11.3.6　脾臓の観察

□**脾臓** Lien, spleen は腹腔内で膵尾の先端に位置する握り拳大の赤褐色の器官で，表面は腹膜に覆われている（図11-21）。また，色々な臓器に接して少し陥凹する面が見られる。

脾臓の大きさ，重さ，色調，感触を記録せよ。

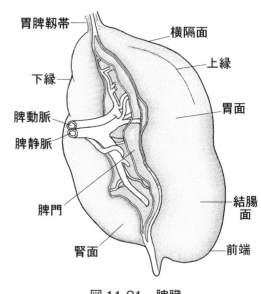

図 11-21　脾臓

□**脾門** Hilum splenicum：脾臓の内側面で少し陥凹している部分で，ここから血管や神経が出入りする。
　□**脾動脈** A. lienalis：腹腔動脈の枝。
　□**脾静脈** V. lienalis：門脈に続く。

メスで脾臓を割断し，断面を水道水で洗ってルーペで観察せよ。

漿膜 Tunica serosa
線維被膜 Capsula fibrosa
脾柱 Trabeculae lienis：線維被膜が実質内に進入したもので，脾臓の骨組みとなる。
脾髄 Pulpa lienis：脾臓の実質をさす。
　赤脾髄 red pulp：赤血球が充満しており，赤褐色を呈する。
　白脾髄 white pulp：赤脾髄の中に点在する白い円形の斑点で，リンパ小節である。

11.3.7　空腸と回腸の観察

空腸と回腸の太さと全長を計測して記録せよ。

　空腸 jejunum と**回腸** ileum を合わせると5mほどになる。両者間に明瞭な境界はないが，吻側の約2/5で左上腹部を占める部分が空腸，残りの約3/5で右下腹部を占める部分が回腸である。

> 全長にわたって腸間膜付着部に沿ってハサミ切開し，管腔を水道水で洗え。

- □**輪状ヒダ** Plicae circulares：管腔をほぼ一周する粘膜のヒダで，吻側から肛側に向かうにつれて発達が悪くなる。
- □**腸絨毛** Villi intestinales：輪状ヒダの表面から伸びる粘膜の小さな突起で，ルーペで観察するとビロードのように見える。
- □**孤立リンパ小節** Folliculi lymphatici solitarii：粘膜下組織に分布するリンパ小節で，腸管壁を明かりに透かしてみると，種子状の白い斑点として見えることがある。肛側にいくにつれて多くなる。
- □**集合リンパ小節** Folliculi lymphatici aggregati：リンパ小節の集合で，長径 20 〜 100mm ほどの長卵円形で，回腸でよく発達している。腸管壁を明かりに透かすと，肉眼でも見える。また指でも触知される。**パイエル板** Payer's patch とも呼ばれる。
- □**メッケルの憩室** Meckel's diverticulum：1 〜 2％の人に，回腸末端から 50 〜 100cm 吻側で，腸間膜付着部の反対側に見られる。胎生期の卵黄腸管の名残りで，臍に達するものもある。

11.3.8 盲腸と虫垂の観察

□**盲腸** Cecum は回腸の進入部から下方に伸びる盲端の部分で，その内下端には小指半分ほどの太さ，長さの**虫垂** Appendix vermiformis が付着する。

> 盲腸や虫垂の長さを測定せよ。次いで盲腸を回腸側で腸間膜が付着していない側から縦に切開して内部を観察せよ（図 11-22）。

□**回盲弁** Valva ileocecalis：回腸末端が盲腸の中に突入しており，これによって食物が結腸から小腸に逆流するのを防いでいる。

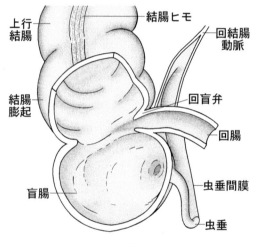

図 11-22 盲腸と虫垂

11.3.9 結腸の観察

結腸 Colon は以下の 4 部に分けられる。

> 腹膜腔にあった状態で大腸をテーブルの上に置き，観察せよ（図 11-23）。また，各部の太さや長さを測定せよ。

- □**上行結腸** Colon ascendens：回腸の進入部位から上方に向かう部分で，腸間膜を失って右の側腹後壁に固定されている。
  - 右結腸曲 Flexura coli dextra：上行結腸は肝臓下面の高さまで上行するとほぼ直角に曲がって左に向かう。
- □**横行結腸** Colon transversum：右結腸曲からほぼ水平に左に進む。横行結腸は腸間膜を持ってい

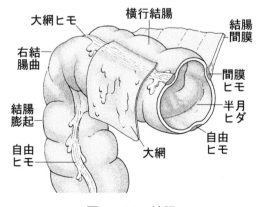

図 11-23 結腸

る。
- □左結腸曲 Flexura coli sinistra：横行結腸が左側腹に当たるとほぼ直角に曲がって下に向かう。
- □下行結腸 Colon descendens：左側腹の後壁に沿って下行する部分で，ここでも腸間膜を失って腹壁に固定されている。
- □S状結腸 Colon sigmoideum：左側腹壁を離れて，大骨盤の中を緩やかなS字状を描きながら正中線上に近づいて行く部分。
- □結腸膨起 Haustra coli：結腸壁がモコモコと膨れ出している。
- □結腸ヒモ Teniae coli：縦走平滑筋が3ヶ所に集まってできたもので，結腸の長軸方向に走る3本の紐のように見える。以下の3本からなる。
  - 間膜紐 Tenia mesocolica：腸間膜の付着部に沿って走る。
  - 大網紐 Tenia omentalis：大網の付着部に沿って走る。
  - 自由紐 Tenia libera

> 上行結腸の結腸紐を盲腸に辿ると，3本の結腸紐が会合する場所に虫垂がある。
> 間膜が付着していない線に沿ってハサミで切開し，内容物を水道水で洗い流せ。

- □結腸半月ヒダ Plicae semilunares coli：膨起と膨起の間にある半周の粘膜ヒダで，管腔に向かって突出している。

12 体幹後面の解剖

12.1 体幹後面の体表解剖

12.1.1 体幹後面の観察

以下の骨性指標を体表で確認せよ（図12-1）。

□後頭骨 Os occipitale
　□後頭隆起 Protuberantia occipitalis externa
　□上項線 Linea nuchae superior：頭部と頚部の境をなす。
□乳様突起 Processus mastoideus
□第7頚椎棘突起 Processus spinosus vertebrae cervicalis Ⅶ：頷くと, 最も後方に突出する。
□肩甲骨 Scapula
　□肩甲棘 Spina scapulae
　□肩峰 Acromion
　□内側縁 Margo medialis
　□外側縁 Margo lateralis
　□上角 Angulus superior
　□下角 Angulus inferior
□腸骨 Os ilium：寛骨の上半分を占める扁平な骨。
　□腸骨稜 Crista iliaca：全長にわたって皮膚直下に触知できる。腰に手を当てると, 母指や示指は腸骨稜の上に載っている。
　□上後腸骨棘 Spina iliaca posterior superior：腸骨稜の後端で, やや肥厚して後方に突出している。ビーナスのえくぼに相当する。
□仙骨 Os sacrum：逆三角形の骨で, 正中部の皮下に触れる。
　□後面 Facies dorsalis
　□仙骨尖 Apex ossis sacri
　□正中仙骨稜 Crista sacralis mediana：仙椎の棘突起が癒合したもの。
　□仙骨裂孔 Hiatus sacralis
□尾骨 Os coccygis
□腰三角 Trigonum lumbale：腰部の壁の弱い場所で, 時に腰ヘルニアを起こすことがある。
　底辺：腸骨稜 Crista iliaca
　前縁：外腹斜筋 M. obliquus externus abdominis
　後縁：広背筋 M. latissimus dorsi

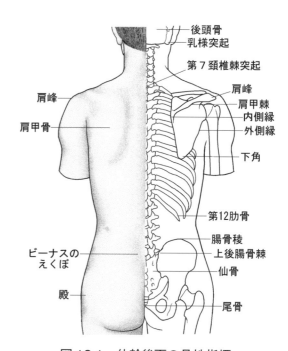

図 12-1　体幹後面の骨性指標

12.1.2 体幹後面の基準線

身体の位置を正確に表現するために必要である（図12-2）。

1）垂線

- □後正中線 posterior median line：身体後面の正中線を走る垂線で，椎骨の棘突起を結ぶ。
- □椎骨傍線 paravertebral line：脊椎の横突起の外側端を通る垂線。
- □肩甲線 scapular line：肩甲骨の内側縁を通る垂線。

2）水平線

- □肩甲棘線 scapular spine line：肩甲棘の根部を通る水平線で，第3胸椎の棘突起の高さに当たる。
- □肩甲骨下角線 line of inferior angle of the scapula：肩甲骨の下角を通る水平線で，第7胸椎棘突起の高さに当たる。
- □腸骨稜頂線 supracristal line（ヤコビー線 Jacoby's line）：左右の腸骨稜の最高点を結ぶ水平線で，第4腰椎棘突起の高さに当たる。
- □腸骨稜結節線 transtubercular line：左右の腸骨稜結節を結ぶ水平線で，第5腰椎棘突起の高さに当たる。

3）背面における境界線

- □頭と頚の境界：外後頭隆起，上項線，乳様突起を通る線。
- □頚と胸の境界：第7頚椎棘突起と肩峰を結ぶ線。
- □胸と腹の境界：第12胸椎と棘突起から始まって肋骨の下縁を通る線。
- □腹と下肢の境界：尾骨，仙腸関節，上後腸骨棘，腸骨稜を通る線。

12.1.3 体幹後面の区分

背は以下の6つの部分に分けられる（図12-3）。

- ・脊柱部 Regio vertebralis：後正中線の左右3～4cmの幅。
- ・仙骨部 Regio sacralis：仙骨がある部分。
- ・肩甲部 Regio scapularis：肩甲骨の部分。
- ・肩甲間部 Regio interscapularis：肩甲骨の高さで，脊柱部と肩甲部に挟まれた部分。
- ・肩甲下部 Regio infrascapularis：肩甲部と肩甲間部の下で，第12胸椎棘突起の高さ

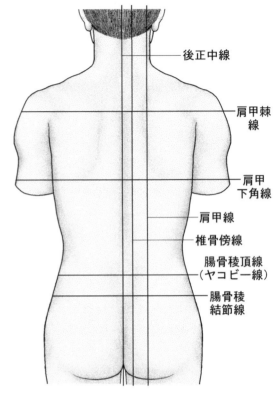

図12-2　体幹後面の基準線

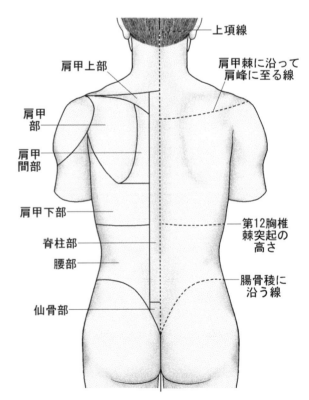

図12-3　体幹後面の区分（左）と皮膚切開線（右）

まで。
・腰部 Regio lumbalis：肩甲下部の下で，腸骨稜まで。一般に，腹部の背面を腰という。

12.2 体幹後面筋の解剖

図のように皮膚を切開して剥離せよ（図12-3）。

皮下脂肪と筋の表面を覆う筋膜の間をうまく剥離すると，分節的に分布する皮神経（脊髄神経後枝）が現れる（図12-4）。

12.2.1 背部浅層の筋

浅背筋の多くは上腕骨や肩甲骨に付着して，肩関節を動かしたり，肩甲骨を体幹に固定したりして上肢を支持する。これらの筋は脊髄神経の前枝（腕神経叢）や副神経に支配される（図12-4）。

□**僧帽筋** M. trapezius：背の上半分を広く覆う菱形の薄い筋で，上部線維は斜め外下方に，中部線維は水平に，下部線維は外上方に向かって走る。

起始：上項線内側1/3，外後頭隆起，項靱帯，第7頸椎〜第12胸椎の棘突起

停止：鎖骨の外側1/3（上部線維），肩峰の内側縁（中部線維），肩甲棘の上外側部（下部線維）

神経：副神経 N. accessorius と第2, 3, 4頸神経 Nn. cervicales

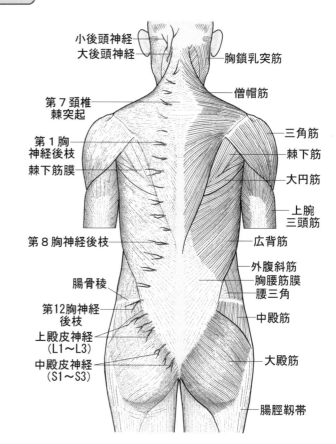

図12-4 体幹後面第1層の筋

作用：肩甲骨を動かしたり固定したりするが，上部，中部，下部で筋線維の走行が異なるので作用も異なる。

　上部線維：肩を持ち上げる（肩をすくめる）。
　中部線維：肩甲骨を後方に引いて固定する（気をつけの姿勢で肩を後方に引く）。
　下部線維：肩甲棘の基部内側端を下方に引く（肩を落とす）。

僧帽筋の後頭部起始をはずし，さらに正中線から1.5cm外側で頭尾方向に起始を切断して外方に反転せよ。そして支配神経と血管を観察せよ（図12-4）。

□**広背筋** M. latissimus dorsi：肩甲下部から腰部にかけて広く覆う三角形の薄い筋で，皮下組織の下に現れる。上部線維はほぼ水平外方に，下部線維は斜め上外方に向かう。大円筋とともに，後腋窩ヒダを作る。

起始：第7〜12胸椎棘突起，腰椎および仙椎の棘突起，肩甲下角，腸骨稜の内唇，胸腰筋膜浅葉，第10〜12肋骨。

停止：上腕骨の小結節稜
神経：胸背神経 N. thoracodorsalis（C_6～C_8）
作用：肩関節の伸展，内転および内旋（上肢を背中に回す運動）

> 広背筋を，胸椎の高さでは起始のやや外側で，胸腰筋膜の高さでは胸腰筋膜との結合線で切り，外方に反転せよ。

□胸腰筋膜 Fascia thoracolumbalis：腰部の中央部に菱形状に広がる丈夫な筋膜で，固有背筋を包むとともに，部分的に下後鋸筋の起始となる。

菱形筋
　菱形筋は肩甲間部にある菱形の薄い筋で，僧帽筋に覆われている。上の小菱形筋と下の大菱形筋に分けられる（図12-5）。

□小菱形筋 M. rhomboideus minor
起始：第6，7頸椎の棘突起と棘間靱帯
停止：肩甲骨内側縁上部1/3
神経：肩甲背神経 N. dorsalis scapulae（C_4，C_5）
作用：肩甲骨の内転，挙上，下方回旋。また肩甲骨を胸郭に固定する。

□大菱形筋 M. rhomboideus major
起始：第1～4胸椎の棘突起
停止：肩甲骨内側縁下部2/3
神経：肩甲背神経 N. dorsalis scapulae（C_4，C_5）
作用：肩甲骨の内転，挙上，および下方回旋。また肩甲骨を胸郭に固定する。

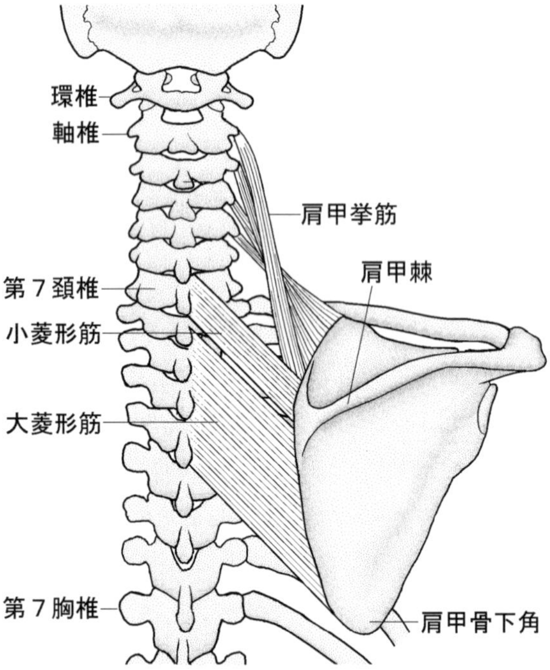

図12-5　菱形筋と肩甲挙筋

> 両菱形筋を棘突起の外側に沿って縦に切り，停止の方向に反転せよ。

□肩甲挙筋 M. levator scapulae：大部分は僧帽筋に覆われており，肩甲上部で菱形筋の頭方に位置する。全体として筋線維は斜め外下方に走るが，上位から起こる線維は肩甲骨上角の内側部に，下位から起こる線維は外側部に停止するので，筋全体が捻れている。
起始：上位4～5頸椎の横突起後結節
停止：肩甲骨の上角
神経：肩甲背神経 N. dorsalis scapulae と頸神経叢 Plexus cervicalis の枝（C_2～C_5）
作用：肩甲骨の挙上，内転，頸の回旋，側屈

> 肩甲挙筋を肩甲骨の停止部で切り，上方に反転せよ。以下の神経や筋が現れる。

□頸横動脈 A. transversa colli：鎖骨下動脈から出る甲状頸動脈の枝で，僧帽筋上部，菱形筋，肩甲挙筋，棘上筋に分布する。
□肩甲背神経 N. dorsalis scapulae：中斜角筋を貫いて，菱形筋と肩甲挙筋を支配する。

12.2.2 背部中層の筋

後鋸筋は浅背筋と深層の固有背筋の間にある薄い筋で，肋間神経に支配される（図12-6）。

□**上後鋸筋** M. serratus posterior superior

起始：項靱帯，下位の2頸椎と上位2胸椎の棘突起
停止：第2～5肋骨の肋骨角外側
神経：第1～4肋間神経（Th_1～Th_4）
作用：第2～5肋骨を上内方に引き上げる。

□**下後鋸筋** M. serratus posterior inferior

起始：第11，12胸椎と第1，2腰椎の高さの胸腰筋膜浅葉
停止：第9～12肋骨の外側下縁
神経：第9～11肋間神経（Th_9～Th_{11}）
　　　および肋下神経（Th_{12}）
作用：第9～12肋骨を内方に引き下げる。

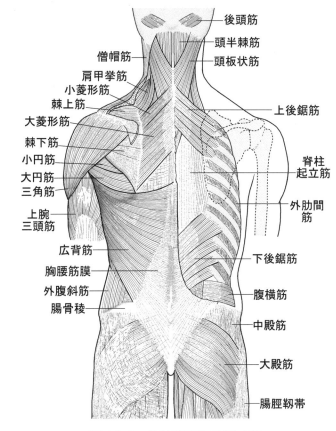

図12-6　体幹後面第2層の筋

胸腰筋膜をL1～L4の高さまで，正中線から2cm外側で切開せよ。次いで，この切開線の上下端から約10cm外方に向かって水平切開を加え，外方に反転せよ。また，下後鋸筋を正中線から3cm外側で縦に切開し，外方に反転せよ。

12.2.3 背部深層の筋

1）長背筋群

板状筋 M. splenius は棘突起と横突起の間に張る棘横突筋系に属し，脊髄神経後枝に支配される（図12-6を参照）。

□**頭板状筋** M. splenius capitis

起始：下位5頸椎の高さの項靱帯と上位2～3胸椎の棘突起
停止：乳様突起，上項線の外側部
作用：一側だけが働くと頭をその方に回転し，顔面を上方かつその方に向ける（胸鎖乳突筋の拮抗筋）。両側が同時に働くと頭を後方にそらす。

□**頸板状筋** M. splenius cervici

起始：第3～6胸椎の棘突起
停止：上位1～3頸椎の横突起後結節
作用：頸を後外方に引き，環椎を回転する。

2）脊柱起立筋

脊柱起立筋 M. erector spinae は固有背筋とも呼ばれ，体幹後壁の深部に位置する。脊柱と平行に走る腸肋筋，最長筋，棘筋の3部から構成され，すべて**脊髄神経後枝**に支配される。体幹の横断面で見ると，棘突起と肋骨角の間を3等分した時に，内側の1/3（棘突起と横突起が作る溝）を棘筋，中央の1/3を最長筋，外側の1/3を腸肋筋が占める（図12-7, 12-8）。腸肋筋と最長筋は特に腰部でよく発達している。

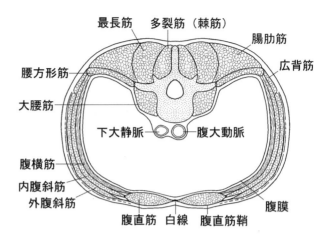

図12-7　体幹筋の横断（腰椎の高さ）

□**腸肋筋** M. iliocostalis：脊柱起立筋の外側柱に当たる。腰部，胸部，頚部の3部からなるが，各部の区別は困難である。脊柱を伸展する。

　□**腰腸肋筋** M. iliocostalis lumborum
　　起始：仙骨後面，腸骨稜，下位腰椎の棘突起
　　停止：第12肋骨下縁，第11〜4肋骨角
　□**胸腸肋筋** M. iliocostalis thoracis
　　起始：第7〜12肋骨上縁
　　停止：第1〜7肋骨角
　□**頚腸肋筋** M. iliocostalis cervicis
　　起始：第7〜3肋骨上縁
　　停止：第4〜6頚椎の横突起後結節

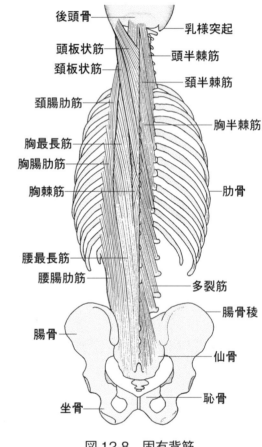

図12-8　固有背筋

□**最長筋** M. longissimus：脊柱起立筋の中間柱にあたり，以下の3部からなる。

　□**胸最長筋** M. longissimus thoracis
　　起始：腸骨稜，仙骨外側面，腰椎棘突起，下位胸椎の横突起，胸腰筋膜
　　停止：外側部は全腰椎の肋骨突起と第3〜5以下の肋骨，内側部は全胸椎の横突起，上位腰椎の副突起
　□**頚最長筋** M. longissimus cervicis
　　起始：第1〜6胸椎の横突起
　　停止：第2〜5頚椎横突起後結節
　□**頭最長筋** M. longissimus capitis
　　起始：第3頚椎〜第3胸椎の横突起と関節突起
　　停止：乳様突起

□**棘筋** M. spinalis：棘突起と横突起（肋骨突起）の間の溝を埋める筋で，脊柱起立筋の内側柱にあたる。以下の3部からなるが区別は困難である。

- □ 胸棘筋 M. spinalis thoracis
- □ 頚棘筋 M. spinalis cervicis（約20％の人で欠如）
- □ 頭棘筋 M. spinalis capitis（約35％の人に見られる）

12.3 頭頚部後面の解剖

> 僧帽筋や板状筋を剝離する間に，その深部から後頭部の神経が現れる（図12-9）。これらに注意しながら後頭下筋を剖出せよ。

12.3.1 後頚部の神経と血管

後頭三角 Trigonum occipitale は大後頭直筋，上頭斜筋，下頭斜筋で囲まれる三角の領域で，以下の神経と血管が見える。

- □ **後頭下神経** N. suboccipitalis（C_1の後枝）：椎骨動脈の下で環椎の後弓を横切り，後頭下筋群を支配する。
- □ **大後頭神経** N. occipitalis major（C_2の後枝）：後頭動脈と伴行し，下頭斜筋の下縁から出てると僧帽筋の起始部から皮下に現れ，後頭部の皮膚に分布する。
- □ **第3後頭神経** N. occipitalis tertius（C_3の後枝）：僧帽筋を貫いて皮下に現れ，項部の皮膚に分布する。
- □ **椎骨動脈** A. vertebralis：頚椎横突孔の中を上行する。

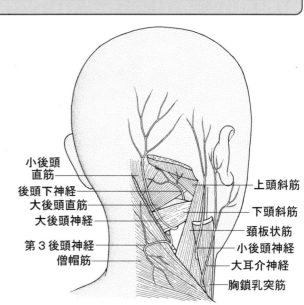

図12-9 後頭部の神経

12.3.2 後頭下筋の解剖

後頭下筋は後頭骨と頚椎の間を張って，頭の運動を行う（図12-10）。この図では，これらの筋が上下に走っているように見えるが，筋の起始となる環椎後結節や軸椎棘突起は上項線よりも深い位置にあるので，実際は前後に走っている。頭部を十分に前屈させると観察しやすくなる。

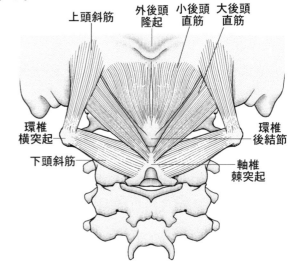

図12-10 後頭下筋群

- □ **大後頭直筋** M. rectus capitis posterior major
  起始：軸椎棘突起
  停止：下項線の外側部
  神経：後頭下神経 N. suboccipitalis
- □ **小後頭直筋** M. rectus capitis posterior minor
  起始：環椎後結節
  停止：下項線内側部の下方
  神経：後頭下神経 N. suboccipitalis
- □ **下頭斜筋** M. obliquus capitis inferior
  起始：軸椎棘突起
  停止：環椎横突起
  神経：後頭下神経 N. suboccipitalis

□上頭斜筋 M. obliquus capitis superior
起始：環椎横突起
停止：下項線の上
神経：後頭下神経 N. suboccipitalis

□外側頭直筋 M. rectus capitis lateralis
起始：環椎横突起
停止：後頭骨外側
神経：第1頚神経 N. cervicalis（C_1）の前枝

12.4 環椎後頭関節と頭部離断

> 頭部を離断するために次の作業を行え。
> ①遺体を背臥位にして総頚動脈，迷走神経，内頚静脈，交感神経幹を紐で結び，喉頭よりも下位で切断せよ。また，気管と食道を頚切痕の高さで切断せよ。
> ②遺体を腹臥位にして後環椎後頭膜を切断せよ。
> ③後頭鱗を鋸を用いて環椎後頭関節から上に開く扇形に切れ（図 12-11）。
> ④環椎後頭関節包を切開せよ。
> ⑤後頭骨と軸椎を結合する結合組織を切れ。
> ⑥咽頭と頚椎の間の結合組織を剥離し，頭長筋と頚椎前部の後頭下筋を切れ。
> ⑦力を加えて後頭骨を頚椎から離せ。この時咽頭，喉頭，神経，血管などは頭部の方に付いている。
> ⑧頭部の観察が終われば，遺体を背臥位にして頭部を元にあった場所に置け。

12.4.1 環椎後頭関節

環椎後頭関節 Articulatio atlanto-occipitalis は後頭骨後頭顆と環椎の上関節窩が作る関節で，ここで頭の前・後屈，側屈が行われる（図 12-12）。

□後頭顆 Condylus occipitalis
□上関節窩 Fovea articularis superior
□関節包 Capsula articularis
□前・後環椎後頭膜 Membrana atlanto-occipitalis anterior et posterior
□外側環椎後頭靱帯 Lig. atlanto-occipitale laterale：後頭骨と環椎間の結合組織
□蓋膜 Membrana tectoria
□環椎十字靱帯 Lig. cruciforme atlantis
□翼状靱帯 Lig. alaria
□歯尖靱帯 Lig. apicis dentis

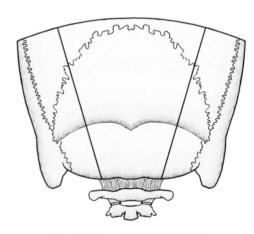

図 12-11　後頭骨の切開線

12.4.2 環軸関節

環軸関節 Articulatio atlantoaxialis で頭部の回旋運動（頭を左右に向ける）が行われる（図 12-13）。環軸関節は正中および外側環軸関節から構成される。

□正中環軸関節 Articulatio atlantoaxialis mediana
　環椎：歯突起窩 Fovea dentis
　軸椎：前関節面 Facies articularis anterior

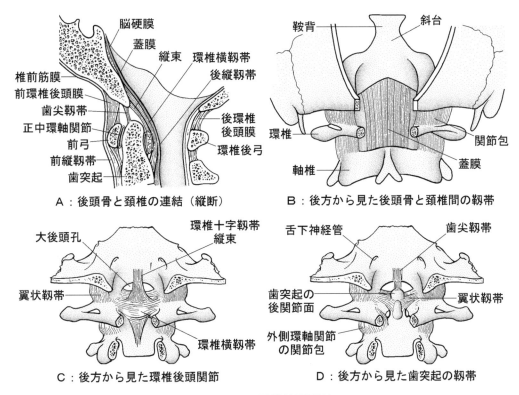

図 12-12 環椎後頭関節

環椎横靱帯 Lig. transversum atlantis
後関節面 Facies articularis posterior
□外側環軸関節 Articulatio atlantoaxialis lateralis
下関節窩 Fovea articularis inferior
上関節面 Facies articularis superior

12.5 頭頸部内臓の解剖

離断した頭頸部を後面から観察せよ（図 12-14）。

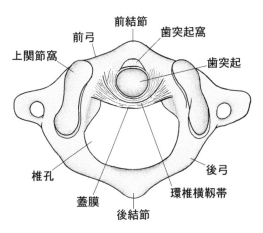

図 12-13 正中環軸関節

12.5.1 後頭骨の観察

1) **頸静脈孔** Foramen jugulare を通るもの

□**内頸静脈** V. jugularis interna：S状静脈洞に続いて始まり，頭蓋腔を出る。

□**舌咽神経** N. glossopharyngeus：第9脳神経で，2個の神経節が付属する。
　上神経節 Ganglion superius
　下神経節 Ganglion inferius

□**迷走神経** N. vagus：第10脳神経で，2個の神経節が付属する。
　上神経節 Ganglion superius
　下神経節 Ganglion inferius

□**副神経** N. accessorius：第11脳神経で，僧帽筋と胸鎖乳突筋を支配する。

2) **舌下神経管** Canalis hypoglossi を通るもの

□**舌下神経** N. hypoglossus：第12脳神経で，舌筋群を支配する。

12.5.2 咽頭外面の観察

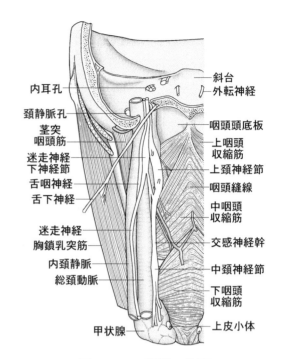

図 12-14　咽頭の後面

- 外膜 Tunica adventitia：頸筋膜の椎前葉に当たる。弾性線維を多く含む。
- 咽頭の筋層 Tunica muscularis pharyngis：咽頭挙筋と咽頭収縮筋から構成される。いずれも骨格筋である。

□**咽頭挙筋** M. levator pharyngis：消化管の縦走筋に相当するもので，舌咽神経に支配され，嚥下時に咽頭を引き上げる。

□**咽頭収縮筋** M. constrictor pharyngis：消化管の輪走筋に相当し，舌咽神経，迷走神経，交感神経からなる咽頭神経叢に支配される。次の3部に分けられ，嚥下に際して上から順に収縮して食物を食道に向け送る。

□**上咽頭収縮筋** M. constrictor pharyngis superior

起始：蝶形骨翼状突起の内側板，翼突下顎縫線，下顎骨の顎舌骨筋線の後端（顎咽頭部）および横舌筋の続き（舌咽頭部）

停止：咽頭縫線

□**中咽頭収縮筋** M. constrictor pharyngis medius

起始：舌骨の大角と小角

停止：咽頭縫線

□**下咽頭収縮筋** M. constrictor pharyngis inferior

起始：輪状軟骨筋膜，甲状軟骨斜線

停止：咽頭縫線，甲状咽頭部

□**茎突咽頭筋** M. stylopharyngeus

起始：茎状突起根部の内側

停止：甲状軟骨

□**口蓋咽頭筋** M. palatopharyngeus：一部は軟口蓋から起こり，口蓋咽頭弓の中を通って咽頭の外側壁を下行し，甲状軟骨に至る。

□**耳管咽頭筋** M. salpingopharyngeus：しばしば欠けることがある。耳管軟骨の下部から起こり，咽頭の外側壁と後壁の境界を下行しながら扇状に広がる。

13 胸腔および胸部臓器の解剖

13.1 胸腔の開検

> 胸腔を開検するために以下の操作を行え（図13-1）。この時，胸膜をできるだけ傷つけないように注意せよ。
> ①肋軟骨と肋骨の切断
>   第2〜7肋軟骨を胸骨外側縁より2cm外側で切断せよ。
>   第2〜7肋骨を最外側縁で切断せよ。
> ②肋骨と胸膜の間に指を入れて肋骨を胸膜から剥離し，肋骨を除去せよ。
> ③壁側胸膜を鎖骨縁と横隔膜に沿って切開せよ。また鎖骨中線上で切開して，胸膜を内側と外側に反転せよ。

13.1.1 胸膜の観察

胸腔の内面と肺の表面は**胸膜** Pleura と呼ばれる薄い膜で覆われている。

- □**壁側胸膜** Pleura parietalis：胸腔の内面を覆う。
- □**臓側胸膜** Pleura visceralis（肺胸膜 Pleura pulmonalis）：肺の表面を直接覆う。
- □**肺間膜** Lig. pulmonale：肺門部にあり，臓側胸膜が反転して壁側胸膜に移行する。
- □**胸膜洞** Recessus pleuralis：壁側胸膜と臓側胸膜の間の隙間で，ごく少量の漿液が貯まっている。

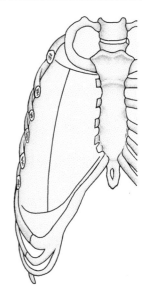

図13-1 肋骨と胸膜の切開

13.1.2 肺の胸腔内観察

> 壁側胸膜を除去し，そのままの状態で肺の各部を確認せよ（図13-2）。

- □**肺尖** Apex pulmonis：肺の上端で，鎖骨の高さを少し越えている。
- □**肺底** Basis pulmonis：肺の底面で横隔膜に接する。
- □**前縁と下縁** Margo anterior et inferior
- □**肋骨面** Facies costalis：肺の前および側面。
- □**水平裂** Fissura horizontalis：右肺の上葉と中葉を分ける深い溝。
- □**斜裂** Fissura obliqua：右肺では中葉と下葉，左肺では上葉と下葉を分ける深い溝。

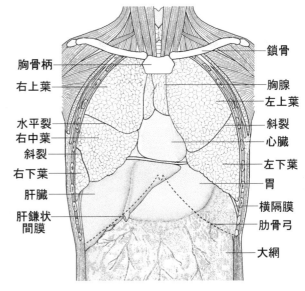

図13-2 胸腔内臓器の概観
（胸骨，肋骨，横隔膜を除去している）

13.1.3 右肺と左肺の比較

1) **右肺** Pulmo dexter

左肺よりも大きく，斜裂と水平裂によって3つの**肺葉** Lobus pulmonis に分けられる。
- □**上葉** Lobus superior
- □**中葉** Lobus medius
- □**下葉** Lobus inferior：呼吸音の聴診は側面，後面から行う。
- □**水平裂** Fissura horizontalis：上葉と中葉を分ける。
- □**斜裂** Fissura obliqua：中葉と下葉を分ける。

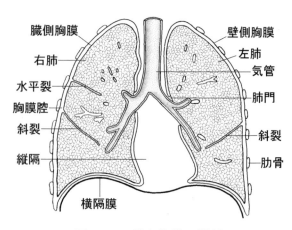

図13-3　肺と胸膜の関係

2) **左肺** Pulmo sinister

右肺よりも少し小さく，斜裂によって2つの肺葉に分けられる。
- □**斜裂** Fissura obliqua：上外側から下内側に走り，上葉と下葉を分ける。
- □**上葉** Lobus superior
- □**下葉** Lobus inferior
- □**心切痕** Incisura cardiaca：心臓を覆う部分の切れ込み。

13.2 肺の摘出と観察

13.2.1 肺の摘出

> 胸腔内で肺を観察した後，肺根と肺間膜を切断して肺を摘出せよ。肺根は肺動脈，肺静脈，気管支からなる。この部分以外では肺は胸膜腔内で自由である（図13-3）。

13.2.2 摘出した肺の観察

> 肺の大きさと重量を左右別々に記録せよ。また以下の場所を確認せよ（図13-4）。

- □**肺尖** Apex pulmonis
- □**肺底** Basis pulmonis
- □**前縁** Margo anterior
- □**下縁** Margo inferior
- □**肋骨面** Facies costalis
- □**縦隔面** Facies mediastinalis
- □**横隔面** Facies diaphragmatica

1) 肺肋骨面の観察
- □**水平裂** Fissura horizontalis：右肺のみにあり，上葉と中葉を分ける。
- □**斜裂** Fissura obliqua：左右の肺にほぼ対称に走る。右肺では中葉と下葉に，左肺では上葉と下葉に分ける。

> 肺を手にとって軽く折り曲げてみよ。水平裂や斜裂は非常に深く、裂隙は肺の深部にまで達している。これらによって肺葉ははっきりと分けられている。

2) 肺縦隔面の観察

- **肺門** Hilus pulmonis：肺の内側面中央部でやや陥凹しており、ここで臓側胸膜が壁側胸膜に反転する。
- **肺根** Radix pulmonis：以下のものが出入りする。
  - **肺動脈** A. pulmonalis
  - **肺静脈** V. pulmonalis
  - **主気管支** Bronchi principale
- **水平裂**（右肺のみ）と**斜裂**（左右の肺）
- **心圧痕** Impressio cardiaca：左肺の内側面に見られる大きな陥凹で、心臓の形に対応する。

3) 肺区域

左右の肺はそれぞれに10個の**肺区域** Segmenta bronchopulmonalia に区分される（図13-5）。これは1本の区域気管支が支配する領域であるが、表面からは肺区域の境界線を同定することはできない。

(1) 右肺 Pulmo dexter
　　上葉 Lobus superior
　　　S1：肺尖区 Seg. apicale
　　　S2：後上葉区 Seg. posterius
　　　S3：前上葉区 Seg. anterius
　　中葉 Lobus medius
　　　S4：外側中葉区 Seg. laterale
　　　S5：内側中葉区 Seg. mediale
　　下葉 Lobus inferior
　　　S6：上下葉区 Seg. apicale superius
　　　S7：内側肺底区 Seg. basale mediale
　　　S8：前肺底区 Seg. basale

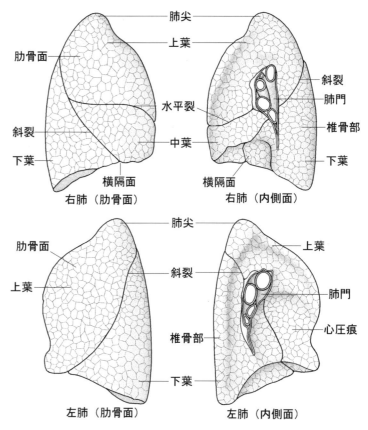

図13-4　取り出された肺の観察

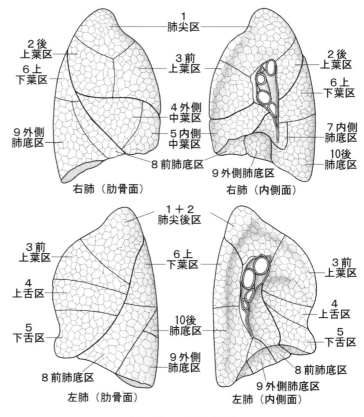

図13-5　肺の区域

anterius
S9：外側肺底区 Seg. basale laterale
S10：後肺底区 Seg. basale posterius

(2) 左肺 Pulmo sinister
　上葉 Lobus superior
　　S1 + 2：肺尖後区 Seg. apicoposterius
　　S3：前上葉区 Seg. anterius
　　S4：上舌区 Seg. lingulare superius
　　S5：下舌区 Seg. lingulare inferius

　下葉 Lobus inferior
　　S6：上下葉区 Seg. apicale superius
　　S7：内側肺底区 Seg. basale mediale
　　S8：前肺底区 Seg. basale anterius
　　S9：外側肺底区 Seg. basale laterale
　　S10：後肺底区 Seg. basale posterius

13.2.3　気管と気管支

気管 Trachea は輪状軟骨に続く長さ約11cmの管で，気管壁には十数個の馬蹄形の**気管軟骨** Cartilagines tracheales が上下に連なっている（図13-6）。胸骨角の高さで左右の**主気管支**に分かれる部分を**気管分岐部** Bifurcatio tracheae という。主気管支の長さは2～3cmで，右主気管支の方が左よりも太い。また左主気管支は右よりも鋭く外方に曲がるので，気管内に入った異物は多くの場合右気管支に詰まる。

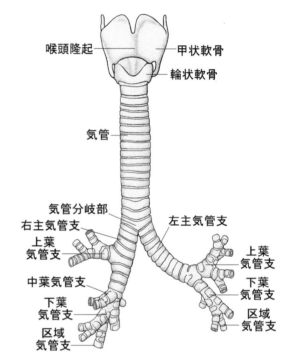

図13-6　気管と気管支

1）葉気管支

右主気管支 Bronchus principalis dexter はすぐに3本の葉気管支に分かれる。

□上葉気管支 Bronchus lobaris superior
□中葉気管支 Bronchus lobaris medius
□下葉気管支 Bronchus lobaris inferius

左主気管支 Bronchus principalis sinister はすぐに2本の葉気管支に分かれる。

□上葉気管支 Bronchus lobaris superior
□下葉気管支 Bronchus lobaris inferius

2）区域気管支

葉気管支は肺内で左右それぞれ10本の**区域気管支** Bronchi segmentales に分かれる。

□右上葉気管支 Bronchus lobaris superior
　B1：肺尖枝 Bronchus segmentalis apicalis
　B2：後上葉枝 Bronchus segmentalis posterior
　B3：前上葉枝 Bronchus segmentalis anterior
□右中葉気管支 Bronchus lobaris medius
　B4：外側中葉枝 Bronchus segmentalis lateralis
　B5：内側中葉枝 Bronchus segmentalis medialis
□右下葉気管支 Bronchus lobaris inferius

B6：上下葉枝 Bronchus segmentalis apicalis superior
B7：内側肺底枝 Bronchus segmentalis basalis medialis
B8：前肺底枝 Bronchus segmentalis basalis anterior
B9：外側肺底区 Bronchus segmentalis basalis lateralis
B10：後肺底枝 Bronchus segmentalis basalis posterior

□左上葉気管支 Bronchus lobaris superior
B1＋2：肺尖後枝 Bronchus segmentalis apicoposterior
B3：前上葉枝 Bronchus segmentalis anterior
B4：上舌枝 Bronchus segmentalis lingualis superior
B5：下舌枝 Bronchus segmentalis lingualis inferior

□左下葉気管支 Bronchus lobaris inferius
B6：上下葉枝 Bronchus segmentalis apicalis superior
B7：内側肺底枝 Bronchus segmentalis basalis medialis
B8：前肺底枝 Bronchus segmentalis basalis anterior
B9：外側肺底区 Bronchus segmentalis basalis lateralis
B10：後肺底枝 Bronchus segmentalis basalis posterior

> ピンセットで肺の組織を少しずつ除去しながら，右および左気管支を肺の中まで辿れ．気管支の分岐に伴って肺動脈も分岐する．一方，肺静脈は気管支と独立して分岐していく．

13.3 縦隔の解剖

縦隔 Mediastinum は胸腔の中央部で左右の肺に挟まれており，以下の構造物で境界されている（図 13-7，13-8）．

前面：胸骨
下方：横隔膜
後面：胸椎
左右：肺
上方：胸郭上口

縦隔のうちで，胸骨角よりも上の部分を上縦隔，下の部分を下縦隔といい，様々な重要臓器が入っている．

□**上縦隔** Mediastinum superius：胸骨角よりも上で，気管，食道，大動脈，腕頭静脈，上大静脈，迷走神経，横隔神経，反回神経，胸腺などが存在する．

□**下縦隔** Mediastinum inferius：胸骨角から横隔膜までで，さらに3部に分けられる．

□**前縦隔** Mediastinum anterius：心臓よりも前の部分で，少量の脂肪組織が存在する．

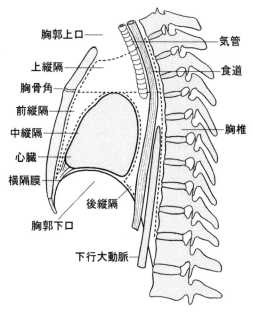

図 13-7　縦隔の区分

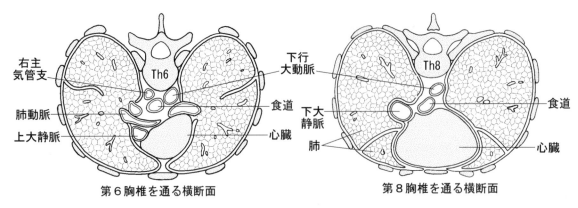

図13-8 縦隔の横断面

□**中縦隔** Mediastinum medius：心臓を入れる部分で，心臓のほかに大血管の起始部，気管分岐部，横隔神経が通る。

□**後縦隔** Mediastinum posterius：心臓よりも後ろの部分で，下行大動脈，奇静脈，半奇静脈，迷走神経，食道，胸管が通る。

13.3.1 胸膜腔から縦隔の観察

1）縦隔の右側面に見えるもの（図13-9）
□肺根の断面：肺動脈，肺静脈，気管支を含む。
□心臓による卵円形の隆起
□奇静脈 V. azygos による弓状隆起
□横隔神経 N. phrenicus
□交感神経幹 Truncus sympathicus

2）縦隔の左側面に見えるもの
□肺根の断面
□心臓による著明な隆起
□横隔神経 N. phrenicus
□大動脈弓 Arcus aortae：頚切痕の高さが頂点となる。

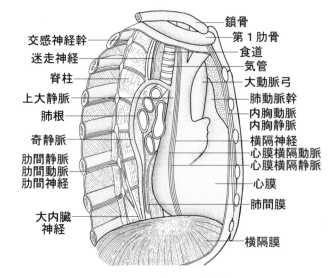

図13-9 縦隔の右側面

□左腕頭静脈 V. brachiocephalica sinistra：内頚静脈と鎖骨下静脈が合流したもの。
□左鎖骨下動脈 A. subclavia sinistra
□食道 Esophagus（図13-13）：気管の深部を気管と平行に走る。
□交感神経幹 Truncus sympathicus

13.3.2 縦隔の開検

鋸を用いて第1肋骨の直下で胸骨柄，第6肋間の高さで胸骨体を切断せよ。そして剣状突起と第7肋骨を残して胸骨を剥離せよ。心膜に包まれた心臓が現れる。心膜の上を**横隔神経**が下行するので切断しないように注意せよ（図13-10）。

1) 上縦隔に存在する構造物

□**胸腺** Thymus：胸骨の直下にあるリンパ性器官で，思春期以降急速に退化変性し，成人ではほとんどが脂肪組織になる。

□**上大静脈** V. cava superior：左右の腕頭静脈が合流したもので，右心房上面に注ぐ。

□**腕頭静脈** V. brachiocephalica：内頸静脈と鎖骨下静脈が合流したもので，左右にある。

□**奇静脈** V. azygos：体幹壁の血液を集め，上大静脈に流入する。

□**静脈角** Angulus venosus：内頸静脈と鎖骨下静脈の合流部で，左静脈角には胸管が，右静脈角には右頸リンパ本幹が流入する。

□**肺動脈幹** Truncus pulmonalis：右心室から出るとすぐに左右の肺動脈に分かれる。

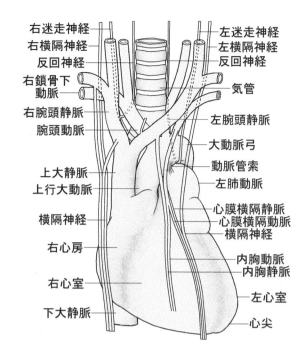

図13-10　心臓付近の血管と神経

□**上行大動脈** Aorta ascendens：上大静脈と肺動脈幹の間を上行する。

□**大動脈弓** Arcus aortae

□**腕頭動脈** Truncus brachiocephalicus：大動脈弓から出る最初の枝で，すぐに**右総頸動脈** A. carotis communis dextra と**右鎖骨下動脈** A. subclavia dextra に分岐する。

□**左総頸動脈** A. carotis communis sinistra：大動脈弓の2番目の枝で，上方に向かう。

□**左鎖骨下動脈** A. subclavia sinistra：大動脈弓の3番目の枝で，外方に向かう。

□**動脈管索** Lig. arteriosum：大動脈弓と左肺動脈の間を結ぶ結合組織で，胎児期の大動脈管が閉鎖して結合組織になったものである。

13.3.3　心臓の摘出

心膜の前面中央で心膜を横切し，その両端から上下方向に切開線を入れよ（図13-11）。このとき，**横隔神経**を切らないように注意せよ。心膜の反転部で心臓に出入りする以下の血管を切断せよ。
　①心膜の上部反転部で上行大動脈と左右の肺動脈をハサミで切断せよ。
　②上大静脈を心膜腔の入口で切断せよ。
　③下大静脈を横隔膜の直上で切断せよ。
　④4本の肺静脈を心臓の入口で切断せよ。
　⑤心臓を取り出せ。

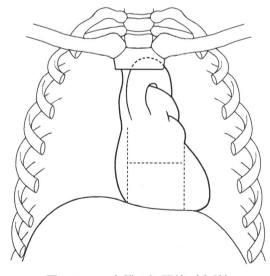

図13-11　心膜の切開線（点線）

心膜後壁の観察

心臓摘出後，心膜の後壁を観察し，以下の血管の切断端を確認せよ（図13-12）。

□上大静脈 V. cava superior
□肺静脈 Vv. pulmonales（4本）
□上行大動脈 Aorta ascendens
□下大静脈 V. cava inferior
□肺動脈 A. pulmonalis

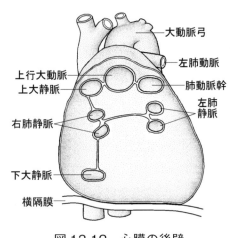

図 13-12　心膜の後壁

13.3.4　後縦隔の観察

心膜を除去して，後縦隔にある以下のものを確認せよ（図13-13）。

□肺静脈 Vv. pulmonales（左右2本ずつ計4本）
□気管 Trachea：輪状軟骨の直下から始まる直径が約1.5cm，長さが約11cmの管で，胸骨角の高さで左右の主気管支に分かれる。十数個の気管軟骨を持っている。
□主気管支 Bronchus pricipalis：右は3本，左は2本の葉気管支に分かれる。
□迷走神経 N. vagus：左の迷走神経は食道の前面を，右の迷走神経は食道の後面を下行する。
□交感神経幹 Truncus sympathicus

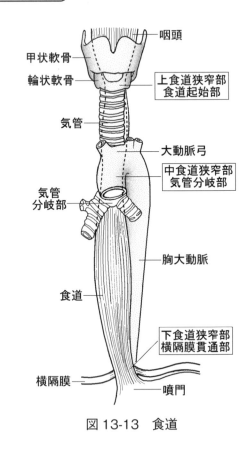

図 13-13　食道

1）食道の解剖

食道 Esophagus は咽頭と胃を結ぶ長さ約25cmの消化管で，頸部や上縦隔では気管の後ろを，気管と平行して下行する。気管とは結合組織（外膜）で緩やかに結合している。

気管を輪状軟骨の下で切断し，食道から剥離せよ。そして食道を取り巻く結合組織をきれいに除去せよ。

食道の生理的狭窄部位
　食道には以下の3ヶ所に生理的狭窄部位がある。狭窄部位は食道癌の好発部位でもある。
①食道の起始部。
②気管分岐部の高さ：胸骨角の高さにある。
③横隔膜を貫通する部分。

2）奇静脈と半奇静脈

　両手を拡げた状態で，心臓よりも上の領域（頭頸部と上肢）を流れた血液は上大静脈，心臓より

も下の領域を流れた血液は下大静脈に集められる。しかし、体幹を流れた血液は例外で、心臓よりも下からの血液が流れるにもかかわらず、奇静脈は上大静脈に流れ込む。なお、左右の上行腰静脈は後腹壁の解剖で確認せよ。

- □**奇静脈** V. azygos：横隔膜の高さで右肋下静脈か右上行腰静脈の続きとして始まる（図 13-14）。椎骨の右側を上行し、上大静脈に流れ込む。
- □**半奇静脈** V. hemiazygos：横隔膜の高さで左肋下静脈か左上行腰静脈の続きとして始まり、椎骨の左側を上行してすぐに奇静脈に流れ込む。
- □**副半奇静脈** V. hemiazygos accessoria：第4肋間静脈の続きとして始まり、椎骨の左側を下行して半奇静脈に流れ込む。
- □**肋間静脈** Vv. intercostales：肋骨の下縁に沿って肋間動脈や肋間神経と平行して前から後方に向かって流れ、右は奇静脈、左は半奇静脈や副半奇静脈に流れ込む。
- □**胸管** Ductus thoracicus：腹腔後壁を上行する乳糜槽は横隔膜を貫通すると胸管となり、脊柱の前で大動脈と奇静脈の間を上行し、左静脈角に注ぐ。

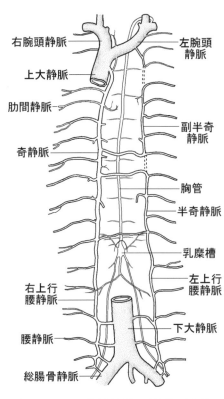

図 13-14　体幹後壁の静脈と胸管

13.4　摘出した心臓の解剖

13.4.1　心臓表面の観察

> 心臓の大きさと重量を測定せよ。心臓表面には脂肪組織が付着している。
> 摘出した心臓を手に持って各部位を観察せよ（図 13-15：前面、13-16：後面）。

　心臓を体表に投影するとほぼ三角形になり、その底辺は右心耳と左心耳の上縁を結ぶ線で、これを**心底** Basis cordis という。また、心臓の左下端にある**心尖** Apex cordis が三角形の頂点にあたる場所で、左鎖骨中線上で第5肋骨の高さにある。すなわち、心臓の軸は右上方から左下方に伸びている。そして生体では、左鎖骨中線上で第5肋間において心尖拍動を触れることができる。

　右心房と右心室を合わせて右心系、左心房と左心室を合わせて左心系というが、右心系が心臓の前半分を、左心系が後ろ半分を占めていることに注意しなければならない。

　さらに、心室から出る肺動脈幹と上行大動脈は平行に上に向かって進むのではなく、互いに捻れ合っていることにも注意せよ。すなわち、基部では肺動脈幹が前、上行大動脈が後ろを通るが、肺動脈幹が左右の肺動脈に分かれる高さでは、大動脈が前に出て、右の肺動脈は大動脈の後ろに回っている。

- □**右心房** Atrium dextrum：心臓の前部右下にある。
- □**右心耳** Auricula dextra：右心房の一部で大動脈の基部を抱きかかえている。
- □**上大静脈** V. cava superior：上半身からの血液を集める大静脈で、ほぼ垂直に下行して右心房の

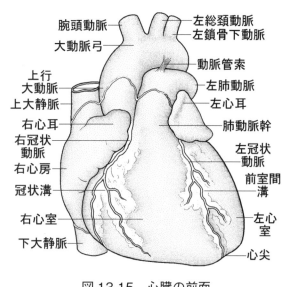

図13-15　心臓の前面

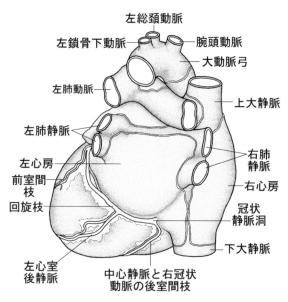

図13-16　心臓の後面

上面に開く。
- **下大静脈** V. cava inferior：下半身からの血液を集める大静脈で，横隔膜を貫くとすぐに右心房の下面に開く。
- **右心室** Ventriculus dexter：右心房の左方で，左心室の前にある。
- **左心房** Atrium sinistrum：心臓の後上部にある。
- **左心耳** Auricula sinistra：左心房の一部で，肺動脈幹の基部を抱きかかえている。
- **左心室** Ventriculus sinister：右心室の後ろにあり，前からは左縁だけが見える。
- **前室間溝** Sulcus interventricularis anterior：心室中隔に対応する前面の浅い溝で，ここを左冠状動脈の前室間枝が通る。
- **後室間溝** Sulcus interventricularis posterior：横隔面を走る心室中隔に対応する浅い縦溝で，右冠状動脈の後室間枝（前下行枝の続き）が通る。
- **冠状溝** Sulcus coronarius：心房と心室の境界をなす溝で，房室間境に沿って心臓を取り巻く。
- **肺動脈幹** Truncus pulmonalis：右心室から上方に伸び，すぐに左右の肺動脈に分かれる。
- **肺動脈弁** Valva trunci pulmonalis：ポケット状の弁が3個あり，肺動脈幹を上から覗くと見える。
- **大動脈** Aorta：左心室の上面から始まり，肺動脈幹の後方を上行する。
- **大動脈弁** Valva aortae：ポケット状の弁が3個あり，大動脈を上から覗くと見える。
- **右冠状動脈** A. coronaria dextra
- **左冠状動脈** A. coronaria sinistra
- **冠状静脈洞** Sinus coronarius：心臓後面の冠状溝に沿って走る静脈で，心臓を流れた血液を集め，右心房の下部後壁に流入する。

13.4.2 心臓内部の観察

内部を観察するために，以下の順序で心臓壁に切開を加えよ（図13-17）。
① 上大静脈と下大静脈の中間点 a から右心室に向かって冠状溝まで斜めに切開せよ。
② 第1切開線の中央点 b から右心耳の先端まで第2切開線を入れよ。
③ 肺動脈の前半月弁と右半月弁の間から心尖に向かって，室間溝に沿って肺動脈幹と右心室を切開せよ。
④ さらに心尖から後室間溝に沿って右心室後壁を切れ。
⑤ 左右肺静脈の中間点 f から垂直に冠状溝 d に至る切開を入れよ。
⑥ 第5切開線上部 f から左心耳の先端に向けて切開せよ。
⑦ 大動脈の右半月弁と左半月弁の間 e と心尖を結ぶ線上を切開せよ。
⑧ さらに心尖から上向きに後室間溝に沿って左心室壁を切開せよ。

1）**右心房** Atrium dextrum の内面の観察（図13-18）

□ **上大静脈口** Ostium venae cavae superioris：右心房の上面に開く。

□ **下大静脈口** Ostium venae cavae inferioris：右心房の下面に開く。

□ **冠状静脈洞** Sinus coronarius：下大静脈口と房室口の間に開く。

□ **心房中隔** Septum interatriale：左右の心房を隔てる膜性の隔壁。

□ **卵円窩** Fossa ovalis：心房中隔の中央部にある浅い窪み。胎生期に開いていた二次心房中隔の卵円孔は，生後一次心房中隔によって塞がれる。卵円窩は卵円孔の名残り。

□ **分界稜** Crista terminalis：右心房壁のうち，分界稜と心房中隔の間は上大静脈や下大静脈に由来する部分で，本来の右心房ではない。上大静脈や下大静脈に由来する場所の壁は薄く内面も平滑である。

□ **櫛状筋** Mm. pectinati：心房壁の筋が多数の小稜を形成して心房内に突出する。

□ **右房室口** Ostium atrioventriculare dextrum：右心房から右心室への流入口。

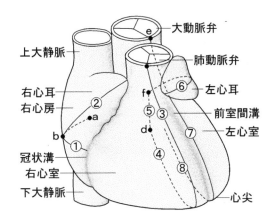

図 13-17 心臓の切開線

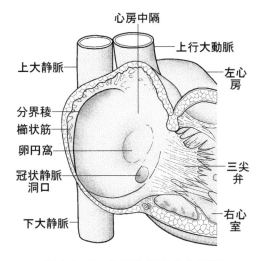

図 13-18 心房中隔の右心房面

2）**右心室** Ventriculus dexter（図13-19）

□ **肺動脈口** Ostium trunci pulmonalis：右心室から肺動脈幹への流出口。

□ **肺動脈弁** Valva trunci pulmonalis：右左および前の3個の半月弁よりなる。

- □右房室弁 Valva atrioventricularis dextra（三尖弁 Valva tricuspidalis）：前，後および中隔尖の3枚の帆状弁からなる。
- □乳頭筋 Mm. papillares：心室の内腔に向かって突出する心筋塊で，先端から腱索が伸び出す。
- □腱索 Chordae tendineae：乳頭筋と三尖弁の先端を繋ぐ索状物で，三尖弁が右心房に反転するのを防いでいる。

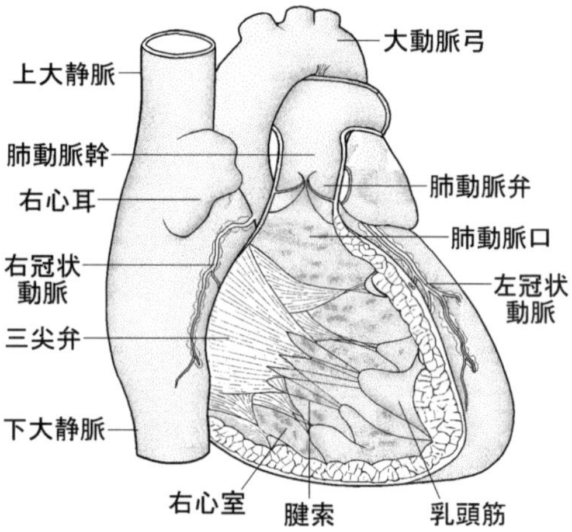

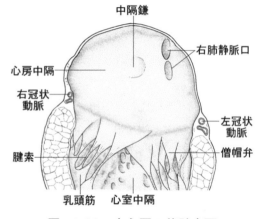

図 13-19 右心室の内部

3) 左心房 Atrium sinistrum（図 13-20）
- □左心耳 Auricula sinistra
- □心房中隔 Septum interatriale
- □中隔鎌 Falx septi：胎生期の一次心房中隔に開いた二次口が二次心房中隔と癒合して閉鎖した場所。二次心房中隔の卵円孔と二次孔の開口場所はずれているために，生後肺循環が始まると，一次心房中隔と二次心房中隔が癒合し，右心房から左心房への通路は完全に閉鎖される。
- □肺静脈口 Ostia venarum pulmonalium：左心房の後壁に左右2個ずつ，計4個存在する。
- □左房室口 Ostium atrioventriculare sinistrum：左心房から左心室への通路。
- □左房室弁 Valva atrioventricularis sinistra（僧帽弁 Valva mitralis）：2枚の帆状弁からなる。

図 13-20 左心房の後壁内面

4) 左心室 Ventriculus sinister（図 13-21）
- □大動脈口 Ostium aortae：左心室から上行大動脈への出口。
- □乳頭筋 Mm. papillares
- □腱索 Chordae tendineae
- □心室中隔 Septum interventriculare
  - □膜性部 Pars membranacea：心室中隔の最上部にある円形の部分で，心筋を含まないために心室中隔の他の場所と比べて薄く，明かりにかざすと透けて見える。心臓の発生過程で膜性部の閉鎖が最も複雑で，心室中隔欠損症はここに起こることが多い。

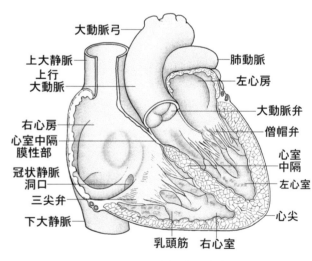

図 13-21 左心室の内部

5）心臓壁の厚さ

> 心房や心室の壁の厚さを計測して比較せよ。

　心房壁は心室壁に比べて薄く，右心室の壁は心室中隔や左心室に比べて薄い。心房壁が薄いのは，心房は血液を受け入れるだけで，強い収縮力がいらないためである。また，右心室は肺に血液を送り出すだけであるのに対して，左心室は全身に血液を送り出さなければならないので，強大な収縮力を必要とする。左心室の壁が厚いのはこのためである。

13.4.3　刺激伝導系

　刺激伝導系 Systema conducens cordis は心臓の自律的な収縮興奮を起こし，それを心臓全体に伝達する系で，特殊心筋からできている（図13-22）。

□**洞房結節** Nodus sinuatrialis（キース・フラックの結節 Keith-Flack's node）：心臓の収縮興奮を起こすペースメーカーで，刺激伝導系の最上位をなす。洞房結節は右心房後壁で上大静脈が開口する直下にある。

□**房室結節** Nodus atrioventricularis（田原の結節 Tahara's node）：右心房の下部で，心室との境界部に存在する。洞房結節から起こった興奮は心房筋（作業心筋）を経て房室結節に伝えられる。

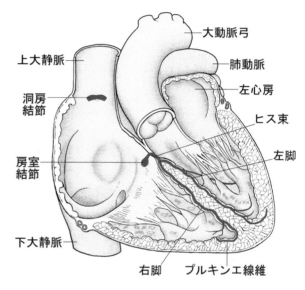

図13-22　刺激伝導系

□**房室束** Fasciculus atrioventricularis（ヒス束 His' bundle）：心房中隔の下端を，心室中隔に向かって進む短い束である。

□**右脚** Crus dextrum と**左脚** Crus sinistrum：ヒス束は右脚と左脚に分かれ，心室中隔の左右の心内膜直下を心尖に向かって伸びる。

□**プルキンエ線維** Purkinje's fiber：右脚や左脚の特殊心筋はさらに枝分かれしながら，心室全体に広がって行く。

　洞房結節で起こった興奮は心房の作業心筋によって房室結節に伝えられる。作業心筋の伝導速度は特殊心筋よりも遅いので，心房と心室の収縮の間にわずかな時間差が生じる。これを利用して，心室が収縮する前に，心房が収縮して血液を心室に送り込むことができる。房室結節に伝わった興奮はヒス束，右脚および左脚，プルキンエ線維を介して瞬時に心室全体に伝えられ，心室は一気に収縮して，勢いよく血液を送り出すことができる。

13.4.4　刺激伝導系の剖出

　刺激伝導系の剖出には時間と技術を要するので，存在場所を想定するだけでよい。しかしそれでもやってみたい人は，下記の方法でやってみよう。ただし，肉眼で特殊心筋の細胞集団が見えるわけではないので，そのおつもりで…。

1) 洞房結節の剖出

まず初めに右冠状動脈の枝である洞房結節枝を同定し，この動脈を右心耳の背側壁で追跡すると，上大静脈の前外側あるいは後外側に至る。洞房結節はこの先端付近にある（図13-23）。ピンセットで動脈を剖出していくと，これ以上きれいに剖出できなくなったところが洞房結節である。

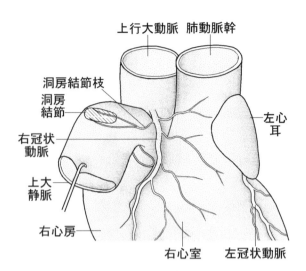

図13-23 洞房結節の剖出

2) 房室束の剖出

最初に，心室中隔の最上部にある膜性部（明かりにかざすと透けて見える）を見つける。次に三尖弁の前尖と中隔尖を同定して，心室中隔から突出する乳頭筋のうち，前尖と中隔尖に付着する腱索を繋ぎ止めている乳頭筋（Lancisi筋）を確認し，前尖と中隔尖を起始部で切断せよ（図13-24）。また，冠状静脈洞口を見つけよ。ヒス束は心室中隔膜性部の後縁でLancisi筋と冠状静脈洞口を結ぶ線上にあるので，明かりにかざすとヒス束を見つけることができる。このようにして見当をつけた後，先の細いピンセットでこれを剖出せよ。ヒス束は白みがかった，幅1mm，長さ1cm程度の特殊心筋束である。

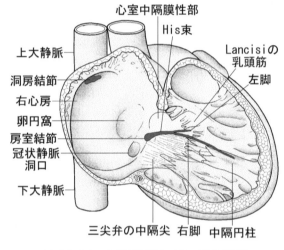

図13-24 房室結節とHis束の剖出

3) 房室結節の剖出

ヒス束を心房の方向に向かって追いかけていくと，三尖弁の中隔尖付着部で丈夫な結合組織（線維輪：図13-24を参照）にいき当たる。これをピンセットで切れば，ヒス束をさらに心房まで辿ることができる。そして，ヒス束は冠状静脈洞口の直前で扇状に広がる。ここが房室結節である。

4) 右脚と左脚の剖出

ヒス束を下方に辿ると右脚に続く。右脚はすぐに膜性部の下縁から外れ，Lancisi筋の根元に枝を与えた後，中隔縁柱に向かって進入する。中隔縁柱は心室中隔から前乳頭筋の基部に至る筋性の隆起である。一方，左脚はスダレ状に枝分かれしながら進むので，剖出は非常に困難である。

13.4.5 心臓壁の観察

1）心臓壁の観察

> ピンセットで心臓表面の心外膜を剥がし，心筋線維の配列や走行を観察せよ。

　心筋は緩やかに捻れながら，心臓全体を取り巻いている。また，心尖部ではそこを中心にして「つむじ」を巻いているように見える。

2）弁平面の観察

　心臓を全体として見ると，心房（右心房と左心房）は右上方，心室（右心室と左心室）は左下方を占める（図13-15を参照）。そして心房と心室の間はほぼ全周にわたってある程度の深さまではきれいに分離することができる（**冠状溝** Sulcus coronarius）。冠状溝の深部には**線維輪** Anuli fibrosi という丈夫な結合組織があり，心房と心室を結合している。これが心房と心室の境界面で，三尖弁，僧帽弁，大動脈弁，肺動脈弁はすべてこの平面上に並んでおり，この面を**弁平面** valve plane という（図13-25）。線維輪は心臓の骨格でもあり，各弁はここに固定されている。

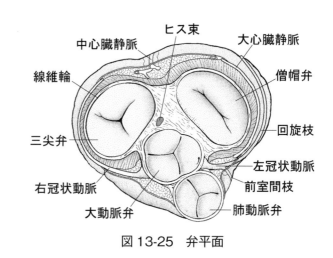

図 13-25　弁平面

14 上肢の解剖

14.1 上肢の体表解剖

14.1.1 上肢の観察

上肢を表面から観察して以下の場所を確認せよ（図14-1）。

1) 上肢の前面
- □三角胸筋溝 Sulcus deltoideopectoralis：三角筋と大胸筋の境界をなす浅い溝。
- □鎖骨下窩 Fossa infraclavicularis（鎖胸三角）：鎖骨の下縁，三角筋の内側縁，大胸筋の外側縁で囲まれた浅い三角形のくぼみ。
- □前腋窩ヒダ Plica axillaris anterior：大胸筋の外側縁が作る。
- □腋窩 Fossa axillaris：上肢と側胸壁に挟まれた上向きのくぼみ。
- □内側二頭筋溝 Sulcus bicipitalis medialis：上腕の内側面で，上腕二頭筋と上腕三頭筋の境界をなす浅い溝。
- □肘窩 Fossa cubitalis：肘関節前面の浅いくぼみ。
- □手掌 Palm
  - □母指球 Thenar：手掌面母指側のふくらみ。
  - □小指球 Hypothenar：手掌面小指側のふくらみ。

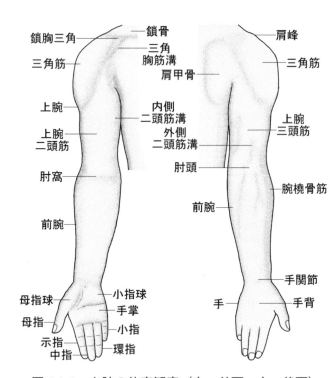

図 14-1　上肢の体表観察（左：前面，右：後面）

2) 上肢の後面
- □肩峰 Acromion：肩の最も突出している部分で，肩甲棘を外上方に辿ると肩峰に至る。
- □後腋窩ヒダ Plica axillaris posterior：大円筋と広背筋が作る。
- □外側二頭筋溝 Sulcus m. bicipitalis lateralis：上腕の外側面で，上腕二頭筋と上腕三頭筋の境をなす浅い溝。
- □肘頭 Olecranon：肘を曲げた時に最も突出する先端。

14.1.2 上肢の骨性指標

上肢で以下の骨性指標を確認せよ（図14-2）。

□鎖骨 Clavicula
　□鎖骨体 Corpus clavicularis
　□肩峰端 Extremitas acromialis
　□胸骨端 Extremitas sternalis
□肩甲骨 Scapula
　□肩峰 Acromion
　□烏口突起 Processus coracoideus
　□肩甲棘 Spina scapulae
　□下角 Angulus inferior
　□内側縁 Margo medialis
　□外側縁 Margo lateralis
□上腕骨 Humerus
　□大結節 Tuberculum majus
　□小結節 Tuberculum minus
　□外側上顆 Epicondylus lateralis
　□内側上顆 Epicondylus medialis
□橈骨 Radius
　□橈骨頭 Caput radii
　□茎状突起 Processus styloideus
□尺骨 Ulna
　□肘頭 Olecranon
　□尺骨体 Corpus ulnae
　□茎状突起 Processus styloideus
　□尺骨頭 Caput ulnae
□手根骨 Ossa carpi

□中手骨 Ossa metacarpalia
□指骨 Ossa digitorum manus
　□基節骨 Phalanx proximalis
　□中節骨 Phalanx media
　□末節骨 Phalanx distalis

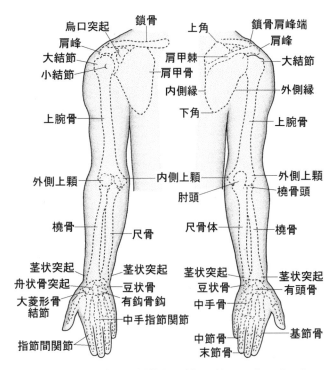

図14-2　上肢の骨性指標（左：前面，右：後面）

14.1.3　上肢の区分

上肢は以下のように区分される（図14-3）。

1）上肢前面の区分

・三角筋部 Regio deltoidea：三角筋が存在する部分。
・前上腕部 Regio brachii anterior：三角筋部と腋窩部よりも遠位，肘部よりも近位を上腕部といい，そのうち，内側および外側上腕二頭筋溝よりも前の部分をいう。
・前肘部 Regio cubiti anterior（肘窩 Fossa cubitalis）：上腕骨の内側・外側上顆を結ぶ上顆線 epicondylar line（ヒュッテル線 Heuter's line）を中心に，近位と遠位に3横指ずつの範囲が肘部で，そのうち内側および

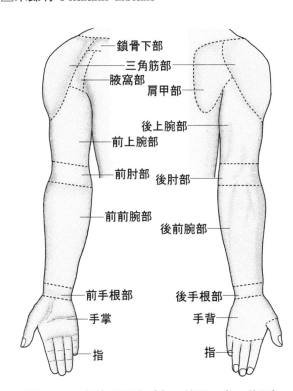

図14-3　上肢の区分（左：前面，右：後面）

外側上顆を通る線よりも前の部分をいう。
- 前前腕部 Regio antebrachii anterior：肘部と手根部の間を前腕部といい，そのうち屈筋群がある部分をいう。
- 前手根部 Regio carpalis anterior：手関節よりも遠位で，手根骨が存在する部分を手根部といい，橈骨および尺骨の茎状突起を通る線よりも前をいう。
- 手掌部 Regio palmaris manus：手根部よりも遠位，指よりも近位の前面をいう。

2）上肢後面の後面
- 肩甲部 Regio scapularis：肩甲骨が存在する部分。
- 三角筋部 Regio deltoidea：三角筋が存在する部分。
- 後上腕部 Regio brachii posterior：上腕部の後ろ半分で，上腕三頭筋の筋腹が存在する場所にあたる。
- 後肘部 Regio cubiti posterior：肘部の後ろ半分をいう。
- 後前腕部 Regio antebrachii posterior：前腕部のうちで，伸筋群が存在する場所をいうが，前前腕部との間に明瞭な境界はない。
- 後手根部 Regio carpalis posterior：手根部のうちの後ろ半分。
- 手背部 Regio dorsalis manus：手掌部の後面をいうが，手掌部との間に明瞭な境界はない。

14.2　上肢前面の解剖

14.2.1　上肢前面の皮神経と皮静脈

> 図14-4のごとく切開線を加えて皮膚を剥離せよ。皮下には以下のような皮神経や皮静脈が分布している（図14-5）。

1）皮神経
- □鎖骨上神経 Nn. suprascapulares
- □内側上腕皮神経 N. cutaneus brachii medialis
- □肋間上腕神経 Nn. intercostobrachiales
- □内側前腕皮神経の上腕枝 Ramus brachialis n. cutaneus antebrachii medialis
- □上外側上腕皮神経 N. cutaneus brachii lateralis superior
- □内側前腕皮神経 N. cutaneus antebrachii medialis
- □下外側上腕皮神経 N. cutaneus

図14-4　上肢前面の皮膚切開線

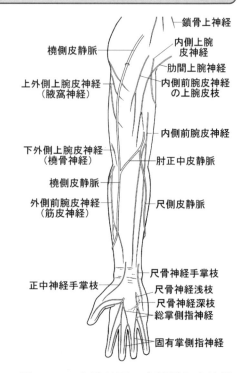

図14-5　上肢前面の皮静脈と皮神経

brachii lateralis inferior
☐外側前腕皮神経 N. cutaneus antebrachii lateralis
☐尺骨神経掌枝 Ramus palmaris nervi ulnaris
☐尺骨神経浅枝 Ramus superficialis nervi ulnaris
☐尺骨神経深枝 Ramus profundus nervi ulnaris
☐正中神経掌枝 Ramus palmaris nervi mediani
☐総掌側指神経 Nn. digitales palmares communes
☐固有掌側指神経 Nn. digitales palmares proprii

2）皮静脈

上肢の皮下を走る皮静脈で，走行や太さ，吻合のパターンは人によって大きく異なる（図14-5）。
・橈側皮静脈 V. cephalica：上腕前面の外側部を上行し，腋窩部では三角胸筋溝を通って腋窩静脈に入る。採血や静脈注射はこの皮静脈の肘窩部で行われることが多い。
・尺側皮静脈 V. basilica：前腕の内側部を上行し，多くの場合，肘窩のすぐ近位で上腕静脈に注ぐ。
・肘正中皮静脈 V. mediana cubiti（肘中間皮静脈 V. intermedia cubiti）：肘窩にあって橈側皮静脈と尺側皮静脈を連絡する。採血や静脈注射はここでも行われる。

14.2.2 上肢帯前面の解剖

> 肩の皮下組織をきれいに除去して三角筋を剖出せよ。

1）三角筋

☐三角筋 M. deltoideus：肩の丸みを作る三角形の大きな筋で，筋注の場所でもある。起始する場所によって前部，中部および後部に分けられる（図14-6）。前部の前縁は大胸筋と接しており，三角胸筋溝を作っている。ここを橈側皮静脈が通り，その上端で橈側皮静脈は腋窩静脈に注ぐ。

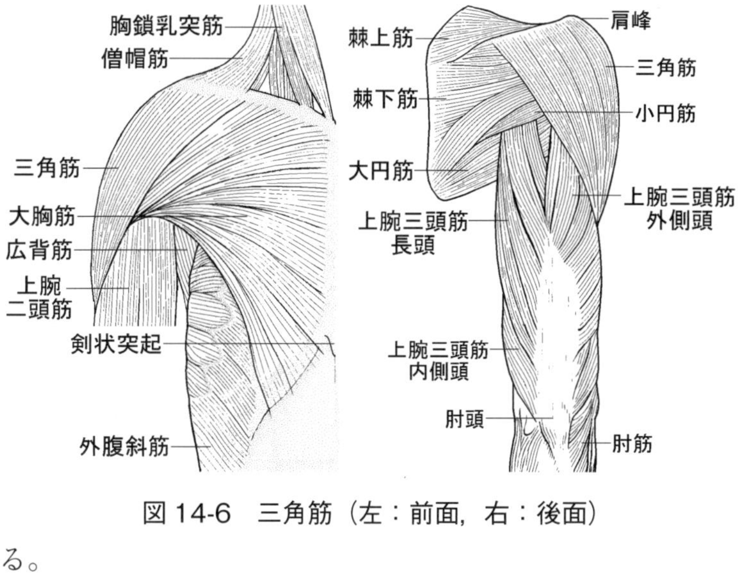

起始：前部は鎖骨の外側1/3，中部は肩峰，後部は肩甲棘から起こる。
停止：上腕骨三角筋粗面 Tuberositas deltoidea
神経：腋窩神経 N. axillaris（$C_5 \sim C_6$）
作用：全体としては上肢を外転して上腕を水平位まで上げるが，部位によって筋線維の走行が異なるので作用は複雑である。前部は上肢帯の屈曲と内旋，中部は上腕の外転，後部は上肢帯の伸展と外旋を行う。

図14-6 三角筋（左：前面，右：後面）

> 僧帽筋と三角筋の観察が終われば，両筋が鎖骨に付着している部分を切断せよ。

2）肩鎖関節の観察

肩峰と鎖骨の肩峰端が作る関節で，以下の靱帯によって結合している。肩鎖関節内には関節円板がある（図14-7）。

- 肩鎖靱帯 Lig. acromioclaviculare：肩峰と鎖骨の肩峰端を連結する。
- 烏口肩峰靱帯 Lig. coracoacromiale：烏口突起と肩峰を連結する。
- 烏口鎖骨靱帯 Lig. coracoclaviculare：烏口突起と鎖骨を連結する。以下の2つの靱帯からなる。

菱形靱帯 Lig. trapezoideum：烏口突起の上内側縁から鎖骨の菱形靱帯線に向かう。

円錐靱帯 Lig. conoideum：烏口突起の基部から扇状に広がって円錐靱帯結節に終わる。

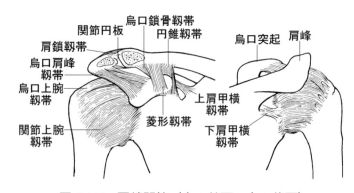

図14-7　肩鎖関節（左：前面，右：後面）

> これらの靱帯を確認しながらメスで靱帯を切断せよ。既に胸鎖関節は離断しているので，後は遺体を背臥位にして鎖骨下筋を切断すると鎖骨が摘出できる。

□**鎖骨下筋** M. subclavius（☞ p.174：図9-9を参照）

起始：第1肋骨上前面

停止：鎖骨下面

神経：鎖骨下筋神経 N. subclavius（C_5）

作用：鎖骨を内下方に引く。

14.2.3　鎖骨下動脈とその枝

鎖骨を除去すると鎖骨下動脈や腋窩動脈が現れてくる（☞ p.188：図10-17を参照）。

1）鎖骨下動脈から出る枝

- **椎骨動脈** A. vertebralis：鎖骨下動脈の最初の枝で，第6〜1頸椎の横突孔を貫いて上行し，大後頭孔を通って頭蓋に入る。
- 甲状頸動脈 Truncus thyreocervicalis：椎骨動脈のすぐ外側から上方に向かい，すぐに枝分かれする。
- 内胸動脈 A. thoracica interna：甲状頸動脈とほぼ同じ場所から下方に向かう。
- 肋頸動脈 Truncus costocervicalis：甲状頸動脈のすぐ外側から上方に向かう。

2）腋窩動脈から出る枝

- 最上胸動脈 A. thoracica suprema：下方に出る。
- 胸肩峰動脈 A. thoracoacrominalis：上胸動脈より外側で肩峰に向かう。

14.2.4　腕神経叢の観察

血管と同様に，鎖骨を除去すると鎖骨下部から出る腕神経叢の枝も観察しやすくなる（図14-8）。腕神経叢は前斜角筋と中斜角筋の間を鎖骨下動脈とともに走る。

- **肩甲下神経** Nn. subscapulares（C_5〜C_7）：後神経束から出て肩甲骨の前面を下行し，肩甲下筋

と大円筋を支配する。
- **腋窩神経** N. axillaris（$C_5 \sim C_7$）：後神経束から出て後上腕回旋動脈とともに肩の背面に達し，小円筋と三角筋に筋枝を出した後，上外側上腕皮神経となって上腕の外側および背側の皮膚に分布する。
- **筋皮神経** N. musculocutaneus（$C_5 \sim C_7$）：外側神経束から出て外方に進み，上腕の屈筋群に筋枝を出した後，外側前腕皮神経となって前腕橈側の皮膚に分布する。
- **内側上腕皮神経** N. cutaneus brachii medialis（$C_8 \sim Th_1$）：内側神経束から出て上腕内側の皮膚に分布する。

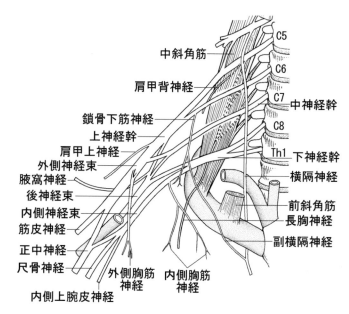

図14-8 腕神経叢

- **正中神経** N. medianus（$C_5 \sim Th_1$）：外側神経束の一部と内側神経束の一部が合流したもので，前腕および手の屈筋群の多くを支配する。
- **尺骨神経** N. ulnaris（$C_8 \sim Th_1$）：内側神経束から出て，主として前腕および手の尺側に位置する屈筋群を支配する。
- **橈骨神経** N. radialis（$C_5 \sim Th_1$）：後神経束から出て，上腕と前腕の伸筋群を支配する。

14.2.5 腋窩の解剖

腋窩 Fossa axillaris は上腕の近位端の下面にあるくぼみで，成人ではここに腋毛が生えている（二次性徴の1つ）。

1）腋窩の構成

腋窩の壁は以下の筋によって構成される。
前壁：大胸筋と小胸筋 M. pectoralis major et minor
外側壁：烏口腕筋 M. coracobrachialis と上腕二頭筋 M. biceps brachii
内側壁：前鋸筋 M. serratus anterior
後壁：広背筋 M. latissimus dorsi

2）腋窩付近の血管と神経

> 腋窩筋膜を除去して，この深層を通る血管，神経，リンパ節を観察せよ（図14-9）。

（1）腋窩の血管とリンパ節
- **腋窩静脈** V. axillaris
- **腋窩動脈** A. axillaris とその枝
- **腋窩リンパ節**

(2) 腋窩の神経

腕神経叢から出る神経のうち，以下の神経が腋窩で観察される。

- **長胸神経** N. thoracicus longus（C_5～C_7）：前鋸筋へ。
- **外側胸筋神経** N. pectoralis lateralis（C_5～C_7）：大胸筋へ。
- **尺骨神経** N. ulnaris（C_7～Th_1）
- **筋皮神経** N. musculocutaneus（C_5～C_7）：烏口腕筋，上腕二頭筋，上腕筋へ。
- **正中神経** N. medianus の外側根（C_5～C_7）
- **内側胸筋神経** N. pectoralis medialis（C_8～Th_1）：大胸筋，小胸筋へ。
- **内側上腕皮神経** N. cutaneus brachii medialis（C_8～Th_1）：上腕内側皮膚へ。
- **内側前腕皮神経** N. cutaneus antebrachii medialis（C_8～Th_1）：前腕内側皮膚へ。
- **腋窩神経** N. axillaris（C_5～C_7）：三角筋，小円筋へ。
- **橈骨神経** N. radialis（C_5～Th_1）：上腕と前腕の伸筋，回外筋，手背の皮膚へ。
- **肋間上腕神経** N. intercostobrachialis

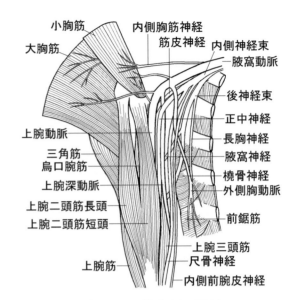

図 14-9　腋窩部の解剖

14.2.6　前上腕部の解剖

1）前上腕部の皮神経と皮静脈

> 前上腕部で浅層の皮神経と皮静脈を確認せよ（図 14-5 を参照）。

(1) 前上腕部の皮神経
- **鎖骨上神経** Nn. supraclaviculares
- **内側上腕皮神経** N. cutaneus brachii medialis（C_8～Th_1）
- **肋間上腕神経** N. intercostobrachialis
- **内側前腕皮神経** N. cutaneus antebrachii medialis（C_8～Th_1）

(2) 前上腕部の皮静脈
- **橈側皮静脈** V. cephalica
- **尺側皮静脈** V. basilica

2）前上腕部の動脈と神経（☞ p.40：図 3-9 と☞ p.68：図 4-24 を参照）

> 上腕の筋膜を除去し，その下にある構造物を観察せよ。

(1) 前上腕部の血管
- **上腕動脈** A. brachialis
- **上腕静脈** V. brachialis
- **上腕深動脈** A. profunda brachii
- **尺骨神経** N. ulnaris

3）前上腕部の筋（図14-10）

□上腕二頭筋 M. biceps brachii
神経：筋皮神経 N. musculocutaneus（C_6〜C_7）
起始：長頭は関節上結節や関節唇，短頭は烏口突起から起こる。
停止：橈骨粗面，上腕二頭筋腱膜
作用：肘関節の屈曲と前腕の回外，肩関節の屈曲

> 観察が終われば上腕二頭筋を停止で切り，上方に反転せよ。

□烏口腕筋 M. coracobrachialis
起始：烏口突起
停止：上腕骨内側縁中央
神経：筋皮神経（C_6〜C_7）
作用：肩関節の屈曲と内転

□上腕筋 M. brachialis
起始：上腕骨，内，外側上腕筋間中隔
停止：尺骨粗面
神経：筋皮神経（C_6〜C_7）
作用：肘関節の屈曲

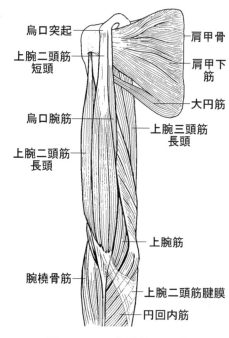

図14-10　上腕前面の筋

14.2.7　前肘部の解剖

1）前肘部浅層の解剖

> 皮膚を剥離し，以下の構造物を確認せよ（図14-11）。

- 肘窩 Fossa cubitalis：橈側は腕橈骨筋と回外筋，尺側は円回内筋，基底側（上辺）は上腕二頭筋腱膜と上腕筋腱によって境界される。
- 上腕筋膜 Fascia brachii と前腕筋膜 Fascia antebrachii
- 上腕二頭筋腱膜 Aponeurosis m. biceps brachii
- 浅肘リンパ節 Lymphonodi cubitales superficiales

2）前肘部の皮神経と皮静脈（図14-5を参照）

- 内側前腕皮神経 N. cutaneus antebrachii medialis
- 下外側上腕皮神経 N. cutaneus brachii lateralis inferior
- 外側前腕皮神経 N. cutaneus antebrachii lateralis

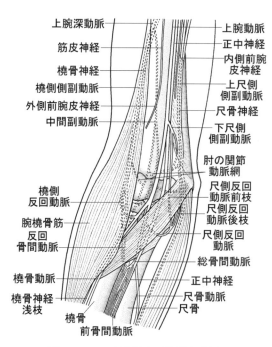

図14-11　前肘部の動脈と神経

・橈側皮静脈 V. cephalica
・肘正中静脈 V. mediana cubiti
・尺側皮静脈 V. basilica

2) 前肘部の動脈と神経

これらの筋膜を除去して前肘部の血管と神経を観察せよ（図14-11）。

☐**上腕動脈** A. brachialis：以下の動脈に分かれる。
　下尺側側副動脈 A. collateralis ulnaris inferior
　肘関節動脈網 Rete articulare cubiti
　　☐**橈骨動脈** A. radialis
　　☐**尺骨動脈** A. ulnaris
☐**正中神経** N. medianus：上腕部では上腕動脈の内側を伴行して下行する。
☐**橈骨神経** N. radialis の浅枝：肘窩の高さで分岐し，前腕部では橈骨動脈に伴行する。

14.2.8 前前腕部の解剖

皮膚を剥離して以下の構造物を観察せよ（図14-5を参照）。

1) 前前腕部の皮神経と皮静脈
☐**内側前腕皮神経** N. cutaneus antebrachii medialis
☐**外側前腕皮神経** N. cutaneus antebrachii lateralis
☐**橈側皮静脈** V. cephalica
☐**尺側皮静脈** V. basilica

前腕の筋膜を剥離し，次のものを剖出して観察せよ。

2) 前前腕部の動脈と神経
☐**橈骨動脈** A. radialis：腕橈骨筋の内側を下行する。
☐**尺骨動脈** A. ulnaris：浅指屈筋と深指屈筋の間を下行する。
☐**橈骨神経浅枝** Ramus superficialis nervi radialis：手背の橈側半に分布。
☐**正中神経** N. medianus：浅指屈筋と深指屈筋の間を通る。
　前骨間神経 N. interosseus anterior
☐**尺骨神経** N. ulnaris
　尺骨神経手背枝 Ramus dorsalis nervi ulnaris
　尺骨神経手掌枝 Ramus palmaris nervi ulnaris

3) 前前腕部浅層筋の解剖
　前前腕浅層の筋は屈筋群で，主として上腕骨内側上顆から起始する（図14-12）。起始部付近では個々の筋を分離することはできないが，停止部に向かって分かれていく。

☐**円回内筋** M. pronator teres
神経：正中神経 N. medianus（$C_6 \sim C_7$）
起始：上腕頭は内側上顆や内側上腕筋間中隔，尺骨頭は尺骨の鉤状突起から起こる。

停止：橈骨の外側面
作用：前腕を回内し，かつ曲げる。
□橈側手根屈筋 M. flexor carpi radialis
神経：正中神経 N. medianus（$C_6 \sim C_{7,8}$）
起始：内側上顆，前腕筋膜
停止：第Ⅱ中手骨底
作用：前腕を回内し，手を外転する。
□長掌筋 M. palmaris longus
神経：正中神経 N. medianus（$C_7 \sim Th_1$）
起始：内側上顆，前腕筋膜
停止：手掌腱膜
作用：手関節を屈曲する。
□尺側手根屈筋 M. flexor carpi ulnaris
神経：尺骨神経 N. ulnaris（$C_7 \sim Th_1$）
起始：上腕頭は内側上顆，尺骨頭は肘頭から起こる。
停止：豆状骨，豆鈎靱帯，第Ⅴ中手骨底，有鈎骨
作用：手を内側（尺側）に内転する。
□浅指屈筋 M. flexor digitorum superficialis
神経：正中神経 N. medianus（$C_7 \sim Th_1$）
起始：上腕頭は内側上顆と尺骨鈎状突起，橈骨頭は橈骨前面および前縁から起こる。
停止：第2～5中節骨底
作用：第Ⅱ～Ⅴ指の中節を屈曲する。

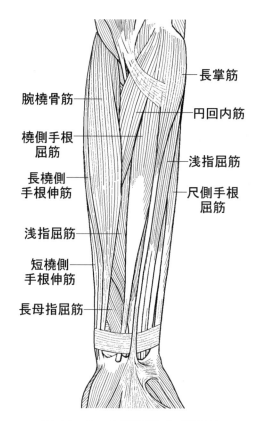

図14-12　右前腕前面の浅層筋

4）前前腕深層筋の解剖（図14-13）

> 深層の筋を観察するために浅層の筋を筋腹で切れ。違う高さで切ると後で区別しやすい。

□長母指屈筋 M. flexor pollicis longus
神経：正中神経 N. medianus（$C_6 \sim C_7$）
起始：橈骨頭は橈骨前面，上腕頭は上腕骨
　　　内側上顆から起始する。
停止：母指末節骨
作用：母指を屈曲する。
□深指屈筋 M. flexor digitorum profundus
神経：橈側半は正中神経に，尺側半は尺骨神経に支配
　　　される（$C_7 \sim Th_1$）。
起始：尺骨前面と骨間膜
停止：第2～5末節骨
作用：第Ⅱ～Ⅴ指の末節を屈曲する。
□方形回内筋 M. pronator quadratus

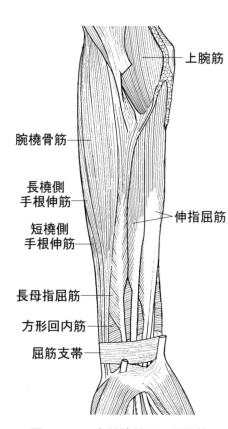

図14-13　右前腕前面の深層筋

神経：正中神経（$C_6 \sim Th_1$）
起始：尺骨前面の下部1/4
停止：橈骨前縁と前面
作用：前腕を回内する。

14.2.9 手掌の解剖

1）手掌浅層の解剖

皮膚を剥離して浅層の構造物を剖出せよ。

□**手掌腱膜** Aponeurosis palmaris：手掌中央部の皮膚の直下を扇状に広がる薄い腱膜で，長掌筋の腱が停止する。

2）母指球の筋

母指球の筋は，母指内転筋と短母指屈筋深頭を除いて正中神経に支配される（図14-14）。

□**短母指外転筋** M. abductor pollicis brevis
神経：正中神経（$C_6 \sim C_7$）
起始：舟状骨結節，屈筋支帯
停止：母指基節骨，橈側種子骨
作用：母指を外転する（母指を中指から遠ざける）。

□**短母指屈筋** M. flexor pollicis brevis
神経：正中神経（$C_6 \sim C_7$）。ただし，深頭は尺骨神経（$C_6 \sim C_7$）。
起始：浅頭は屈筋支帯，深頭は大および小菱形骨から起こる。
停止：母指中手指節関節，橈側種子骨
作用：母指の基節を屈曲する。

□**母指内転筋** M. adductor pollicis
起始：横頭は第3中手骨掌面の全長，斜頭は有頭骨近隣の手根骨から起始する。
停止：母指中手指節関節と尺側種子骨
神経：尺骨神経（$C_8 \sim Th_1$）
作用：母指を内転する。

□**母指対立筋** M. opponens pollicis
起始：大菱形骨結節と屈筋支帯
停止：第1中手骨橈側縁
神経：正中神経（$C_6 \sim C_7$）
作用：母指を他の指と対立させる。

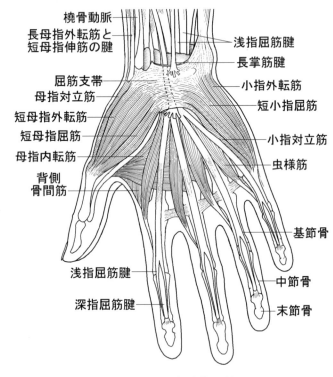

図14-14　右手掌の筋

3）小指球の筋

小指球の筋はすべて尺骨神経（$C_7 \sim Th_1$）に支配される。

□**短掌筋** M. palmaris brevis

起始：手掌腱膜，屈筋支帯

停止：尺側縁の皮膚

作用：手掌腱膜を緊張させて，小指球の皮膚に皺を作る。

□**小指外転筋** M. abductor digiti minimi

起始：豆状骨，屈筋支帯

停止：小指基節骨尺側縁

作用：小指を外転する（中指から遠ざける）。

□**短小指屈筋** M. flexor digiti minimi brevis

起始：有鈎骨鈎，屈筋支帯

停止：小指基節骨底

作用：小指の基節を屈曲する。

□**小指対立筋** M. opponens digiti minimi

起始：有鈎骨鈎，屈筋支帯

停止：第5中手骨尺側

作用：小指を母指と対立させる。

> 手掌腱膜を長掌筋および短掌筋の付属腱とともに手掌から剥離せよ。

4）腱および腱鞘

□**屈筋支帯** Retinaculum flexorum：手根管 Canalis carpi を作る。
□**橈側手根屈筋の腱鞘** Vagina synovialis tendinis m. flexoris carpi radialis
□**長母指屈筋の腱鞘** Vagina synovialis tendinis m. flexoris pollicis longi
□**指屈筋の総腱鞘** Vagina synovialis communis mm. flexorum
□**浅指屈筋腱** Tendo m. flexoris digitorum superficialis
□**深指屈筋腱** Tendo m. flexoris digitorum profundi

> 屈筋支帯の上から手掌まで神経と動脈をたどれ（図14-15）。

□**尺骨神経** N. ulnaris と**正中神経** N. medianus
□**尺骨動脈** A. ulnaris および**橈骨動脈** A. radialis とそれらの枝

5）手掌深層の解剖

> 掌側の深層筋膜を除去し，次の筋を観察せよ（図14-14）。

□**虫様筋** Mm. lumbricales：4本ある。

起始：深指屈筋腱橈側

停止：伸筋腱膜と中手指節関節関節包

神経：橈側の2本は正中神経に，尺側の2本は尺骨神経に支配される（$C_8 \sim Th_1$）。

作用：第Ⅱ～Ⅴ指の中節と末節を伸展し，基節を屈曲する。

□掌側骨間筋 Mm. interossei palmares
起始：第2中手骨の尺側と第4,5中手骨の橈側
停止：それぞれの起始部に対応した基節骨底
神経：尺骨神経（C_8〜Th_1）
作用：第Ⅱ，Ⅳ，Ⅴ指を内転する。

□背側骨間筋 Mm. interossei dorsales
起始：5本の中手骨の向かい合った面より2頭で起こる。
停止：伸筋腱膜と中手指節関節関節包
神経：尺骨神経（C_8〜Th_1）
作用：第Ⅱ，Ⅲ指を橈側に引き，第Ⅳ，Ⅴ指を尺側に引く。

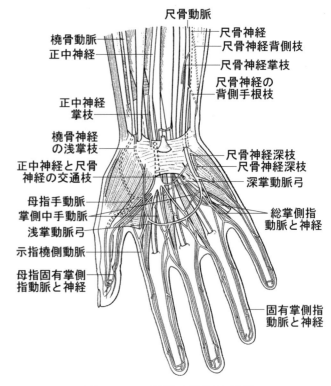

図14-15 手掌の動脈と神経

6）指の解剖

指の皮膚を剥離して指節骨に付着する腱を観察せよ（図14-16）。

□浅指屈筋腱 Tendo m. flexoris digitorum superficialis：基節骨の近位部で二股に分かれ，第2〜5中節骨底に付着する。
□深指屈筋腱 Tendo m. flexoris digitorum profundi：二股に分かれた浅指屈筋腱の間を通って，Ⅱ〜Ⅴ指の末節骨に付着する。
□中手指節関節側副靱帯 Lig. collateralis articulares metacarpophalangeales
□近位指節間関節側副靱帯 Lig. collateralis articularis interphalangeales proximalis
□遠位指節間関節側副靱帯 Lig. collateralis articularis interphalangeales distalis
□指背腱膜 Aponeurosis dorsalis（伸筋腱膜）

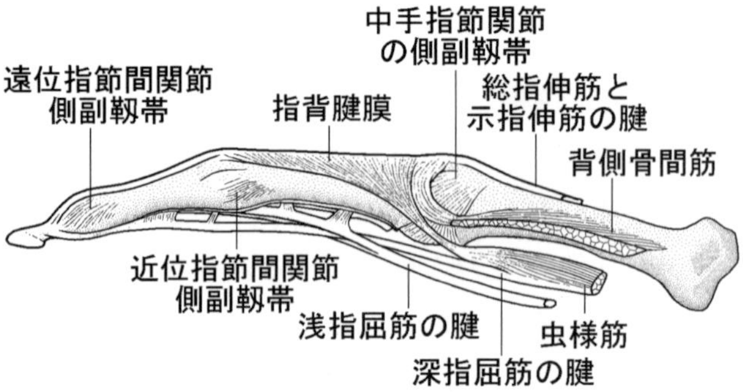

図14-16 手指の腱と靱帯

14.3 上肢後面の解剖

14.3.1 肩甲部の解剖

肩甲部の皮膚を剥離せよ。以下の皮神経が現れてくる（図14-5を参照）。

□上外側上腕皮神経 N. cutaneus brachii lateralis superior
□鎖骨上神経 Nn. supraclaviculares

1) 肩甲部の筋（図 14-17, 14-19, 14-20）

□三角筋 M. deltoideus

起始：肩甲棘の外側半分（後部線維），肩峰（中部
　　　線維），鎖骨の外側 1/3（前部線維）
停止：上腕骨三角粗面
神経：腋窩神経 N. axillaris（$C_4 \sim C_6$）
作用：全体として肩関節を外転，前部線維は肩を屈
　　　曲，後部線維は伸展する。

三角筋筋肉内注射

　三角筋は筋肉内注射の場所としても重要である。
しかし三角筋の深部では，肩峰から 4～6cm 下を
腋窩神経が通っており，一般にいわれているような
「肩峰より 3 横指下」は場合によっては非常に危険
である。なぜなら人によって指の太さが違い，3 横
指は 4.5～6cm になるためである。中谷ら（三角筋
への筋肉注射：腋窩神経を損傷しないための適切な
部位，金沢大学医学部保健学科紀要，23（1）：83-
86, 1999）が提唱する安全な場所は以下の通りであ
る（図 14-18）。

> ・自分たちの身体を使って互いに A～D，a～
> 　c 点にマークせよ。
> ・注射部位と腋窩神経の通り道を体表上で確定
> 　せよ。

A：後腋窩ヒダの最高点
B：前腋窩ヒダの最高点
C：肩峰の中点
D：A 点と B 点を結ぶ直線の中点
a：C 点と D 点を結ぶ直線の中点
b：C 点と D 点を結ぶ直線の上 1/3 の点
c：C 点と D 点を結ぶ直線の下 1/3 の点

　a 点と c 点の間を腋窩神経が通っており，
注射部位としては a 点と b 点の間が適当
である。肩峰から腋窩神経までの距離は患
者によって異なっており，背の高い人では
長く，背の低い人では短い。

□棘上筋 M. supraspinatus：肩甲骨の棘上
　　窩を埋める。
起始：棘上窩，棘上筋膜

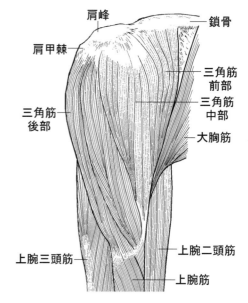

図 14-17　三角筋

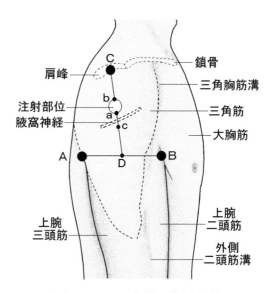

図 14-18　三角筋の注射部位

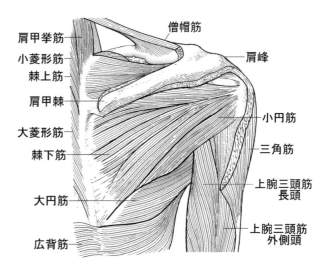

図 14-19　肩甲骨後面に付着する筋

停止：上腕骨大結節，肩関節包
神経：肩甲上神経 N. suprascapularis（C$_5$）
作用：肩関節の外転時に三角筋を助ける。

□**棘下筋** M. infraspinatus：肩甲骨の棘下窩の大部分を埋める。
起始：棘下窩，棘下筋膜
停止：上腕骨大結節，肩関節包
神経：肩甲上神経 N. suprascapularis（C$_4$～C$_6$）
作用：小円筋とともに上腕骨頭を外旋する。

□**小円筋** M. teres minor：棘下筋と大円筋に挟まれた小さな筋
起始：肩甲骨外側縁
停止：上腕骨大結節，肩関節包
神経：腋窩神経 N. axillaris（C$_4$～C$_6$）
作用：上腕骨の内転と外旋および上腕骨を関節窩の方に引く。

□**大円筋** M. teres major：広背筋とともに後腋窩ヒダを作る。
起始：肩甲骨外側縁下部
停止：上腕骨小結節稜
神経：肩甲下神経 N. subscapularis（C$_6$～C$_7$）
作用：肩関節の内転，内旋および上腕骨を後方に引く。

□**肩甲下筋** M. subscapularis：肩甲骨と胸郭の間に存在する（図14-20）。
起始：肩甲骨肋骨面
停止：上腕骨小結節，肩関節包
神経：肩甲下神経 N. subscapularis（C$_6$）
作用：上腕を内方に引き，内方に回す。

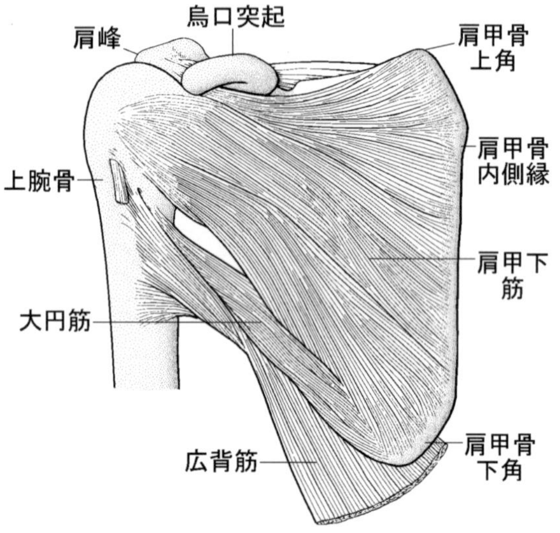

図14-20 肩甲下筋

2）肩甲部の血管と神経

> 三角筋を起始から切断して下方に反転せよ。この時，腋窩動脈や後上腕回旋動脈を傷つけないようにせよ。

□腋窩神経 N. axillaris
□上外側上腕皮神経 N. cutaneus brachii lateralis superior
□後上腕回旋動静脈 A. et V. circumflexa humeri posterior
□副神経 N. accessorius

> 棘上筋，棘下筋，小円筋を起始から剥離して外方に反転し，以下の血管や神経を観察せよ（図14-21）。

□肩甲上動脈 A. suprascapularis：甲状頚動脈の枝で，肩甲切痕のところで肩甲骨の上縁から肩甲骨の背面に回り，肩甲回旋動脈と吻合する。
□肩甲上静脈 V. suprascapularis：肩甲上動脈に伴行する。
□肩甲下動脈 A. subscapularis：腋窩動脈の枝で，肩甲回旋動脈と胸背動脈に分かれる。
□肩甲回旋動脈 A. circumflexa scapulae：肩甲骨の外側縁から肩甲骨の背面に向かう。
□肩甲背動脈 A. dorsalis scapulae
□上肩甲横靱帯 Lig.transversum scapulae superius
□下肩甲横靱帯 Lig.transversum scapulae inferius
□肩甲上神経 N. suprascapularis：肩甲上切痕を通って肩甲骨の後面に回り，棘上筋と棘下筋を支配する。

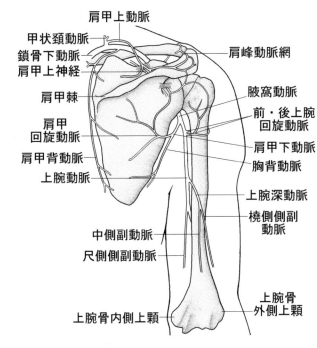

図14-21　肩甲部の動脈

14.3.2　後上腕部の解剖

皮膚に図のごとく切開線を入れて剥離せよ（図14-22）。

1）後上腕部の皮神経

以下の皮神経を観察せよ（☞ p.68：図4-24を参照）。
□肩甲上神経 N. suprascapularis
□上外側上腕皮神経 N. cutaneus brachii lateralis superior：腋窩神経の枝で，上腕の外側および後面の皮膚に分布する。
□下外側上腕皮神経 N. cutaneus brachii lateralis inferior：橈骨神経の枝で，上腕遠位部の外側および後面に分布する。
□後上腕皮神経 N. cutaneus brachii posterior：橈骨神経の枝で，上腕後面の皮膚に分布する。
□後前腕皮神経 N. cutaneus antebrachii posterior：橈骨神経の枝で，前腕後面の皮膚に分布する。

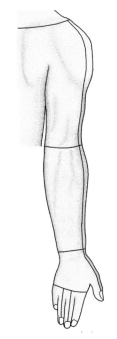

図14-22　上肢後面の皮膚切開線

2）後上腕部の筋

上腕筋膜 Fascia brachii を除去せよ。以下の筋が現れる（図14-23）。

□上腕三頭筋 M. triceps brachii
起始　長頭：肩甲骨関節下結節
　　　内側頭：上腕骨後面，内側上腕筋間中隔

外側頭：上腕後部筋膜

停止：肘頭

神経：橈骨神経 N. radialis（$C_6 \sim C_8$）

作用：肘関節の伸展。肩関節外転位では，長頭は肩関節を内転する。

□肘筋 M. anconeus

起始：外側上顆，肘関節包

停止：肘頭外側

神経：橈骨神経 N. radialis（$C_6 \sim C_8$）

作用：肘関節を伸展する。

□肘関節筋 M. articularis cubiti

起始：肘筋の深層

停止：上腕三頭筋の続きで肘関節包に付く。

神経：橈骨神経 N. radialis（$C_6 \sim C_8$）

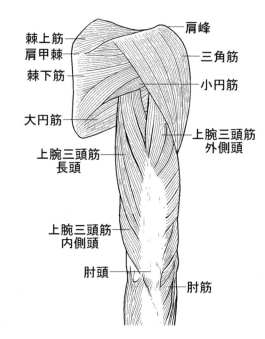

図14-23　上腕後面の筋

3）後上腕部の動脈と神経（☞ p.40：図3-9と☞ p.68：4-24を参照）

□上腕深動脈 A. profunda brachii

□橈骨神経 N. radialis

14.3.3　後前腕部の解剖

1）後前腕部の血管と神経

> 皮膚を剥離して以下の構造物を観察せよ（図3-9，4-24を参照）。また，前腕筋膜を除去して橈骨神経の枝を観察せよ（図4-24を参照）。

□肘関節動脈網 Rete articulare cubiti

□浅肘リンパ節 Lymphonodi cubitales

□尺骨神経 N. ulnaris：肘関節の高さでは，上腕骨の内側上窩と肘頭の間を下行する。肘が机の角に当たると，手に向かってしびれ感が走るのはこのためである。

□橈骨神経 N. radialis

　浅枝 Ramus superficialis：腕橈骨筋と長橈側手根伸筋の間を通って手背に至る。

　深枝 Ramus profundus：後骨間動脈に伴行する。

　筋枝 Rr. musculares

2）後前腕部浅層の筋

　前腕後面の浅層筋は伸筋群で，上腕骨の外側上顆から始まり，すべて橈骨神経（$C_6 \sim C_8$）に支配される（図14-24，14-25）。

□（総）指伸筋 M. extensor digitorum（communis）

起始：上腕骨外側上顆，前腕筋膜

停止：第Ⅱ～Ⅴ指

神経：橈骨神経深枝
作用：第Ⅱ～Ⅴ指の基節，中節，末節を伸展する。

□小指伸筋 M. extensor digiti minimi
起始：外側上顆，前腕筋膜
停止：第Ⅴ指の背面で，総指伸筋の腱に合流。
神経：橈骨神経深枝
作用：小指を伸展する。

□尺側手根伸筋 M. extensor carpi ulnaris
起始：外側上顆，尺骨後縁
停止：第Ⅴ中手骨底
神経：橈骨神経深枝
作用：手首を内側（尺側）に内転する。

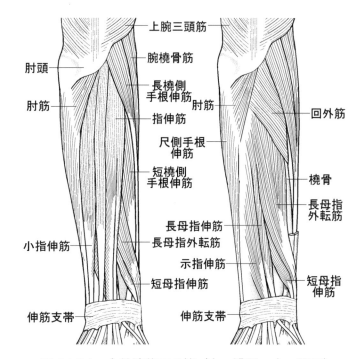

図 14-24　右前腕後面の筋（左：浅層，右：深層）

3) 前腕部外側筋群（橈側のもの）
□腕橈骨筋 M. brachioradialis
起始：上腕骨外側縁下部，外側上腕筋間中隔
停止：橈骨茎状突起近位端
神経：橈骨神経（C_5～C_7）
作用：前腕を外転かつ屈曲する。

□長橈側手根伸筋 M. extensor carpi radialis longus
起始：上腕骨外側縁，外側上腕筋間中隔，外側上顆
停止：第Ⅱ中手骨底
神経：橈骨神経（C_6～C_7）
作用：手を伸ばしかつ外転する。

□短橈側手根伸筋 M. extensor carpi radialis brevis
起始：外側上顆，橈骨輪状靱帯
停止：第Ⅲ中手骨底
神経：橈骨神経（C_6～C_7）
作用：手関節を伸ばしかつ外転する。

4) 後前腕部深層筋の解剖
これらはすべて橈骨神経（C_5～Th_1）に支配される（図14-24）。

□回外筋 M. supinator

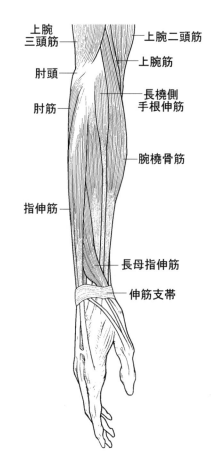

図 14-25　前腕外側の筋

起始：上腕骨外側上顆，橈骨の輪状靱帯，尺骨の回外筋稜
停止：橈骨の外側後面，橈骨粗面の外側面
作用：前腕を回外する。

□**長母指外転筋** M. abductor pollicis longus：解剖学的嗅煙草壺（p.130 を参照）の橈側縁をなす2本の腱のうちの橈側のもの（図14-26）。

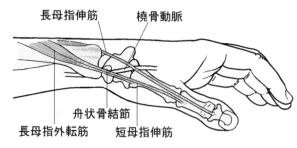

図14-26　解剖学的嗅煙草壺（タバチュール）

起始：橈骨後面，前腕骨間膜，尺骨後面
停止：第Ⅰ中手骨底
作用：母指を外転する。

□**短母指伸筋** M. extensor pollicis brevis：解剖学的嗅煙草壺の橈側縁をなす2本の腱のうちの尺側のもの。
起始：橈骨後面，前腕骨間膜
停止：母指基節骨底
作用：母指の基節を伸ばしかつ外転する。

□**長母指伸筋** M. extensor pollicis longus：解剖学的嗅煙草壺の尺側縁をなす腱。
起始：尺骨後面，前腕骨間膜
停止：母指末節骨底
作用：母指を伸展かつ外転する。

□**示指伸筋** M. extensor indicis
起始：尺骨後面，前腕骨間膜
停止：示指末節骨背側面の伸筋腱，伸筋腱膜に移行
作用：示指を伸展する。

5）後前腕部深層の血管と神経

前腕後面の血管の走行を観察するために観察の終わった筋を順次除去せよ。

・**尺骨動脈** A. ulnaris（☞ p.40：図3-9 を参照）
・**橈骨神経** N. radialis（☞ p.68：図4-24 を参照）

14.3.4　手背の解剖

1）手背浅層の解剖

手背の皮膚を剥離し，浅層の構造物を観察せよ（図4-24を参照）。

□**背側指神経（橈側）** Nn. digitales dorsales：橈骨神経浅枝の終枝
□**背側指神経（尺側）** Nn. digitales dorsales：尺骨神経手背枝の終枝
□**手背静脈網** Rete venosum dorsale manus

□手背筋膜 Fascia dorsalis manus
□伸筋支帯 Retinaculum extensorum

伸筋支帯の下にある構造物を観察せよ（図14-27）。

□長母指外転筋の腱 Tendo m. abductoris pollicis longi
□短母指伸筋の腱 Tendo m. extensor pollicis brevis
□長橈側手根伸筋の腱 Tendo m. extensoris carpi radialis longi
□短橈側手根伸筋の腱 Tendo m. extensoris carpi radialis brevis
□長母指伸筋の腱 Tendo m. extensoris pollicis longi
□長指伸筋の腱 Tendo m. extensoris digitorum communis
□示指伸筋の腱 Tendo m. extensor indicis
□小指伸筋の腱 Tendo m. extensoris digiti minimi
□尺側手根伸筋の腱 Tendo m. extensoris carpi ulnaris
□橈骨動脈の枝
□背側骨間筋 Mm. interossei dorsales

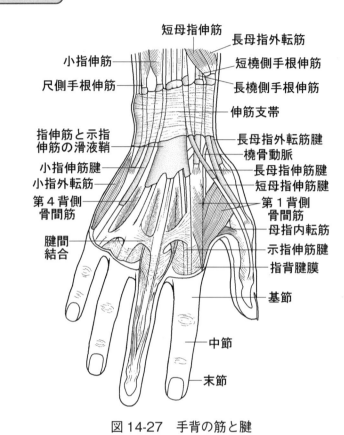

図14-27　手背の筋と腱

2）**手背の動脈**（☞ p.40：図3-9を参照）**と神経**（☞ p.68：図4-24を参照）
□橈骨動脈 A. radialis の枝
□尺骨動脈 A. ulnaris の枝
□尺骨神経手背枝 Ramus dorsalis n. ulnaris
□背側指神経 Nn. digitales dorsales

15 下肢前面の解剖

15.1 下肢前面の体表解剖

身体前面において，鼠径溝が腹部と下肢の境界となる。

15.1.1 下肢前面の骨性指標

下肢の前面を表面から観察し，以下の骨性指標を確認せよ（図 15-1）。

- □**腸骨** Os ilium：骨盤の上半分を占める。
  - □**腸骨稜** Crista iliaca：腸骨の上縁で，全長にわたって触知できる。
  - □**上前腸骨棘** Spina iliaca anterior superior：腸骨稜の前端が前下方に突出する。
- □**恥骨** Os pubis：寛骨の下半前部をなす。
  - □**恥骨結合** Symphysis pubica：前正中線上で左右の恥骨が軟骨結合する。
  - □**恥骨結節** Tuberculum pubicum：恥骨結合のすぐ外側に触れる骨性の高まり。
- □**大腿骨** Femur：人体最大かつ最長の骨で，大腿の中央を縦走する。
  - □**大転子** Trochanter major：大腿骨上部にあり，外方に大きく突出する。
  - □**内側顆**と**外側顆** Condylus medialis et lateralis：大腿骨下端が内側と外側に大きく膨隆する。
  - □**内側上顆**と**外側上顆** Epicondylus medialis et lateralis：内側顆と外側顆の上端。
- □**膝蓋骨** Patella：膝関節の前面を覆う三角形の種子骨。
- □**脛骨** Tibia：下腿の母趾側を縦走する太い骨。
  - □**内側顆**と**外側顆** Condylus medialis et lateralis：脛骨の近位端が内側と外側に大きく突出する。
  - □**脛骨粗面** Tuberositas tibiae：脛骨上部の前面にあり，膝蓋靱帯が停止する。
  - □**内果** Malleolus medialis：足首の内側面にある半球状の高まり。
- □**腓骨** Fibula：下腿の小趾側を脛骨と平行に走る。脛骨よりも細い。
  - □**腓骨頭** Caput fibulae：下腿上部の外側面で，脛骨の外側顆よりも少し低い位置にある。
  - □**外果** Malleolus lateralis：足首の外側面にある半球状の高まり。

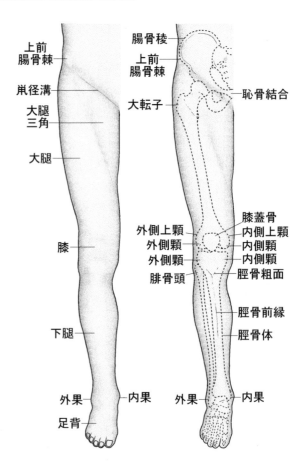

図 15-1 下肢前面の体表観察と骨性指標

15.1.2 下肢前面の区分

下肢の前面は以下の5部に分けられる（図 15-2）。

- 前大腿部 Regio femoris anterior
- 前下腿部 Regio cruris anterior
- 前距腿部 Regio talocruralis anterior
- 前膝部 Regio genus anterior
- 足背部 Regio dorsalis pedis

15.1.3 下肢前面の皮神経と皮静脈

図15-2のごとく皮膚に切開を加えて下肢前面の皮膚を剥離し，皮静脈や皮神経を観察せよ（図15-3）。

☐ **大伏在静脈** V. saphena magna：大腿の内側面を上行し，伏在裂孔において大腿静脈に合流する。

☐ **外側大腿皮神経** N. cutaneus femoris lateralis：腰神経叢より起こり，大腿の外側面に分布する。

☐ **大腿神経の前皮枝** Rami cutanei anteries nervi femoralis：大腿の前面に分布する。

☐ **閉鎖神経** N. obturatorius：大腿の内側面に分布する。

☐ **伏在神経** N. saphenus：大腿神経の枝で，下腿では内側下腿皮枝を出す。

☐ **浅腓骨神経** N. fibularis superficialis

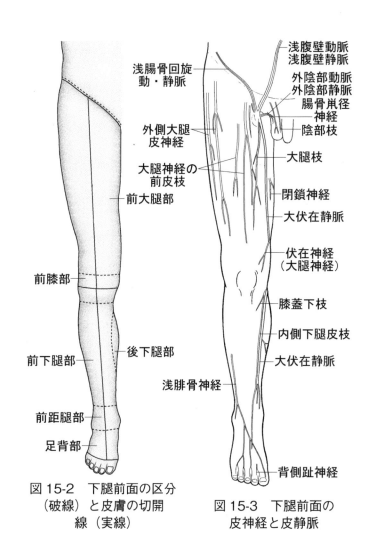

図15-2 下腿前面の区分（破線）と皮膚の切開線（実線）

図15-3 下腿前面の皮神経と皮静脈

15.2 前大腿部の解剖

前大腿部 Regio femoris anterior は上前腸骨棘と脛骨の外側顆を結ぶ線（外側），恥骨結合の下端と脛骨の内側顆を結ぶ線（内側），鼠径溝を上前腸骨棘まで延長した線（上），膝蓋骨上縁より3横指上を通る水平線（下）で囲まれた領域をいう。

☐ **大腿三角** Trigonum femorale：鼠径靱帯，縫工筋の内側縁，長内転筋の外側縁で囲まれる三角形の領域で，ここを大腿動脈と大腿静脈および大腿神経が通り，大腿動脈の脈拍を触れる。

15.2.1 前大腿部浅層の解剖

1）伏在裂孔とその周辺（図15-4）

☐ **伏在裂孔** Hiatus saphenus：大腿三角の大腿筋膜に開いた大きな裂孔で，鼠径靱帯の直下にある。ここで大伏在静脈が大腿静脈に流入する。

☐ **鼠径靱帯** Lig. inguinale：上前腸骨棘と恥骨結節を結ぶ結合組織の索。

- **大腿筋膜** Fascia lata：すべての大腿筋群を包む丈夫な筋膜。その上に多数の皮神経や皮静脈が走っている（図15-4）。
- **浅鼠径リンパ節** Lymphonodi inguinales superficiales：伏在裂孔付近にあるリンパ節の集合。多くの人で米粒大のリンパ節を皮下に触れ，下肢に炎症が起こると腫脹する。
- **腸脛靭帯** Tractus iliotibialis：腸骨稜の外側部と脛骨外側顆の間に張る大腿筋膜の肥厚部で，大腿筋膜張筋と大殿筋が停止する。立位で膝関節を強く伸展すると大腿筋膜張筋に引っ張られるので緊張してさらに硬くなる。

大腿筋膜を剥離して以下のものを観察せよ。

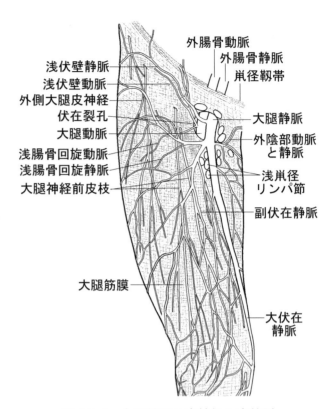

図15-4　大腿前面の皮神経と皮静脈

2）血管裂孔と筋裂孔

寛骨と鼠径靭帯の間を筋，血管，神経が通る（図15-5）。
- **血管裂孔** Lacuna vasorum：上縁を鼠径靭帯，下縁を恥骨，内側縁を裂孔靭帯が作り，大腿動脈と大腿静脈が通る。
- **筋裂孔** Lacuna musculorum：上縁を鼠径靭帯，下縁を腸骨が作り，腸骨筋や大腰筋，大腿神経，外側大腿皮神経が通る。

15.2.2　前大腿部筋の解剖

大腿前面の大腿筋膜を剥離すると前大腿部の筋が現れる（図15-6）。

- **縫工筋** M. sartorius

起始：上前腸骨棘
停止：脛骨粗面内側上部（浅鵞足）
神経：大腿神経 N. femoralis（$L_2 \sim L_3$）
作用：股関節の屈曲と外旋

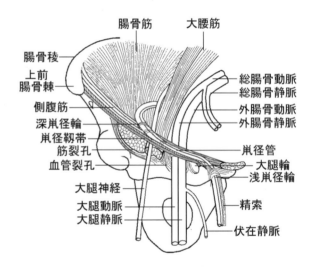

図15-5　筋裂孔と血管裂孔

- **大腿四頭筋** M. quadriceps femoris：以下の4筋からなり，すべて大腿神経に支配される。全体としての作用は膝関節の伸展であるが，このうち，大腿直筋は二関節筋で，股関節の屈曲も行う。
  - **大腿直筋** M. rectus femoris
    起始：下前腸骨棘，寛骨臼直上の腸骨
    停止：膝蓋骨上端

神経：大腿神経 N. femoralis（L_2〜L_4）
□**外側広筋** M. vastus lateralis
起始：転子間線上部，大転子下端，殿筋粗面外側，粗線外側唇の上半部
停止：膝蓋骨の上外側縁，脛骨外側顆の前部
神経：大腿神経 N. femoralis（L_3〜L_4）
□**中間広筋** M. vastus intermedius
起始：転子間線の下半分，粗線内側唇
停止：膝蓋骨上内側縁，脛骨内側顆前面
神経：大腿神経 N. femoralis（L_2〜L_3）
□**内側広筋** M. vastus medialis
起始：大腿骨上部 2/3 の前面，外側面，内側面の深部
停止：大腿直筋の腱の深部，他の広筋の腱
神経：大腿神経 N. femoralis（L_2〜L_4）

大腿の横断面（図 15-7）で見ると，外側広筋，内側広筋，中間広筋は二重に折り畳まれた"座布団"状の筋で，大腿骨のほぼ全周を包んでいる。このうち，中間広筋が大腿骨を直接包み，これが内側と外側に反転して内側広筋と外側広筋になる。大腿直筋は独立して中間広筋の前を走る。

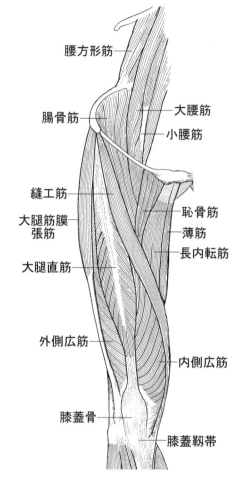

図 15-6　大腿前面の筋

15.2.3　大腿内側筋の解剖

大腿の上半分の内側部を占める筋群は股関節を内転し，大部分は閉鎖神経に支配される（図 15-8）。

□**恥骨筋** M. pectineus：大腿三角で，大腿動脈よりも内側にある。
起始：恥骨上枝の大腿面，恥骨櫛
停止：大転子から粗線内側唇に至る線の上半分
神経：大腿神経 N. femoralis と閉鎖神経 N. obturatorius（L_2〜L_3）

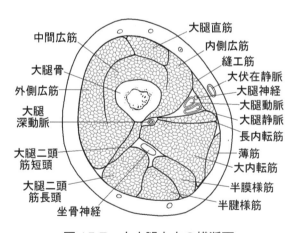

図 15-7　右大腿中央の横断面

□**薄筋** M. gracilis：恥骨結節と脛骨内側顆を結ぶ線上をほぼ垂直にに走る。
起始：恥骨結合の下半分
停止：脛骨の内側面（縫工筋と半腱様筋の間）
神経：閉鎖神経 N. obturatorius（L_2〜L_4）
□**短内転筋** M. adductor brevis
起始：恥骨下枝の大腿側表面，恥骨体
停止：大転子から粗線にいたる線の下部 2/3，粗線内側唇の上半分
神経：閉鎖神経 N. obturatorius（L_2〜L_4）

□**長内転筋** M. adductor longus
起始：恥骨体の大腿側表面（恥骨結節と恥骨結合の間）
停止：粗線内側唇（大内転筋と短内転筋の間）
神経：閉鎖神経 N. obturatorius（L_2～L_3）

□**大内転筋** M. adductor magnus
起始：坐骨結節の大腿面，坐骨枝，恥骨下枝
停止：粗線，内転筋結節，内側顆の上
神経：閉鎖神経 N. obturatorius，坐骨神経 N. ischiadicus（L_3～L_4）

> 膝関節筋を見るために大腿四頭筋を筋腹で切れ。

□**膝関節筋** M. articularis genus
起始：大腿骨前面の下部1/4
停止：膝関節包
神経：大腿神経 N. femoralis（L_3～L_5）
作用：膝関節伸展時に関節包がはさみ込まれるのを防ぐ。

15.2.4　大腿の血管（図15-9）

□**大腿動脈** A. femoralis：外腸骨動脈の本流で，大腿の基部では皮膚の直下を通るが，下行するにつれて後斜めに進むので，膝関節の高さでは膝窩を通るようになる（図3-14を参照）。その間に以下の枝を出す。
　□**浅腹壁動脈** A. epigastrica superficialis
　□**浅腸骨回旋動脈** A. circumflexa ilium superficialis
　□**大腿深動脈** A. profunda femoris
□**大腿静脈** V. femoralis：大腿動脈の伴行静脈で，大腿三角の伏在裂孔において下肢の内側面の皮下を上行してきた大伏在静脈が流入する。

> 内転筋管を見るために縫工筋を筋腹で切り，上下に反転せよ。

□**内転筋管** Canalis adductorius：内側壁は長内転筋と大内転筋，外側壁は内側広筋，

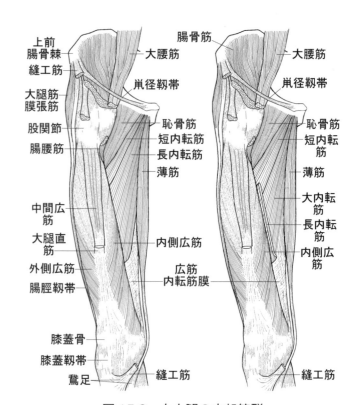

図15-8　右大腿の内転筋群
（左：縫工筋と大腿直筋を除去，左：さらに長内転筋を除去）

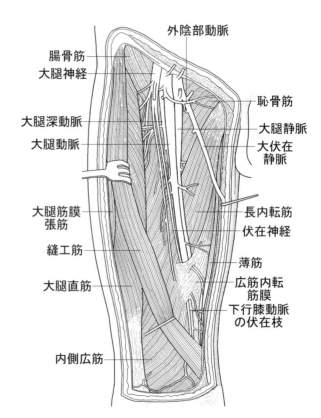

図15-9　前大腿部の血管と神経

前壁は縫工筋が作り，この中を大腿動・静脈と伏在神経が通る。

> 閉鎖管を見るために恥骨筋を筋腹で切れ。

□**閉鎖管** Canalis obturatorius：前壁を恥骨筋，後壁を短内転筋と外閉鎖筋が作る管で，この中を閉鎖神経と閉鎖動静脈が通る。

15.2.5 前膝部の解剖

前膝部 Regio genualis anterior は膝蓋骨上縁より3横指上を通る水平線と脛骨粗面の下端を通る水平線で境界される膝部のうちで，大腿を前部と後部に分ける線よりも前を指す。

> 皮膚を剥離して前大腿部の筋の停止を観察せよ（図15-10）。

□**膝蓋前皮下包と膝蓋下皮下包** Bursa subcutanea prepatellaris et infrapatellaris
□**膝蓋靱帯** Lig. patellae：膝蓋骨尖から始まり，脛骨粗面に終わる。
□**内側膝蓋支帯** Retinaculum patellae mediale：内側広筋の腱膜の一部で，脛骨粗面の内側に付く。
□**外側膝蓋支帯** Retinaculum patellae laterale：外側広筋腱膜の一部で，脛骨粗面の外側に付く。
□**外側側副靱帯** Lig. collaterale fibulare：大腿骨の外側上顆から起こり，腓骨頭の先端と外側面に終わる。膝関節包の外側面を補強する。
□**内側側副靱帯** Lig. collaterale tibiale：大腿骨の内側上顆から起こり，内側半月の内側縁と脛骨の内側顆に終わる。膝関節包の内側面を補強する。
□**鵞足** Pes anserinus：縫工筋，薄筋，半腱様筋の停止腱が脛骨上部の内側面に鵞鳥の足のようになって付着する（図15-11）。半膜様筋の腱はこれら3筋の腱の深層に停止することから深鵞足と呼ばれる。

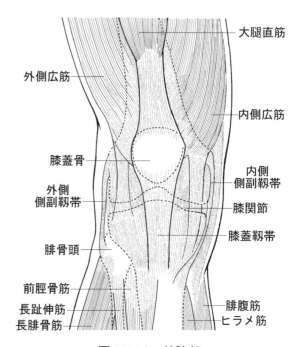

図15-10　前膝部

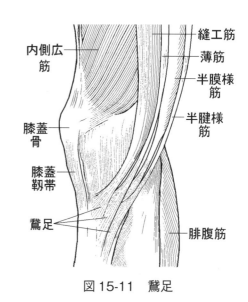

図15-11　鵞足

15.3　前下腿部の解剖

前下腿部 Regio cruris anterior は前膝部より下で，内果と外果を結ぶ線によって足背部と境界される。また，後下腿部との境界は，脛骨の内側顆と脛骨の内果を結ぶ線（内側）と脛骨の外側顆と腓骨の外果を結ぶ線（外側）である。

15.3.1 前下腿部浅層の解剖

以下のものに注意しながら前下腿部の皮膚を剥離せよ（図15-3を参照）。

□**大伏在静脈** V. saphena magna：下腿の前内側を下行して足背に至る皮静脈。
□**浅腓骨神経** N. fibularis superficialis：皮枝は下腿の前外側面を下行して足背に至る。
□**下腿筋膜** Fascia cruris

15.3.2 前下腿部筋の解剖

下腿の全長にわたって脛骨の前縁と内側縁が触知できる。下腿前部の筋は脛骨より外側で，下腿の前外側部（前部筋区画）と外側部（外側筋区画）を占める筋群で，すべて総腓骨神経の枝に支配される（図15-12）。

1) 伸筋群

前部筋区画を走る伸筋群で，すべて総腓骨神経の枝である深腓骨神経に支配され，足関節の背屈（伸展）と外反，および足の趾の伸展を行う（図15-13）。

□**前脛骨筋** M. tibialis anterior：下腿の上半分において，脛骨のすぐ外側に筋腹を触れる。足関節を背屈すると，筋腹が硬くなる。また足背においては，腱は長母趾伸筋の内側を走る。
起始：脛骨外側顆，脛骨外側面の上2/3，下腿骨間膜
停止：内側楔状骨内側面，第1中足骨底
神経：深腓骨神経 N. fibularis profundus（$L_4 \sim S_1$）
作用：足関節の伸展（背屈）と内反

□**長母趾伸筋** M. extensor hallucis longus：下腿中央部の高さまでは前脛骨筋や長趾伸筋の奥にあり，下腿下部で両筋の間から顔を出す。母趾を伸展すると足背を母趾に向かって伸びる腱が浮き出てくる。
起始：腓骨前面中央3/5，他の部分の骨間膜

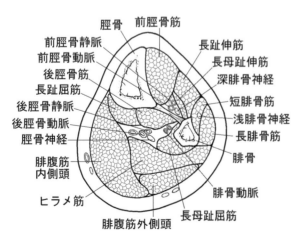

図15-12　右下腿上部の横断面

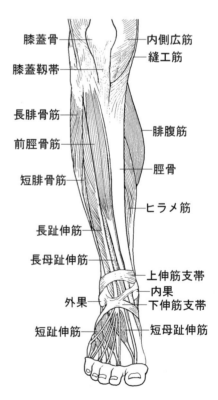

図15-13　右下腿前面の筋

停止：第1趾末節骨底
神経：深腓骨神経 N. fibularis profundus（L_4〜S_1）
作用：母趾の伸展と足部の内反

□**長趾伸筋** M. extensor digitorum longus：下腿の上半分では，前脛骨筋と長腓骨筋の間を下行する。足首のあたりで腱はほぼ中央を走り，趾を伸展すると，4本に分かれて足背を扇状に広がる腱が浮き出してくる。
起始：脛骨外側顆，腓骨外側面の上 2/3，骨間膜上部
停止：第Ⅱ〜Ⅴ趾の趾背腱膜に移行する。
神経：深腓骨神経 N. fibularis profundus（L_4〜S_1）
作用：第Ⅱ〜Ⅴ趾の伸展と足部の外反

□**第3腓骨筋** M. peroneus tertius：長趾伸筋は余分な腱をもう一本持っていることがあり，これが第3腓骨筋であるといわれている。
起始：腓骨前面下部 1/3
停止：第5中足骨底付近の背面
神経：深腓骨神経 N. fibularis profundus（L_4〜S_1）
作用：足を外反し，また足関節を背屈する

2）腓骨筋群

腓骨筋群は下腿の外側面で，腓骨頭と外果を結ぶ線上に筋腹がある。ともに浅腓骨神経（総腓骨神経の枝）に支配され，足関節の外反と底屈を行う（図15-14）。腓骨頭は下腿上部の外側面で，脛骨の外側顆や膝蓋骨の下縁よりもさらに3〜4cm下で皮膚の直下に触知される。

□**長腓骨筋** M. peroneus longus：腓骨頭と外果を結ぶ線上に筋腹があり，全長にわたって体表からでも筋腹を触知できる。
起始：脛骨外側顆，腓骨頭と腓骨の外側上部の 2/3
停止：内側楔状骨外側面，第1, 2中足骨底
神経：浅腓骨神経 N. fibularis superficialis（L_5〜S_1）

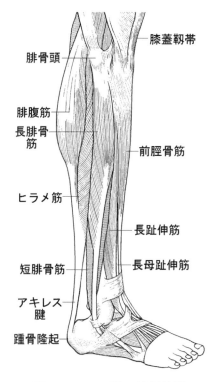

図15-14　下腿の外側筋群

□**短腓骨筋** M. peroneus brevis：下腿の下半分において，長腓骨筋と腓骨の間を下行するので，直接体表から触知するのは困難である。
起始：腓骨外側面の下 2/3
停止：第5中足骨の背面
神経：浅腓骨神経 N. fibularis superficialis（L_5〜S_1）

15.3.3　下腿の神経と血管

1）下腿の支帯と筋間中隔（図15-12を参照）

□**上伸筋支帯** Retinaculum mm. extensorum superius：足首の前面において，前脛骨筋，長母趾伸

筋，長趾伸筋などの腱を覆っている。
- 前下腿筋間中隔 Septum intermusculare anterius cruris：腓骨筋群と伸筋群の間
- 後下腿筋間中隔 Septum intermusculare posterius cruris：腓骨筋群と屈筋群の間

2）下腿前面の神経と動脈（図15-15）
- 伏在神経 N. saphenus：大腿神経の枝で，内側膝下部に現れる。
- 浅腓骨神経 N. fibularis superficialis：総腓骨神経の枝で，下腿の外側筋群（長および短腓骨筋）を支配する。
- 深腓骨神経 N. fibularis profundus：総腓骨神経の枝で，下腿の伸筋群（前脛骨筋，長母趾伸筋，長趾伸筋および第三腓骨筋）を支配する。
- 前脛骨動脈 A. tibialis anterior：膝窩動脈から分かれて前脛骨筋と伸筋群の間を走る。

15.4 足背部の解剖

足背部 Regio dorsalis pedis は足の上面で，踵部を除き，足の内側縁と外側縁で足底部と境される。

15.4.1 足背部浅層の解剖

> 足背の皮膚を剥離して（図15-2）以下の皮神経や皮静脈を観察せよ（図15-16）。

1）皮神経
- 内側，中間および外側足背皮神経 N. cutaneus dorsalis medialis, intermedius et lateralis：浅腓骨神経の枝で，足背に広がる。
- 伏在神経 N. saphenus：大腿神経の枝。

2）皮静脈
- 大伏在静脈 V. saphena magna：足背静脈弓に続き，内果（ウチクルブシ）の前上を通って下腿の内側前面を上行する。
- 足背静脈弓 Arcus venosus dorsalis pedis
- 足背筋膜 Fascia dorsalis pedis
- 下伸筋支帯 Retinaculum mm. extensorum inferius

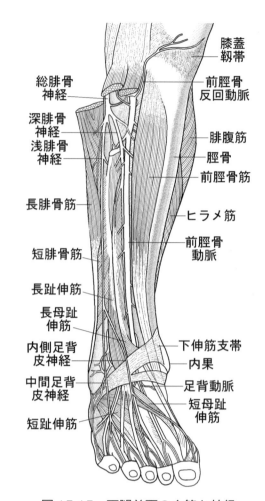

図15-15　下腿前面の血管と神経

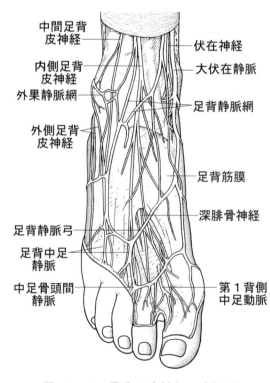

図15-16　足背の皮神経と皮静脈

15.4.2 足背部深層の解剖

> 足背筋膜を剥離して下伸筋支帯を中央部で切断し、その下にある以下の腱や腱鞘を観察せよ（図15-16, 15-17, 15-18, 15-19）。

- □ **前脛骨筋腱** Tendon musculi tibialis anterior：足根部では内側部を前方に進み、内側楔状骨と第1中足骨底の足底面に停止する。
- □ **長母趾伸筋腱** Tendon musculi extensoris hallucis longus：足根部では中央部から前内方に向かって進み、母趾の趾背腱膜（母趾末節骨底と基節骨底）に停止する。
- □ **長趾伸筋腱** Tendon musculi extensoris digitorum longus：足根部で4本に分かれて第Ⅱ～Ⅴ趾の趾背腱膜に停止する。

> 下腿および足外側において上腓骨筋支帯と下腓骨筋支帯を観察し、その下を走る腱と腱鞘を剖出せよ。

- □ **上腓骨筋支帯** Retinaculum musculi peroneorum superius
- □ **下腓骨筋支帯** Retinaculum musculi peroneorum inferius
- □ **腓骨筋の総腱鞘** Vagina tendinum musculi peroneorum communis

> 足の屈筋支帯とその下にある筋の腱および腱鞘を剖出して観察せよ。

- □ **屈筋支帯** Retinaculum musculorum flexorum
- □ **後脛骨筋腱** Tendon m. tibialis posterioris
- □ **長趾屈筋腱** Tendon m. flexoris digitorum longi
- □ **長母趾屈筋腱** Tendon m. flexorum hallucis longi

15.4.3 足背筋の解剖

手背にはこれらの筋に該当する筋はない。

- □ **短趾伸筋** M. extensor digitorum brevis

起始：踵骨背側表面前部
停止：第Ⅱ～Ⅳ趾の指背腱膜に加わり、主として中節骨と末節骨へ。
神経：深腓骨神経 N. fibularis profundus（L₄～S₁）
作用：第Ⅱ～Ⅴ趾を伸展する。

- □ **短母趾伸筋** M. extensor hallucis brevis

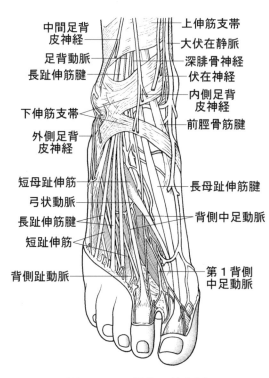

図15-17　足背の筋と腱

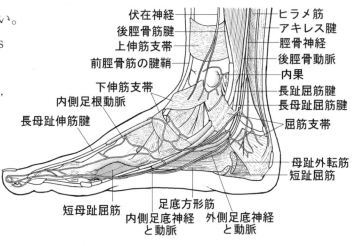

図15-18　右足内側面の筋, 血管, 神経

起始：踵骨背側表面前部
停止：第1基節骨底
神経：深腓骨神経 N. fibularis profundus（L_4〜S_1）
作用：母趾を伸展する。

15.4.4　足背の血管

□**足背動脈** A. dorsalis pedis：前脛骨動脈の続きで，足背の第2中足骨中央部付近で脈拍を触れる。足背において以下の枝に分かれる。
　□外側足根動脈 A. tarseae lateralis
　□内側足根動脈 Aa. tarseae mediales
　□弓状動脈 A. arcuata
　□背側中足動脈 Aa. metatarseae dorsales
　□背側指動脈 Aa. digitales dorsales
　□深足底動脈 A. plantalis profunda

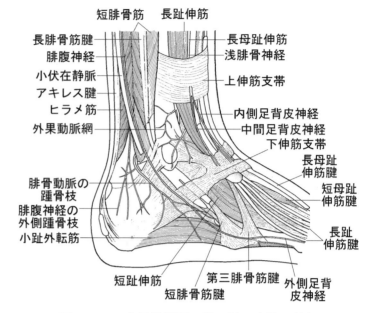

図 15-19　右足外側面の筋，腱，血管，神経

15.5　骨盤壁の解剖

骨盤壁の解剖は後腹膜器官と骨盤内臓器の解剖（p.276〜300）の後で行う。

> 骨盤壁の筋，血管，神経等を観察せよ。

15.5.1　骨盤壁の筋

骨盤後壁をなす筋で，股関節の屈曲を行う（図 15-20）。
□**腰方形筋** M. quadratus lumborum
起始：腸骨稜後部，腸腰靱帯
停止：第1〜4腰椎の肋骨突起と第12肋骨
神経：腰神経叢（Th_{12}〜L_3）
作用：第12肋骨の沈下と体幹の側屈

腸腰筋 M. iliopsoas は腸骨筋，大腰筋，小腰筋を合わたもので，すべて股関節の屈曲（大腿を前方に上げたり，体幹を前屈したりする）と股関節の外旋に作用する。
□**腸骨筋** M. iliacus
起始：仙骨の外側部と腸骨窩
停止：小転子

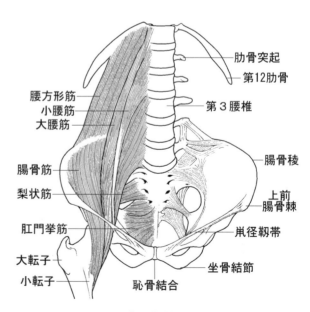

図 15-20　内骨盤筋と骨盤の靱帯

神経：腰神経叢の枝，大腿神経（$L_2 \sim L_4$）

□**大腰筋** M. psoas major
起始：全腰椎の肋骨突起と椎体側面，椎間板
停止：小転子
神経：腰神経叢（$Th_{12} \sim L_4$）

□**小腰筋** M. psoas minor：鼠径靱帯と腸恥隆起の間に張る腸骨筋膜の一部で，血管裂孔と筋裂孔を分ける。
起始：第12胸椎と腰椎の間の椎間板
停止：腸恥筋膜弓
神経：腰神経叢（$L_1 \sim L_2$）

15.5.2　骨盤内の血管

腹大動脈 Aorta abdominalis は第4腰椎の高さで左右に**総腸骨動脈** A. iliaca communis を出した後，仙骨前面正中線上を下行する細い**正中仙骨動脈** A. sacralis mediana となる。総腸骨動脈は仙腸関節の高さで内および外腸骨動脈に分かれるが，この間に枝は出さない。

□**腰動脈** Aa. lumbales Ⅰ～Ⅳ：腹大動脈からの直接の枝（壁側枝）
□**腰静脈** Vv. lumbales Ⅰ～Ⅳ：腰動脈と平行に走る。
□**上行腰静脈** V. lumbalis ascendens：腰静脈を上下に連結する。横隔膜を越えると，右は奇静脈に，左は半奇静脈になる。

1）内腸骨動脈

内腸骨動脈 A. iliaca interna は骨盤の外側壁に沿って骨盤腔に入り，卵巣と直腸上部を除く骨盤内臓器に臓側枝を出す。また壁側枝を殿部や外陰部に送る（図15-21）。

①臓側枝
□**臍動脈** A. umbilicalis：胎生期には前腹壁の後面を上行して胎盤に向かう。生後閉鎖して**臍動脈索** Lig. umbilicale mediale となって残る。
□**上膀胱動脈** A. vesicalis superior：臍動脈の枝で，膀胱の上部に分布する。
□**精管動脈** A. ductus deferentis（男性のみ）：細い動脈で精管にいく。
□**子宮動脈** A. uterina（女性のみ）：精管動脈と相同の動脈で，子宮広間膜を通って子宮に達し，さらに膣，卵管，卵巣にも枝を送る。
□**中直腸動脈** A. rectalis media：内腸骨動脈の枝で，直腸の中央1/3に分布する。
□**下直腸動脈** A. rectalis inferior：内

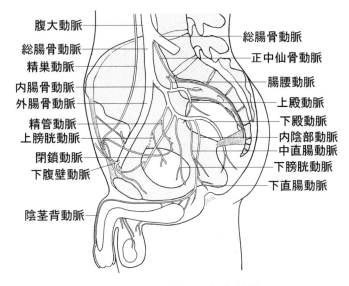

図15-21　男性の骨盤内動脈

陰部動脈の枝で，直腸の下1/3に分布する。

②壁側枝

□**腸腰動脈** A. iliolumbalis：上後方に進み下腰部と腸骨窩に分布する。

□**閉鎖動脈** A. obturatoria：骨盤腔に細い枝を出した後，閉鎖神経とともに閉鎖孔を通って大腿の内側面に分布する。

□**上殿動脈** A. glutea superior：梨状筋の上で，上殿神経とともに大坐骨孔を通って殿部に向かい，中殿筋や小殿筋，大腿筋膜張筋に分布する。

□**下殿動脈** A. glutea inferior：梨状筋の下で，下殿神経とともに大坐骨孔を通って殿部に達し，大殿筋に分布する。

□**内陰部動脈** A. pudenda interna：坐骨の内側を前に進み，以下の動脈に枝分かれして会陰や外陰部に分布する。

　□**下直腸動脈** A. rectalis inferior：直腸の下1/3に分布する。

　□**会陰動脈** A. perinealis

　□**陰茎背動脈** A. dorsalis penis（男性）と**陰核動脈** A. clitoridis（女性）

2）外腸骨動脈

外腸骨動脈 A. iliaca externa は内腸骨動脈と分かれた後，本流は鼠径靱帯の直下で血管裂孔を通って大腿の前面に顔を出し，大腿動脈になる。その間に鼠径靱帯の直上で下腹壁動脈を出す。

□**下腹壁動脈** A. epigastrica inferior：深鼠径輪の内側で前腹壁後面を上行して腹直筋に分布する。

3）静脈：内腸骨静脈の枝は内腸骨動脈の枝とほぼ伴行する。

□**総腸骨静脈** V. iliaca communis：左右が合流して下大静脈に注ぐ。

　□**内腸骨静脈** V. iliaca interna：内腸骨動脈の流域から血液を集める。

　□**外腸骨静脈** V. iliaca externa：外腸骨動脈の流域から血液を集める。

15.5.3　骨盤内の神経

1）腰神経叢

腰神経叢 Plexus lumbalis は Th_{12}〜L_4 の脊髄神経前枝から構成される。腰椎の両側で大腰筋に覆われており，大腰筋をほぐしながら起始を離断すると全容が現れる。筋枝を下部腹筋，内寛骨筋，大腿の伸筋および内転筋に送り，皮枝を鼠径部，外陰部，大腿の前面および内側面の皮膚に送る。腰神経叢からの主な神経は以下の通りである（図15-22）。

□**腸骨下腹神経** N. iliohypogastricus（Th_{12}, L_1）：腰方形筋の前面，内腹斜筋と腹横筋の間を通り，大腿外側上部，骨盤側面，下腹部，恥丘の皮膚に分布する。

□**腸骨鼠径神経** N. ilioinguinalis（Th_{12}, L_1）：腰方形筋の前面を腸骨下腹神経と平行に走り，鼠径管を通って陰嚢や大陰唇に分布する。

□**陰部大腿神経** N. genitofemoralis（L_1, L_2）：大腰筋を貫通して出てくる。そのうち，大腿枝は大腿上部の皮膚，陰部枝は精索とともに陰嚢に向かい，精巣挙筋や精巣白膜に分布する。女性では子宮円索とともに陰唇と大腿上内側部に分布する。

□**外側大腿皮神経** N. cutaneus femoris lateralis（L_2, L_3）：腸骨筋の表面から大腿の外側に出て，皮膚に分布する。

□**大腿神経** N. femoralis（L_2〜L_4）：腰神経叢から出る最大の神経で，大腰筋と腸骨筋の間を通る。

腸骨筋を支配するほか，筋裂孔を通って大腿前面に達し，大腿四頭筋を支配するとともに，皮枝を大腿前面の皮膚に送る。また，伏在神経となって大腿下部内側面に分布する。
- □**閉鎖神経** N. obturatorius（$L_2 \sim L_4$）：大腰筋の内側縁から閉鎖動脈とともに閉鎖管を通って大腿内側部に達し，大腿の内転筋群や大腿内側の皮膚に分布する。

2）仙骨神経叢

仙骨神経叢 Plexus sacralis は $L_4 \sim S_3$ の前枝からなり，骨盤後壁に広がっている。従って骨盤を正中割断し，骨盤内臓器を摘出することによってその全貌を観察することができる。仙骨神経叢から出る神経は筋枝を外骨盤筋，大腿の屈筋，下肢および足のすべての筋，会陰の筋に送り，皮枝を殿部，大腿の後面，下腿および足の皮膚に送る。仙骨神経叢から出る主な枝は以下の通りである。

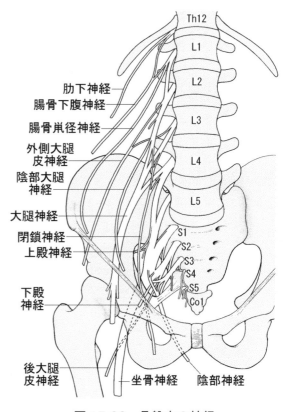

図15-22　骨盤内の神経

- □**上殿神経** N. gluteus superior（$L_4 \sim S_1$）：梨状筋の上で大坐骨孔を通って殿部の深部に達し，中殿筋，小殿筋，大腿筋膜張筋を支配する。
- □**下殿神経** N. gluteus inferior（$L_5 \sim S_2$）：梨状筋の下で大坐骨孔を通って殿部の深部に達し，大殿筋を支配する。
- □**坐骨神経** N. ischiadicus（$L_4 \sim S_3$）：人体で最も太い神経で，小指ほどの太さがある。梨状筋の下で，下殿神経とともに大坐骨孔を通って殿部の深部に達し，大殿筋や大腿二頭筋に覆われて大腿後部を下行する。この間に筋枝をすべての大腿屈筋に送る膝窩のやや上方で総腓骨神経と脛骨神経に分かれる。

16 後腹壁と骨盤内臓器の解剖

16.1 後腹壁臓器の解剖

16.1.1 後腹壁の観察

腹腔の後壁も腹膜で覆われており，腹膜よりも後ろの間隙を**腹膜後隙** Spatium retroperitoneale という。腹膜より後ろにある器官のうちで，前面のみが腹膜に覆われているものを**腹膜後器官** retroperitoneal organ といい，腹膜を透して輪郭が観察できる（図16-1, 16-2）。

- □**十二指腸** Duodenum：摘出済み
- □**上行結腸**と**下行結腸** Colon ascendens et descendens：摘出済み
- □**膵臓** Pancreas：摘出済み
- □**腎臓** Ren：腰椎の両側にある豆の形をした器官で，後腹膜隙において副腎とともに脂肪組織の中に埋まっている。
- □**副腎** Glandula suprarenalis：腎臓に接して存在する扁平な三角おむすび形の内分泌器官
- □**尿管** Ureter：後腹膜隙を下行して，骨盤口入口では総腸骨動脈の前を通る。
- □**大動脈** Aorta：脊柱の前で，下大静脈の左側を下行し，第4腰椎の高さで左右の総腸骨動脈に分かれる。
- □**下大静脈** Vena cava inferior：大動脈の右側を上行する。

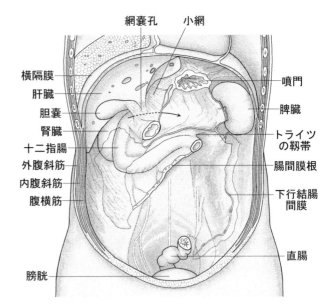

図 16-1 腹部後壁（空・回腸と結腸を摘出した後）

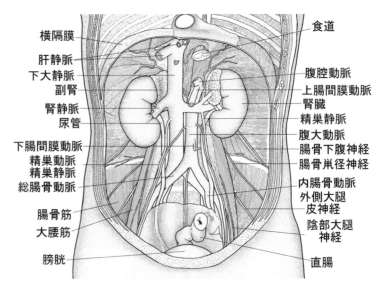

図 16-2 腹膜後隙の器官

16.1.2 後腹壁の血管と神経の剖出

> 腹膜を剥離して以下の動静脈並びに神経を確認せよ（図16-2, 16-3）。

1）腹大動脈とその枝

腹大動脈 Aorta abdominis は第12胸椎の高さで横隔膜の**大動脈裂孔** Hiatus aorticus を貫通して始まり，脊柱の左側を下行しながら以下の枝を出して第4腰椎の高さで終わる。

□**下横隔動脈** A. phrenica inferior：横隔膜の直下から出る一対の細い枝で、横隔膜の下面に分布するとともに，副腎に細い上副腎動脈 A. suprarenalis superior を送る。

□**腹腔動脈** Truncus ceriacus：横隔膜の直下で，前方に向かって伸び出すが，すぐに以下の3本に分枝する。消化器系のうちで，前腸に由来する胃～十二指腸の口側半分および肝臓，膵臓，脾臓に分布する。

　□**左胃動脈** A. gastrica sinistra：胃の噴門から小弯沿いに幽門に向かって走る。

　□**脾動脈** A. lienalis：脾臓および胃の大弯側を栄養する。

　□**総肝動脈** A. hepatica communis：さらに3本に分かれる。

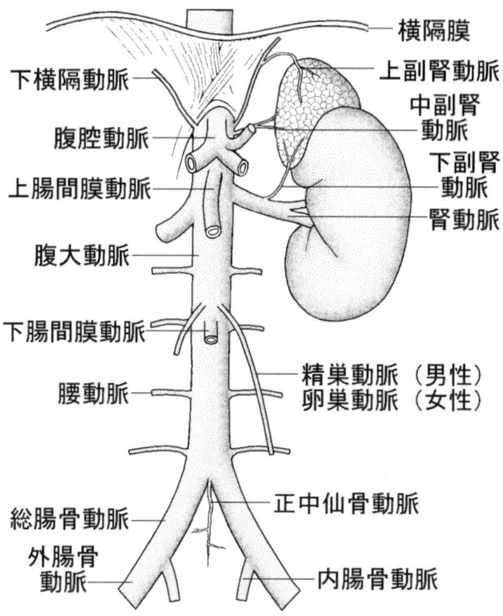

　　□**右胃動脈** A. gastrica dextra：胃の幽門から小弯沿いに噴門に向かって走る。

　　□**固有肝動脈** A. hepatica propria：小網の中を走り，肝臓と胆嚢を栄養する。

　　□**胃十二指腸動脈** A. gastroduodenalis：十二指腸の口側半分，膵臓および胃の大弯側に分布する。

□**中副腎動脈** A. suprarenalis media：副腎の中央部に分布する。

□**上腸間膜動脈** A. mesenterica superior：第1腰椎の高さで始まる。消化管のうちで中腸に由来する十二指腸の肛側半分～横行結腸の口側3/4に分布する。

□**下腸間膜動脈** A. mesenterica inferior：第3腰椎の高さで始まる。消化管のうちで後腸に由来する横行結腸の肛側1/4～直腸上部に分布する。

□**腎動脈** A. renalis：第2腰椎の高さで大動脈からほぼ直角に分岐し，腎臓に向かう。一部は下副腎動脈 A. suprarenalis inferior となって副腎の下部に分布する。

□**精巣動脈** A. testicularis（男性），**卵巣動脈** A. ovarica（女性）：腎動脈よりも少し下位から始まり，尿管に沿って下行し，精巣あるいは卵巣に分布する。

□**腰動脈** Aa. lumbales：左右に4対出る。肋間動脈に相当し，脊髄や腰部および腹壁に分布する。

□**総腸骨動脈** A. iliaca communis sinistra et dextra：第4腰椎の高さで腹大動脈は左右の総腸骨動脈に分岐する。

図16-3　腹大動脈とその枝

2）下大静脈とその枝

□**下大静脈** V. cava inferior：第5腰椎の高さで始まり，椎骨の右側を上行する。以下の静脈が流入する（図16-4）。

□左右の**総腸骨静脈** V. iliaca communis（sinistra et dextra）：下肢および骨盤腔からの大部分の血液を集める。

□**腎静脈** V. renalis：右の腎静脈は短い。左腎静脈は大動脈の上を横切って流入する。

□**精巣静脈** V. testicularis：右は直接下大静脈に，左は左腎静脈を介して下大静脈に流入する。

□**肝静脈** Vv. hepaticae：3本の静脈となって肝臓の後面から流出する。

□**乳ビ槽** Cisterna chyli：下肢，骨盤および腹腔内のリンパを集めるリンパ管で，横隔膜の大動脈

裂孔を通って胸部では胸管となり，左静脈角で静脈に流れ込む。消化管から吸収された脂肪はこの系を通って血液に入る。

3) 神経
- □交感神経幹 Truncus sympathicus：椎骨の両側を下行する。
- □腹腔神経叢 Plexus celiacus と腹腔神経節 Ganglion celiaca

16.1.3 腎臓の観察と剖出

腎臓 Ren, kidney はそら豆の形をした器官で，腹膜後隙の脂肪組織（脂肪被膜）の中に副腎とともに埋まっている。脊柱の両側で Th_{12}～L_3 にかけて存在するが，右の腹膜腔には肝臓があるために，右の腎臓は左よりも1椎体分ぐらい低い位置にある（図16-5）。

> 腎臓付近の腹膜を剥離し，以下のものを確認しながら腎臓を剖出せよ。確認できれば順次剥離せよ。

- □脂肪被膜 Capsula adiposa（傍腎脂肪体 Corpus adiposum pararenale）
- □線維被膜 Capsula fibrosa：腎臓を直接包む薄い皮膜。
- □内側縁と外側縁 Margo medialis et lateralis
- □腎門 Hilus renalis：腎臓の内側縁中央部が陥凹した部分で，以下のものが出入りする。
  - □腎動脈 A. renalis：腹大動脈からほぼ水平に出る。右腎動脈は下大静脈の後ろを通る。
  - □腎静脈 V. renalis：左腎静脈は腹大動脈の前を通る。また，左の腎静脈には左精巣静脈あるいは左卵巣静脈が流入する。
  - □尿管 Ureter：腎臓で作られた尿を膀胱に運ぶ管で，腹膜後隙を下行して骨盤腔に入り，膀胱の後壁に開口する。

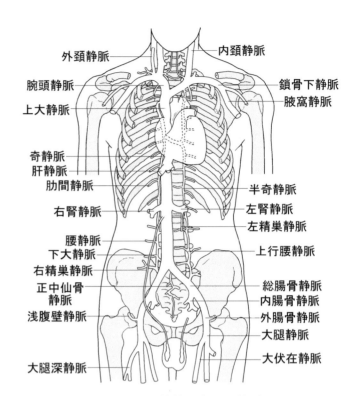

図16-4 体幹の主要な静脈

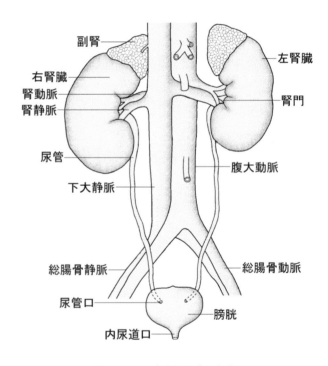

図16-5 泌尿器系の概観

16.1.4　副腎の観察と剖出

副腎 Glandula suprarenalis は腎臓とともに共通の脂肪組織で包まれている。

> 脂肪組織を剥離して副腎を剖出せよ（図 16-5）。存在位置と他臓器との関係に注意せよ。以下の 3 本の動脈が分布する（図 16-3 を参照）。

☐上副腎動脈 A. suprarenalis superior：下横隔動脈の枝
☐中副腎動脈 A. suprarenalis media：腹大動脈の枝
☐下副腎動脈 A. suprarenalis inferior：腎動脈の枝

16.1.5　尿管の観察

尿管 Ureter は腎臓で作られた尿を膀胱に運ぶ太さ 4〜5mm，長さ 28〜30cm の細い管で，腹膜後隙を通って下行する（図 16-6）。管腔は移行上皮に覆われている。また，平滑筋層がよく発達しているので，つまむとコリコリした感じを受ける。以下の 2 部に分けられる。

☐腹部 Pars abdominalis：起始部から，大腰筋の上を骨盤上口まで下がり，総腸骨動脈の前で交叉するまでの部分。
☐骨盤部 Pars pelvina：小骨盤に入り，膀胱の後面に沿って下行して膀胱壁を貫通するまでの部分。
☐尿管の狭窄部：以下の 3 ヶ所で細くなっている。ここには尿路結石が詰まりやすいので臨床的に重要である（図 16-6）。
①上狭窄部：腎盤と尿管の移行部。
②下狭窄部：総腸骨動脈の上を斜めに交叉している。
③壁内狭窄部：膀胱の後壁を斜めに貫通し，尿管口に開口する。この部分は尿の逆流を防ぐ弁の役割を演じている。

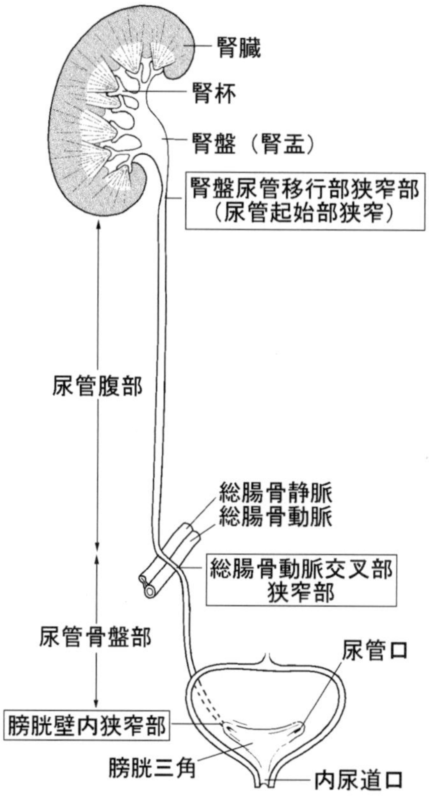

図 16-6　尿路および尿管狭窄部

16.1.6　横隔膜の観察

横隔膜 Diaphragma は腹膜腔と胸腔を隔てる筋性の膜で，吸気運動で外肋間筋とともに中心的役割を演じる。横隔膜を支配する**横隔神経** N. phrenicus は第 4 頸神経を中心に構成されており，脊髄の高い髄節から出ていることに注意しなければならない。これは臨床的に非常に重要で，脊髄が損傷された時第 5 頸髄以下では横隔膜によって自発呼吸が可能になる。しかし，第 4 頸髄よりも上で損傷されると，横隔膜も麻痺して自発呼吸ができなくなる。

> 横隔膜の最高位（腱中心）を体表の前面と後面に投射して，その高さを確認せよ。

横隔膜は筋部と腱部からなる。筋部は胸郭下口の内側面より起こり，以下の 3 部に分かれる。また 2 つの裂孔を持つ。腱部は上面の中央部で，1 つの裂孔を持つ（図 16-7）。

1) 筋部
- □**腰椎部** Pars lumbalis：腰椎より起こり，右脚と左脚を持つ。

  右脚 Crus dextrum：第1～3腰椎

  左脚 Crus sinistrum：第1～2腰椎

  - □**大動脈裂孔** Hiatus aorticus：下行大動脈，胸管，大動脈神経叢（交感神経性）が通る。
  - □**食道裂孔** Hiatus esophageus：食道と迷走神経が通る。
  - □**内側弓状靱帯** Lig. arcuatum mediale：第1，2腰椎体と肋骨突起の間にできる。大腰筋，交感神経幹，大・小内臓神経，上行腰静脈が通る。
  - □**外側弓状靱帯** Lig. arcuatum laterale：第1，2腰椎の肋骨突起と第12肋骨先端との間にできる。腰方形筋が通る。
  - □**正中弓状靱帯** Lig. arcuatum medianum：大動脈裂孔を作る。

- □**肋骨部** Pars costalis：第7～12肋軟骨から起こり，腹横筋の起始と交叉する。
- □**胸骨部** Pars sternalis：胸骨剣状突起の後面と腹横筋腱膜の内側面より起こる。時に欠けることもある。

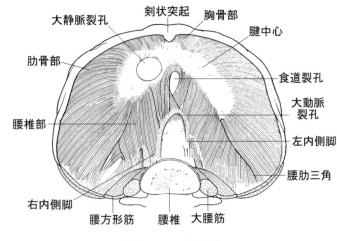

図16-7　横隔膜

2) 腱部

腱中心 Centrum tendineum と呼ばれる腱膜で，横隔膜の筋線維が放射状に停止する。
- □**大静脈孔** Foramen venae cavae：腱中心の中央部で，下大静脈が通る。

16.2　会陰の解剖

本来，会陰 Perineum とは肛門と尿生殖部に挟まれた部分をいうが，人体解剖学実習では，恥骨結合（前），尾骨（後ろ）と左右の坐骨結節を結ぶ線で囲まれた菱形の部分を扱う。骨盤腔を"底の抜けた植木鉢"に例えると，会陰は鉢の底に当たり，種々の筋や筋膜，隔膜などで構成されている。そして骨盤内臓器が落ちないように，下から支えている。

16.2.1　会陰の体表解剖

以下の場所を体表から確認し，会陰の場所を確定せよ。

- □**仙骨尖** Apex ossis sacri：殿裂に沿って上方にたどると仙骨の先端に行き当たる。
- □**坐骨結節** Tuber ischiadicum：殿溝のすぐ上あたりに指を当てて，深く上方に押し込むと触知できる。
- □**恥骨下角** Angulus subpubicus：左右の恥骨上枝が作る角で，男性では鋭角，女性では鈍角である。
- □**会陰縫線** Raphe perinei：解剖学的会陰の正中線を走る細い線状の高まり。

1) 男性の外生殖器（図16-8）

- □陰毛 Pubes：男性では12〜13歳頃から生え出す。これは二次性徴の1つである。
- □陰嚢 Scrotum：陰茎の下にぶら下がっている袋で，精巣を入れている。
- □陰茎 Penis：男性の交接器であるとともに，尿や精液の排出路にもなる。
  - □陰茎体 Corpus penis：本体は陰茎海綿体で，性的に興奮すると勃起する。
  - □陰茎背 Dorsum penis：陰茎の上面（背面）。
  - □尿道面 Facies urethralis：陰茎の下面で，女性の小陰唇と相同の部分である。中央を陰茎縫線が走る。
  - □陰茎亀頭 Glans penis：陰茎の先端部分。
  - □外尿道口 Ostium urethrae externum：陰茎亀頭の先端に開いた穴。
  - □包皮 Preputium penis：陰茎亀頭を包むヒダ状の皮膚。勃起時には反転して引き伸ばされ，陰茎体を包むようになる。

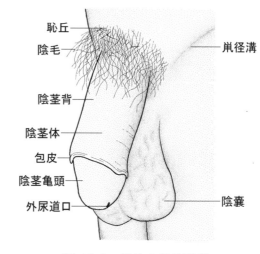

図16-8　男性の外生殖器

2) 女性の外生殖器（図16-9）

- □陰毛 Pubes：女性でも12〜13歳頃から生え出す（二次性徴の1つ）。
- □恥丘 Mons pubis：恥骨の前面を覆う三角形の高まりで，皮下に厚い脂肪組織がある。
- □大陰唇 Labium majus pudendi：小陰唇の外方に広がる緩やかな高まりで，男性の陰嚢と相同器官である。
  - □前陰唇交連 Commissura labiorum anterior：左右の大陰唇が前方で交わる。
  - □後陰唇交連 Commissura labiorum posterior：左右の陰唇が後方で交わる。
  - □陰裂 Rima pudendi：左右の陰唇間の裂隙。
- □小陰唇 Labium minus pudendi：膣前庭を左右から覆う薄い肉性のヒダ。男性の尿道海綿体と相同器官である。
- □膣前庭 Vestibulum vaginae：小陰唇を左右に開いた時に現れる狭い隙間。
- □外尿道口 Ostium urethrae externum：膣口と陰核の間で，膣前庭に開口する。
- □膣口 Ostium vaginae：膣の開口部。
- □陰核 Clitoris：前陰唇交連を左右に開くと現れてくる小豆大の突起物で，男性の陰茎亀頭と相同器官である。非常に敏感で，刺激されたり性的に興奮すると勃起する。

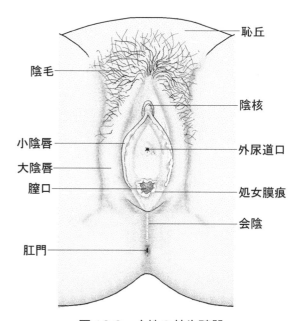

図16-9　女性の外生殖器

16.2.2 会陰の区分と内部の解剖

会陰 Perineum は本来は肛門と外陰部の間の部分をさすが，広い意味では骨盤の底をなす軟部組織をいう．左右の坐骨結節を結ぶ線で前部の尿生殖部と後部の肛門部に分けられる（図 16-10）．

> 図 16-10 のように会陰の皮膚を切開して剥離せよ．

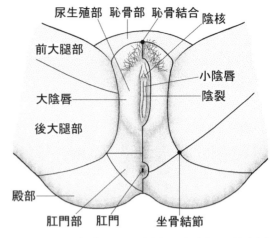

図 16-10　会陰の区分（左）と皮膚切開線（右）

1）尿生殖部 Regio urogenitalis

□浅会陰筋膜 Fascia perinei superficialis：会陰部の皮下組織のことで，浅層の脂肪組織と深層の膜様線維層からなる．後者は後部で会陰腱中心に停止する（図 16-11, 16-12, 16-13）．

□会陰腱中心 Centrum tendineum perinei：球海綿体筋，外肛門括約筋，肛門挙筋，会陰横筋が一緒に付着する丈夫な結合組織．

□浅会陰隙 Spatium perinei superficialis：浅会陰筋膜と尿生殖隔膜の間にある間隙で，疎性結合組織で埋められており，以下のものを入れている．

男性：陰茎根の陰茎脚，尿道球腺
女性：陰核脚，前庭球，大前庭腺

□浅会陰横筋 M. transversus perinei superficialis

起始：坐骨結節内側前部
停止：会陰腱中心，球海綿体筋
神経：陰部神経 N. pudendus（S_3〜S_4）

□坐骨海綿体筋 M. ischiocavernosus

起始：坐骨結節の内側
停止：恥骨弓，陰茎脚
神経：陰部神経 N. pudendus（S_3〜S_4）

□球海綿体筋 M. bulbospongiosus

起始：正中縫線，会陰腱中心
停止：男性では下尿生殖隔膜筋膜，海綿体の背側表面および深会陰筋膜，女性では

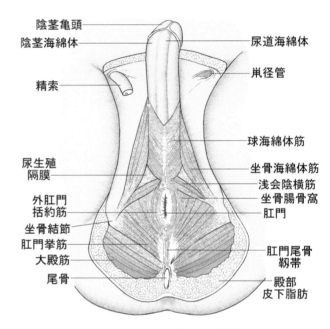

図 16-11　男性の会陰浅層

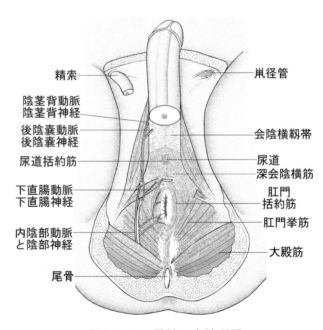

図 16-12　男性の会陰深層

恥骨弓と陰核背面。
神経：陰部神経 N. pudendus（S₃〜S₄）

□**尿生殖隔膜** Diaphragma urogenitale：骨盤隔膜の前部表面側で浅会陰隙の奥にある。上下2枚の筋膜からなり，男性では尿道，女性では尿道と膣が貫く。

> 浅層の筋が確認できたら順次切除して深層の構造物を剖出せよ。

□**会陰横靱帯** Lig. transversum perinei：上下の尿生殖隔膜筋膜が恥骨結合の直下で癒合してできる。後部は会陰腱中心に癒合する。

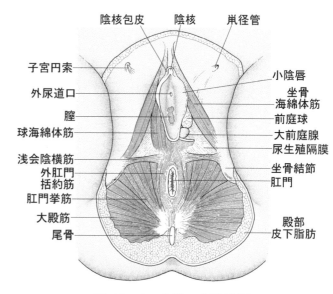

図16-13　女性の会陰浅層

□**深会陰隙** Spatium perinei profundum：尿生殖隔膜を作る上下の筋膜の間にある隙間で，陰茎あるいは陰核へ行く血管や神経，深会陰横筋，尿道括約筋および尿道球腺を含む。

神経と血管

□**内陰部動脈** A. pudenda interna：内腸骨動脈の枝で，以下の動脈に分岐して会陰と外陰部に分布する。
　□**下直腸動脈** A. rectalis inferior：直腸の下部1/3に分布する。
　□**会陰動脈** A. perinealis
　□**陰茎深動脈** A. profunda penis：陰茎海綿体の中央を貫く。
　□**陰茎背動脈** A. dorsalis penis：陰茎の背面を走る。
□**内陰部静脈** V. pudenda interna の枝：上記動脈に伴行する。従って名称も動脈と同じである。
□**陰部神経** N. pudendus：陰部神経叢（S₂〜S₄の前枝が構成）から出る神経で，内陰部動脈と伴行して会陰の筋や外陰部の皮膚および粘膜に分布する。
　□**会陰神経** N. perinealis
　□**陰茎背神経** N. dorsalis penis
□**深会陰横筋** M. transversus perinei profundus
起始：左右の坐骨枝
停止：会陰腱中心
神経：陰部神経 N. pudendus（S₃〜S₄）
作用：尿生殖隔膜を作る。
□**尿道括約筋** M. sphincter urethrae
起始：恥骨下枝
停止：正中縫線，尿道（男性），尿道周囲，膣の外側面（女性）
神経：陰部神経 N. pudendus（S₃〜S₄）
作用：排尿を随意的に制御する。

2）肛門部

肛門部 Regio analis は会陰の後半部を占める。この部分は直腸，肛門管を取り巻いて排便運動に重要な役割を演じている。

- □**坐骨肛門窩** Fossa ischioanalis：肛門管の左右にあるくぼみ。前頭断では楔形を呈する。
- □**坐骨肛門窩脂肪体** Corpus adiposum fossae ischioanalis：ここを陰部神経 N. pudendus と内陰部動脈 A. pudenda interna が通る。
- □**骨盤隔膜** Diaphragma pelvis：肛門挙筋と尾骨筋という骨格筋からなる。

> 下骨盤隔膜筋膜を除去し，骨盤隔膜を作る2つの筋を観察せよ（図16-14）。

□**肛門挙筋** M. levator ani

起始：坐骨，坐骨棘
停止：会陰腱中心，尾骨，肛門尾骨靱帯
神経：陰部神経 N. pudendus（$S_3 \sim S_4$）

肛門挙筋は肛門管の周囲にあり，さらに以下のように区分される。

① **恥骨尾骨筋** M. pubococcygeus：肛門挙筋の前部をなす。恥骨内面で分界線の直下から始まるしっかりとした筋である。

② **腸骨尾骨筋** M. iliococcygeus：肛門挙筋の後部をなす薄い部分で，腸骨から起こる。

③ **恥骨直腸筋** M. puborectalis：肛門管の回りでU字型を呈する。

前立腺挙筋 M. levator prostatae

□**尾骨筋** M. coccygeus：ヒトではしばしば痕跡的である。

起始：坐骨棘の内側面
停止：第4仙骨〜第2尾骨の外側縁

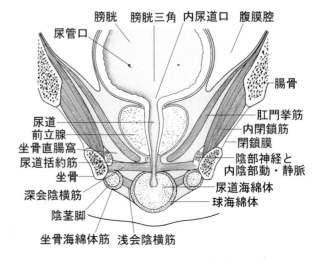

図 16-14　男性の小骨盤（前額断面）

16.2.3　恥骨後隙の観察

恥骨後隙 Spatium retropubicum は膀胱尖と恥骨結合との間にある腹膜外隙で，両側に恥骨があり，底部には恥骨前立腺靱帯がある。

> 尿道膜性部において次のものを確認せよ（図16-15）。

- □**尿道括約筋** M. sphincter urethrae：横紋筋で，排尿を意識的に調節する。
- □**尿道球腺** Glandula bulbourethralis：エンドウ豆大の粘液腺で，性的に興奮すると粘液を分泌する（男性）。射精に先だって外尿道口から排出される粘液は尿道球腺の分泌物である。
- □**大前庭腺** Glandula vestibularis major：エンドウ

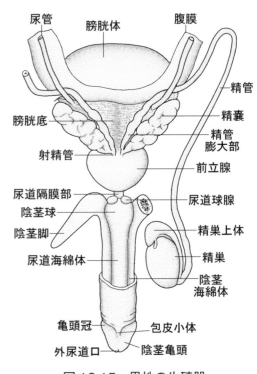

図 16-15　男性の生殖器

豆大の粘液腺で，膣口の両側に開口する（女性：図16-13を参照）。性的に興奮すると粘液を分泌して膣前庭を潤す。発生学的には尿道球腺と相同器官で，**バルトリン腺** Bartholin's gland とも呼ばれる。

16.2.4 外陰部の解剖

> 男性の場合，陰嚢の皮膚を剥離して以下のものを観察せよ（図16-15，16-16）。

□**肉様膜** Tunica dartos：陰嚢の皮膚で，真皮に平滑筋線維を含む。
□**陰嚢中隔** Septum scroti：陰嚢は女性の大陰唇と相同な器官で，男性では左右が癒合したことによって生じる。
□**陰茎** Penis
　□**陰茎根** Radix penis：陰茎海綿体が恥骨の下に伸び込んでいる部分。
　□**陰茎体** Corpus penis：外から観察される陰茎の本体。
□**精巣** Testis：陰嚢の中に収まる母指頭大の生殖腺で，精子を作る。
□**精巣上体** Epididymis：精巣の背部に載っている部分で，中に精巣上体管が詰まっている。
□**精索** Funiculus spermaticus：浅鼠径輪から出ると，陰嚢の中を精巣に向かって伸びる索状物で，以下のものから構成される。
　□**精管** Ductus deferens
　□**精巣挙筋** M. cremaster：内腹斜筋線維の一部。
　□**精巣動脈** A. testicularis：腹大動脈からの枝。
　□**蔓状静脈叢** Plexus pampiniformis：精巣動脈に絡みつく静脈網で，精巣静脈に続く。

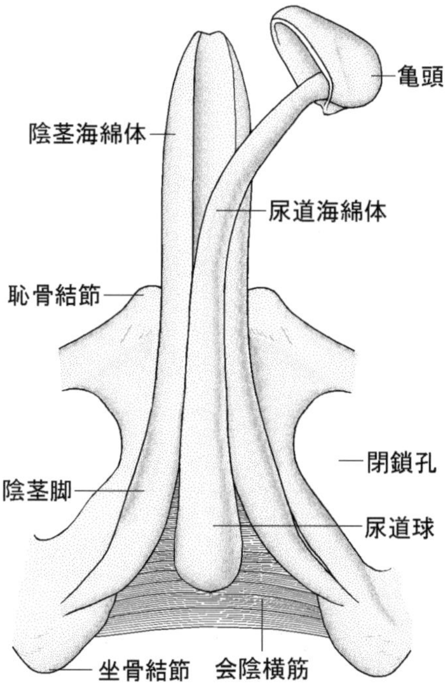

図16-16　陰茎

> どちらかの精索を浅鼠径輪まで剖出せよ。また陰茎体から包皮にかけて，背面正中線上で皮膚を切開し，剥離せよ（図16-16）。

□**陰茎海綿体白膜** Tunica albuginea corporum cavernosum：陰茎海綿体を包む丈夫な結合組織性被膜。
□**尿道海綿体白膜** Tunica albuginea corporum spongiosum：尿道海綿体を包む丈夫な結合組織性被膜。
□**陰茎海綿体** Corpus cavernosum penis：陰茎体の背側半で左右にあり，陰茎が勃起する時にはこの中に血液が充満する。
□**尿道海綿体** Corpus spongiosum penis：陰茎体の腹側半で無対性。この部分が陰茎亀頭につながっており，中央部を尿道が通る。

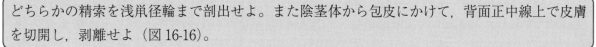

> 会陰横靱帯と恥骨弓靱帯の間を通る次のものを確認せよ。

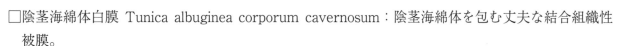

・陰茎背動脈 A. dorsalis penis：内陰部動脈の枝。
・陰茎背静脈 V. dorsalis penis

女性の場合大陰唇の皮膚を剥離して以下の構造物を確認せよ（図16-17）。

☐ **陰核亀頭** Glans clitoris
☐ **陰核体** Corpus clitoridis：陰核亀頭から上方に伸びる。
☐ **陰核脚** Crus clitoris：陰核亀頭から左右に伸びる。
☐ **前庭球** Bulbus vestibuli：膣壁の左右にあり、性交時に挿入された陰茎を左右から挟む。
☐ **大前庭腺** Glandula vestibularis major：性的に興奮すると粘液を分泌して膣前庭を潤して、陰茎の挿入を助ける。高齢者では退化している。

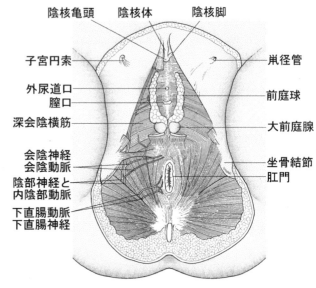

図16-17 女性の会陰深層

16.3 骨盤腔の解剖

16.3.1 骨盤腔の観察

1）男女共通

☐ **尿管** Ureter：腎臓で作られた尿を膀胱へ運ぶ管で、腎盤から始まり、膀胱の後壁に進入する（図16-6を参照）。
☐ **膀胱** Vesica urinaria：恥骨の後方にある筋性の器官。通常、恥骨の高さよりも低い位置にあることに注意せよ。
　☐ **膀胱底** Fundus vesicae：膀胱の上面をなす部分。
　☐ **膀胱体** Corpus vesicae
　☐ **膀胱尖** Apex vesicae：膀胱体から前方（恥骨）に向かって細くなる部分。
　☐ **正中臍索** Lig. umbilicale medianum：胎生期に形成される尿膜管の名残で、膀胱尖から臍に向かう。
☐ **S状結腸** Colon sigmoideum：下行結腸が側腹後壁を離れて正中部に接近してくる部分。
☐ **直腸** Rectum：骨盤後壁の中央を下行する部分。

2）男性の場合

☐ **直腸膀胱窩** Excavatio rectovesicalis：直腸と膀胱の間で腹膜腔が下方に陥没している。男性のみにあり、プロースト窩 Proust's pouch とも呼ばれる。
☐ **精管** Ductus deferens：前立腺から膀胱の後方を回り、深鼡径輪から鼡径管を通って精巣に向かう。精巣で作られた精子を運ぶ管。

3）女性の場合（図16-18，16-22，16-35を参照）

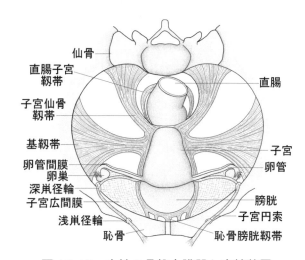

図16-18　女性の骨盤内臓器と支持装置

□**子宮** Uterus：小型のナスのような平滑筋性の生殖器官で，膀胱と直腸の間にある。高齢者では萎縮している。
□**子宮広間膜** Lig. latum uteri：子宮体の外側縁から骨盤壁に向かって伸びる間膜で，その上縁を卵管が走る。
□**子宮円索** Lig. teres uteri：子宮広間膜の中を走る索状物で，深鼠径輪から鼠径管を通って大陰唇に至る。
□**卵巣** Ovarium：梅干し大の生殖腺。高齢者では萎縮している。
□**卵巣間膜** Mesovarium
□**卵巣提索** Lig. suspensorium ovarii：腹大動脈から出る卵巣動脈と，下大静脈や左腎静脈に注ぐ卵巣静脈を卵巣に導く。
□**卵管** Tuba uterina：子宮底から両側に卵巣に向かって伸びる。
　□**卵管峡部** Isthmus tubae uterinae：卵管の子宮側1/5の部分で，細くなっている。
　□**卵管膨大部** Ampulla tubae uterinae：卵管の卵巣側4/5の部分で，峡部よりも太い。ここで受精が行われる。
　□**卵管采** Fimbriae tubae：卵管の卵巣端で，ラッパ状に広がっている。
　□**卵管腹腔口** Ostium abdominale tubae uterinae：卵管采の中央に開いた孔で，排卵された卵をここから卵管に吸い込む。
□**膀胱子宮窩** Excavatio vesicouterina：子宮と膀胱の間にある腹膜腔のくぼみ。
□**直腸子宮ヒダ** Plica rectouterina：直腸と子宮を結ぶヒダで両側にある。
□**直腸子宮窩** Excavatio rectouterina（**ダグラス窩** Douglas' pouch）：子宮と直腸の間にある深いくぼみで，腹腔の最下部にあたる。腹水はここに溜まるので，女性では腹水穿刺の場所として臨床上重要である。膣を経由すると簡単に到達できる。

16.3.2　骨盤の割断

骨盤の内腔を観察するために次の操作を行え。

①腹大動脈と下大静脈を腎動静脈の上で切る。
②精巣動静脈と陰部大腿神経を結紮し，その起始部で切る。
③大動脈，下大静脈，尿管および膀胱を骨盤腔の方に入れる。
④腸骨稜の上の軟部組織と第3腰椎・第4腰椎間の椎間円板を切る。
⑤右総腸骨動静脈を第4腰椎の高さで切る。
⑥右側の血管と神経を骨盤腔に入れる。
⑦骨盤隔膜，尿生殖隔膜，陰茎（陰核）海綿体を右側の付着部で切る。
⑧右側の陰嚢から精巣を，鼠径管から精索を取り出し，骨盤腔に入れる。
⑨恥骨結合を正中部で切る。
⑩正中線から約1cm右側で矢状方向に仙骨と腰椎を切る。

16.3.3 骨盤壁の観察

骨盤腔の腹膜を除去して以下のものを観察せよ（図16-19）。

1）骨盤内の動脈

骨盤内には**内腸骨動脈** A. iliaca interna の諸枝が分布する。骨盤内臓器に分布するものを臓側枝，骨盤壁に分布するものを壁側枝という。

①臓側枝

- □**臍動脈** A. umbilicalis：胎生期では膀胱の背側壁，前腹壁を通り，臍から出て胎盤に向かう。生後は閉鎖する。
  - □上膀胱動脈 A. vesicalis superior：臍動脈の起始開存部で，膀胱を養う。

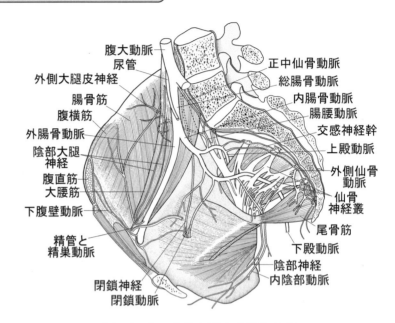

図16-19　骨盤内壁の血管と神経

- □臍動脈索 Lig. umbilicale mediale：出生後に閉鎖した部分。
- □**下膀胱動脈** A. vesicalis inferior：膀胱底に分布。
- □♂精管動脈 A. ductus deferentis：精管を養う。
- □♀子宮動脈 A. uterina：子宮を養う。
- □中直腸動脈 A. rectalis media：直腸の中部1/3に分布する。
- □**内陰部動脈** A. pudenda interna：以下の動脈に分かれる。
  - □下直腸動脈 A. rectalis inferior：直腸の下1/3を養う。
  - □会陰動脈 A. perinealis
  - □尿道動脈 A. urethralis

②壁側枝

- □**閉鎖動脈** A. obturatoria：同名の神経とともに閉鎖孔に入り，大腿の内側部に分布する。
- □腸腰動脈 A. iliolumbalis
- □外側仙骨動脈 Aa. sacrales laterales
- □**上殿動脈** A. glutea superior：中殿筋，小殿筋，大腿筋膜張筋に分布する。
- □**下殿動脈** A. glutea inferior：大殿筋に分布する。
- □正中仙骨動脈 A. sacralis mediana：仙骨前面の中央部を下行する。本来は腹大動脈の本流であったが，非常に細くなってしまった。

2）骨盤内の静脈

- □**総腸骨静脈** V. iliaca communis：内腸骨静脈と外腸骨静脈が合流したもので，以下の静脈が流入する。
  - □正中仙骨静脈 V. sacralis mediana：仙骨の前面正中を走る。

□腸腰静脈 V. iliolumbalis
□内腸骨静脈 V. iliaca interna：内腸骨動脈が分布する領域の血液を集める。
　　□上殿静脈 V. glutea superior：上殿動脈に伴行する。
　　□下殿静脈 V. glutea inferior：下殿動脈に伴行する。
　　□閉鎖静脈 V. obturatoria：閉鎖神経や閉鎖動脈と伴行する。
　　□外側仙骨静脈 Vv. sacrales laterales

3）骨盤内の神経（図16-20）

□**腰神経叢** Plexus lumbalis：Th_{12}〜L_4の脊髄神経前枝から構成され，大腰筋の深部に広がっている。この神経叢から以下の神経が出る。

　筋枝 Rami musculares：後腹壁にある腰方形筋と腸腰筋を支配する。

　□腸骨下腹神経 N. iliohypogastricus（Th_{12}〜L_1）：肋下神経の下を平行に走り，筋枝を側腹筋群に，皮枝を下腹部と骨盤外側の皮膚に送る。

　□腸骨鼠径神経 N. ilioinguinalis（L_1）：腸骨下腹神経の下を走って側腹筋に筋枝を送り，鼠径管を貫いて皮枝を陰嚢や大陰唇に送る。

　□陰部大腿神経 N. genitofemoralis（L_1〜L_2）：細い神経で，大腰筋の中で2本に分かれ，陰部枝は精索（子宮円索）と伴行して陰嚢や大陰唇に，大腿枝は大腿外側部の皮膚に分布する。

　□外側大腿皮神経 N. cutaneus femoris lateralis（L_2〜L_3）：腰方形筋と腸骨筋の間を外下方に走り，上前腸骨棘の内側で鼠径管を通り，大腿外側部の皮膚に皮枝を送る。

　□閉鎖神経 N. obturatorius（L_2〜L_4）：腰神経叢より起こり，閉鎖動脈とともに閉鎖孔に入り，大腿内側の内転筋群を支配する。

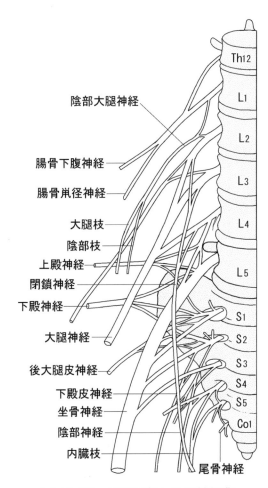

図16-20　腰神経叢と仙骨神経叢

　□大腿神経 N. femoralis（L_2〜L_4）：腰神経叢から起こる最も太い枝で，大腰筋と腸骨筋の間を外下方に下行し，筋裂孔を通って大腿前面に顔を出して大腿前面の伸筋群を支配する。一部は伏在神経 N. saphenus となって大腿の内側面を下行して下腿内側面の皮膚に分布する。

□**仙骨神経叢** Plexus sacralis：L_4〜S_5の脊髄神経前枝で構成され，仙骨の前面に広がっている。この神経叢から以下の神経が出る。

　□上殿神経 N. gluteus superior（L_4〜S_1）：大坐骨孔の梨状筋上（梨状筋上孔）を通って上殿動脈とともに殿部の深層に至り，中殿筋，小殿筋，大腿筋膜張筋を支配する。

　□下殿神経 N. gluteus inferior（L_5〜S_2）：大坐骨孔の梨状筋下（梨状筋下孔）を通って下殿動脈とともに走り，大殿筋を支配する。

　□後大腿皮神経 N. cutaneus femoris posterior（S_1〜S_2）：梨状筋下孔を通って坐骨神経の内側に出て大殿筋の下縁で皮下に現れ，大腿後面の皮膚に分布する。

□下殿皮神経 Nn. culunium inferiores（S$_2$〜S$_3$）：大殿筋の下縁で皮下に現れ，殿部の下半分に分布する。
□坐骨神経 N. ischiadicus（L$_4$〜S$_3$）：人体で最も太い神経で，小指ほどの太さである。梨状筋下孔を通って大殿筋や大腿二頭筋に覆われながら大腿後面を下行する。
□陰部神経 N. pudendus
□骨盤部自律神経 Pars pelvica systematis autonomica
□上・下下腹神経叢 Plexus hypogastricus superior et inferior
□中および下直腸動脈神経叢 Plexus rectalis medii et inferiores
□膀胱神経叢 Plexus vesicales

16.3.4 骨盤内臓器の観察

1）男女共通（図 16-21）

□**膀胱** Vesica urinaria：尿を一時的に蓄える臓器で，恥骨に接して骨盤腔の前部を占める。膀胱の上縁と恥骨結合上縁の高さの関係に注意せよ。膀胱が空の時や蓄尿時では，恥骨の上縁で膀胱を触れることはできない。

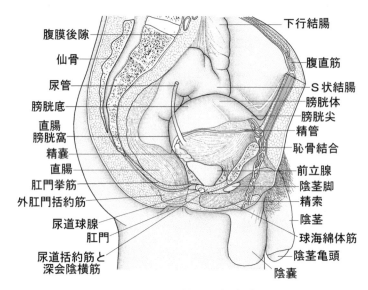

図 16-21 男性の骨盤内臓器

　□**膀胱尖** Apex vesicae：前方に向かって細くなっている。その先は正中臍索 Ligamentum umbilicale medianum となって前腹壁の後面を臍まで伸びる。これは胎生期の尿膜管の名残りである（図 11-2 を参照）。
　□**膀胱体** Corpus vesicae：膀胱の中央部。
　□**膀胱底** Fundus vesicae：後部面で，後方に向かって膨隆している。
□**尿管** Ureter：腹膜後隙を下行し，総腸骨動脈の前を斜めに横切る。
□**直腸** Rectum：小骨盤の後壁中央をほぼ真っ直ぐに下行する。
　□**直腸膨大部** Ampulla recti

2）男性の場合（図 16-21）

□**男性尿道** Urethra masculina：内尿道口から始まり，陰茎の尿道海綿体内を縦走して陰茎亀頭先端の外尿道口に終わる。女性に比べて長く，十数 cm ほどある。
□**尿生殖隔膜**：本体をなす会陰横筋とその下面を作る会陰膜を合わせたもの。尿道が尿生殖隔膜を貫く部分では，筋が尿道を輪上に取り巻き，尿道括約筋を作る。
□**前立腺** Prostata：膀胱の下にある，褐色の栗の実大の腺。中を尿道が貫く。
□**精管** Ductus deferens：膀胱の後方を進み，前立腺の後面に進入する。
　□**精管膨大部** Ampulla ductus deferentis：精管が前立腺に進入する直前で，やや太くなった部分。
□**精嚢** Vesicula seminalis：精管膨大部が前立腺に進入する直前で枝別れする盲嚢。前立腺とともに，精管の付属腺である。

3）女性の場合（図16-22）

□**女性尿道** Urethra feminina：内尿道口から始まり，膣前庭で外尿道口に開く。男性に比べて短く，4～5cmしかない。

　□**外尿道口** Ostium urethrae externum：膣前庭で，膣口のすぐ前（上）にある。

□**膣** Vagina：前後に扁平な隙間。性交時に陰茎を受け入れる。内腔は角化しない重層扁平上皮に覆われている。

□**子宮** Uterus：小さなナスビほどの筋性の器官で，全体として前屈している。着床した胎児を育てる器官である。

　□**子宮底** Fundus uteri：子宮の上前端部で，前方に向かって膨隆する。着床は多くの場合子宮底の後壁で行われる。

　□**子宮体** Corpus uetri：子宮の本体。

　□**子宮頚** Cervix uteri：子宮の後下部で細くなった部分。

　□**外子宮口** Ostium uteri：子宮頚の先端で，膣に向かって突出した部分を子宮膣頚部といい，その中央に開いた穴。

□**卵巣** Ovarium：梅干し大の器官で，卵を貯蔵するとともに，ここで卵が成熟する。また，エストロゲンやプロゲステロンなどの性ホルモンを分泌する。高齢者では萎縮して小さくなっている。

□**卵管** Tuba uterina：卵巣から排卵された成熟卵を子宮に運ぶ。子宮に近い1/5は細く（卵管狭部），卵巣側4/5は太い（卵管膨大部）。受精は排卵直後に卵管膨大部で行われる。

□**膀胱子宮窩** Excavatio vesicouterina：膀胱と子宮の間で腹膜腔が陥凹している部分。

□**直腸子宮窩** Excavatio rectouterina（**ダグラス窩** Douglas pouch）：直腸と子宮の間にある腹膜腔の陥凹で，腹膜腔で最も下に位置する。

□**卵巣動脈** A. ovarica：腹大動脈の枝で，卵巣提靱帯の中を通り，卵巣に向かう。

□**子宮動脈** A. uterina：内腸骨動脈の枝で，子宮，膣，卵管，卵巣を養う。

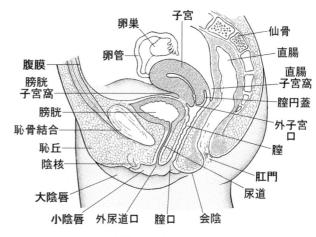

図16-22　女性の骨盤内臓器（矢状断面）

16.4　摘出した骨盤内臓器の観察

16.4.1　直腸周辺の観察

　恥骨と尾骨間に男性では膀胱と直腸，女性では膀胱，子宮，直腸があり，薄い筋（平滑筋や骨格筋）がこれらを支える（図16-23）。

□**直腸尾骨筋** M. rectococcygeus：第2，3尾椎より直腸へ（平滑筋）。

□**直腸尿道筋** M. rectourethralis：尿道の膜性部から直腸に張る平滑筋。

□**直腸膀胱筋** M. rectovesicalis：膀胱と

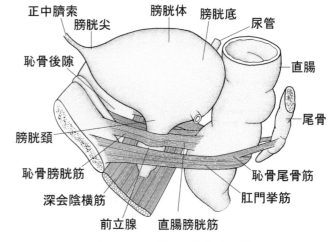

図16-23　男性の骨盤底の筋

直腸間に張る平滑筋。
- **直腸子宮筋** M. rectouterinus：直腸子宮間に張る平滑筋。
- **内肛門括約筋** M. sphincter ani internus：肛門管の輪状平滑筋が発達したもの。
- **外肛門括約筋** M. sphincter ani externus：肛門管の下 2/3 を輪状に取り巻く横紋筋。

直腸膨大部に便が進入すると直腸壁が伸展されるので，内肛門括約筋（平滑筋）は反射的に弛緩する。同時にその刺激が大脳に伝わって便意を催する。そして，トイレで準備が整うまでは外肛門括約筋（横紋筋）を随意的に収縮させて，排便を制御することができる。

> これらの筋を切断して直腸を男性では膀胱と前立腺，女性では子宮と膣から分離して取り出せ。そして直腸に縦切開を加えて内部を観察せよ（図16-24）。

- **直腸横ヒダ** Plicae transversales recti：直腸の内壁面を横走するヒダで，半月ヒダと同じもの。
- **肛門柱** Columnae anales：粘膜の直下には直腸静脈叢 Plexus venosus rectalis が発達しており，この部分を痔帯 Zona hemorrhoidalis という。痔帯が結節状に腫張した状態が痔 hemorrhoid である。
- **肛門櫛** Pectum analis：直腸と肛門の移行部で，内・外肛門括約筋が取り巻く。

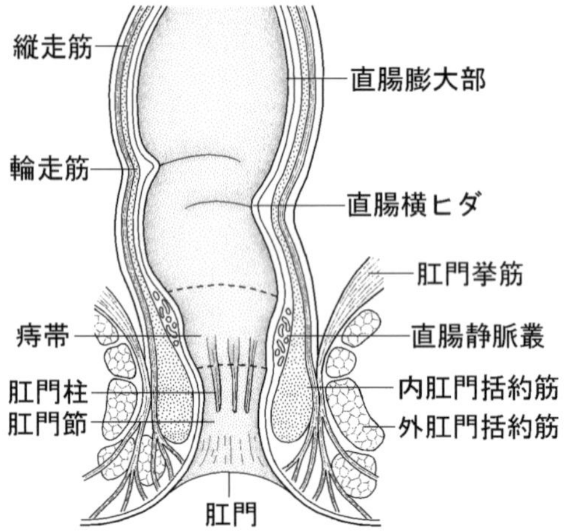

図 16-24　肛門管と周囲の筋

16.4.2　腎臓の解剖

> 尿生殖器を骨盤腔から取り出し，テーブルの上に体内にあった状態で並べよ。そして以下の構造物を観察せよ（図16-5, 16-6を参照）。

1）腎臓の外観
- 腎被膜 Capsula renalis
  - 脂肪被膜 Capsula adiposa：腎臓を包む脂肪組織で，腎臓を腹膜後隙内で固定している。
  - 線維被膜 Capsula fibrosa：腎臓表面を覆う薄い結合線維性被膜
- 内側縁と外側縁 Margo medialis et lateralis
- **腎門** Hilus renalis：内側縁中央のくぼみ。腎動静脈と尿管が出入りする。

2）腎臓の内景

> 腎臓を，腎門を通る面で前頭断または水平断して内部を観察せよ（図16-25）。

- **腎皮質** Cortex renalis：腎実質の表層部で，新鮮な腎臓では赤味を帯びる。
- **腎髄質** Medulla renalis：腎実質の深層部で，新鮮な腎臓では赤味が薄い。
  - **腎錐体** Pyramis renalis：腎髄質が円錐状に突出する部分で，十数個存在する。
  - **腎乳頭** Papilla renalis：腎錐体の先端で，腎杯の中に突出している。
- **腎葉** Lobus renalis：腎錐体の輪郭を腎表面まで延長した時にできる円錐状の区画で，腎臓の構成単位である。

□**腎柱** Columna renalis：腎髄質のうち隣接する腎錐体同士を隔てる部分で，組織学的には腎皮質と同じである。
□**腎杯** Calices renales：腎乳頭を包む二重の袋で，腎乳頭から排泄される尿を受け取る。
□**腎盤** Pelvis renalis：腎杯が合流した部分。臨床家は腎盂ともいう。
□**腎動脈と腎静脈** A. et V. renalis
　□**葉間動脈と葉間静脈** A. et V. interlobaris：腎葉間（腎柱）を表面に向かう。
　□**弓状動脈と弓状静脈** A. et V. arcuata：皮質と髄質の移行部で，腎表面に平行に走る。
　□**小葉間動脈と小葉間静脈** A. et V. interlobulares：弓状動脈や弓状静脈から放射状に腎臓の表面に向かって伸びる。

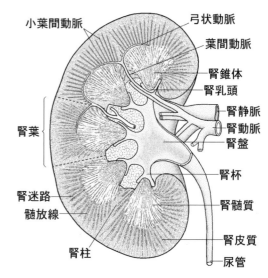
図 16-25　腎臓の割断面

16.4.3　尿管の解剖

尿管 Ureter の壁は以下の4層から構成されている（図 16-26）。
□**粘膜**：Tunica mucosa：粘膜上皮と少量の結合組織（粘膜固有層）からなる。粘膜上皮は移行上皮である。
□**粘膜下層** Tela submucosa：粘膜筋板がないために，粘膜固有層と連続している。
□**筋層** Tunica muscularis：輪層および縦走する平滑筋の層がよく発達しており，蠕動運動によって，どのような体位でも腎臓から膀胱に向かって尿を運ぶことができる。つまんでみると，ゆでたスパゲッティー程度の弾力性がある。
□**外膜** Adventitia：結合組織からなる。

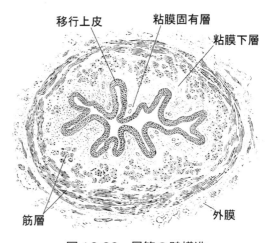
図 16-26　尿管の壁構造

尿管には以下の3ヶ所に狭窄部があり，尿管結石はここに詰まりやすい（図 16-6 を参照）。
□**上端部**：腎盤と尿管の移行部。
□**総腸骨動静脈との交叉部**：尿管腹部と骨盤部の移行部でもある。
□**膀胱壁部**：膀胱後壁を斜めに貫通する部分。

16.4.4　膀胱の解剖

1）表面からの観察（図 16-23 を参照）
□**膀胱尖** Apex vesicae：前端部
□**膀胱体** Corpus vesicae：本体
□**膀胱底** Fundus vesicae：背側面

□膀胱頸 Cervix vesicae：下端部

腹膜を剥離し，膀胱壁の一部を割断して層構造を観察せよ（図16-27）。

□粘膜 Tunica mucosa：上皮は移行上皮で，その下にごく少量の粘膜固有層（繊細な結合組織）がある。
□粘膜下層 Tela submucosa：粘膜固有層の下をなす結合組織であるが，膀胱にも粘膜筋板がないために，粘膜固有層は連続的に粘膜下組織に移行する。
□筋層 Tunica muscularis：壁の大部分を占める平滑筋層で，筋線維は様々な方向に走る。

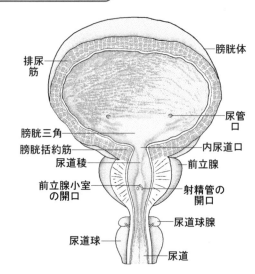

図 16-27　膀胱の内面

2) 膀胱の内面
□尿管口 Ostium ureteris：膀胱の後壁で尿管が開口する場所。尿管は膀胱の後壁を斜めに貫通する。この貫通部で尿管は細くなっている。
□内尿道口 Ostium urethrae internum：膀胱下端の尿道起始部。内尿道口を取り巻く膀胱壁の筋を膀胱括約筋というが，これは正式な解剖学用語ではない。
□膀胱三角 Trigonum vesicae：左右の尿管口と内尿道口を結ぶ三角で，膀胱の充満度に関係なく皺がない。

3) 男性尿道の内部
　男性尿道は女性に比べて長く十数cmもある。男性の尿道は以下の4部に区分される（図16-28, 16-29）。
□前立腺部 Pars prostatica：前立腺貫通部で，ここに左右の射精管が開口する。
□隔膜部 Pars membranacea：尿生殖隔膜を貫通する部分でここを**尿道括約筋** M. sphincter urethrae（横紋筋）が輪状に取り巻いている。
□海綿体部 Pars spongiosa：尿道海綿体を縦走する部分でこのために，男性の尿道は長い。
□外尿道口 Ostium urethrae externum：陰茎亀頭の先端中央に開口する。

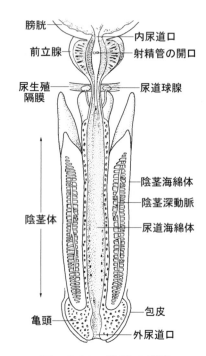

図 16-28　陰茎の縦断

4) 女性尿道の内部
　女性では尿道海綿体を貫く部分がないために，男性に比べて短く，4〜5cmほどである。尿生殖隔膜を貫通すると，すぐに膣前庭の外尿道口に開口する（図16-22）。

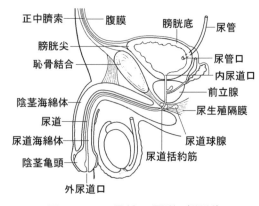

図 16-29　男性の尿道（縦断）

16.5 男性生殖器の解剖

16.5.1 陰茎の解剖

陰茎 Penis は交接器であるとともに，下部を占める尿道海綿体の中を尿道が貫通する。また前立腺の中で精路が合流するために，男性の尿道は尿と精液の経路となる。
□浅陰茎筋膜 Fascia penis superficialis：皮膚直下で少量の平滑筋を含む。
□深陰茎筋膜 Fascia penis profunda：3つの海綿体を包む共通の被膜。

これらの筋膜を剥離して以下の構造物を観察せよ（図16-30）。

□**陰茎海綿体** Corpus cavernosum penis：陰茎の背側3/4を占める部分で，左右に対をなす。海綿体とはよく発達した静脈網のことで，性的に興奮するとここに血液が充満して，陰茎は勃起する。
□**陰茎海綿体白膜** Tunica albuginea corporum cavernosum：陰茎海綿体の上面と両外側面を覆う丈夫な結合組織性の皮膜で，肉眼的には白く見える。
□**陰茎中隔** Septum penis：左右の陰茎海綿体を分ける丈夫な結合組織で，陰茎海綿体白膜と連続している。

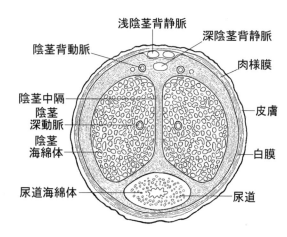

図16-30　陰茎の横断面

□**陰茎脚** Crus penis：陰茎海綿体の根部は左右に広がりながら，恥骨の下を深部に向かって伸びる。

陰茎の背側約2/3を横断して，陰茎海綿体の内部を観察せよ。また，外尿道口から尿道海綿体，膀胱前壁正中線，正中臍索まで縦切開を加えよ。そして陰茎の皮膚を剥離せよ。

□**尿道球** Bulbus penis：尿生殖隔膜の直下で尿道海綿体の起始部が膨大している部分。
□**尿道海綿体** Corpus spongiosum penis：陰茎の下部を占める部分で，ここを男性の尿道が縦走する。陰茎海綿体に比べて静脈網の発達は悪い。
□**陰茎亀頭** Glans penis：尿道海綿体の先端部分が膨らんだ部分。通常は包皮によって覆われている。

16.5.2 精巣被膜と精索の解剖

精索を同定し，外精筋膜，内精筋膜を観察せよ。観察が終わればこれらを剥離して以下の構造物を観察せよ（図16-31）。

1）精索の被膜

□外精筋膜 Fascia spermatica externa：皮膚の直下で，精索を包む。外腹斜筋の延長である。
□内精筋膜 Fascia spermatica interna：腹横筋から伸びた筋膜。
□**精巣挙筋** M. cremaster：内腹斜筋線維の一部が伸び出してきたもの。男性では，大腿内側の皮膚を爪などで縦方向にこすって刺激すると，反射的に精巣挙筋が収縮して精巣が挙上する（**精巣**

挙筋反射 cremaster reflex)。
精巣挙筋膜 Fascia cremasterica

2) 精索の内容

- □**精管** Ductus deferens：精巣上体管に続く1本の管で，鼠径管を通って腹膜腔に入り，膀胱の後面に沿って内下方に進んで前立腺に進入する。
- □**精巣動脈** A. testicularis：腎動脈のすぐ下で腹大動脈から直接出る。
- □**蔓状静脈叢** Plexus pampiniformis：精索の中を精巣動脈に絡まるように走っている。近位部では精巣静脈となり，右は直接下大静脈に，左は左の腎静脈を介して下大静脈に流れ込む。
- □**精管動脈** A. ductus deferentis：内腸骨動脈の枝。
- □**精巣挙筋** M. cremaster

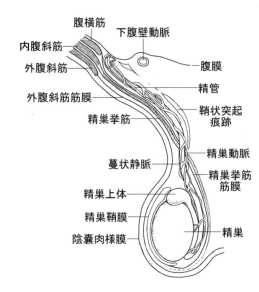

図 16-31　精巣と精索

16.5.3　精巣と精巣上体の解剖

陰嚢の皮膚を切開して精巣と精巣上体を剖出せよ（図16-32）。

- □**精巣** Testis：陰嚢の中に収まる母指頭大の性腺で，左右にやや扁平である。精子と男性ホルモン（テストステロン）を分泌する。
- □**精巣上体** Epididymis：精巣の上後面にある。
  精巣上体頭 Caput epididymidis
  精巣上体体 Corpus epididymidis
  精巣上体尾 Cauda epididymidis
- □**精巣鞘膜** Tunica vaginalis testis：腹膜の鞘状突起が残ったもので，二重の袋になって精巣と精巣上体を包む。
  精巣上膜 Epiorchium（臓側板 Lamina visceralis：精巣を直接包む。
  精巣周膜 Periorchium（壁側板 Lamina parietalis）：臓側板は精巣の上下端で反転して壁側板に移行する。

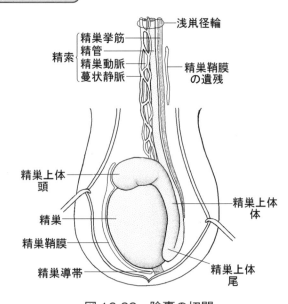

図 16-32　陰嚢の切開

精巣鞘膜の壁側板を反転部から切り，剥離せよ。

1) 精管と精巣上体

精巣上体の精巣鞘膜をピンセットで剥離し，精管を精巣上体に向かって追え。

- □**精巣上体管** Ductus epididymidis：精巣上体を埋める曲がりくねった数mの細い管。精細管で形

成された精子は精巣輸出管を経てここに送られ，射精されるまでここにとどまる。この中では精子は静止している。

2) 精巣内部の観察

> 精巣を前縁と後縁に沿って切開し，割面を観察せよ（図16-33）。

- □ **白膜** Tunica albuginea：精巣の表面を包む丈夫な結合組織性の被膜で，肉眼的に白く見える。
- □ **精巣縦隔** Mediastinum testis：精巣と精巣上体の間で，白膜が肥厚している。中に精巣網を入れる。
- □ **精巣中隔** Septula testis：精巣縦隔から結合組織が実質内に進入している。
- □ **精巣小葉** Lobuli testis：精巣中隔によって分けられる実質の区分。
- □ **精細管** Tubulus seminiferi：精巣小葉を満たす曲がりくねった細い管で，ここで精子が作られる。

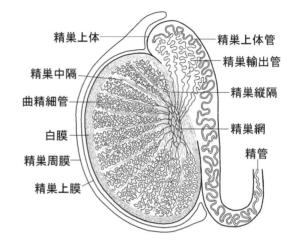

図16-33　精巣の内部構造

- □ **ライディッヒの間細胞** Lydig's interstitial cell：精細管の間にある内分泌細胞で，テストステロン（男性ホルモン）を分泌する。
- □ **精巣網** Rete testis：精巣縦隔の中で精細管の起始部が網状に絡まっている部分。
- □ **精巣輸出管** Ductuli efferentes testis：精巣網と精巣上体管を連絡する十数本の曲がりくねった細管。

3) 精管と精嚢

> 精管を膀胱前立腺まで追跡せよ（図16-34）。

- □ **精管** Ductus deferens：深鼠径輪から出ると，膀胱の後壁に沿って前立腺に向かう。
  - □ **精管膨大部** Ampula ductus deferentis：前立腺の直前でやや太くなる。

> 精管を横断して壁の構造を観察せよ。

精管の壁は粘膜 Tunica mucosa，筋層 Tunica muscularis（平滑筋層）および外膜 Tunica adventitia から構成される。輪走する平滑筋層がよく発達しているので，つまむとコリコリとした感触がある。

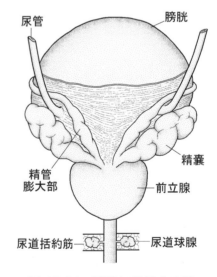

図16-34　精路に付属する腺

- □ **精嚢** Vesicula seminalis：精管膨大部が前立腺に入る手前から膨出する盲管で，精管の付属腺である。精液のうちで，黄色みを帯びて粘稠な成分を分泌する。
- □ **前立腺** Prostata：膀胱の直下にある腺で，形，大きさ，色ともに天津甘栗そのものである。精液のうちで，やや乳白色で「栗の花」に似た生臭い成分である。

- 底 Basis prostatae：膀胱に面する部分。
- 尖 Apex prostatae：下端で，やや尖っている。
- 左葉と右葉 Lobus dexter et sinister
- 峡部 Isthmus prostatae
- 射精管 Ductus ejaculatorius：精管が前立腺の内部を貫通する部分で，尿道に合流する。

☐ 尿道球腺 Glandula bulbourethralis（カウパー腺 Cauper's gland）：尿生殖隔膜の中にあるエンドウ豆大の粘液腺。

16.6　女性の泌尿生殖器の解剖

> 取り出した女性泌尿生殖器を体内にあった状態でテーブルの上に並べよ。
> 腎臓と尿管：男性と同じ要領で観察せよ。
> 子宮，子宮広間膜，卵管，卵巣の関係を観察せよ。
> 膀胱：男性と同じ要領で観察せよ。
> 外尿道口から膀胱前壁正中線上を切開し，尿道の長さと幅を男性と比較せよ。

☐ 女性尿道 Urethra feminina
☐ 外尿道口 Ostium urethrae externum：膣前庭で，膣口のすぐ上に開口している。

16.6.1　卵巣の解剖

　卵巣 Ovarium は母指頭大で，ほぼ卵円形をしている。卵巣は女性の生殖子である卵を貯蔵し，成熟させるとともに，女性ホルモンを分泌する内分泌腺でもある。ただし，閉経後は急速に萎縮するので，高齢者では痕跡しか残っていないことが多い（図16-35）。

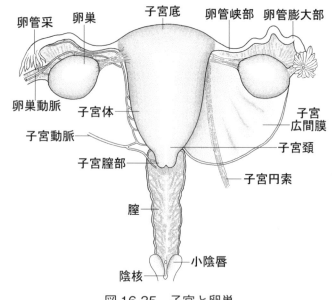

図 16-35　子宮と卵巣

> 子宮広間膜を持ち上げて光に透かして見よ。

☐ 卵巣動脈 A. ovarica：腹大動脈の直接の枝で卵巣提靱帯の中を走る。
☐ 卵巣静脈 V. ovarica：卵巣提靱帯の中を走り，右は下大静脈，左は腎静脈に入る。
☐ 固有卵巣索 Lig. ovarii proprium：卵巣と子宮を結ぶ結合組織。
☐ 子宮動脈 A. uterina：内腸骨動脈の枝。
☐ 卵巣門 Hilum ovarii：卵巣外側部にある卵巣間膜の付着縁で，血管や神経が出入りする。

> 卵巣を割断して内部を観察せよ（図16-36）。

☐ 白膜 Tunica albuginea：卵巣を包む丈夫な結合組織性被膜。
☐ 卵巣皮質 Cortex ovarii：卵巣の表層部で，卵胞や支質細胞が密に詰まっている。

□**卵巣髄質** Medulla ovarii：中央部の結合組織で，比較的太い血管や神経を含む。

生殖可能な年齢の女性では，卵巣内に様々な発育段階の卵胞が存在する。しかし，これらは顕微鏡でないと識別できない。また，高齢の女性では，卵胞や黄体は存在しない。

□**一次卵胞** Folliculus ovaricus primarius：単層の扁平な卵胞上皮に包まれた幼弱な卵胞。

□**二次卵胞** Folliculus ovaricus secondarius：卵胞刺激ホルモン（FSH）に反応して成熟を始めた卵胞で，月経周期の5日目頃より卵胞ホルモン（エストロゲン Estrogen）を分泌する。

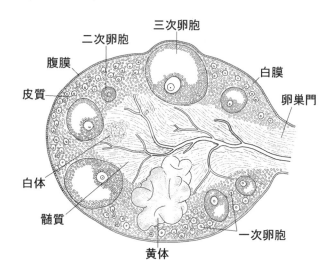

図16-36　卵巣の内部構造

□**胞状卵胞** Folliculus ovaricus vesiculosus：十分に成熟した卵胞で，月経周期の中頃に排卵が起こる。

□**黄体** Corpus luteum：排卵後，黄体化ホルモン（LH）の作用によって形成される。排卵1〜2日後よりエストロゲンと黄体ホルモン（プロゲステロン progesterone）を分泌する。

□**白体** Corpus albicans：黄体が変性したもの。

16.6.2　卵管の解剖

卵管 Tuba uterina は約11cmの管で，排卵された卵を受け取り，子宮に向かって輸送する。このうち，卵管膨大部は受精の場所でもある（図16-35を参照）。

□**卵管腹腔口** Ostium abdomoinale：卵管采の先端で，排卵された卵はここから卵管に吸い込まれる。

□**卵管采** Fimbriae tubae：卵管の先端部で，ラッパ状に広がっている。

□**卵管膨大部** Ampulla tubae uterinae：卵管の卵管側4/5で，ここで受精が行われる。

□**卵管峡部** Isthmus tubae uterinae：卵管の子宮側1/5の部分。

□**卵管子宮口** Ostium uterinum tubae：卵管が子宮に開口する部分。

> 卵管を切開し，卵管子宮口と卵管子宮部 Pars uterina を観察せよ。

16.6.3　子宮の解剖

子宮 Uterus は骨盤腔の中で膀胱と直腸の間にあり，長さ7〜8cm，幅4cm，厚さ3cmほどの，ナスの形をした筋性の器官である（図16-37）。

> 子宮と膣を裏返しにしてテーブルの上に置き，膣円蓋をハサミで切って膣と子宮を切り離せ。子宮口から子宮腔の中にゾンデを挿入し，深さを測ってみよ。子宮膣部後唇正中部からゾンデに沿って鋏で子宮壁を開き，内部を観察せよ。また，子宮壁の厚さを計測せよ。

□**子宮底** Fundus uteri：子宮の上端部で，左右に幅が広がっている。両外側端に卵管子宮口が開いている。

□**子宮体** Corpus uteri：子宮の本体。全体として子宮は前傾している。

- □子宮腔 Cavum uteri：子宮体の中にある腔所。
- □子宮頚 Cervix uteri：子宮の下部で細くなっている。
  - □膣部 Portio vaginalis：子宮の下端部が膣に向かって突出している。
- □子宮頚管 Canalis cervicis uteri：外子宮口と子宮腔を結ぶ細い腔所。
- □子宮壁：以下の3層よりなる。
  - □子宮内膜 Endometrium：子宮腔を覆う粘膜上皮と子宮腺からなる。さらに，月経周期に伴って変化する**機能層** Stratum functionale と変化しない**基底層** Stratum basale に分かれる。
  - □子宮筋層 Myometrium：子宮壁の9割以上を占め，様々な方向に走る平滑筋よりなる。
  - □子宮外膜 Perimetrium：ごく少量の結合組織よりなる。

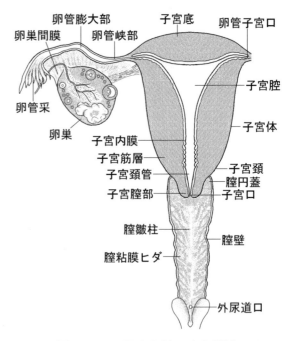

図 16-37　子宮と膣の内部構造

16.6.4　膣の解剖

膣 Vagina は長さ8cmほどの，前後に扁平な管で，交接器であるとともに，分娩時には産道にもなる（図16-37）。

- □膣口 Ostium vaginae：膣の下端の入口で，部分的に処女膜 Hymen で閉ざされている。
- □処女膜痕 Carunculae hymenales：経産婦でもいぼ状の痕跡として残っていることもある。
- □前壁と後壁 Paries anterior et posterior：陰裂は前後方向に伸びるが，膣は前後に扁平であることに注意せよ。

> 膣を外側で切り，前壁と後壁を観察せよ。

- □筋層 Tunica muscularis と粘膜 Tunica mucosa
- □子宮膣部 Portio vaginalis cervicis：子宮の下端部で，膣に向かって突出している。
  - □外子宮口 Ostium uteri externum：子宮膣部の下面に開いた子宮の入口。
- □膣円蓋 Fornix vaginae：子宮膣部の周りをドーム上に取り巻いている。子宮膣部後面の膣円蓋から先の尖ったピンセットを刺すと，ダグラス窩に到達する。

17 下肢後面の解剖

17.1 下肢後表の体表解剖

17.1.1 下肢後面の骨性指標

表面から，以下の骨性指標や筋を確認せよ（図17-1）。

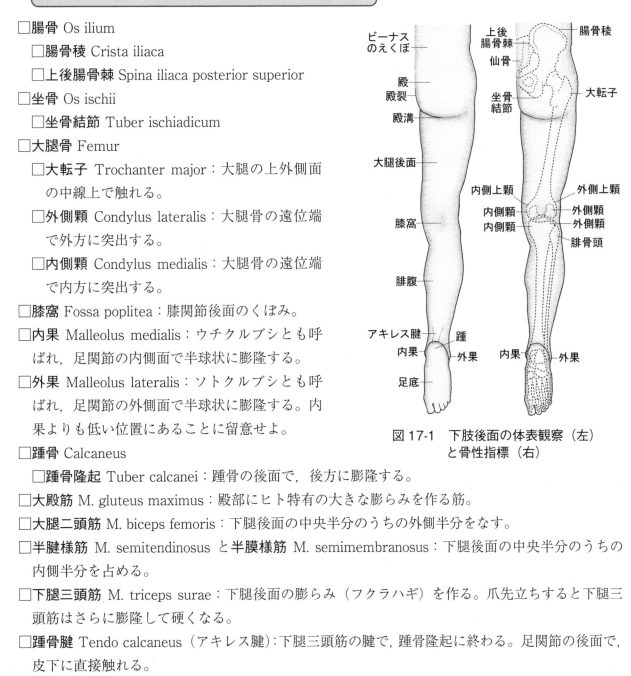

図17-1 下肢後面の体表観察（左）と骨性指標（右）

- □腸骨 Os ilium
    - □腸骨稜 Crista iliaca
    - □上後腸骨棘 Spina iliaca posterior superior
- □坐骨 Os ischii
    - □坐骨結節 Tuber ischiadicum
- □大腿骨 Femur
    - □大転子 Trochanter major：大腿の上外側面の中線上で触れる。
    - □外側顆 Condylus lateralis：大腿骨の遠位端で外方に突出する。
    - □内側顆 Condylus medialis：大腿骨の遠位端で内方に突出する。
- □膝窩 Fossa poplitea：膝関節後面のくぼみ。
- □内果 Malleolus medialis：ウチクルブシとも呼ばれ，足関節の内側面で半球状に膨隆する。
- □外果 Malleolus lateralis：ソトクルブシとも呼ばれ，足関節の外側面で半球状に膨隆する。内果よりも低い位置にあることに留意せよ。
- □踵骨 Calcaneus
    - □踵骨隆起 Tuber calcanei：踵骨の後面で，後方に膨隆する。
- □大殿筋 M. gluteus maximus：殿部にヒト特有の大きな膨らみを作る筋。
- □大腿二頭筋 M. biceps femoris：下腿後面の中央半分のうちの外側半分をなす。
- □半腱様筋 M. semitendinosus と半膜様筋 M. semimembranosus：下腿後面の中央半分のうちの内側半分を占める。
- □下腿三頭筋 M. triceps surae：下腿後面の膨らみ（フクラハギ）を作る。爪先立ちすると下腿三頭筋はさらに膨隆して硬くなる。
- □踵骨腱 Tendo calcaneus（アキレス腱）：下腿三頭筋の腱で，踵骨隆起に終わる。足関節の後面で，皮下に直接触れる。

17.1.2 下肢後面の区分

下肢は以下の7つの部分に区分される（図17-2）。

- □殿部 Regio glutea：腸骨稜よりも下，殿溝よりも上の部分。生体では半球状に大きく膨隆している。

□後大腿部 Regio femoris posterior：殿部と後膝部との間。
□後膝部 Regio genus posterior：膝窩を中心とする部分で，膝関節の上と下に3横指ずつの領域。
□後下腿部 Regio cruris posterior（腓腹部 Regio suralis）：後膝部の下から，内果と外果を結ぶ線よりも上。
□後距腿部 Regio talocruralis posterior：後下腿部の下端で，距腿関節がある部分。
□踵部 Regio calcanea：足底の後部で，踵骨があり，直立した時には地面に着いて体重を支える部分。
□足底部 Regio plantaris pedis：足部の下半分。

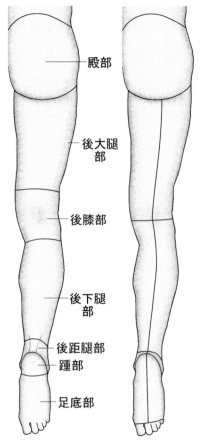

図17-2 下肢後面の区分（左）と皮膚切開線（右）

17.2 殿部の解剖

殿部 Regio glutea の上縁は腸骨稜，下縁は殿溝，内側縁は仙骨と尾骨の外側縁，外縁は大腿筋膜張筋で，殿部の膨らみと一致する。

> 殿部の皮膚を剥離せよ。ここには痩せている人でも2～3cm，体格のいい人では4～5cmもの厚い皮下脂肪がある。これを丁寧に除去すると殿筋筋膜が現れ，表面に以下の皮神経が走っている（図17-3）。

□上殿皮神経 Nn. clunium superiores（L_1～L_3 後枝）：殿部の上外側部に分布する。
□中殿皮神経 Nn. clunium medii（S_1～S_3 後枝）：大殿筋の内側縁より現れて，殿部の内側部に分布する。
□下殿皮神経 Nn. clunium inferiores（L_5～S_3 前枝）：殿部の下部に分布する。

17.2.1 殿部浅層の解剖

> 皮神経を観察したら殿筋筋膜を除去せよ。この時，殿筋線維をできるだけ傷つけないように注意せよ。

□大殿筋 M. gluteus maximus：殿部の膨らみを作る筋である（図17-4）。
起始：腸骨殿筋面の後殿筋線後面上方，仙骨と尾骨の背面
停止：大腿骨殿筋粗面，腸脛靱帯
神経：下殿神経 N. gluteus inferior（L_4～S_2）
作用：股関節の伸展と外旋

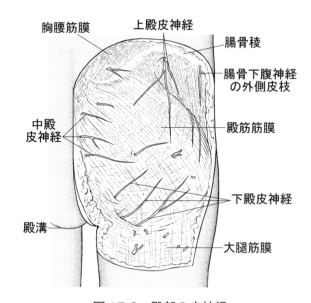

図17-3 殿部の皮神経

> 大殿筋を起始で切り外側に反転せよ。

大殿筋の下には大坐骨孔 Foramen ischiadicum majus の梨状筋下部からでる以下の血管と神経が走っている（図17-5）。

- □ **下殿神経** N. gluteus inferior：仙骨神経叢から出て大殿筋を支配する。
- □ **下殿動脈** A. glutea inferior：内腸骨動脈の枝で大殿筋に分布する。
- □ **坐骨神経** N. ischiadicus：仙骨神経叢から出る人体で最も太い神経で，小指ほどの太さがある。
- □ **後大腿皮神経** N. cutaneus femoris posterior：仙骨神経叢の枝で大腿後面の皮膚に分布。
- □ **中殿筋** M. gluteus medius：大殿筋の下層にあるが，外側半分は大殿筋に覆われていない（図17-5）。
  起始：腸骨稜と後殿筋線の間
  停止：大転子
  神経：上殿神経 N. gluteus superior（$L_4 \sim S_1$）
  作用：股関節の外転

殿筋内注射部位

> 中殿筋を剖出した後，起始で切断して外側に反転せよ。そして以下の血管や神経を同定し，筋注場所の深部に，太い血管や神経がないことを確認せよ（図17-6）。

- □ **上殿神経** N. gluteus superior：仙骨神経叢に由来し，上殿動脈とともに大坐骨孔の梨状筋上部からでてくる。中殿筋と小殿筋，大腿筋膜張筋を支配する。
- □ **上殿動脈** A. glutea superior：内腸骨動脈の枝で，中殿筋と小殿筋，大腿筋膜張筋に分布

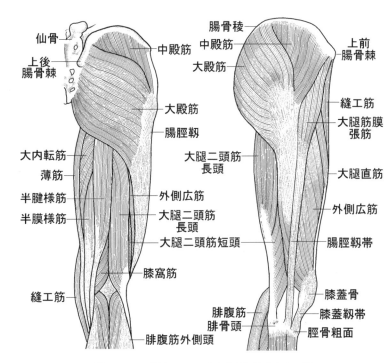

図17-4 殿部および大腿後面表層の筋

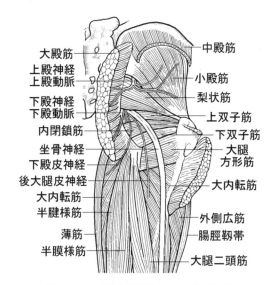

図17-5 殿部深層の血管と神経

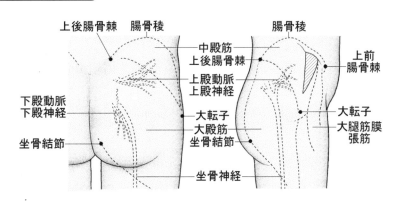

図17-6 Hochstetter が推奨する殿筋内注射部位（斜線部）

する。

Hochstetterは中殿筋の上外側部を安全な**殿筋内注射部位**として推奨している。

☐**小殿筋** M. gluteus minimus：中殿筋に完全に覆われている（図17-5を参照）。

起始：腸骨殿筋粗面（前殿筋線と下殿筋線の間）

停止：大転子

神経：上殿神経 N. gluteus superior（$L_4 \sim S_1$）

作用：股関節の外転

☐**大腿筋膜張筋** M. tensor fascia latae：筋腹は中殿筋のさらに外側にあり，膝を強く伸展すると，大腿の上外側前部に緊張する筋腹を触れる（図17-4を参照）。この時，腸脛靱帯も強く緊張することを自分の身体で確認せよ。

起始：腸骨稜前部の外側唇，腸骨前縁

停止：腸脛靱帯

神経：上殿神経 N. gluteus superior（$L_4 \sim S_1$）

作用：股関節の屈曲と外転。腸脛靱帯を緊張させ，伸展時に膝関節を安定させる。

17.2.2　殿部深層の解剖

1）殿部深層筋の観察

殿部の深部にはいくつかの小さな筋があり，主として大腿の外旋を行う（図17-5）。これらは仙骨神経叢の枝に支配される。

☐**梨状筋** M. piriformis

起始：仙骨骨盤表面，大坐骨切痕上縁

停止：大転子上縁内側

神経：$S_1 \sim S_2$ 前枝からの直接の枝

作用：股関節の外転と外旋

☐**下双子筋** M. gemellus inferor

起始：坐骨結節上面

停止：内閉鎖筋腱の表層面

神経：仙骨神経叢（$L_5 \sim S_2$）

作用：大腿骨の外旋

☐**大腿方形筋** M. quadratus femoris

起始：坐骨結節外側縁

停止：大腿骨転子間稜

神経：仙骨神経叢（$L_4 \sim S_1$）

作用：大腿骨の外旋，内転

☐**上双子筋** M. gemellus superior

起始：坐骨棘の殿筋表面

停止：内閉鎖筋腱の表層面

神経：仙骨神経叢（$L_5 \sim S_2$）

作用：大腿骨の外旋

☐**内閉鎖筋** M. obturatorius internus

起始：閉鎖孔周縁全体，閉鎖膜，閉鎖孔上下の坐骨と恥骨の骨盤面

停止：大転子内側表面（転子窩の上部）

神経：仙骨神経叢（$L_5 \sim S_2$）

作用：大腿骨の外旋

2）殿部深層の靱帯と孔

> 殿部深層筋の周りの結合組織をきれいに除去すると深部の靱帯や神経が現れてくるので，以下のものを同定せよ（図17-7）。

☐**仙結節靱帯** Lig. sacrotuberale：仙骨の外側縁と坐骨結節を結ぶ強靱な靱帯で，**大坐骨孔** Foramen ischia-dicum majus を作る。殿裂に深く指を入れて上外方に引くと，体表からでも触

知できるが，非常に硬く，骨と間違うほどである。
- 仙棘靱帯 Lig. sacrospinale：仙骨と坐骨棘を結ぶ靱帯で大坐骨孔と小坐骨孔を隔てる。
- 大坐骨孔梨状筋上部：梨状筋より上で，以下のものが通る。
  上殿動脈 A. glutea superior
  上殿神経 N. gluteus superior
- 大坐骨孔梨状筋下部：梨状筋より下で，以下のものが通る。
  下殿動脈 A. glutea inferior
  下殿神経 N. gluteus inferior
  坐骨神経 N. ischiadicus
- 小 坐 骨 孔 Foramen ischiadicum minus：以下のものが通る。
  内閉鎖筋 M. obturatorius internus
  内陰部動静脈 A. et V. pudenda interna

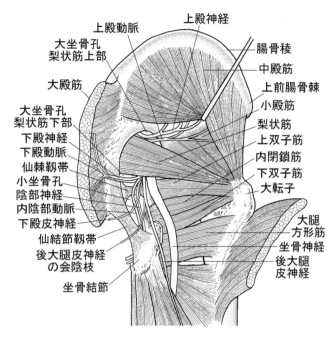

図 17-7 大坐骨孔と小坐骨孔

陰部神経 N. pudendus

17.3　後大腿部の解剖

後大腿部 Regio femoris posterior は大腿部の後面で殿溝よりも遠位の領域を指す。

> 大腿後面の皮膚を剥離して以下のものを剖出せよ。大腿筋膜は観察後除去せよ。大腿筋膜上を以下の皮神経や皮静脈が走っている。

- 大腿筋膜 Fascia lata
- 後大腿皮神経 N. cutaneus femoris posterior
- 小伏在静脈 V. saphena parva

17.3.1　後大腿部筋の解剖

後大腿部にある筋は膝関節を屈曲する筋で，以下の3筋で構成され，これらを合わせて**ハムストリング**と呼ばれる（図17-8）。大腿後面の筋はすべて坐骨結節から始まり，人の字状に下行して下腿骨近位端の外側および内側面に停止する。大腿二頭筋短頭を除いて，坐骨神経の脛骨神経部に支配される。
- 半腱様筋 M. semitendinosus
起始：坐骨結節
停止：脛骨体内側面上部
神経：坐骨神経の脛骨神経部（$L_4 \sim S_1$）

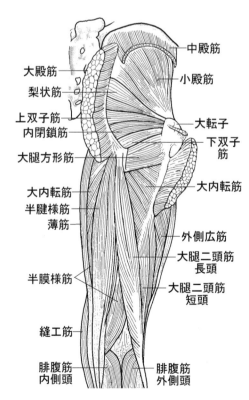

図 17-8　大腿後面の筋

作用：膝関節の屈曲
□**半膜様筋** M. semimembranosus
起始：坐骨結節
停止：脛骨内側顆，後外側面
神経：坐骨神経の脛骨神経部（L_4〜S_1）
作用：膝関節の屈曲
□**大腿二頭筋** M. biceps femoris
起始：長頭は坐骨結節，短頭は粗線外側唇の全長
停止：腓骨頭，脛骨外側顆
神経：長頭は坐骨神経の脛骨神経部（L_5〜S_2），短頭は坐骨神経の総腓骨神経部（L_5〜S_1）に支配される。
作用：膝関節の屈曲。但し，長頭は二関節筋で，股関節の伸展も行う。

17.3.2 後大腿部の神経と血管

□**坐骨神経** N. ischiadicus：大腿後面のほぼ中央部で，ハムストリングの奥をまっすぐに下行する。坐骨神経は脛骨神経 N. tibialis と総腓骨神経 N. fibularis communis が合わさったもので，結合組織で束ねられているだけである。膝窩の上方で両神経に分かれる（図17-9）。
□**大腿動脈** A. femoralis：大腿下部の内転筋管を通って大腿の後面に至り，後膝部において膝窩動脈になる。
□**大腿静脈** V. femoralis：膝窩静脈の続きで，大腿動脈と伴行し，内転筋管に入る。

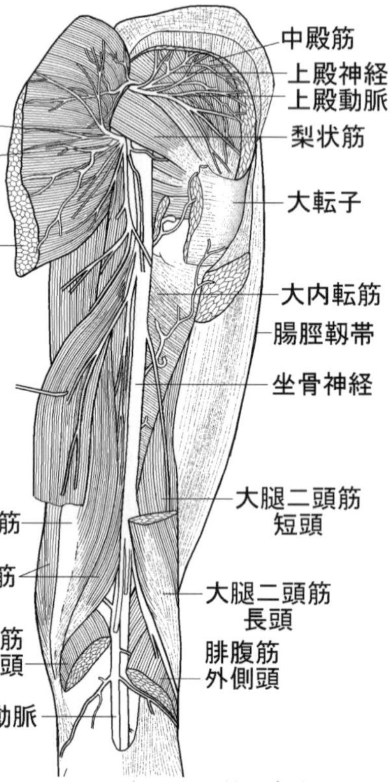

17.3.3 後膝部の解剖

後膝部 Regio genus posterior は膝関節の後面をなす部分である。

> 後膝部の皮膚を剥離して膝蓋筋膜を剖出し，皮神経を観察せよ（☞ p.72：図4-31を参照）。

□**後大腿皮神経** N. cutaneus femoris posterior の終枝
□**内側腓腹皮神経** N. cutaneus surae medialis

図17-9 大腿後面の血管と神経

1）膝窩の構成

膝窩 Fossa poplitea は膝関節後面の浅いぼみで，以下の筋によって境界されている。
　上外側：大腿二頭筋
　上内側：半腱様筋と半膜様筋
　下内側：腓腹筋内側頭
　下外側：腓腹筋外側頭と足底筋

基底部：膝窩筋

2) 膝窩の血管と神経（図17-10）。
□膝窩動脈 A. poplitea：大腿動脈に続き，膝窩の少し下方で前後の脛骨動脈に分かれる。
□膝窩静脈 V. poplitea：前および後脛骨静脈と小伏在静脈が流入する。
□脛骨神経 N. tibialis
□総腓骨神経 N. fibularis communis
□膝関節の動脈：膝窩動脈より数本の動脈が分布する。

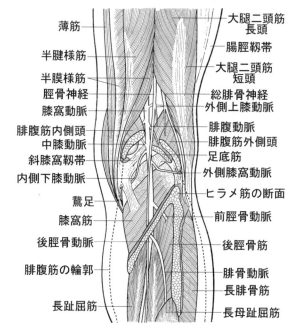

図17-10　膝窩部の血管と神経

17.4　後下腿部の解剖

後下腿部 Regio cruris posterior は後膝部より下で，内果と外果を結ぶ線よりも上の領域である。

> 下肢後面の皮膚を剥離し，下腿筋膜を除去して以下の皮神経や皮静脈を観察せよ（図17-11）。

□外側腓腹皮神経 N. cutaneus surae lateralis：総腓骨神経の枝
□腓腹神経 N. suralis と内側腓腹皮神経 N. cutaneus surae medialis
□外側足背皮神経 N. cutaneus dorsalis lateralis
□小伏在静脈 V. saphena parva：下腿のほぼ中央部を上行して膝窩静脈に注ぐ。

17.4.1　後下腿部浅層の解剖

下腿の浅層にある**下腿三頭筋** M. triceps surae は腓腹筋とヒラメ筋からなる（図17-12，17-13）。腓腹筋は内側頭と外側頭を持つ二頭筋である。腓腹筋とヒラメ筋は共通のアキレス腱となって踵骨隆起に終わる。
□**腓腹筋** M. gastrocnemius
起始：外側頭は大腿骨の外側上顆，内側頭は大腿骨膝窩表面と内側上顆から起こる。
停止：下腿の下 1/3 の高さで踵骨腱 Tendo calcaneus（アキレス腱 Achilles tendon）に合流。
神経：脛骨神経 N. tibialis（$L_4 \sim S_2$）
作用：足関節を底屈する。また，腓腹筋は二関節筋で，膝関節を屈曲する。

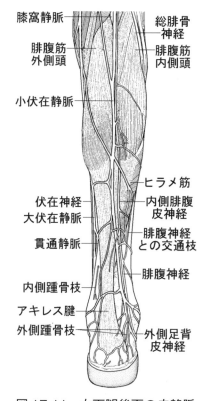

図17-11　右下腿後面の皮静脈と皮神経

> 腓腹筋を観察したあと，腓腹筋の起始を切断してヒラメ筋を剖出せよ。

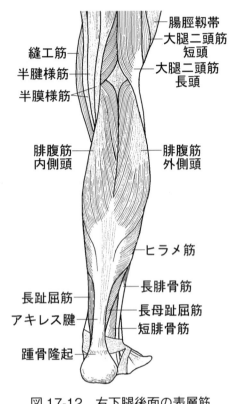

図17-12　右下腿後面の表層筋

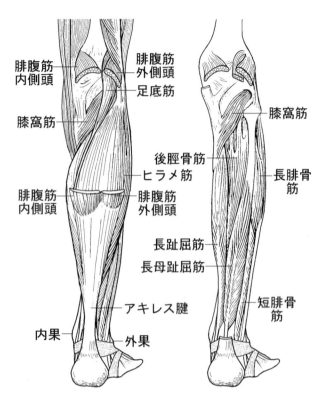

図17-13　右下腿後面の深層筋

□ヒラメ筋 M. soleus

起始：腓骨頭後面，腓骨体上1/3，脛骨ヒラメ筋線，脛骨内側後中1/3

停止：アキレス腱となって踵骨後面の中1/3に停止する。

神経：脛骨神経 N. tibialis（L_4〜S_2）

作用：足関節を底屈する。

> ヒラメ筋を観察したあと，踵骨腱（アキレス腱）を切断し，以下の筋を観察せよ。

□足底筋 M. plantaris：上肢の長掌筋に相当し，欠損する人もいる。

起始：大腿骨粗線外側唇，大腿骨膝窩表面

停止：踵骨隆起内側，踵骨腱，筋支帯

神経：脛骨神経 N. tibialis（L_4〜S_1）

□膝窩筋 M. popliteus

起始：大腿骨外側上顆外側面，関節包，外側半月

停止：脛骨後面のヒラメ筋上の三角状面

神経：脛骨神経 N. tibialis（L_4〜S_1）

17.4.2　後下腿部深層の解剖

1）後下腿部深層の筋

□長趾屈筋 M. flexor digitorum longus

起始：脛骨体後面中央3/5，ヒラメ筋線の下

停止：第2〜5末節骨底

神経：脛骨神経 N. tibialis（L_5〜S_2）

作用：第Ⅱ～Ⅴ趾を屈曲する。
□**後脛骨筋** M. tibialis posterior
起始：腓骨体後面，脛骨外側顆下部，脛骨体上 2/3，下腿骨間膜後面上半分とその両側の脛骨と腓骨
停止：舟状骨粗面，内側楔状骨足底面，第Ⅱ～Ⅳ中足骨底，外側楔状骨と立方骨
神経：脛骨神経 N. tibialis（L$_5$～S$_2$）
作用：足関節を底屈する。
□**長母趾屈筋** M. flexor hallucis longus
起始：腓骨後面の下 2/3
停止：母趾末節骨底
神経：脛骨神経 N. tibialis（L$_5$～S$_2$）
作用：母趾を屈曲する。

2）後下腿部の血管と神経（図 17-14）
□**後脛骨動脈** A. tibialis posterior：長趾屈筋とヒラメ筋の間を走る。
□**腓骨動脈** A. fibularis
□**脛骨神経** N. tibialis：後脛骨動脈と伴行する。

3）後下腿部の腱鞘
□**後脛骨筋腱鞘** Vagina tendinum m. tibialis posterioris
□**長指屈筋腱鞘** Vagina tendinum m. flexoris digitorum pedis longi
□**長母指屈筋腱鞘** Vagina tendinum m. flexoris hallucis longi

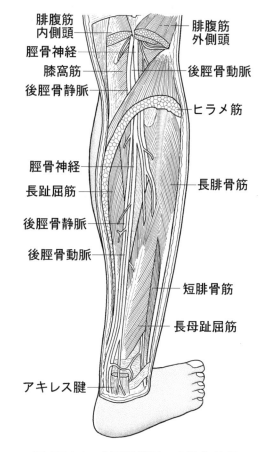

図 17-14　右下腿後面の血管と神経

17.5　足底部の解剖

内果と外果を結ぶ線よりも遠位部を**足** Pes といい，その下面を一般に足底という。このうち，踵骨がある部分を**踵部** Regio calcanea，それよりも遠位部を**足底部** Regio plantaris pedis という。

17.5.1　足底部表層の解剖

皮膚を剥離し，厚い脂肪組織を除去せよ。そして以下のものを観察せよ（図 17-16）。

□**足底腱膜** Aponeurosis plantaris：足底部を覆う非常に丈夫な結合組織性の腱膜。
□**皮膚支帯** Retinaculum cutis：骨膜や腱膜から起こって真皮に付く結合組織。足底でよく発達している。
□**浅横中足靱帯** Lig. metatarseum transversum superficiale

足底腱膜を除去して以下の血管や神経を観察せよ（図 17-15）。

□**固有底側指神経** Nn. digitales plantares proprii（10 本）

□総底側指動脈 Aa. digitales plantares communes
□足底静脈 Vv. plantares

17.5.2 足底部第1層の解剖

1）足底第1層の筋

足底腱膜を除去すると足底第1層の筋が現れる（図17-16）。

□**短趾屈筋** M. flexor digitorum brevis：長趾屈筋の腱が貫通する。

起始：踵骨隆起の内側突起，足底腱膜

停止：第Ⅱ～Ⅴ趾の中節骨

神経：内側足底神経 N. plantaris medialis（L_4～S_1）

作用：第Ⅱ～Ⅴ趾を屈曲する。

□**母趾外転筋** M. abductor hallucis

起始：踵骨隆起の内側突起，足底腱膜，屈筋支帯

停止：母趾基節骨底内側，内側種子骨

神経：内側足底神経 N. plantaris medialis（L_4～S_1）

作用：母趾を外転する。

□**小趾外転筋** M. abductor digiti minimi

起始：踵骨隆起

停止：小趾基節骨外側

神経：外側足底神経 N. plantalis lateralis（S_1～S_2）

作用：小趾を外転する。

2）足底第1層の神経と動脈

□**内側足底神経** N. plantaris medialis：短母趾屈筋と短趾屈筋の間を通る。

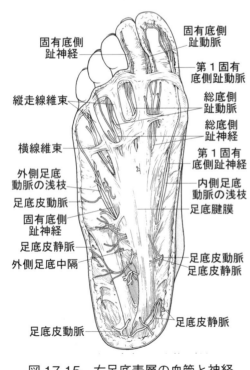

図17-15　右足底表層の血管と神経

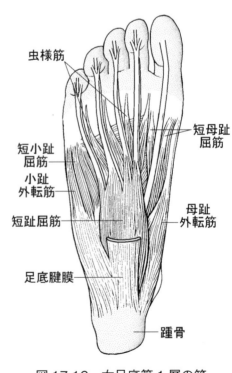

図17-16　右足底第1層の筋

□総底側趾神経Ⅰ〜Ⅲ Nn. digitales plantares communis
□**外側足底神経** N. plantaris lateralis：短趾屈筋と足底方形筋の間を通る。
□内側足底動脈 A. plantaris medialis：母趾外転筋と短趾屈筋の間を通る。
□外側足底動脈 A. plantaris lateralis：足底方形筋と短趾屈筋の間を通る。
□足底動脈弓 Arcus plantaris：外側足底動脈の続きで，ここから3〜4本の底側中足動脈が出る。

17.5.3 足底部第2層の解剖

母趾外転筋と短趾屈筋をその近位端で切り，反転せよ（図 17-17）。

□**足底方形筋** M. quadratus plantae
起始：踵骨足底外側縁，踵骨内側表面
停止：長趾屈筋の腱
神経：外側足底神経 N. plantaris lateralis（S_1〜S_2）
作用：長趾屈筋を助けて趾を屈曲する。
□**虫様筋** Mm. lumbricales
起始：長趾屈筋の腱
停止：長趾伸筋の趾背腱膜
神経：母趾側の1本は内側足底神経，小趾側の3本は外側足底神経に支配される。
作用：第Ⅱ〜Ⅴ趾の基節を屈曲する。

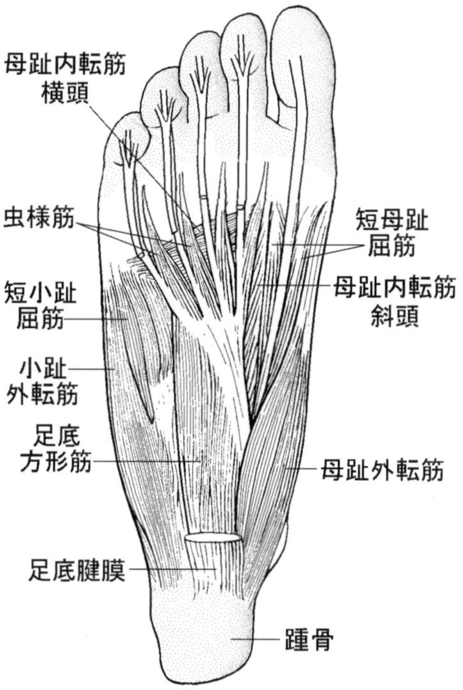

17.5.4 足底部第3層の解剖

長趾屈筋腱と足底方形筋，虫様筋を足底の中央で切断し，それぞれ遠位側と近位側に反転せよ。

図 17-17 右足底第2層の筋

1）足底第3層の筋
□**短母趾屈筋** M. flexor hallucis brevis
起始：立方骨足底面内側部，外側楔状骨の立方骨近く，後脛骨筋の腱，内側楔状骨
停止：母趾基節骨の内側および外側面
神経：内側足底神経 N. plantaris medialis（L_4〜S_1）
作用：母趾を屈曲する。
□**母趾内転筋** M. adductor hallucis
起始：斜頭は長腓骨筋の足底腱鞘，第Ⅱ〜Ⅳ中足骨底の足底表面，横頭は第Ⅱ〜Ⅳ中足指関節包，深横中足靱帯から起始する。
停止：母趾基節骨底の腓骨側
神経：外側足底神経 N. plantaris lateralis（S_1〜S_2）
作用：母趾を内転する。
□**短小指屈筋** M. flexor digiti minimi brevis
起始：第5中足骨底，長腓骨筋腱鞘，長足底靱帯
停止：小指の基節骨底腓骨側
神経：外側足底神経 N. plantaris lateralis（S_1〜S_2）

作用：小趾を屈曲する。

2) 足底第3層の神経（図17-18）

足底には脛骨神経の枝が分布する。このうち内側足底神経は上肢の正中神経に，外側足底神経は尺骨神経に相当する。

□内側足底神経 N. plantaris medialis
□外側足底神経 N. plantaris lateralis

17.5.5 足底部第4層の解剖

> 短母趾屈筋と母趾内転筋斜頭を近位端で切断して反転せよ。

1) 足底第4層の動脈

□底側中足動脈 Aa. metatarseae plantares
□足底動脈弓 Arcus plantaris：外側足底動脈の続きで，ここから3～4本の底側中足動脈が出る。

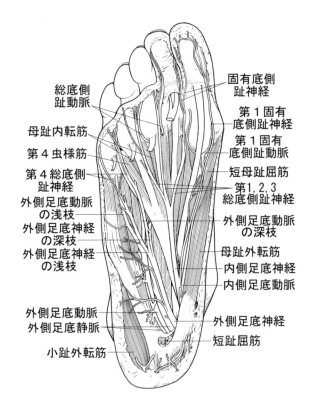

図17-18 右足底深層の血管と神経

2) 足底第4層の筋

□背側骨間筋 Mm. interossei dorsales
起始：中足骨基底部　　停止：第Ⅱ趾内側，第Ⅱ～Ⅳ趾外側基節骨底
神経：外側足底神経 N. plantaris lateralis（S_1～S_2）
作用：第Ⅱ趾を軸としてこれから離す（外転）。

□底側骨間筋 Mm. interossei plantares
起始：第3～5中足骨内側面　　停止：各基節骨底
神経：外側足底神経 N. plantalis lateraris（S_1～S_2）
作用：第Ⅱ趾を軸として，これに近づける（内転）。背側骨間筋と同時に働けば基節を屈曲する。

3) 足底第4層の腱と腱膜

□長腓骨筋腱 Tendo m. peronei longi
□長腓骨筋の足底腱鞘 Vagina tendinis m. peronei longi

18 頭頸部内臓の解剖

18.1 咽頭の観察と解剖

離断された頭部をテーブルの上に裏返して置き，咽頭後面を観察せよ（図18-1）。

18.1.1 咽頭後壁の観察

1）咽頭後壁に見られる神経と血管

以下の神経や血管が後頭骨の**頸静脈孔** Foramen jugulare を通って頭蓋腔から出て，咽頭後壁を下行する。

- □**内頸静脈** V. jugularis interna
- □**舌咽神経** N. glossopharyngeus：2つの神経節を持つ。
  - □上神経節 Ganglion superius
  - □下神経節 Ganglion inferius
- □**迷走神経** N. vagus：2つの神経節を持つ。
  - □上神経節 Ganglion superius
  - □下神経節 Ganglion inferius
- □**副神経** N. accessorius

舌下神経管を通るもの
- □**舌下神経** N. hypoglossus

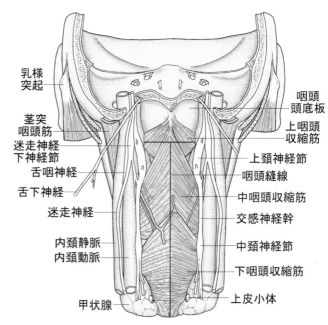

図18-1 咽頭後面の観察と切開線（太い実線）

2）咽頭後壁の観察

咽頭の壁は消化管と同様に粘膜層（重層扁平上皮），粘膜下層（結合組織），筋層および外膜（弾性線維を多く含む結合組織）から構成されている。咽頭の外膜 Tunica adventitia は頸筋膜の椎前葉にあたり，椎前筋とゆるやかに結合している。

咽頭の筋層は咽頭挙筋と咽頭収縮筋で構成され，いずれも横紋筋である。

- □**咽頭収縮筋** M. constrictor pharyngis：消化管の輪走筋に相当し，舌咽神経，迷走神経，交感神経からなる咽頭神経叢に支配される。以下の3部に分けられ，嚥下に際して上から順に収縮して食物を食道に向けて送る。

  - □**上咽頭収縮筋** M. constrictor pharyngis superior
    起始：蝶形骨の翼状突起内側板，翼突下顎縫線，下顎骨の顎舌骨筋線の後縁（顎咽頭部および横舌筋（舌咽頭部）
    停止：咽頭縫線

  - □**中咽頭収縮筋** M. constrictor pharyngis medius
    起始：舌骨の大角と小角
    停止：咽頭縫線

□**下咽頭収縮筋** M. constrictor pharyngis inferior
起始：輪状軟骨筋膜，甲状軟骨斜線
停止：甲状軟骨

□**咽頭挙筋** Mm. levator pharynges：消化管の縦走筋に相当するもので，舌咽神経に支配され，嚥下時に咽頭を引き上げる。

□**茎突咽頭筋** M. stylopharyngeus
起始：茎状突起根部の内側
停止：甲状軟骨

□**口蓋咽頭筋** M. palatopharyngeus：一部は軟口蓋から起こり，口蓋咽頭弓の中を通って咽頭外側壁を下行し，甲状軟骨に至る。

□**耳管咽頭筋** M. salpingopharyngeus：しばしば欠けることがある。耳管軟骨の下部から起こり，咽頭外側壁と後壁の境界を下行しながら扇状に広がる。

18.1.2　咽頭腔の観察

> 咽頭腔を観察するために，頭蓋底の直下で咽頭後壁を横切し，さらにその中央部から下に向かって正中線上を切開せよ（図18-1を参照）。

咽頭 pharynx は鼻腔，口腔および喉頭の後方にある。**咽頭腔** Cavum pharyngis は頭蓋底の直下から始まる長さ約12cmの腔所で，左右にやや広く，前後に扁平である。鼻腔後方の咽頭鼻部（上咽頭），口腔後方の咽頭口部（中咽頭），喉頭後方の咽頭喉頭部（下咽頭）の3部に分けられる（図18-2，18-3）。ここは食物と空気の通路が交差する場所で，扁桃（咽頭扁桃，耳管扁桃，口蓋扁桃および舌扁桃）と呼ばれる巨大なリンパ組織が咽頭壁を囲み，食物や空気に混じって侵入する外敵を見張っている。これを**リンパ性咽頭輪** lymphatic pharyngeal ring あるいは**ワルダイエルの咽頭輪** Waldeyer's pharyngeal ring という。

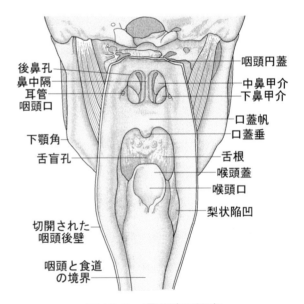

図18-2　咽頭腔の観察

1）咽頭鼻部

咽頭鼻部 Pars nasalis（上咽頭）の前方は後鼻孔を介して鼻腔に開いている。

□**咽頭円蓋** Fornix pharyngis：咽頭の上端に当たり，頭蓋底の下面に接している。

□**咽頭扁桃** Tonsilla pharyngea：上咽頭後壁の粘膜下にあるリンパ組織で，左右に広がって耳管咽頭口まで伸びる。小児期にはよく発達しており，病的に肥大したものを**アデノイド** adenoids という。成人ではほとんど退化している。

□**耳管咽頭口** Ostium pharyngeum tubae auditivae：鼓室と咽頭を連絡する耳管の開口部で，下鼻道の高さの外側壁にある。

□**耳管隆起** Torus tubarius：上咽頭の上後縁にあり，耳管軟骨によって形成される。

□挙筋隆起 Torus levatorius：耳管咽頭口の下にある高まりで，口蓋帆挙筋が作る。
□耳管扁桃 Tonsilla tubaria：耳管咽頭口の横にあるリンパ組織。

2）咽頭口部

　咽頭口部 Pars oralis（中咽頭）は口峡を介して前方の口腔から続く。口峡 Fauces は以下のもので作られる。
□軟口蓋 Palatum molle
□口蓋垂 Uvula：軟口蓋の正中線上から下垂する。
□口蓋咽頭弓 Arcus palatopharyngeus（後口蓋弓）：口蓋垂から軟口蓋の後縁を通って外下方に伸びるヒダで，同名の筋が作る（図18-4）。
□口蓋舌弓 Arcus palatoglossus（前口蓋弓）：口蓋咽頭弓の前をほぼ平行に伸びるヒダで，同名の筋が作る（図18-4）。
□口蓋扁桃 Tonsilla palatina：口蓋舌弓と口蓋咽頭弓の間にあるリンパ組織（図18-4）。
□舌根 Radix linguae：舌の後ろ1/4を占める。
　□分界溝 Sulcus terminalis：舌体と舌根を境界する前方に開いたV字型の浅い溝。
　□舌盲孔 Foramen cecum linguae：分界溝の正中線上にある浅い盲孔で，胎生期にここから甲状腺が発生する。
　□舌扁桃 Tonsilla lingualis：舌根の粘膜下に形成された巨大なリンパ組織。

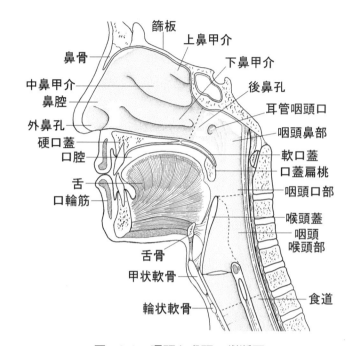

図18-3　咽頭と喉頭の縦断面

3）咽頭喉頭部

　咽頭喉頭部 Pars laryngea（下咽頭）は喉頭の後方にあり，第6頚椎の高さで食道に続く。
□喉頭口 Aditus laryngis：喉頭の入口。
□喉頭蓋 Epiglottis：喉頭の上縁から上後方に伸びるスプーン状の突起で，嚥下時に喉頭が挙上すると，後方に折れ曲って，喉頭口に蓋をする。

> 確認してみよう。
> 　喉頭蓋を指で押さえて喉頭口に蓋をすると，喉頭蓋の先端は咽頭の後壁まで達している。従って，喉頭蓋がある所は通れないので，嚥下された食物粥は喉頭の左右を上下に走る梨状陥凹を通って食道へと流れ込む。

18.2 口部の解剖

18.2.1 口腔の観察

　口腔 Cavum oris は消化管の入口で，食物は歯で咬み砕かれて細かくなり，唾液と混合して粥状になって嚥下が可能になる。また，口腔は共鳴器官で，舌や口唇とともに様々な音を発音する上で重要な役割を演じている。

> 遺体あるいは自分の口腔を観察して以下のものを確認せよ（図18-4）。

☐ **口唇** Labia oris：口腔前面を塞ぐ器官で，口輪筋を芯にして前面は皮膚に，後面は口腔粘膜に覆われている。
　上唇 Labium oris superius
　下唇 Labium oris inferius

☐ **口裂** Rima oris：上下の口唇が接することによってできる隙間。

☐ **口角** Angulus oris：上下の口唇が口裂の外側端でつながる場所。白熱した議論を交わす時に，口角泡を飛ばすという。

☐ **口腔前庭** Vestibulum oris：口唇と歯列弓の間にある狭い隙間。

☐ **口腔粘膜** Tunica mucosa oris：角化しない重層扁平上皮で覆われている。

☐ **上および下唇小帯** Frenulum labii superioris et inferioris：口唇後面の正中部で，口唇と歯肉を結ぶ粘膜性のヒダ。

☐ **歯肉** Gingiva（はぐき）：歯槽を覆う軟部組織。

☐ **上および下歯列弓** Arcus dentalis superior et inferior：成人では上下左右に8本ずつ，計32本の歯が弓状に並んでいる。

☐ **固有口腔** Cavum oris proprium：歯列よりも後部の口腔。

☐ **舌** Lingua：口腔底から膨隆する筋性の器官である。

☐ **舌下面** Facies inferior linguae（図18-5）

☐ **舌小帯** Frenulum linguae：舌の正中線上で，舌の下面と口腔粘膜の間に張る粘膜のヒダ。

☐ **舌下小丘** Caruncula sublingualis：舌小帯の両側にある小さな高まりで顎下腺と舌下腺の導管が開口する。

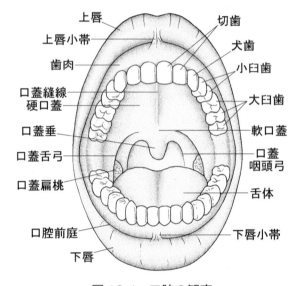

図18-4　口腔の観察

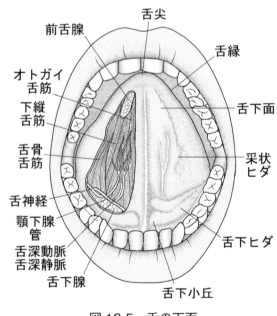

図18-5　舌の下面

18.2.2 口腔底の観察

> 顎二腹筋の前腹と顎舌骨筋を停止から切り，除去せよ（図10-8を参照）。

□**顎下腺管** Ductus submandibularis：舌下小丘の頂上に開く。
□**舌下腺** Glandula sublingualis：舌下面の後部にある唾液腺。
□**大舌下腺管** Ductus sublingualis major：顎下腺管に開く。

18.2.3 歯の観察

歯 Dentes は食物を咬み砕くための硬い器官で，上顎と下顎の歯槽 Alveoli dentales に固定されて**歯列弓** Arcus dentales を作る。歯の配列は上下左右に対称で，ふつう8本ずつ生えている。

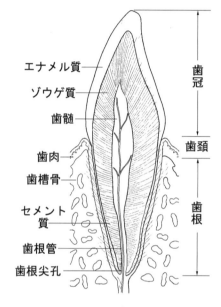

図 18-6　歯の構造

1）歯の構造（図18-6）
□**歯冠** Corona dentis：歯肉 Gingiva から顔を出している部分。
□**歯頚** Collum dentis：歯肉に包まれている部分。歯冠と歯根の移行部で，やや細くなっている。
□**歯根** Radix dentis：歯槽に埋まっている部分で，その先端で鋭く尖っている部分を歯根尖という。
□**ゾウゲ質** Dentinum：歯の本体をなす部分で，ゾウゲ芽細胞からなる。
□**エナメル質** Enamelum：歯冠においてゾウゲ質の表面を覆う。エナメル芽細胞からなり，人体では最も硬い組織である。
□**セメント質** Cementum：歯根でゾウゲ質の表面を覆う。セメント芽細胞からなり，骨と同じ組織である。
□**歯髄** Pulpa dentis：歯の中心部にある歯髄腔 Cavum dentis を埋める疎性結合組織で，歯に分布する血管や神経を含む。
□**歯根膜** Periodontium：歯槽骨とセメント質の間に張る強靱な膠原線維束で，歯根と歯槽をしっかりと連結している。

食物のかすが細菌によって分解されると酸性物質が生じ，エナメル質やセメント質を溶かしていく。これが齲歯（虫歯）である。また，齲歯が象牙質まで波及すると，歯痛が起こる。

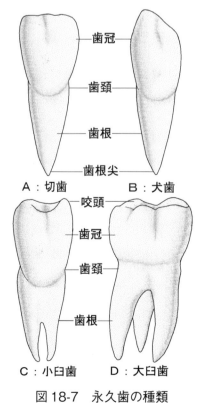

図 18-7　永久歯の種類

2）歯の種類
歯は以下の4種類に分類される（図18-7）。
□**切歯** Dentes incisivi：歯列弓の最前部にあるので門歯とも呼

ばれる。上下左右に2本ずつあり、歯冠はノミ状を呈する。
- **犬歯** Dentes canini：切歯のすぐ外側にあり、歯冠は牙状を呈する。上下左右に1本ずつある。
- **小臼歯** Dentes premolares：犬歯の外後方で、上下左右に2本ずつある。歯冠の咬合面には1本の溝があり、2個の咬頭を持つ。歯根は1ないし2本に分かれる。
- **大臼歯** Dentes molares：小臼歯の後方で、上下左右に3本ずつある。咬合面には十字の溝があり、4個の咬頭を持っている。歯根は2～3本に分かれる。

3）脱落歯と永久歯

生後最初に生える歯を**脱落歯** Dentes decidui（乳歯 milk teeth）という。生後6ヶ月頃に下の切歯が最初に萌出し、生後1年頃に上の切歯が萌出する。その後2年ほどかけて、犬歯と乳臼歯が順次萌出してくる。脱落歯は切歯2本、犬歯1本、乳臼歯2本がそれぞれ上下左右に歯列を作るので、合計20本になる。乳歯は6歳頃から萌出した順に脱落しはじめ、順次**永久歯** Dentes permanentes に置き換えられていく。永久歯は切歯2本、犬歯1本、小臼歯2本および大臼歯3本が上下左右に配列するので、合計32本になる。永久歯は14～15歳で生え揃うが、第3大臼歯（智歯）は20歳前後に萌出する。なお、智歯が欠落している人も多い。

18.2.4　舌の解剖

舌 Lingua は口腔底のほとんどを占める筋性の器官で、表面は口腔粘膜に覆われている（図18-8）。舌の下部は口腔底に固定されているが、他の部分は自由に動く。

> ①下顎骨の正中部よりもやや左を鋸で切り、反転せよ。
> ②茎状突起 Processus styloideus と舌骨の位置を確認せよ。
> ③口角 Angulus oris から外方に向かって切り開け。

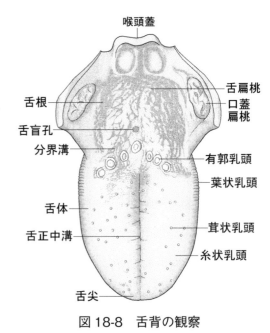

図18-8　舌背の観察

1）舌背の観察

- **舌体** Corpus linguae：舌の前3/4を占める。
- **舌尖** Apex linguae：舌体の先端
- **舌根** Radix linguae：舌の後ろ1/4を占める。深部に舌扁桃があり、表面はでこぼこしている。
- **舌背** Dorsum linguae：舌の上面で、舌苔（糸状乳頭）に覆われている。
- **舌正中溝** Sulcus medianus linguae：舌体の正中線上を前後方向に走る浅い溝
- **分界溝** Sulcus terminalis：舌体と舌根を分ける浅い溝で、前方に開いてV字状を呈する。
- **舌盲孔** Foramen cecum linguae：分界溝の正中線上にある浅いくぼみで、胎生期にここから甲状腺が発生した場所を表している。

2）舌乳頭

舌には以下の4種類の**舌乳頭** Papilla linguae がある。このうち味蕾が分布するのは、ヒトでは

有郭乳頭と葉状乳頭である。
- **糸状乳頭** Papillae filiformes：舌背を覆う小型の乳頭で，舌背一面に密生している。生体では苔状に見える。
- **茸状乳頭** Papillae fungiformes：生体では舌背に散在する赤い点として見える。
- **有郭乳頭** Papillae vallatae：直径が3〜5mmの低い円柱状の乳頭で，分界溝に沿って左右に数個ずつ並んでいる。
- **葉状乳頭** Papillae foliatae：舌体の後部側面に十数個あり，浅い溝で互いに隔てられている。

18.2.5 外舌筋の解剖

外舌筋は下顎骨，舌骨，頭蓋骨から起こり，舌の中に放射状に進入して内舌筋に移行する。舌筋は口蓋舌筋を除いてすべて舌下神経に支配される（図18-9）。

- **オトガイ舌筋** M. genioglossus
起始：下顎骨オトガイ棘の上部
停止：舌骨，舌体，舌尖
作用：最も強大な舌筋で，舌全体に放射状に広がり，舌の位置を前方に保持したり口腔底に引きつけたりする。
- **舌骨舌筋** M. hyoglossus
起始：舌骨体，舌骨大角
停止：舌の外側縁，舌背
作用：舌骨が固定されていると，舌を後方に引く。
- **茎突舌筋** M. styloglossus
起始：茎状突起前端
停止：舌の外側縁，舌尖
作用：舌尖を後方に引き，舌全体を後上方に引き上げる。

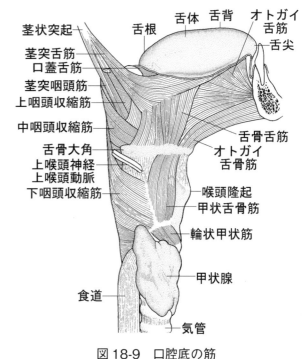

図18-9 口腔底の筋

18.2.6 舌に分布する神経と動脈

> 舌筋を確認した後，起始あるいは停止を切断して，舌に分布する神経や動脈を同定せよ（図18-10）。

- **舌動脈** A. lingualis：外頚動脈から2番目に出る枝で，舌骨舌筋と下縦舌筋の間を通って前に進み，舌全体に分布する。
- **舌神経** N. lingualis：下顎神経の枝で，下歯槽神経とともに下行して舌に進入する。舌に入る神経のうちで最も上を走る。途中で鼓索神経が合流する。
- **舌咽神経** N. glossopharyngeus：舌に入る3本の神経のうちでは真ん中を走り，舌根に分布する。
- **舌下神経** N. hypoglossus：舌に向かう神経のうちでは最も下を通る。顎二腹筋後腹の下で，内頚静脈と内頚動脈の間を通って頚動脈三角に現れ，舌骨舌筋の外側を通って舌体に進入する。舌筋の大部分を支配する。
- **顎下神経節** Ggl. submandibularis：舌神経の神経節枝 Rr. ganglionares が顎下腺に入る直前にみ

られる小さな副交感性の神経節で，節後線維は顎下腺と舌下腺に向かう。
- □鼓索神経 Chorda tympani：顔面神経（中間神経）から分かれたあと，すぐに舌神経と合流する（図18-10）。舌体の味覚を伝える。
- □顎下腺 Gl. submandibularis：下顎骨に囲まれたU字形の口腔底の後外側部にある梅の実大の唾液腺（混合腺）で，皮膚の直下にある。
- □舌下腺 Gl. sublingualis：下顎骨に囲まれたU字形の口腔底で，顎下腺よりも前内方の舌下面の粘膜下にある。顎下腺よりも少し小さく，粘液成分の多い唾液を分泌する。

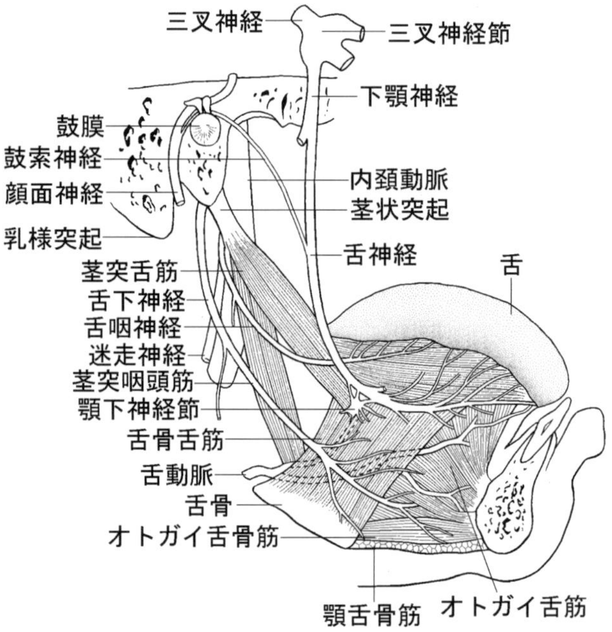

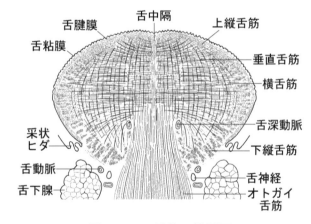

図18-10 外舌筋と舌の神経

18.2.7 内舌筋の解剖

メスを用いて舌体中央部で舌を横断し，内部構造を観察せよ（図18-11）。

- □舌腱膜 Aponeurosis linguae：舌粘膜直下にある厚い結合組織で，舌内筋が停止する。
- □舌中隔 Septum linguae：舌の中央部にある結合組織で，内舌筋が停止する。
- □横舌筋 M. transversus linguae：舌の中を左右に走る筋線維
- □垂直舌筋 M. verticalis linguae：舌の中を上下に走る筋線維
- □上縦舌筋 M. longitudinalis superior：舌背で舌腱膜の直下を前後に走る筋線維
- □下縦舌筋 M. longitudinalis inferior：舌の底部を前後に走る筋線維

図18-11 舌体の横断面

18.3 口蓋の解剖

18.3.1 口蓋筋と口峡の解剖

軟口蓋の粘膜を剥離して次の筋群を剖出せよ（図18-12）。

- □口蓋咽頭筋 M. palatopharyngeus：口蓋咽頭弓の中にあり，口峡を狭くする。迷走神経の咽頭神経叢に支配される。
- □口蓋垂筋 M. uvulae：口蓋骨水平板後縁と後鼻棘から起こり，口蓋垂の粘膜に終わって口蓋垂を

挙上する。迷走神経の咽頭神経叢に支配される。
- □ 口蓋帆張筋 M. tensor veli palatini：蝶形骨棘，舟状窩，耳管軟骨外側部から起こり，硬口蓋後縁や口蓋腱膜に終わる。下顎神経に支配される。
- □ 口蓋帆挙筋 M. levator veli palatini：側頭骨錐体の頚動脈管下口の前部と耳管軟骨から起こり，口蓋腱膜や反対側の筋に終わる。迷走神経の咽頭神経叢に支配される。
- □ 口蓋舌筋 M. palatoglossus：口蓋舌弓の中にあり，迷走神経の咽頭神経叢に支配される。
- □ 口蓋腱膜 Aponeurosis palatinae

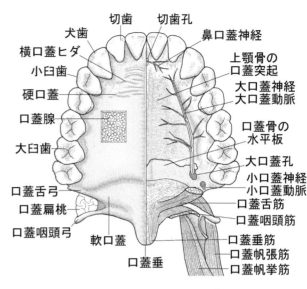

図 18-12　口蓋の観察

18.3.2　口蓋の観察

口蓋 Palatum は口腔と鼻腔を隔てる隔壁である（図 18-12）。
- □ **硬口蓋** Palatum durum：口蓋の前 2/3 で，上顎骨の口蓋突起と口蓋骨の水平板が芯になり，表面を口腔粘膜が覆っている。
- □ **軟口蓋** Palatum molle：口蓋の後部 1/3。骨格筋を芯にして粘膜が覆っている。
- □ **口蓋縫線** Raphe palati：口蓋の正中を前後に走る。胎生期に左右の口蓋突起が癒合したためにできる（図 18-4 を参照）。

18.3.3　口蓋浅層の解剖

ピンセットを用いて口蓋の粘膜を剥離し，以下の神経や動脈を観察せよ。

- □ 口蓋腺 Gll. palatinae
- □ **大口蓋神経**と**大口蓋動脈** N. palatinus et A. palatina major：上顎骨の口蓋突起と口蓋骨水平板の境に開いた大口蓋孔から顔を出し，硬口蓋の外側縁を前方に進む。
- □ 小口蓋神経と小口蓋動脈 N. palatinus et A. palatina minor：大口蓋孔の後外方に開いた小口蓋孔から顔を出し後方に進む。
- □ **鼻口蓋神経** N. nasopalatinus：切歯孔から顔を出し，口蓋の前部に分布する。

18.4　鼻部の解剖

18.4.1　外鼻の観察

外鼻 Nasus externus は顔面中央で三角錐状に突出しており，呼吸器系の入口であるとともに，嗅覚を司る感覚器でもある（図 18-13）。
- □ **鼻根** Radix nasi：鼻の上端部

- □鼻背 Dorsum nasi：正中線上で鼻の尾根をなす部分
- □鼻尖 Apex nasi：鼻背の下端で前方に尖っている部分
- □鼻翼 Ala nasi：鼻背から左右に膨隆する部分
- □外鼻孔 Nares：鼻腔が外界に開く孔

> 外鼻の皮膚を剥離せよ。すぐ下に鼻骨や鼻軟骨があるので注意せよ。

- □鼻軟骨 Cartilagiones nasi：すべて硝子軟骨でできている。
    - 外側鼻軟骨 Cartilago nasi lateralis
    - 大鼻翼軟骨 Cartilago alaris major

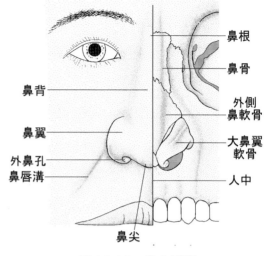

図 18-13　鼻の観察

18.4.2　鼻腔の解剖

> 頭部，顔面の骨部を正中矢状面より右に約 0.5cm のところを鋸で切断せよ。軟部組織はメスで切断せよ。

1）鼻腔内側壁の観察（図 18-14）

- □鼻前庭 Vestibulum nasi：鼻毛 Vibrissae が生えている。
- □鼻腔 Cavum nasi：気道の入口で，嗅覚器官でもある。外界から吸入された空気はここで加湿・加温される。
    - □嗅部 Regio olfactoria：鼻腔の最上部で嗅粘膜に覆われている。
    - □呼吸部 Regio respiratoria：嗅部を除く大部分で，鼻粘膜（多列線毛上皮）で覆われている。
- □嗅神経 Nn. olfactorii：鼻腔の天井を覆う嗅上皮から出る神経線維で，篩骨篩板の孔を通って頭蓋腔に入る。肉眼では観察できないぐらい細い。
- □前篩骨神経 N. ethmoidalis anterior
- □前篩骨動脈 A. ethmoidalis anterior
- □鼻中隔 Septum nasi：鼻腔を左右に分ける薄い隔壁で，上部は篩骨の垂直板，前下部は鼻中隔軟骨の中隔板，後下部は鋤骨で構成される。
    - 篩骨 Os ethmoidale の垂直板 Lamina perpendicularis
- □鋤骨 Vomer：鼻中隔の後下部を占める。
- □上顎骨 Maxilla
- □口蓋骨 Os palatinum の水平板 Lamina horizontalis

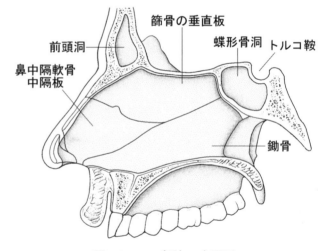

図 18-14　鼻腔の中隔壁

2) 鼻腔外側壁（図18-15）
☐ **鼻甲介** Conca nasalis：3本のソーセージ様の高まりが鼻腔の外側壁を前後に走り，鼻腔と空気の接触面積を拡大して吸気の加湿・加温に重要な役割を演じている。
　☐ 上鼻甲介 Concha nasalis superior
　☐ 中鼻甲介 Concha nasalis media
　☐ 下鼻甲介 Concha nasalis inferior
☐ **鼻道** Meatus nasi：鼻甲介によって，鼻腔の外側壁では空気の通路が3つに区分される。各鼻甲介の下の通路をそれぞれ以下のようにいう。

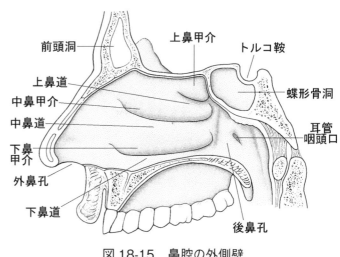

図18-15　鼻腔の外側壁

　上鼻道 Meatus nasi superior：上鼻甲介と中鼻甲介の間
　中鼻道 Meatus nasi medius：中鼻甲介と下鼻甲介の間
　下鼻道 Meatus nasi inferior：下鼻甲介と口蓋の間
　一方，鼻腔の内側半分を**総鼻道** Meatus nasi communis といい，上下に連なった腔所である。また，上鼻甲介より上は嗅部と呼ばれる。

18.4.3　副鼻腔の観察

副鼻腔 Sinus paranasalis は鼻腔を取り巻く頭蓋骨にできた空所で，鼻腔と連続しており，内部は粘膜で覆われている（図18-16）。副鼻孔は頭蓋骨の重量を軽減するとともに，声を共鳴させる場所でもある。

☐ **前頭洞** Sinus frontalis：前頭骨の眉弓内部に対をなして存在する。半月裂孔の上端に開く。
☐ **上顎洞** Sinus maxillaris：上顎骨の中にある最大の副鼻腔である。鼻腔を左右から挟んでおり，半月裂孔を介して中鼻道に開く。鼻腔に起こった炎症が上顎洞に波及したものを副鼻腔炎（蓄膿症）という。

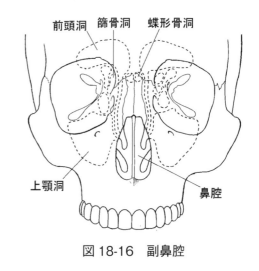

図18-16　副鼻腔

☐ **蝶形骨洞** Sinus sphenoidalis：蝶形骨体の中にあり，蝶篩陥凹に開く。
☐ **篩骨洞** Sinus ethmoidales：篩骨篩板から左右外方に下垂した篩骨迷路の中にあり，**篩骨蜂巣** Cellulae ethmoidales とも呼ばれる。

> 副鼻腔の開口部を見るために，中鼻甲介と下鼻甲介を除去せよ（図18-17）。

☐ **半月裂孔** Hiatus semilunaris：篩骨の鈎状突起と篩骨胞の間にできる裂孔で上顎洞が開口する。
☐ **篩骨漏斗** Infundibulum ethmoidale：半月裂孔の前端でロート状に前方に向かって陥凹する部分。前頭洞と篩骨洞が開く。

下鼻道の観察
☐ **鼻涙管** Canalis nasolacrimalis：涙点で吸収された涙を鼻腔に導く管である（☞ p.343：図20-2を

参照)。下鼻道の前上部で，外鼻孔から2〜3cm奥に開く。風邪をひいた時やアレルギー性鼻炎などで鼻が詰まると内眼角に涙が溜まる。これは腫脹した鼻粘膜によって鼻涙管が圧迫され，涙が排泄できなくなるためである。

- □鼻涙管ヒダ Plica lacrimalis：鼻涙管の開口部にあるヒダで，このおかげで，鼻を強くかんでも空気が鼻涙管に逆流しない。

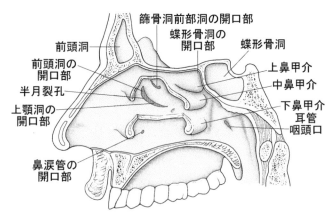

図18-17　副鼻腔の開口場所

18.4.4　翼口蓋神経節の剖出

> 翼口蓋窩に達するまで，鼻咽道の外側壁をノミで開け。同時にここに達する大口蓋管と翼突管を見よ（図18-18）。

- □大口蓋管 Canalis palatinum major：口蓋骨の大口蓋溝と上顎骨体の大口蓋溝，蝶形骨の翼状突起が囲む管で，大口蓋孔に開き，大口蓋神経，大口蓋動脈と静脈が通る。
- □大口蓋孔 Foramen palatinum majus：上顎骨口蓋突起と口蓋骨水平板の境界部に開く。
- □小口蓋管 Canalis palatinum minor：大口蓋管の途中で枝分かれして後下方に進み，口蓋骨水平板の後縁に小口蓋孔となって開く。

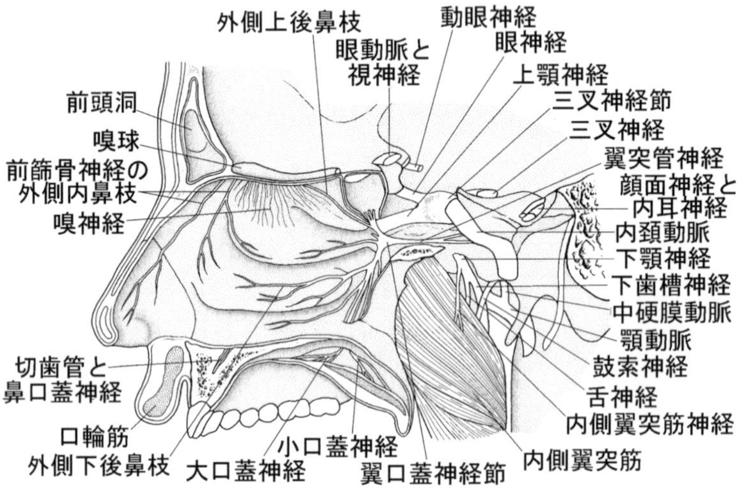

図18-18　鼻腔外側壁の神経

- □小口蓋孔 Foramina palatina minor：大口蓋孔の後外側部に開いている。
- □大口蓋神経 N. palatinus major：大口蓋動・静脈とともに，大口蓋孔から出て，硬口蓋の外側縁を前方に走る。
- □小口蓋神経 N. palatinus minor：大口蓋神経より分かれ，小口蓋管の中を通り，小口蓋孔から顔を出し，軟口蓋に分布する。
- □翼口蓋神経節 Ggl. pterygopalatinum：大口蓋神経を辿ると，上顎神経に合流する手前にある。上唾液核からの副交感神経成分は顔面神経（中間神経）を経て，顔面神経膝で分かれて**大錐体神経** N. petrosus major となる。この神経は破裂孔を通って頭蓋底に達し，翼突管 Canalis pterygoideus を通って翼口蓋神経節に入る。内頸動脈神経叢からの交感神経線維は**深錐体神経** N. petrosus profundus となり，大錐体神経と合流して**翼突管神経** N. canalis pterygoidei となる。翼突管神経節から出る節後線維は涙腺に分布する。

18.5 喉頭の観察と解剖

> 舌と舌骨下筋群を除去せよ。また甲状腺を気管から剥離して，裏面に付着する上皮小体を観察せよ。

18.5.1 喉頭表面の観察

1) 喉頭の前面（図 18-19）

□**甲状軟骨** Cartilago thyroidea：喉頭の軟骨のうちで最大で，部分的に他の軟骨を囲む。
  □**喉頭隆起**：甲状軟骨の前中央部が前方に大きく突出した部分。男性では著明で，欧米ではアダムのリンゴとも呼ばれる。
□**輪状軟骨** Cartilago cricoidea：甲状軟骨の下にある指輪状の軟骨。
□**甲状舌骨膜** Membrana thyrohyoidea：喉頭の前面で舌骨と甲状軟骨の間に張る丈夫な結合組織性の膜。弾性線維を多く含む。上喉頭動脈と上喉頭神経が貫通する。
□**輪状甲状靱帯** Lig. cricothyroideum：前正中部で甲状軟骨と輪状軟骨を連結する丈夫な靱帯。
□**輪状甲状筋** M. cricothyroideus
  起始：輪状軟骨の前外側面
  停止：甲状軟骨下部の外側と内側面
  神経：上喉頭神経 N. laryngeus superior（迷走神経の枝）
  作用：甲状軟骨を引き下げ，前に引くことによって声帯を緊張させる。
□**甲状腺** Gl. thyroidea：気管の前面に付着する蝶形の内分泌腺。舌の正中線上で，舌体と舌根の境界部の粘膜から発生し，出発の場所は舌盲孔となって痕跡をとどめている（図18-8を参照）。
  右葉 Lobus dexter と左葉 Lobus sinister
  峡部 Isthmus gl. thyroideae：甲状腺の中央部で，ここから錐体葉 Lobus pyramidalis が上方に伸びる。

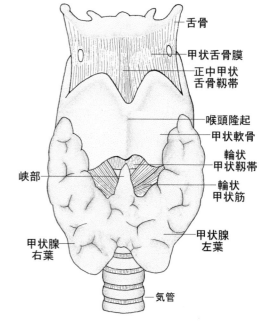

図 18-19 喉頭と気管

2) 喉頭の後面（図 18-20）

□**喉頭蓋** Epiglottis：喉頭から上に向かって伸びる靴べら状の突起で，喉頭蓋軟骨 Cartilago epiglottica（弾性軟骨）が芯になっている。
□**喉頭口** Aditus laryngis：喉頭蓋と披裂喉頭蓋ヒダで囲まれる喉頭の入口で，嚥

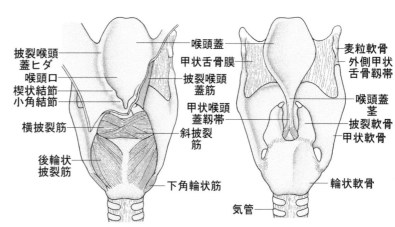

図 18-20 喉頭の後面（左：筋，右：軟骨）

下時には喉頭蓋によって蓋される。
- □披裂喉頭蓋ヒダ Plica aryepiglottica：披裂軟骨尖から喉頭蓋の外側縁に向かって伸びる粘膜ヒダで，中を披裂喉頭蓋筋 M. aryepiglotticus が走る。
- □楔状結節 Tuberculum cuneiforme：楔状軟骨によってできる小さな高まり。軟骨を欠くこともある。
- □小角結節 Tuberculum corniculatum：披裂軟骨尖の直上にある小さな高まりで，小角軟骨によってできる。

> 喉頭後面の粘膜を剥離して以下の筋を確認せよ。

□**後輪状披裂筋** M. cricoarytenoideus posterior
起始：輪状軟骨後面
停止：披裂軟骨の筋突起
神経：反回神経 N. laryngeus recurrens
作用：声帯突起を上外方に回すことにより，声門裂を開く。

□**横披裂筋** M. arytenoideus transversus
起始：披裂軟骨後面
停止：対側の同部位
神経：反回神経 N. laryngeus recurrens
作用：披裂軟骨を互いに近づけて声門裂を閉じる。

□**斜披裂筋** M. arytenoideus obliquus
起始：披裂軟骨の筋突起後面
停止：対側の披裂軟骨尖
神経：反回神経 N. laryngeus recurrens
作用：横披裂筋と協力して声門裂を閉じる。

□**披裂喉頭蓋筋** M. aryepiglotticus
起始：披裂軟骨尖
停止：喉頭蓋の外側縁
神経：下喉頭神経 N. laryngeus inferior
作用：喉頭蓋ヒダを引き下げ，喉頭口を閉じる。

18.5.2 喉頭の解剖

1) 喉頭と舌骨の結合
- 正中甲状舌骨靱帯 Lig. thyrohyoideum medianum：甲状舌骨膜の前正中部を補強する靱帯で，弾性線維に富む（図18-23を参照）。
- 外側甲状舌骨靱帯 Lig. thyrohyoideum laterale：甲状軟骨の上角と舌骨大角を結ぶ靱帯で，甲状舌膜の外側部を補強する。

2) 舌骨と喉頭蓋の結合
□舌骨喉頭蓋靱帯 Lig. hyoepiglotticum：舌骨の後面と喉頭蓋軟骨の前面を結ぶ靱帯（図18-23を参照）。

> これらの靱帯を観察した後，靱帯を切断して舌骨を外せ。

3) 喉頭と気管との結合
□輪状気管靱帯 Lig. cricotracheale：輪状軟骨と第1気管軟骨を結ぶ靱帯（図18-21）。

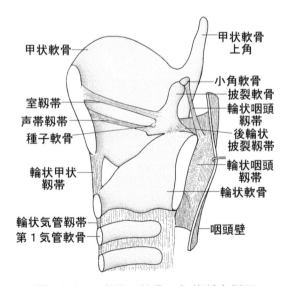

図18-21　喉頭の軟骨の矢状断内側面

4）甲状軟骨と喉頭蓋の結合

- □甲状喉頭蓋靱帯 Lig. thyreoepiglotticum：喉頭蓋茎を甲状軟骨の後面に結び付ける（図18-20を参照）。

5）小角軟骨と輪状軟骨の結合（図18-20）

- □輪状咽頭靱帯 Lig. cricopharyngeum：小角軟骨から始まる靱帯で，輪状軟骨の後面に付着したのち，輪状軟骨後側にある咽頭粘膜下に終わる。
- □輪状甲状関節 Articulatio cricothyroidea：甲状軟骨下角の内側面と輪状軟骨外側面が作る。この関節の下を下喉頭神経が通る。
- □輪状甲状靱帯 Lig. cricothyroideum：甲状軟骨と輪状軟骨の正中線上を上下に走る。

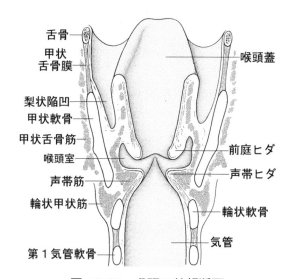

図18-22 喉頭の前額断面

18.5.3 喉頭内面の解剖

喉頭を正中矢状面で切開し，左右に開け（図18-22, 18-23）。

喉頭腔

- □喉頭前庭 Vestibulum laryngis：喉頭口から声門までの部分。
  - 前部：喉頭蓋 Epiglottis
  - 外側：披裂喉頭蓋ヒダ Plica aryepiglottica
  - 下部：前庭ヒダ Plica vestibularis
  - 後部：披裂間切痕 Incisura interarytenoidea
- □喉頭室 Ventriculus laryngis：喉頭の外側壁にできた陥凹。
  - 上部：前庭ヒダ Plica vestibularis
  - 下部：声帯ヒダ Plica vocalis
  - 前庭裂 Rima vestibuli：前庭ヒダと声帯ヒダが作る裂で，喉頭室の入口になる。
- □声門 Glottis：左右の声帯ヒダが作る狭い隙間。

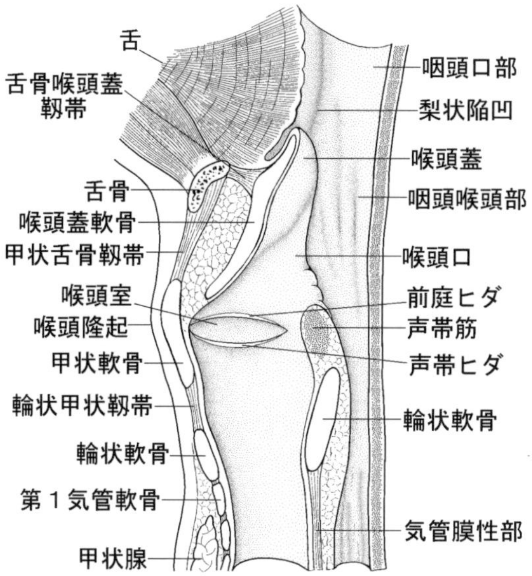

ここを空気が通過するときに声帯ヒダが振動して音が発生する。この音は咽頭腔や鼻腔，口腔，副鼻腔の変形によって様々に共鳴し，また舌や口唇を使って声となる。

図18-23 喉頭の矢状断面

18.5.4 喉頭外側面の解剖

甲状軟骨板を外し，以下の筋を確認せよ（図18-24）。

- □外側輪状披裂筋 M. crycoarytenoideus lateralis

起始：輪状軟骨外側縁上部
停止：披裂軟骨筋突起とその上部
神経：下喉頭神経 N. laryngeus inferior
作用：声門を閉じる際の協力筋

□**甲状披裂筋** M. thyroarytenoideus
起始：甲状軟骨前部
停止：披裂軟骨筋突起および外側面
神経：下喉頭神経 N. laryngeus inferior
作用：声門を閉じる際の協力筋

□**甲状喉頭蓋筋** M. thyroepiglotticus
起始：甲状軟骨内面前部
停止：喉頭蓋
神経：反回神経 N. laryngeus recurrens

□**声帯筋** M. vocalis：甲状披裂筋の内側のものをいう。
起始：正中線近くの甲状軟骨内側面
停止：披裂軟骨の声帯突起および楕円窩
神経：反回神経 N. laryngeus recurrens
作用：緊張することによって声帯の固有振動数を変える。

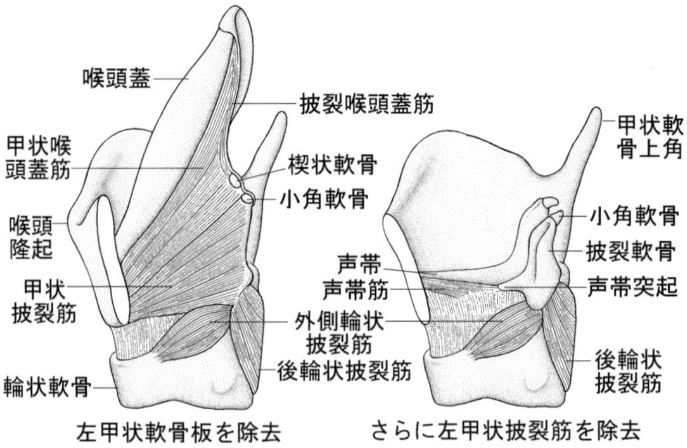

図 18-24 喉頭外側の筋

□**輪状披裂関節** Articulatio cricoarytenoidea：披裂軟骨と輪状軟骨が作る関節で，斜めに向いた円柱軸の周りを回旋運動する。また軸に平行に走る。

18.5.5 喉頭軟骨の解剖

喉頭の骨格を作る軟骨を総称して喉頭軟骨 Cartilagines laryngis という。これらの軟骨は喉頭の運動の支柱となる。

> 筋を観察した後，これらを剥離して以下の喉頭軟骨を剖出せよ。

1）甲状軟骨

甲状軟骨 Cartilago thyroidea は喉頭軟骨のうちで最大の軟骨である（図 18-25）。

□**喉頭隆起** Prominentia laryngea：甲状軟骨の前面中央部で前方に突出する。男性では思春期を過ぎると突出が著明になる（第二次性徴の1つ）。

□**左板と右板** Lamina sinistra et dextra：甲状軟骨の両側をなす。

□**上甲状切痕** Incisura thyroidea superior：喉頭隆起の直上で，左右の板が作る。体表からも触知できる。

□**下甲状切痕** Incisura thyroidea inferior：甲状軟骨

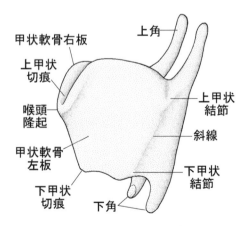

図 18-25 甲状軟骨の前外側面

前面正中部の下端。
□上角 Cornu superius：甲状軟骨板の後上端から上方に伸びる突起。甲状舌骨靱帯が付着する。
□下角 Cornu inferius：甲状軟骨の後縁から下方に伸びる突起。

2）輪状軟骨

輪状軟骨 Cartilago cricoidea は甲状軟骨の下にある指輪状の軟骨で，前面は狭く，後面は広い（図18-26）。甲状軟骨と関節で連結している。
□輪状軟骨弓 Arcus cartilaginis cricoideae：輪状軟骨の前面と外側部を作る。
□輪状軟骨板 Lamina cartilaginis cricoideae：輪状軟骨の後部を作る丈の高い部分。
□披裂関節面 Facies articularis arytenoidea：輪状軟骨の上外側縁にある卵円形の関節面で，披裂軟骨と関節を作る。

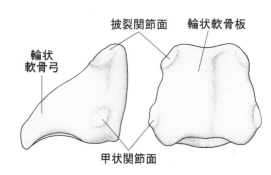

図 18-26　輪状軟骨（左：側面，右：後面）

□甲状関節面 Facies articularis thyroidea：輪状軟骨板の外側にあり，甲状軟骨と関節を作る。

3）披裂軟骨

披裂軟骨 Cartilago arytenoidea は輪状軟骨の後上部に載るピラミッド型の軟骨で，声門の開閉運動において主役を演じる（図18-27）。
□筋突起 Processus muscularis：底から外後方に突出し，後および外側輪状披裂筋が付く。
□関節面 Facies articularis：筋突起の下部にあり，輪状軟骨に面する。

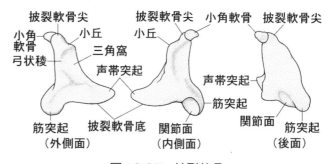

図 18-27　披裂軟骨

□声帯突起 Processus vocalis：底から前方に突出し，声帯が付く。
□弓状稜 Crista arcuata：三角窩を囲み，小丘に至る。
□小丘 Colliculus：弓状稜の端にある小突起。
□三角窩 Fovea triangularis：腺を入れるくぼみ。
□披裂軟骨尖 Apex cartilaginis arytenoideae：披裂軟骨の上端から上方に突出する。

4）その他の小さな軟骨

□小角軟骨 Cartilago corniculata：披裂軟骨尖の上にある小さな弾性軟骨で，小角結節を作る。
□楔状軟骨 Cartilago cuneiformis：披裂喉頭蓋ヒダの中に時々見られる小さな軟骨で，楔状結節を作る。
□種子軟骨 Cartilagines sesamoideae：声帯の前端および披裂軟骨付近に時々見られる小さな軟骨。
□喉頭蓋軟骨 Cartilago epiglottica：スプーン状の弾性軟骨で，喉頭蓋の芯をなす（図18-21を参照）。

18.5.6 喉頭の運動

嚥下運動に際して喉頭は一度上昇する。この時，舌底が喉頭蓋を喉頭口に押し当てて喉頭口に蓋をする。

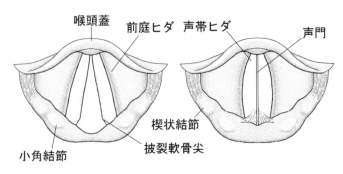

図 18-28　喉頭鏡（左：呼吸時，右：発生時）

1）声門

声門 Glottis は声（空気の振動）を作り出す場所で，声門裂を囲む構造物の総称である。呼吸時や発声時で声門の形が変わり，この様子は喉頭鏡によって観察できる（図 18-28）。

□声帯ヒダ Plica vocalis：声門の自由縁で，声帯 vocal cord とも呼ばれる。
□声門裂 Rima glottidis：前の 2/3 は声帯ヒダ（膜間部），後ろ 1/3 は披裂軟骨の声帯突起（軟骨間部）によって作られる。

安静呼吸時や小声でささやく時には，左右の膜間部はほとんで接しており，軟骨間部だけが三角形に開く（外側輪状披裂筋の作用による）。中等度の呼吸時には，軟骨間部に加えて膜間部も開き（後輪状披裂筋の作用による），声門裂は三角になる。通常の発声時には軟骨間部と膜間部が合い接して声門裂は閉じる（図 18-28）。

2）発声

発声 phonation は，閉鎖されて緊張している声帯裂の隙間を通る空気によって声帯ヒダが振動して起こる（図 18-29）。声は空気の振動であり，声量は声帯ヒダの振幅の大きさ，声の高低は声帯ヒダの振動数により決定される。

声帯ヒダの緊張度は輪状甲状筋と披裂軟骨の筋突起

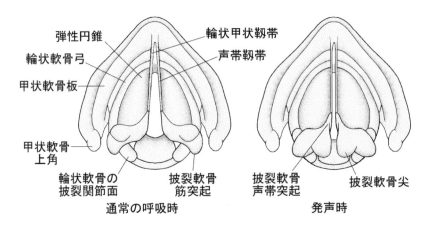

図 18-29　呼吸時と発生時における声門の運動

に付着する諸筋によって調整され，さらに声帯筋によって微調節される。

思春期以降，男性では喉頭隆起が前方に大きく膨隆する。これにより，声帯唇の前後長が長くなるために声が 1 オクターブほど低くなる。これを変声（声変わり）といい，第二次性徴の 1 つである。

> 気管切開術は頸部体表（☞ p.93：5.4.6）に記載しているので，これを参考に遺体で確認せよ。

19 関節と靱帯の解剖

骨の形態や各部位の名称は2：全身の骨格（p.11〜34）を参照せよ。

19.1 体幹の関節

体幹にある関節のうち，以下の関節はすでに観察が終わっている。
- **環椎後頭関節** Articulatio atlantooccipitalis：（☞ p.222：12.4.1 を見よ）
- **環軸関節** Articulatio atlantoaxialis：（☞ p.222：12.4.2 を見よ）
- **顎関節** Auticulatio temporomandibularis：（☞ p.193：10.4.2 を見よ）

19.1.1 脊柱の関節

1）椎間関節

椎骨は上位椎骨の下関節突起と下位椎骨の上関節突起が**椎間関節** Articulatio zygapophysealis を作って上下に連なっている（図 19-1）。

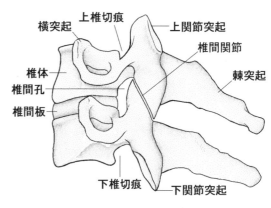

図 19-1　椎間関節

- □**椎間板** Discus intervertebralis：線維軟骨でできた厚さ5mmほどの円板で，椎体間に介在する。これは「太鼓饅頭」のようなもので，外の皮に当たる線維輪と，中のあんこに当たる髄核から構成されている。
- □**線維輪** Anulus fibrosus：線維成分を多く含む線維軟骨である。
- □**髄核** Nucleus pulposus：線維成分の非常に少ない線維軟骨で，硬めのゼリー状である。

加重によって椎間板は変形するので，脊柱全体では1つの可動関節に匹敵するほどの運動が可能である。また，衝撃の吸収にも重要な働きをしている。しかし，中年以降，線維輪の可変性が低下すると，無理な加重によって線維輪が断裂して，その裂け目から髄核が外に出てくる。そして近くを走る脊髄神経を圧迫する。これが**椎間板ヘルニア**である。

2）脊柱の靱帯

椎骨間には棘突起や椎弓，椎体同士を連結する丈夫な靱帯があって，脊柱を補強している（図 19-2）。

- □**前縦靱帯** Lig. longitudinale anterius：後頭骨や環椎の前結節から始まり，椎体前面を縦走して仙骨まで達する。下にいくにつれて幅が広くなり，椎体同士を強固に連結する。
- □**後縦靱帯** Lig. longitudinale posterius：蓋膜（☞ p.223：図 12-13）の続きとして軸椎の椎体から起こり，椎体の後面を縦走して下行して仙骨まで達する。後縦靱帯は椎間板と強固に結合している。
- □**項靱帯** Lig. nuchae：外後頭隆起から始まり，頚椎の棘突起で終わる。頚椎以下では棘間靱帯や棘上靱帯に続く。
- □**黄色靱帯** Lig. flavum：椎弓間に分節状に張っている。弾性線維を多く含むために，肉眼的に黄

色味を帯びて見える。

☐横突間靱帯 Lig. intertransversarium：横突起間に張る短い靱帯

☐棘間靱帯 Lig. interspinale：棘突起間に張る短い靱帯

☐棘上靱帯 Lig. supraspinale：第7頸椎の棘突起から始まり，下行して仙骨まで伸びる。

☐短椎体周囲靱帯 Lig. perivertebrale breve：前縦靱帯の両側にあり，椎間板同士を連結している。

☐肋椎関節 Articulatio costovertebralis：(☞ p.21：2.3.2 を見よ）

☐胸肋関節 Articulatio sternocostalis：(☞ p.21：2.3.2 を見よ）

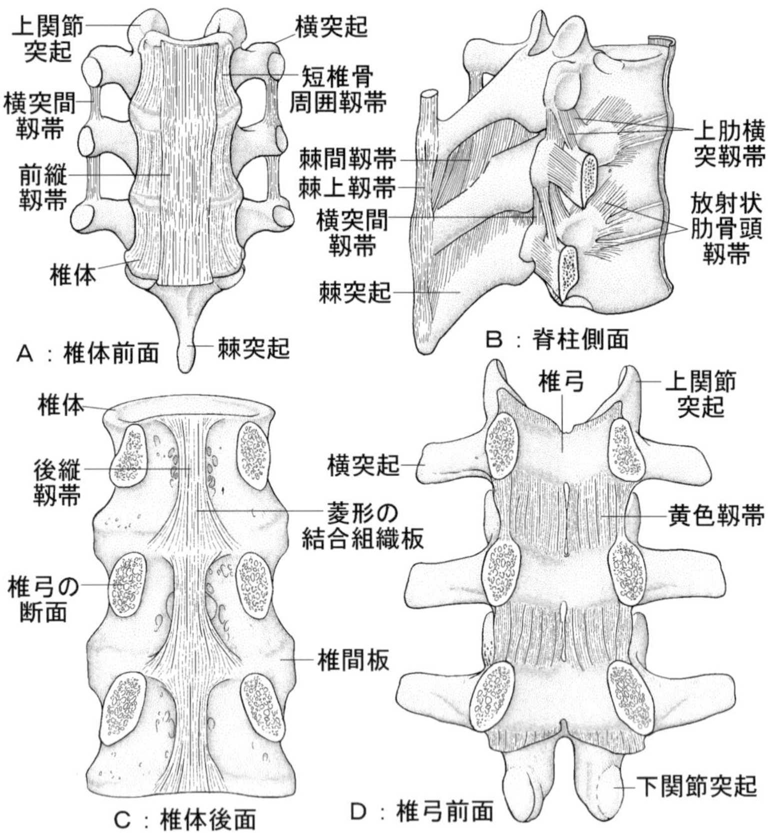

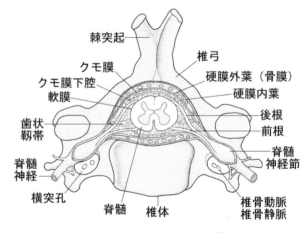

図 19-2　脊柱の靱帯

19.1.2　脊柱管の切開と脊髄の摘出

脊髄は柔らかく傷つきやすいので，椎骨が連なって作る脊柱管の中で保護されている。また，脊柱管の中でも硬膜，クモ膜，軟膜という結合組織性の膜に包まれている（図19-3）。脊髄は後頭骨と環椎（第1頸椎）の移行部から始まり，第1～2腰椎の高さで終わる。

図 19-3　脊柱と脊髄の横断

1）脊柱管の切開

> 脊柱に付着する軟部組織をすべて除去し，第1頸椎から第4腰椎までの椎弓を脊髄鋸を用いて切る。この時，椎弓の直下にある硬膜を傷つけないように注意せよ。

脊髄では，椎骨の骨膜と脊髄の硬膜は脂肪組織を含む結合組織によって緩やかに結合しているだけなので，骨膜は椎弓側に残り，硬膜に包まれた脊髄が現れてくる。

☐**脊髄硬膜** Dura mater spinalis：脊髄全体を包む丈夫な結合組織性被膜

> 鋏で脊髄硬膜を後正中線に沿って切開し，脊髄の表面を観察せよ。

☐**クモ膜** Arachinoidea：水に濡れたオブラートのような半透明の膜で，脊髄の表面を包む。

2) 脊髄の摘出

脊髄を摘出するために以下の操作を行う。
①前根と後根を硬膜の外で切断する。
②脊髄硬膜をつけたまま，頭方から尾方に向けて脊髄を取り出す。
③摘出された脊髄の観察は中枢神経の解剖を参照せよ。

19.2 上肢の関節

上肢帯の解剖において，以下の関節の観察は終わっている。
・胸鎖関節 Articulatio sternoclavicularis：（☞ p.188：10.2.4 を見よ）
・肩鎖関節 Articulatio acromioclavicularis：（☞ p.243：14.2.2 を見よ）

19.2.1 肩関節

肩関節 Artiuculatio humeri は肩甲骨の関節窩と上腕骨頭が作る球関節で，可動性に富み，様々な方向の運動が可能である（図19-4）。しかし，関節窩が浅いので構造的には安定性に乏しく，関節包のほかに，上腕二頭筋長頭の腱や，複

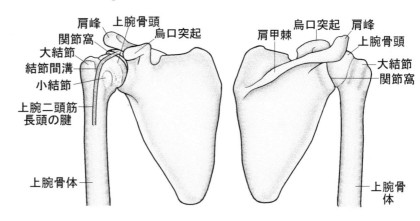

図 19-4　右の肩関節（左：前面，右：後面）

数の筋や腱で構成される**回旋筋腱板** rotator cuff（上方：棘上筋，前方：肩甲下筋，後方：棘下筋，下方：小円筋）などによって補強されている（☞ p.126：図 7-22 を参照）。

肩関節を観察するために，周囲にある筋や腱を再確認したあと，これらをきれいに除去せよ。

□**肩関節包**：Capsula articularis：
　肩関節全体を包む丈夫な結合組織性膜。
　肩関節包は多くの靱帯によって補強されている（図19-5）。

□**烏口上腕靱帯** Lig. coracohumerale：関節包の上面を補強する。

□**烏口肩峰靱帯** Lig. coracoacromiale

□**下肩甲横靱帯** Lig. transversum scapulae inferius：関節包の後面を補強する。

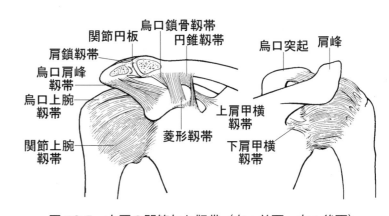

図 19-5　右肩の関節包と靱帯（左：前面，右：後面）

肩関節包や靱帯の観察が終われば，これらを切除して関節の内部を観察せよ。

- □上腕骨頭 Caput humeri：上腕骨の近位端で半球状を呈する。
- □関節窩 Cavitas glenoidalis：肩甲骨外側角の外側面にある浅いくぼみで，上腕骨頭を受ける（図19-6）。
- □上腕二頭筋長頭の腱：結節間溝 Sulcus intertubercularis（上腕骨大結節と小結節の間）を通り，肩関節包の中を通って関節上結節に停止し，前方から肩関節の安定化に寄与する。

19.2.2 肘関節

肘関節 Articulatio cubiti は以下の3つの関節を合わせたものである（図19-7）。

- □腕尺関節 Articulatio humero-ulnaris：上腕骨の滑車と尺骨の滑車切痕が作る関節で，肘の屈伸運動にあずかる。
- □腕橈関節 Articulatio humero-radialis：上腕骨小頭と橈骨小頭窩が作る関節で，前腕の回旋運動を行う。
- □上橈尺関節 Articulatio radioulna-ris proximalis：橈骨の関節環状面と尺骨の橈骨切痕が作る関節で，ここで前腕の回内，回外運動を行う。

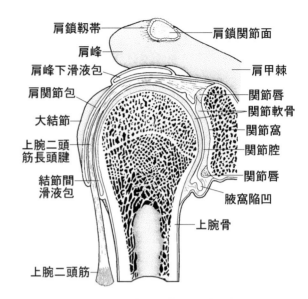

図19-6 右肩関節の前額断面

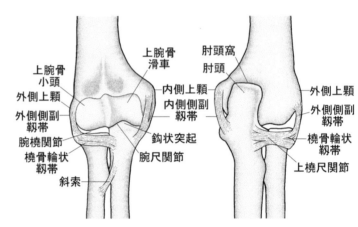

図19-7 右の肘関節（左：前面，右：後面）

肘関節付近に付着する筋や腱を再確認したあと，これらをきれいに除去せよ。

肘関節も全体が関節包で包まれており，以下の靱帯によって補強されている。
- 外側側副靱帯 Lig. collateralis radiale
- 内側側副靱帯 Lig. collateralis ulnare
- 橈骨輪状靱帯 Lig. anulare radii

19.2.3 手の関節

1）手根関節

手根関節 Articulatio carpeae は橈骨手根関節と手根間関節からなり，単に**手関節** carpal joint とも呼ばれる（図19-8）。

手根付近にある腱や筋を再確認したあと，これらをきれいに除去せよ。

- □橈骨手根関節 Articulatio radiocar-pea：舟状骨，月状骨，三角骨の近位面が作る関節頭は卵円形

で凸面をなす。関節窩は橈骨の遠位面とその尺側に続く関節円板が作る。楕円関節の代表で，手の屈伸や内転（尺側偏位），外転（橈側偏位）を行う。尺骨と手根骨の間には関節円板が介在しており，尺骨が手根関節には直接関与していないことに留意せよ。

- □ **手根間関節** Articulationes intercarpea：各手根骨は隣接面で互いに関節的な連結を行っており，これらを総称して手根間関節という。ただし手根骨同士は多数の靱帯で結合されているので，可動性はほとんどない。

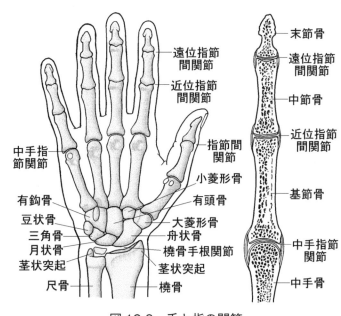

図 19-8 手と指の関節

2）手根中手関節

手根中手関節 Articulationes carpometacarpeae は手根骨の遠位面と中手骨底で構成される。母指では，第1中手骨底と大菱形骨が鞍関節を形成しているので，他の指と対立させることができる。しかし，他の指では中手骨底と手根骨が靱帯で結合されているのでほとんど動かない（半関節）。

3）中手指節関節

中手指節関節 Articulationes metacarpophalangeae, metacarpophalangeal joint（MP 関節）は中手骨頭（中手骨の遠位端）と基節骨底（基節骨の近位端）で作られる。母指の中手指節関節は蝶番関節で，それ以外の中手指節関節は球関節である（図 19-8）。

4）指節間関節

指節間関節 Articulationes interphalangeae manus は各指の指節骨間に形成され，第Ⅱ～Ⅴ指では指骨は3本あるので，指節間関節は近位と遠位に2つある。しかし，母指には中節骨がないので，単に指節間関節 Articulatio interphalangeae, interphalangeal joint（IP 関節）と呼ばれる。すべて蝶番関節である。

- □ **近位指節間関節** Articulationes interphalangeae proximales, proximal interphalangeal joint（PIP 関節）：基節骨と中節骨が作る。
- □ **遠位指節間関節** Articulationes interphalangeae distales, distal interphalangeal joint（DIP 関節）：中節骨と末節骨間の関節。

19.2.4 手の靱帯

前腕の骨，手根骨，中手骨および指節骨の間には多数の靱帯が張っている（図 19-9）。

1）前腕骨と手根骨間の靱帯

- □ **内側手根側副靱帯** Lig. collaterale carpi ulnare：尺骨の茎状突起と豆状骨の間
- □ **外側手根側副靱帯** Lig. collaterale carpi radiale：橈骨の茎状突起と舟状骨の間

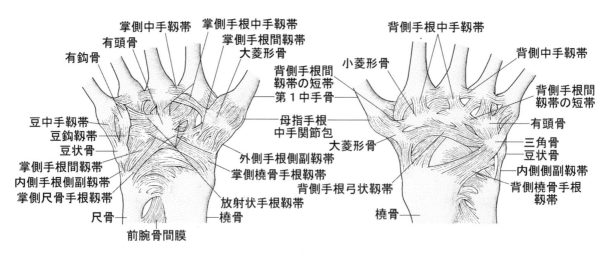

図19-9　右手根の靱帯（左：手掌面，右：手背面）

☐掌側橈骨手根靱帯 Lig. radiocarpeum palmare：橈骨の茎状突起と有頭骨の間
☐背側橈骨手根靱帯 Lig. radiocarpeum dorsale：橈骨遠位端中央と三角骨の間
☐掌側尺骨手根靱帯 Lig. ulnocarpeum palmare：尺骨の茎状突起と有頭骨の間

2）手根骨間の靱帯＝手根間靱帯 Ligg. intercarpea
☐放線状手根靱帯 Lig. carpi radiatum：有頭骨から放射状に広がる。
☐豆鉤靱帯 Lig. pisohamatum：掌側で豆状骨と有鉤骨の間
☐掌側手根間靱帯 Ligg. intercarpea palmaria：三角骨と有鉤骨の間
☐背側手根間靱帯 Ligg. intercarpea dorsalia：遠位列手根骨の間
☐骨間手根間靱帯 Ligg. intercarpea interossea：手根骨同士を結合している。

3）手根骨と中手骨間の靱帯＝手根中手靱帯 Ligg. carpometacarpea
☐豆中手靱帯 Lig. pisometacarpeum：豆状骨と第5中手骨底の間
☐掌側手根中手靱帯 Ligg. carpometacarpea palmaria：遠位列手根骨と中手骨底の間
☐背側手根中手靱帯 Ligg. carpometacarpea dorsalia：遠位列手根骨と中手骨底の間

4）中手骨間の靱帯＝中手靱帯 Ligg. metacarpea
☐背側中手靱帯 Ligg. metacarpea dorsalia：第2～5中手骨底の間
☐骨間中手靱帯 Ligg. metacarpea in-terossea：第2～5中手骨体の間
☐掌側中手靱帯 Ligg. metacarpea pal-maria：第2～5中手骨底の間

5）指の靱帯

中手指節関節や，近位および遠位指節間関節はそれぞれ側副靱帯 Ligg. collateralia によって左右から補強されている（図19-10）。

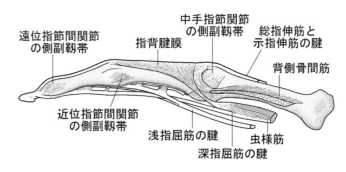

図19-10　指の腱と靱帯

19.3 下肢の関節

19.3.1 下肢帯骨の連結

下肢帯の骨である寛骨は腸骨，恥骨，坐骨の3つの骨からなる（☞ p.29：図 2-27 を参照）。思春期まではこれらの骨は軟骨結合によって結合しているが，18歳以降，骨結合によって完全に癒合する。

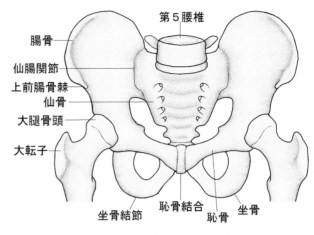

図 19-11 前から見た骨盤

1）骨盤の構成と連結

左右の寛骨と仙骨および尾骨で**骨盤** Pelvis が作られる（図 19-11）。

> 骨盤に付着する筋を再確認したあと，これらをできるだけきれいに除去せよ。

- □**仙腸関節** Articulatio sacroiliaca：仙骨と腸骨の耳状面が作る関節で，ほとんど可動性のない半関節である。そして前仙腸靱帯や後仙腸靱帯，骨間仙腸靱帯などで補強されている（図 19-12）。
- □**恥骨結合** Symphysis pubica：左右の恥骨が前正中線上で，線維軟骨の恥骨間円板を介して結合している。
- □**仙棘靱帯** Lig. sacrospinale：仙骨や尾骨の外側縁と坐骨棘の間

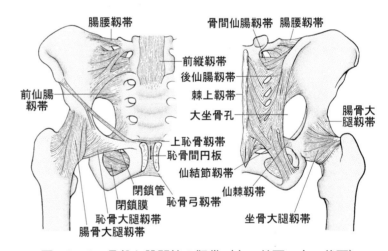

図 19-12 骨盤と股関節の靱帯（左：前面，右；後面）

に張る三角板状形の靱帯で，仙骨と坐骨を強固に結びつけるとともに，大および小坐骨孔を分けている。
- □**仙結節靱帯** Lig. sacrotuberale：仙骨および坐骨の外側縁と坐骨結節の間に張る強大な靱帯で，仙棘靱帯とともに大坐骨切痕と小坐骨切痕を大坐骨孔や小坐骨孔にする。
- □**鼡径靱帯** Lig. inguinale：上前腸骨棘と恥骨結節の間に張る靱帯で，外腹斜筋の一部が停止する。鼡径靱帯と腸骨前縁との間で，腸骨筋，大腰筋，大腿神経が通る部分を筋裂孔，大腿動脈や大腿静脈が通る部分を血管裂孔という。
- □**閉鎖膜** Membrana obturatoria：閉鎖孔の大部分を閉ざす。閉鎖孔の上部には閉鎖管という通路が開いており，ここを閉鎖動脈，閉鎖静脈，閉鎖神経が通る。

19.3.2 股関節

股関節 Articulatio coxae は寛骨臼と大腿骨頭が作る臼関節（球関節の一種）である。大腿骨頚と大腿骨体がなす角を**頚体角**といい，約130度である（図 19-13）。

> 股関節を覆う筋を再確認したあと、これらをきれいに除去せよ。

1）股関節の関節包と靱帯

股関節包は3個の関節包外靱帯と1個の関節包内靱帯で補強されている（図19-14）。

- □**関節包** Capsula articularis：近位部は関節唇よりも外で寛骨に付着している。遠位部は、前面では大腿骨の転子間線、後面では転子間稜よりも1横指上方に付着する。
- □**輪帯** Zona orbicularis：大腿骨頸の最も細い部位を襟巻きのように取り巻いて、大腿骨の頸を絞めている。
- □**腸骨大腿靱帯** Lig. iliofemorale：下前腸骨棘と寛骨臼の縁から始まり、股関節の前面を覆うようにして大腿骨の転子間線に付着する。人体で最も強大な靱帯で、350kgの牽引力にも耐える。外側部と内側部に分かれる。外側部は強大で、上方に位置し、大腿骨頸の軸とほぼ並行に走る。一方、内側部は外側部の下方にあって、大腿骨体の軸とほぼ平行に走る。
- □**坐骨大腿靱帯** Lig. ischiofemorale：寛骨臼の下方から起こり、ほぼ水平に股関節の後面を覆うようにして大腿骨の頸部をまわり、腸骨大腿靱帯外側部の停止部位に終わる。
- □**恥骨大腿靱帯** Lig. pubofemorale：恥骨の閉鎖稜から起こり、股関節の下面で輪帯の中に潜り込んで大腿骨に停止する。3本の関節包外靱帯のうちでは最も弱い。

2）股関節の内部構造（図19-15）

- □**寛骨臼** Acetabulum：寛骨の外側面にある半球状の凹面で、腸骨、恥骨、坐骨が構成に関与し、大腿骨頭を受け入れる。
- □**大腿骨頭** Caput femoris：大腿骨の近位端で、ほぼ球形をしている。
- □**関節唇** Labium acetabulare：線維軟骨で、寛骨

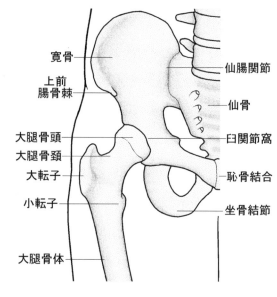

図19-13　右の股関節

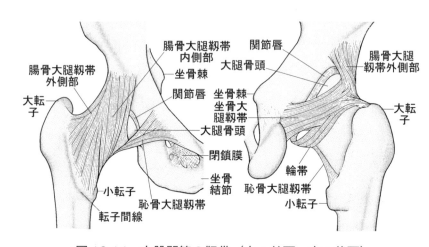

図19-14　右股関節の靱帯（左：前面，右：後面）

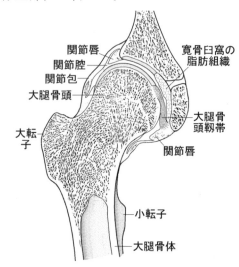

図19-15　右股関節の断面

臼の周辺を取り巻いて補強している。
- □**大腿骨頭靱帯** Lig. capitis femoris：寛骨臼切痕から始まり，大腿骨頭窩に終わる。中に血管を含んでいる。

19.3.3 膝関節

膝関節 Articulatio genus, knee joint は大腿骨遠位端，脛骨近位端および膝蓋骨から構成され，腓骨は関与していない（図 19-16 ～ 19-19）。

> 膝関節付近にある筋や腱を再確認した後，これらをできるだけきれいに除去せよ。また，大腿四頭筋腱を停止部で切断し，膝蓋骨を下方に反転せよ。

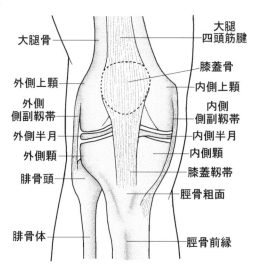

図 19-16　右の膝関節（前面）

1）膝関節の構成

- □**関節包** Capsula articularis：大腿骨遠位端の周囲から起こり，脛骨上端の周縁に付く。
- □**膝蓋靱帯** Lig. patellare：大腿四頭筋腱の続きで，膝蓋骨下端から起こり，脛骨粗面に付着する。
- □**内側側副靱帯** Lig. collaterale tibiale：三角形の扁平な靱帯で，大腿骨の内側上顆から起こり，脛骨の内側顆に付着する。関節包の内側面を補強するとともに，内側半月にしっかりと結合する。

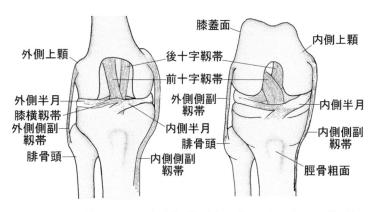

図 19-17　前から見た十字靱帯（左：伸展時，右：屈曲時）

- □**外側側副靱帯** Lig. collaterale fibulare：円柱状の靱帯で，大腿骨の外側上顆から起こり，腓骨頭の先端および外側面につく。関節包や外側半月には癒着しない。
- □**外側膝蓋支帯** Retinaculum patellae laterale：外側広筋の線維と一部の大腿直筋の線維からなり，脛骨粗面の外側で脛骨に付く。この中に腸脛靱帯の線維も進入する。
- □**内側膝蓋支帯** Retinaculum patellae mediale：主に内側広筋の線維からなり，膝蓋靱帯の内側を下行して，内側側副靱帯の前で脛骨に終わる。
- □**斜膝窩靱帯** Lig. popliteum obliquum：膝関節の後面にあり，これは半膜様筋腱の靱帯が外方に放

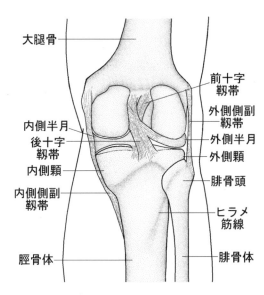

図 19-18　右の膝関節（後面）

散してきたものである。

> これらを確認したあと，メスで関節包や側副靱帯を切開して関節内部を観察せよ。

☐**前十字靱帯と後十字靱帯** Lig. cruciatum anterior et posterior：大腿骨と脛骨の間に張る前後2本の靱帯で，関節内にあり，互いに交叉している。

> この状態で膝関節を屈伸して，前後の十字靱帯の様子を観察する。これが終われば十字靱帯を切断して，関節内平面を観察せよ。

☐**大腿脛骨関節** Articulatio femorotibialis：大腿骨と脛骨の内側および外側顆がそれぞれ相対して作る蝶番関節である。

☐**大腿膝蓋関節** Articulatio femoropatellaris：大腿骨下端前面の膝蓋関節面と膝蓋骨後面が作る。

☐**内側半月** Meniscus medialis：大腿骨と脛骨の間に介在する半月状の線維軟骨で，内側側副靱帯と癒着しており，可動性が少ない。

☐**外側半月** Meniscus lateralis：環状の軟骨で外側側副靱帯と癒着していないので可動性が高い。

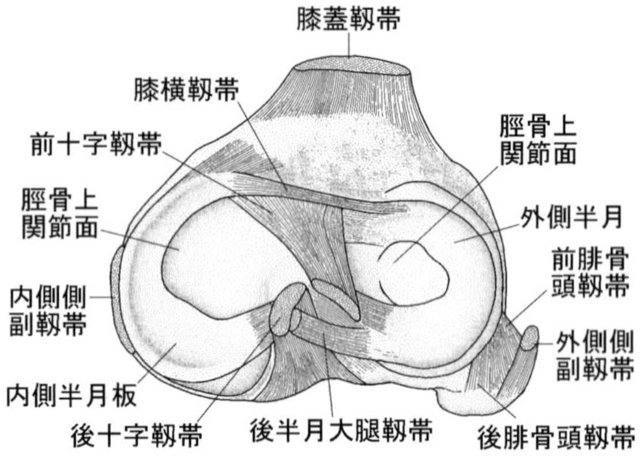

☐**膝横靱帯** Lig. transversum genus：膝関節の前面で内側および外側半月を連結している。

図19-19 膝関節の半月板と靱帯

膝関節では，ほぼ平面に近い脛骨の上端面に大腿骨が載っているだけなので，非常に不安定である。そこで，関節包の他に，前および後十字靱帯や側副靱帯などの強靱な靱帯で補強されたり，半月板で安定化が図られたりしている。また大腿四頭筋の筋力も膝の安定化に重要な意味を持っており，四頭筋腱の中にできた膝蓋骨は大腿骨を前面から押さえて，膝関節の安定化に重要な役割を果たしている。

2）膝関節の動き

大腿脛骨関節の主な運動は伸展と屈曲で，可動域は約160度である。ただし，屈曲位では下腿軸を中心にして回旋も可能である。

膝蓋骨は大腿骨の膝蓋関節面上を上下に滑るだけである。膝関節伸展位では，膝蓋骨は比較的自由に大腿骨の上を動くが，屈曲位では膝蓋腱が緊張するので，大腿骨に密着して動けなくなる（図19-20）。

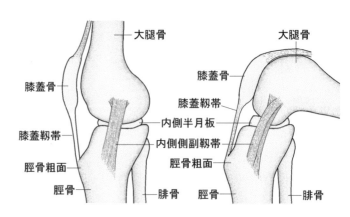

図19-20 膝関節の伸展（左）と屈曲（右）

19.3.4 下腿骨の連結

脛骨と腓骨の結合は非常に強固で，わずかな動きしか見られない（図19-21）。

> 下腿の前面と後面にある筋を再確認した後，これらをすべて除去せよ。

- □脛腓関節 Articulatio tibiofibularis：脛骨外側顆の腓骨関節面と腓骨頭内側面が作る半関節で，前および後腓骨頭靱帯 Lig. capitis fibulae anterius et posterius で関節包は補強されている。
- □下腿骨間膜 Membrana interossea cruris：骨幹部では，脛骨の外側縁と腓骨の内側縁がほぼ全長にわたって丈夫な結合組織性の骨間膜によって結合している。
- □脛腓靱帯 Lig. tibiofibulare：脛骨と腓骨の遠位端を結合する丈夫な靱帯で，わずかに伸長性がある。前後2つの部分からなる。
  - □前脛腓靱帯 Lig. tibiofibulare anterius：比較的平らな靱帯で，脛骨と腓骨下端の前面を斜めに走る。
  - □後脛腓靱帯 Lig. tibiofibulare posterius：脛骨と腓骨下端の後面をほぼ水平に走る。

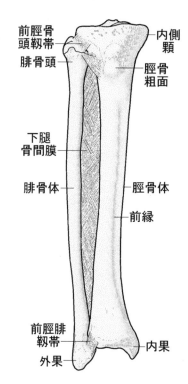

図19-21　下腿骨間の連結

19.3.5 足の関節

足には距腿関節，足根間関節，中足の関節および趾の関節がある（図19-22，19-23）。

> 足部の筋や腱を再確認したあと，これらをできるだけきれいに除去せよ。

1）上跳躍関節

上跳躍関節は**距腿関節** Articulatio talocruralis のことで，足関節 ankle joint とも呼ばれる。脛骨の下関節面と内果関節面および腓骨の外果関節面が合わさって下方に開く関節窩を作り，距骨滑車が関節頭となる蝶番関節である。この関節で足関節の底屈（屈曲）や背屈（伸展）が行われる。

2）下跳躍関節

下跳躍関節は距骨下関節と距踵舟関節を合わせたもので，車軸関節に分類される。この関節によって足の回旋（足部の内返しや外返し）を行う。

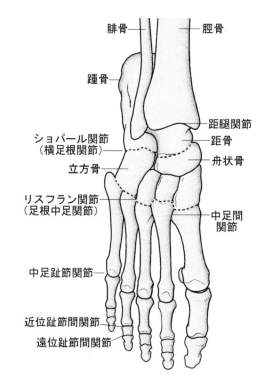

図19-22　右足の関節（足背面）

- □距骨下関節 Articulatio subtalaris：下跳躍関節の後部をなし，距骨の下面と踵骨の上面が作る。
- □距踵舟関節 Articulatio talocalca-neonavicularis：下跳躍関節の前部をなし，距骨の下面，踵骨の

上面および舟状骨の後面が作る。

3）横足根関節

距踵舟関節と踵立方関節 Articulatio calcaneocuboidea の関節面はほぼ横並びで，両者を合わせて**横足根関節** Articulatio tarsi transversa（ショパール関節 Chopart's joint）という（図19-22）。手術時に切断部位として用いられる。踵立方関節は半関節である。

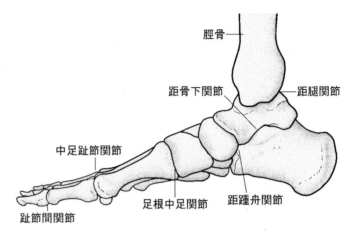

図19-23　右足の関節（内側面）

4）足根中足関節

足根中足関節 Articulationes tarsometatarseae は足根骨遠位列と中足骨底が作る関節で，リスフラン関節 Lisfranc's joint とも呼ばれる（図19-22）。足根中足関節は半関節で，第2中足骨底が近位方向にやや突出するだけで，この関節面もほぼ横走するので，足の切断部位として用いられる。

5）中足趾節関節

中足趾節関節 Articulationes metatarsophalangeae は第1〜5中足骨頭と各趾の基節骨底とが作る関節で，球関節に属するが，中足骨頭は関節窩に比べて大きい。

6）足の趾節間関節

足の**趾節間関節** Articulationes interphalangeae pedis の構成は手の指節間関節と全く同じで，各趾の趾節骨間に形成される。

□**近位趾節間関節** proximal interphalangeal joint（PIP関節）：基節骨と中節骨が作る。
□**遠位趾節間関節** distal interphalangeal joint（DIP関節）：中節骨と末節骨間の関節。

母趾には中節骨がなく，単に趾節間関節 interphalangeal joint（IP関節）と呼ばれる。趾節間関節はすべて蝶番関節である。足の趾は手ほど長くないので，手の指ほどは動かない。

19.3.6　足の靱帯

足には，下腿骨，足根骨，中足骨，趾節骨の間に多数の靱帯が張っており，骨格および関節を補強している（図19-24）。

1）下腿骨と足根骨間の関節包と靱帯

□**関節包** Capsula articularis：軟骨に覆われた関節面の縁に付着する。
□**内側三角靱帯** Lig. mediale deltoideum：脛骨の内果下端から起こる強大な靱帯で，以下の3部から構成される。
・脛舟部 Pars tibionavicularis：舟状骨に終わり，前脛距部を覆う。
・脛踵部 Pars tibiocalcanea：踵骨の載距部に向かい，一部は脛舟部を覆う。
・前・後脛距部 Pars tibiotalaris anterior et posterior：前脛距部は距骨頚に向かう。
□**前距腓靱帯** Lig. talofibulare anterius：腓骨の外果と距骨頚を結ぶ。

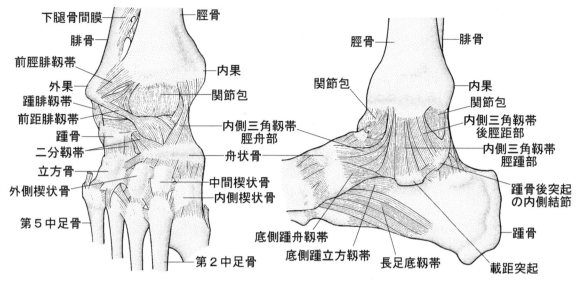

図 19-24　右足の靱帯（左：足背面，右：内側面）

- □ 後距腓靱帯 Lig. talofibulare posterius：外果窩からほぼ水平に距骨後突起に向かう。
- □ 前および後脛腓靱帯 Lig. tibiofibulare anterius et posterius：脛骨下端の外側面と腓骨外果の内側面を前後で結合する。

2）足根骨間の靱帯

- □ 距舟靱帯 Lig. talonaviculare：距骨の前縁と舟状骨の後縁を結合する。
- □ 骨間距踵靱帯 Lig. talocalcaneum interosseum
- □ 内側および外側距踵靱帯 Lig. talocalcaneum mediale et laterale
- □ 後距踵靱帯 Lig. talocalcaneum posterius：後面において距骨の下縁と踵骨上縁を結ぶ。
- □ 二分靱帯 Lig. bifurcatum：踵舟靱帯 Lig. calcaneonaviculare と踵立方靱帯 Lig. cal-caneocuboideum を合わせたもの。
- □ 背側楔間靱帯 Ligg. intercuneiformia dorsalia：3 個の楔状骨同士を結ぶ。
- □ 背側楔立方靱帯 Lig. cuneocuboideum dorsale：外側楔状骨と立方骨を結ぶ。
- □ 背側立方舟靱帯 Lig. cuboideonaviculare dorsale：立方骨と舟状骨を結ぶ。
- □ 背側楔舟靱帯 Ligg. cuneonavicularia dorsalia：舟状骨と 3 個の楔状骨を結ぶ。
- □ 背側踵立方靱帯 Ligg. calcaneocuboidea dorsalia：踵骨と立方骨を結ぶ 3 本の靱帯

3）底側にある足根靱帯（図 19-25）

- □ 長足底靱帯 Lig. plantare longum：踵骨隆起から立方骨と中足骨に向かう。
- □ 底側踵舟靱帯 Lig. calcaneonaviculare plantare：静力学上重要
- □ 底側楔舟靱帯 Ligg. cuboideonavicularia plantaria
- □ 底側立方舟靱帯 Lig. cuboideonaviculare plantare
- □ 底側楔間靱帯 Ligg. intercuneiformia plantaria
- □ 底側楔立方靱帯 Lig. cuneocuboideum plantare
- □ 骨間楔立方靱帯 Lig. cuneocuboideum interosseum
- □ 骨間楔間靱帯 Ligg. intercuneiformia interossea

4) 足根と中足間の靱帯

- □背側および底側足根中足靱帯 Ligg. tarsometatarsea dorsalia et plantaria
- □骨間楔中足靱帯 Ligg. cuneometatarsea interossea

5) 中足間の靱帯

- □骨間，背側および底側中足靱帯 Ligg. metatarsea interossea, dorsalia et plantaria

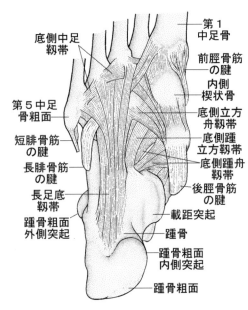

図 19-25　右足底の靱帯

20 感覚器の解剖

20.1 視覚器の解剖

20.1.1 眼窩部の体表観察

> 以下の部位を体表から確認せよ（図 20-1）。

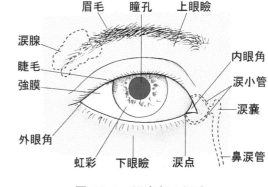

図 20-1　眼窩部の観察

☐眉毛（マユゲ）Supercilia
☐睫毛（マツゲ）Cilia
☐眼瞼 Palpebra：眼球を前方から覆って保護している。上下の眼瞼が作る裂隙を**眼瞼裂** Rima palpebrarum といい，その内側端を**内眼角** Angulus oculi medialis（メガシラ），外側端を**外眼角** Angulus oculi lateralis（メジリ）という。
☐眼球 Bulbus oculi
　☐角膜 Cornea：眼球線維膜の前部 1/5 を占める。
　☐虹彩 Iris：眼球前面の黒い円形の部分。
　☐瞳孔 Pupilla：眼球中央で虹彩が囲む穴。光を当てると狭くなる（縮瞳）。
　☐強膜 Sclera：眼球線維膜の後部 4/5 をなす。虹彩を囲む白い部分として見える。

20.1.2 眼窩部前面の解剖

> 眼瞼の皮膚を剥離して以下のものを剖出せよ（図 20-2, 20-3）。

1）眼瞼

☐眼輪筋 M. orbicularis oculi：眼瞼裂を取り巻く薄い表情筋で，眼瞼を閉じる（☞ p.191：図 10-21 を参照）。顔面神経に支配される。
☐内側および外側眼瞼靱帯 Lig. palpebrale mediale et laterale：内眼角や外眼角と眼窩の壁を結ぶ靱帯。

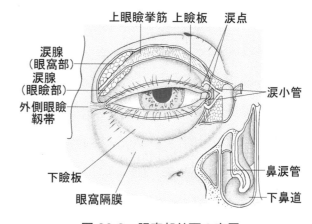

図 20-2　眼窩部前面の表層

> 眼輪筋を剥離してその深層にある以下のものを観察せよ。

☐上眼瞼挙筋 M. levator palpebrae superioris：前方からは上眼瞼への停止部が見えるだけである。動眼神経に支配される。
☐上および下瞼板 Tarsus superior et inferior：眼瞼の芯となる丈夫な結合組織性の板。
☐瞼板腺 Gll. tarsalis：瞼板にある粘液腺で，マイボーム腺 Meibomian gland とも呼ばれる。

- □眼窩隔膜 Septum orbitale：一部に腱を含む丈夫な結合組織で，眼窩縁より眼輪筋の下を通り，瞼板の外側縁に至る。

眼窩隔膜の上外側部を切ると涙腺が現れる（図20-2）。

2）涙器

涙器 Apparatus lacrimalis は涙を分泌する涙腺と，涙を排泄する管からなる。涙は眼球前面の乾燥を防ぐとともに，角膜上皮を養う。
- □涙腺 Gl. lacrimalis：涙を分泌する純漿液腺で，上眼瞼の外側上部にある。顔面神経の副交感神経線維が分布する。

  眼窩部 Pars orbitalis：上眼瞼挙筋の腱よりも上にあり，涙腺の大部分を占める。

  眼瞼部 Pars palpebralis：上眼瞼挙筋の腱よりも下にある小さい部分。

涙点から注射器で墨汁を注入して涙の排泄導管系を剖出せよ。

- □涙点 Punctum lacrimale：上下眼瞼の内眼角近くに開いている小さな孔。角膜の表面を流れた涙はここに吸い込まれる。
- □涙小管 Canaliculus lacrimalis：上下の涙点から涙嚢に向かう細い管。
- □涙嚢 Saccus lacrimalis：上下の涙小管が開口する太い袋。
- □鼻涙管 Ductus nasolacrimalis：涙嚢から鼻腔に涙を排出するための導出管で，下鼻道に開口する（図18-18を参照）。

瞼板と眼窩隔膜を眼瞼より除去し，結膜を観察せよ。

3）結膜

結膜 Tunica conjunctiva は眼球の前面と眼瞼の後面を結ぶ粘膜で，一部は重層円柱上皮に覆われている。
- □眼瞼結膜 Tunica conjunctiva palpebrarum：眼瞼の後面を覆う粘膜。
- □眼球結膜 Tunica conjunctiva bulbi：眼球前部の強膜を覆う粘膜で，角膜で角膜上皮に連続的に移行する。
- □上および下結膜円蓋 Fornix conjunctivae superior et inferior：眼球結膜が上および下眼瞼結膜に反転する場所。
- □結膜嚢 Saccus conjunctivalis：眼瞼結膜と眼球結膜の間の狭い間隙で，その上縁と下縁が上下の結膜円蓋になる。

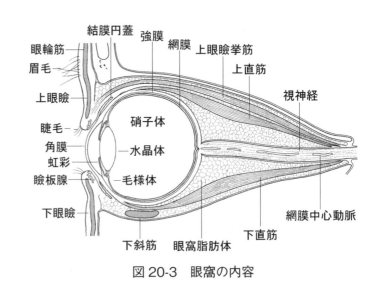

図20-3　眼窩の内容

後で眼球を摘出するために，結膜円蓋に沿って結膜を切れ。

20.1.3 前頭蓋窩の観察

前頭蓋窩 Fossa cranii anterior の床をなす部分は眼窩の天井そのものである。

> 前頭蓋窩および中頭蓋窩で以下のものを確認せよ（図 20-4）。

- □ **前頭洞** Sinus frontalis：前頭骨内にある副鼻腔の1つ（☞ p.321：図 18-16 を参照）。
- □ **鶏冠** Crista galli：前頭蓋窩の前端にある骨性の突起で，大脳鎌の前端が付着する。
- □ **篩板** Lamina cribulosa：鼻腔の天井をなし，この孔を通って嗅神経が頭蓋腔に入る。この上に嗅球が載っている。
- □ **視神経管** Canalis opticus：骨性の管で，視神経と眼動脈が通る。
- □ **内頚動脈** A. carotis interna：総頚動脈の枝で，脳に分布する。頭蓋に入ると最初に眼動脈を出した後，下垂体の両側で前大脳動脈と中大脳動脈に分かれる。

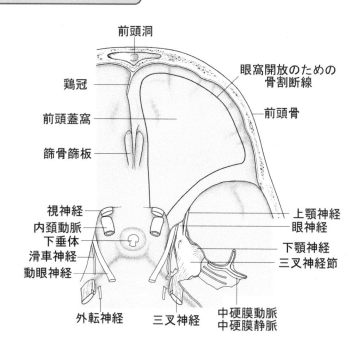

図 20-4　前頭蓋窩の観察と骨切り線

- □ **視神経** N. opticus：第2脳神経で，網膜で感受した視覚情報を脳に伝える。下垂体の前で半交叉して視交叉 Chiasma opticum を作る（☞ p.56：図 4-5 を参照）。
- □ **眼動脈** A. ophthalmica：内頚動脈の最初の枝で，眼球に分布する。網膜は間脳の壁が膨れ出たもので，脳そのものである。
- □ **トルコ鞍** Sella turcica：蝶形骨体の中央部にあるくぼみで，この中（下垂体窩）に下垂体を入れる。
- □ **下垂体** Hypophysis：間脳の視床下部からぶら下がっている内分泌腺で，前葉と後葉からなる。
- □ **動眼神経** N. oculomotorius：第Ⅲ脳神経で，運動性部は上眼瞼挙筋，上直筋，下直筋，内側直筋および下斜筋を支配する。副交感性部は毛様体神経節を介して瞳孔括約筋と毛様体筋を支配する。
- □ **滑車神経** N. trochlearis：純運動性で上斜筋を支配する。
- □ **三叉神経** N.trigeminus：脳神経のうちで最も太い。硬膜を剥離すると中頭蓋窩の内側面に三叉神経節 Ggl. trigeminale が現れ，3本に枝分かれする。
  - □ **眼神経** N. ophthalmicus：上眼窩裂を通って眼窩に入る。
  - □ **上顎神経** N. maxillaris：正円孔を通って頭蓋を出る。
  - □ **下顎神経** N. mandibularis：卵円孔を通って頭蓋を出る。
- □ **外転神経** N. abducens：純運動性で外側直筋を支配する。
- □ **中硬膜動脈** A. meningea media：顎動脈（外頚動脈の枝）の枝で，中頭蓋窩の硬膜を扇状に広がる。頭蓋骨の内面には中硬膜動脈による圧痕が見られる。

20.1.4　眼窩内部の解剖

図20-4の実線に沿って前頭骨の眼窩上壁にノミとハンマーを使って三角形の穴を開けよ。三角形の頂点は視神経管である。ピンセットで眼窩上壁の骨片を除去し，眼窩骨膜をT字型に切開して外方に反転せよ。そして，深部にある神経や筋を傷つけないように注意しながら眼窩内の脂肪組織を丁寧に除去して，以下の筋や神経を確認せよ（図20-5）。

- □ 前頭神経 N. frontalis：眼神経の枝で，最表層を前方に向かう。眼窩前部で以下の2本に分かれる。
  - □ 眼窩上神経 N. supraorbitalis：前頭神経の外側枝で，眼窩上切痕または眼窩上孔を通って皮下に出る。
  - □ 滑車上神経 N. supratrochlearis：前頭神経の内側枝で，前頭切痕または前頭孔を通って皮下に出る。
- □ 涙腺神経 N. lacrimalis：眼神経の枝で，眼窩の外側壁に沿って涙腺に向かう。涙腺動脈が伴行する。翼口蓋神経節からの副交感神経線維を含む。
- □ 滑車神経 N. trochlearis：上眼瞼挙筋の基部を横切って内方に向かう。

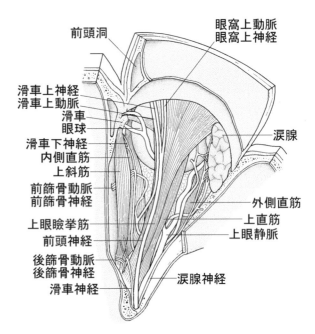

図20-5　眼窩浅層の神経と血管

- □ 上眼瞼挙筋 M. levator palpebrae superioris：眼窩上面の中央で前頭神経のすぐ下を前方に向かう。
- □ 上直筋 M. rectus superior：上眼瞼挙筋のすぐ下を前方に伸びる。
- □ 上斜筋 M. obliquus superior：眼窩の内側壁に沿って前方に伸び，前頭骨に付着する滑車を経由して眼球の上面に停止する。
- □ 内側直筋 M. rectus medialis：上斜筋の内側やや深部をこれと平行に伸びる。
- □ 外側直筋 M. rectus lateralis：眼窩の外側壁に沿って前方に伸びる。
- □ 篩骨蜂巣 Cellulae ethmoidales：眼窩の内側壁に沿って見える多数の小さな袋で，その中の空所（篩骨洞）は篩骨内にある副鼻腔の1つである（☞ p.321：図18-16を参照）。

眼窩の前後方向のほぼ中央部で上眼瞼挙筋と上直筋の筋腹を切断して前方と後方に反転し，深部にある以下のものを剖出せよ（図20-6）。

- □ 鼻毛様体神経 N. nasociliaris：眼神経の枝で，視神経の上を通り，眼窩内側壁の上前方で終わる。以下の神経に分かれ，鼻腔壁の一部に分布する。
  - 後篩骨神経 N. ethmoidalis posterior
  - 前篩骨神経 N. ethmoidalis anterior
  - 滑車下神経 N. infratrochlearis
  - 長毛様体神経 Nn. ciliares longi：毛様体と虹彩に分布する。
  - 毛様体神経節への交通枝：鼻毛様体神経からの知覚枝

□毛様体神経節 Ggl. ciliare：動眼神経の副交感性部に属する神経節で，交感神経線維も受ける。
□短毛様体神経 Nn. ciliares breves：毛様体神経節から起こり，眼球内に入って瞳孔括約筋や毛様体筋を支配する。
□視神経 N. opticus：眼球の後極から後方に伸び，視神経管を通って頭蓋に入る。
□眼動脈 A. ophthalmica：内頚動脈から出る最初の動脈で，以下の枝を出して眼球や眼窩内に広く分布する。
　□網膜中心動脈 A. centralis retinae：視神経の中軸部を通って網膜上を放射状に広がる（図20-3を参照）。
　□涙腺動脈 A. lacrimalis：涙腺神経とともに涙腺に至る。
　□滑車上動脈 A. supratrochlearis：滑車上神経と伴行する。
　□眼窩上動脈 A. supraorbitalis：眼窩上神経と伴行する。
□上眼窩静脈 V. ophthalmica superior：上眼窩裂を通って海綿静脈洞に入る。
□下眼窩静脈 V. ophthalmica inferior：下眼窩裂を通って翼突筋静脈叢に入る。

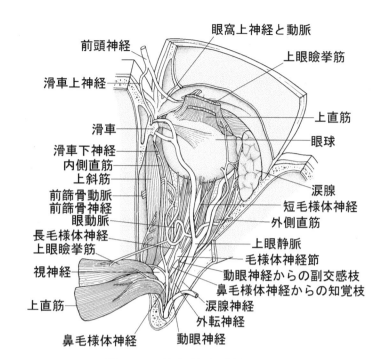

図20-6　眼窩深層の神経と血管

20.1.5　外眼筋の解剖

眼窩の前方と後方から，外眼筋を眼球に押しつけながら眼窩脂肪組織を除去し，外眼筋を付けた状態で眼球を取り出せ。

　外眼筋は眼球や上眼瞼の運動を行う小さな横紋筋で，下斜筋以外はすべて視神経管と上眼窩裂の内側を包む丈夫な結合組織（総腱輪 Anulus tendineus communis）から始まる。外眼筋のうち，上眼瞼挙筋，上直筋，内側直筋，下直筋，下斜筋は動眼神経に，上斜筋は滑車神経に，外側直筋は外転神経に支配される（図20-7）。

□上眼瞼挙筋 M. levator palpebrae superioris
起始：総腱輪
停止：上眼瞼
作用：上眼瞼を挙上して眼を開く。眼輪筋と拮抗する。
□上直筋 M. rectus superior
起始：総腱輪
停止：眼球前部上面の強膜
□内側直筋 M. rectus medialis

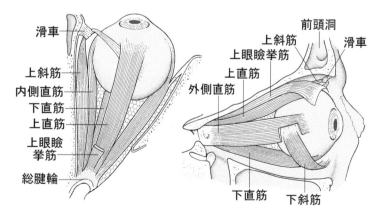

図20-7　右の外眼筋（左：上面，左：外側面）

起始：総腱輪

停止：眼球前部内側面の強膜

□下直筋 M. rectus inferior

起始：総腱輪

停止：眼球前部下面の強膜

□下斜筋 M. obliquus inferior

起始と停止：眼窩口内側縁後方にある上顎骨の前涙嚢稜から始まり，眼窩の下縁とほぼ平行に外方に向かい，眼球赤道上の外側面に停止する。

□上斜筋 M. obliquus superior

起始と停止：総腱輪から起こり，眼窩の内側壁に沿って前方に進み，前頭骨に付着する吊り輪状の結合組織索（滑車）の中を通って鋭角に後方に曲がり，眼球赤道上の上面に停止する。

□外側直筋 M. rectus lateralis

起始：総腱輪

停止：眼窩の外側壁に沿って前方に進み，眼球前部外側面の強膜に停止する。

眼球の運動

眼球の運動は上眼瞼挙筋を除く6つの筋によって行われる。

・外転（視線を外方に向ける）：外側直筋の作用
・内転（視線を内方に向ける）：内側直筋の作用
・上方視（視線を上方に向ける）：上直筋と下斜筋の共同作用
・下方視（視線を下方に向ける）：下直筋と上斜筋の共同作用
・内方回旋（視軸に対して時計方向に回転する）：上直筋と上斜筋の共同作用
・外方回旋（視軸に対して反時計方向に回転する）：下直筋と下斜筋の共同作用

20.1.6　眼球の解剖

眼球 Bulbus oculi は直径が約24mmのほぼ球形の感覚器官である。眼球の前後の極をそれぞれ前極 Polus anterior，後極 Polus posterior といい，後極のやや下内側から視神経が出て行く。前・後極を結ぶ線を眼球軸 Axis bulbi といい，これは眼球の構造上の軸である。また，瞳孔の中心と網膜中心窩を結ぶ線を視軸 Axis opticus といい，これは機能上の軸で，眼球軸とは約5度ずれている。内部構造はカメラとよく似ている。

眼球壁は眼球外膜 Tunica externa bulbi（眼球線維膜），眼球中膜 Tunica media bulbi（眼球血管膜），眼球内膜 Tunica interna bulbi（網膜）という3層からなり，その中に水晶体，硝子体，眼房水などの眼球内容物を入れている（表20-1）。

表20-1　眼球の構成

		眼球前部	眼球後部
眼球壁	眼球線維膜（外膜）	角膜	強膜
	眼球血管膜（中膜）	虹彩 毛様体	脈絡膜
	眼球内幕	網膜盲部 網膜虹彩部 網膜毛様体部	網膜視部
眼球内容物		水晶体 眼房水	硝子体

1）眼球の水平断面

> 右の眼球を，角膜頂，内側直筋と外側直筋の停止部，視神経基部を結ぶ経線に沿って水平に切れ。眼球壁の1ヶ所にメスで切り口を作り，後は眼科用ハサミを使って切れ（図20-8）。

- □**眼球線維膜** Tunica fibrosa bulbi：眼球の外箱を作る丈夫な被膜で，以下の2つの部分からなる。
  - □**角膜** Cornea：前1/5を占める透明な被膜で，眼球内部を保護するとともに，光の通り道となる。
  - □**強膜** Sclera：後ろ4/5を占める白色の丈夫な膜で，外眼筋の停止場所でもある。

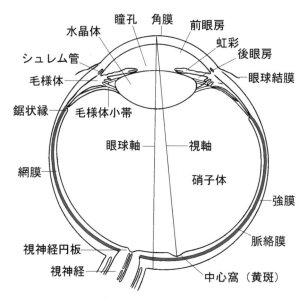

図20-8　右眼球の水平断面

- □**眼球血管膜** Tunica vasculosa bulbi：眼球壁の中間層で，血管を豊富に分布するとともにメラニン顆粒を多く含む。
  - □**虹彩** Iris：水晶体の前面を覆い，眼球に入る光量を調節する。虹彩の中央に開いた孔を**瞳孔** Pupilla といい，**瞳孔括約筋** M. sphincter pupillae（副交感神経支配）と**瞳孔散大筋** M. dilator pupillae（交感神経支配）によって瞳孔の大きさが調節される。
  - □**毛様体** Corpus ciliare：虹彩の後方部で，内部には**毛様体筋** M. ciliaris（副交感神経支配）があり，**毛様体小帯** Zonula ciliaris を介して水晶体を引っ張り，水晶体の厚さを変えて遠近調節する。
  - □**脈絡膜** Chor (i) oidea：毛様体の後方から始まり，眼球血管膜の大部分を占める。血管が豊富に分布しており，眼球壁を栄養する。また，メラニン顆粒を多く含み，眼球内での光の散乱を防ぐ（カメラの暗箱の働き）。
- □**眼球内膜** Tunica interna bulbi：眼球感覚膜とも呼ばれ，網膜と色素上皮層からなる。
  - □**網膜** Retina：光刺激を受けて興奮し，これを脳に伝える。
    - □**網膜虹彩部** Pars iridica retinae：虹彩の後面を覆う。
    - □**網膜毛様体部** Pars ciliaris retinae：毛様体の内側面を覆う毛様体上皮の部分で，眼房水を分泌する。
    - □**鋸状縁** Ora serrata：網膜毛様体部と網膜視部の境界をなす。
    - □**網膜視部** Pars optica retinae：網膜の大部分を占め，光刺激を受ける部分
    - □**視神経円板** Discus n. optici（**視神経乳頭** Papilla n. optici）：眼球の後極にあり，ここから視神経が出て行く。
    - □**中心窩** Fovea centralis（黄斑 Macula lutea）：視神経円板の耳側にあり，光に対して最も鋭敏な場所
- □眼球内容物
  - 眼房 Camera bulbi：虹彩と角膜の間を**前眼房** Camera anterior bulbi，虹彩と水晶体の間を**後眼房** Camera posterior bulbi といい，**眼房水** Humor aquosus で満たされている。眼房水は毛様体上皮で分泌され，角膜と強膜の移行部にあるシュレム管で吸収されて眼圧を調節する。

□**水晶体** Lens：光を屈折させて網膜上に結像させる。
□**硝子体** Corpus vitreum：無色透明なゼリー状で光を屈折させるとともに，眼球内を満たして眼球の形を保持する。

2）眼球の前額断面

左眼球を赤道に沿って切れ。そして眼球の前半分と後ろ半分の内側面を観察せよ。

(1) 眼球の前半分（図 20-9）
□**角膜** Cornea：眼球の前面を覆う時計皿状の透明な膜で，その中心を**角膜頂** Vertex corneae という。
□**結膜輪** Anulus conjunctivae：結膜上皮と角膜上皮の移行部。

角膜を結膜輪に沿って切り取ると前眼房が見えてくる。

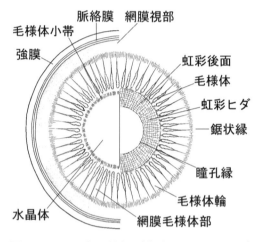

図 20-9 眼球の前部（後方から見ている）

□**虹彩** Iris：水晶体を前方から覆うドーナツ円盤状の膜で，中央の穴を**瞳孔** Pupilla という。
□**網膜** Retina：眼球壁の内側面を作る。
　□**網膜毛様体部** Pars ciliaris retinae：毛様体の内面を覆う部分。
　□**鋸状縁** Ora serrata：網膜毛様体部と網膜視部の移行部。
□**毛様体** Corpus ciliare：虹彩を後方から取り巻いている。
　□**毛様体突起** Processus ciliares：放射状に並ぶ，血管に富んだヒダ。
　□**毛様体冠** Corona ciliaris：毛様体突起が並ぶ輪状の部分。
　□**毛様体輪** Orbiculus ciliaris：毛様体冠を囲む輪状の部分。
□**毛様体小帯** Zonula ciliaris：水晶体を毛様体に連結する。

(2) 眼球の後ろ半分（図 20-10）
□**網膜視部** Pars optica retinae：眼球壁後部の最内層をなす。
　□**視神経円板** Discus n. optici：網膜の後極にある直径約 1.6mm の円板状の部分で，ここから視神経がでていく。また，視神経円板の中央を**円板陥凹** Excavatio disci といい，ここから網膜中心動脈・静脈が現れて，網膜上に放射状に広がる。
　□**黄斑** Macula lutea：視神経円板から 3〜4mm 外側にある，すり鉢状の浅いくぼみで，その中心を**中心窩** Fovea centralis という。細かいものに注視するときにはここに焦点を結ぶ。

3）網膜の血管
　視神経円板から眼動脈の枝である**網膜中心動脈** A. centralis retinae と網膜中心静脈 V.centralis retinae が眼球に進入し，網膜に放射状に広がる（図 20-10）。
□**上外側動（静）脈** Arteriola (Venula) temporalis retinae superior
□**下外側動（静）脈** Arteriola (Venula) temporalis retinae inferior

□上内側動（静）脈 Arteriola (Venula) nasalis retinae superior
□下内側動（静）脈 Arteriola (Venula) nasalis retinae inferior
□上黄斑動（静）脈 Arteriola (Venula) macularis superior
□下黄斑動（静）脈 Arteriola (Venula) macularis inferior
□網膜内側動（静）脈 Arteriola (Venula) medialis retinae

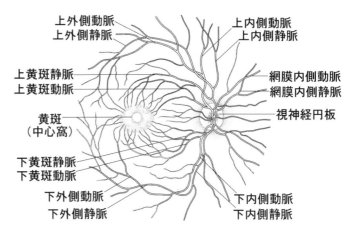

図20-10 網膜の血管

> 網膜視部をピンセットで剥離せよ。脈絡膜が現れる。

□脈絡膜 Chor (i) oidea：メラニン色素を多く含む黒い膜で，細い血管が豊富に分布する。脈絡膜は眼球壁を養うとともに，カメラの暗箱としての役割も持っている。

> 脈絡膜をピンセットで剥離せよ。強膜が現れてくる。

□強膜 Sclera：眼球の外壁を作る丈夫な結合組織性の膜で，眼球の形を保持する上で最も重要である。

20.2 聴覚・平衡器の解剖

耳 Auris, ear は聴覚と平衡覚を司る感覚器で，外耳，中耳および内耳に区分される。このうち，内耳は聴覚や平衡覚の感覚受容器が存在する場所で，ここは側頭骨の錐体の中にあって保護されている。

20.2.1 外耳の解剖

外耳 Auris externa は耳介と外耳道からなり，鼓膜によって中耳と隔てられている。

1) 耳介

耳介 Auricula は空気を伝わってきた音を受け止めるいわば集音装置である。下端部をなす耳垂を除いて**耳介軟骨** Cartilago auriculae という弾性軟骨を芯にして，その上を薄い皮膚が覆っているだけなので，独特の弾力性を持っている（図20-11）。

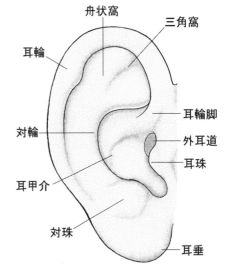

図20-11 右の耳介

□耳輪 Helix：耳介の外周をなす高まり
□耳輪脚 Crus helicis：耳輪から下後方に巻き込んだヒダ様の部分
□対輪 Anthelix：耳輪の内周をなす輪状の高まり
□耳珠 Tragus：外耳道の入口を前方から覆う部分
□対珠 Antitragus：対輪の下端をなす高まり

☐耳垂 Lobulus auriculae：耳介の下端部で，軟骨を欠くために柔らかい
☐舟状窩 Scapha：耳輪と対輪の間にある後方のくぼみ

> 図20-12を参考にしながら耳介の各部位を互いに確認せよ．次いで，耳介の皮膚を剥離して耳介軟骨を解出せよ．

2）外耳道

外耳道 Meatus acusticus externus は耳介から鼓膜に向かって緩やかなS字状に伸びる坑道で，耳介で集められた空気の振動はここを通って鼓膜に達する．外耳道の外側2/3は**外耳道軟骨** Cartilago meatus acustici で囲まれており，その内表面は薄い皮膚に覆われている．外耳道の皮膚には**耳道腺** Gll. ceruminosae という一種のアポクリン腺が存在する．耳垢はこの脂性分泌物と剥離表皮が混じったものである．

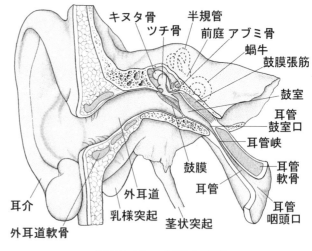

図20-12　右耳の概観

20.2.2　中耳の解剖

中耳 Auris media は外耳の内側にあり，鼓膜が受けた空気の振動は耳小骨という3つの小さな骨で増幅され，感覚受容器がある内耳に伝達される．

> 右耳介を基部から切断し，外耳道軟骨部を切除せよ．次いで，深部の外耳道骨部をノミで除去すると鼓膜が観察できる（図20-13）．

1）鼓膜

鼓膜 Membrana tympani は外耳と中耳を境する半透明の薄い膜で，厚さは約0.1mmである．組織学的には3層構造で，放射状と輪状に走る膠原線維の薄い層を芯にして，外側面は薄い重層扁平上皮，内側面は単層立方上皮によって覆われている．形はちょうど時計皿のようにほぼ円形（横径1cm，縦径0.9cm）で，内方に向かって浅くくぼんでいる．

☐鼓膜臍 Umbo membranae tympani：陥凹部の最も深い場所
☐ツチ骨条 Stria mallearis：鼓膜臍から上前方に伸びる白い影で，鼓膜の内側面に接するツチ骨柄が透けて見えている．
☐弛緩部 Pars flaccida：ツチ骨条上端の上方にある狭い領域で，鼓膜があまり緊張していない部分
☐緊張部 Pars tensa：弛緩部以外の部分で，鼓膜がピンと張っている．
☐光錐 cone of light：耳鏡で鼓膜を観察すると，前下方に三角形の明るい領域が見える．

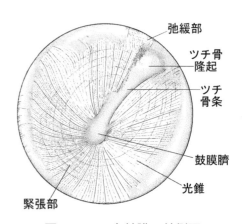

図20-13　右鼓膜の外側面

2）鼓室

中耳が存在する場所を**鼓室** Cavum tympani という。鼓室は側頭骨の錐体内にできた，左右に狭く（2〜3mm），上下に広い（10〜20mm）複雑な形をした腔所で，中に耳小骨が存在する。鼓室の内面や耳小骨は粘膜に覆われており，鼓室内にはいくつかの粘膜ヒダが見られる。また，鼓室は耳管という細い管を介して上咽頭に開いている（図20-12を参照）。

中耳を観察するために以下の操作を行え。この操作によって中耳を外側半と内側半に分けることができる（図20-14）。
① 右の頭蓋底を取り，鼓室蓋を上，耳管を前にして置け。
② 室蓋壁にノミで小さな孔を開けよ。この窓から鼓室とキヌタ・ツチ関節が見えたらその孔を少し拡げよ。
③ 耳管の基部からキヌタアブミ関節を通って錐体の後部に至る線で側頭骨を鋸で切れ。この時，耳管咽頭口からゾンデを挿入して耳管の方向を確認せよ。

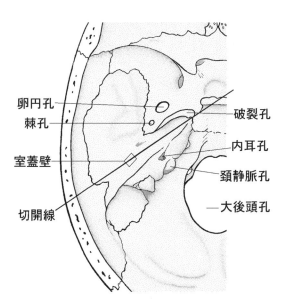

図20-14 鼓室蓋の位置と側頭骨の切開線

- □室蓋壁 Paries tegmentalis：鼓室の上壁をなす部分で，側頭骨錐体の前面に接している。この部分の骨は比較的薄い（図20-15）。

3）中耳外側壁の観察

- □鼓膜 Membrana tympani：鼓室の外側壁をなす。
- □乳突洞 Antrum mastoideum：鼓室の上後部に開く丸みを帯びた腔所
- □乳突蜂巣 Cellulae mastoideae：鼓室の上後壁をなす骨の中にできた小さな腔所で，乳突洞と連続している。

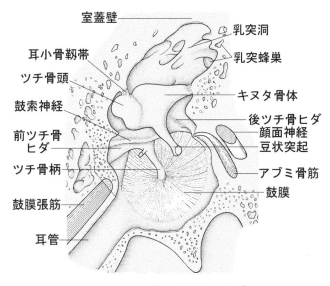

図20-15 鼓室外側半の観察

- □前および後ツチ骨ヒダ Plica mallearis anterior et posterior：鼓室内の粘膜が作るヒダのうちで，鼓索神経を包む部分
- □鼓索神経 Chorda tympani：舌体部からの味覚を伝える神経で，舌神経から分かれて顔面神経に合流する。
- □鼓膜張筋 M. tensor tympani：鼓膜張筋半管から始まってツチ骨柄に停止する。下顎神経に支配され，ツチ骨を内方に引いて鼓膜を緊張させる。

4）耳小骨

耳小骨 Ossicula auditus は中耳にある3個の小豆大の骨の総称で，鼓膜に起こった振動を内耳に伝える。耳小骨は互いに関節で連結されており，テコの原理を利用して，鼓膜の振動を1.3～1.5倍に増幅する（図20-15, 20-16）。

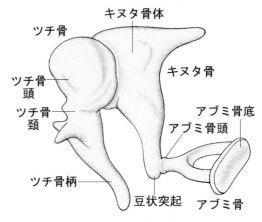

図20-16　耳小骨

- □ツチ骨 Malleus：3つの耳小骨のうちで最も外側に位置する。ハンマーの形をしており，ツチ骨柄で鼓膜に固定されている。
- □キヌタ骨 Incus：3つの耳小骨のうちで真ん中に位置する。キヌタとは，絹を打って柔らかくする時に使う台のことで，ツチが打つ道具に当たる。ツチ骨頭とキヌタ骨体の間で関節を作る。
- □アブミ骨 Stapes：鐙（乗馬の際に，馬の背に跨って，足をかける道具）にそっくりの形をした骨で，キヌタ骨の豆状突起とアブミ骨頭の間で関節を作る。アブミ底は前庭窓に蓋をする。アブミ骨底の周囲はアブミ骨輪状靱帯 Lig. anulare stapedis によって鼓室内側壁に固定されている。
- □耳小骨靱帯 Ligg. ossiculorum auditus：ツチ骨やキヌタ骨はいくつかの小さな靱帯で鼓室壁に固定されている。

5）中耳内側壁の観察

中耳の内側壁は側頭骨錐体の外側壁そのもので，迷路壁 Paries labyrinthicus とも呼ばれ，これよりも内側が内耳である（図20-17）。

- □乳突洞口 Aditus ad antrum：鼓室から乳突洞への入口。
- □岬角 Promontrium：迷路壁の中央部にある隆起で，蝸牛の基底回転が作る。
- □前庭窓 Fenestra vestibuli：迷路壁に開いた卵円形の孔で，アブミ骨底によって塞がれている。
- □蝸牛窓 Fenestra cochleae：岬角の下後部に開く正円形の孔で，第二鼓膜によって塞がれている。

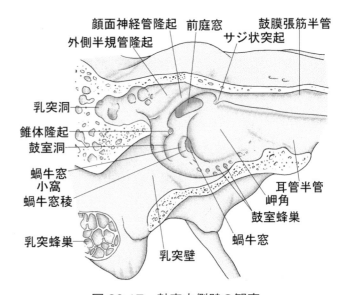

図20-17　鼓室内側壁の観察

- □蝸牛窓小窩 Fossula fenestrae cochleae：蝸牛窓に続く小さなくぼみ
- □鼓室洞 Sinus tympani：岬角や蝸牛窓の後方にある深い洞
- □外側半規管隆起 Prominentia canalis semicircularis lateralis：外側半規管によってできる隆起で，顔面神経管隆起の上方にある。
- □顔面神経管隆起 Prominentia canalis facialis：前庭窓と外側半規管隆起の間を走る顔面神経管によってできる。
- □錐体隆起 Eminentia pyramidalis：前庭窓の高さにある小さな隆起で，先端には小孔が開いており，ここからアブミ骨筋の腱が出る。

□鼓室蜂巣 Cellulae tympanicae：鼓室底にある蜂巣状のくぼみ
□サジ状突起 Processus cochleariformis：岬角の上方で，鼓膜張筋半管の中にあるスプーン状の突起で，結合組織性のワナとともに鼓膜張筋の支点となる。
□乳突蜂巣 Cellulae mastoideae：鼓室と同様に単層立方あるいは扁平な上皮によって内腔は覆われている。

6）中耳内側壁の筋と神経

> 顔面神経管隆起や外側半規管隆起の骨壁をノミで慎重に除去して，顔面神経と外側半規管を剖出せよ。また，錐体隆起の先端から出るアブミ骨筋腱を手掛かりにして，アブミ骨筋も剖出せよ（図 20-18）。

□耳管半管 Semicanalis tubae auditivae：鼓室は前方で耳管半管に移行する。
□鼓膜張筋半管 Semicanalis musculi tensor tympani：耳管半管の上を走り，中に鼓膜張筋を入れる。
□アブミ骨筋 M. stapedius：錐体隆起から起こり，アブミ骨頭に停止する。顔面神経支配で，アブミ骨の振動を減弱させる。
□鼓膜張筋 M. tensor tympani：耳管軟骨と鼓膜張筋半管壁から起こり，ツチ骨底に停止する。下顎神経に支配される。
□鼓室神経 N. tympanicus：副交感性で舌咽神経からの枝である。

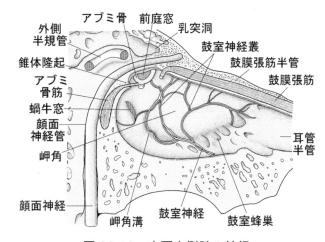

図 20-18　中耳内側壁の神経

□鼓室神経叢 Plexus tympanicus：内頚動脈神経叢の交感神経線維や顔面神経からの交通枝などで構成される。
□顔面神経 N. facialis：顔面神経管の中を走る。途中でアブミ骨筋に枝を出す。

7）耳管

耳管 Tuba auditiva は鼓室と咽頭鼻部（上咽頭）を結ぶ 3〜4cm の長円錐形の管で，鼓室から前下方に向かい，耳管咽頭口で終わる（図 20-12 を参照）。耳管の粘膜は咽頭や鼓室の粘膜と連続しており，咽頭に起こった炎症が耳管を通して鼓室に波及したのが中耳炎である。
□耳管の骨部：鼓室に近い 1/3 で，耳管粘膜は骨に囲まれている。
□耳管の軟骨部：咽頭に近い 2/3 で，耳管粘膜は耳管軟骨に囲まれている。
□耳管峡：骨部と軟骨部の移行部で，耳管が最も細くなっている部分

　耳管は通常時は閉ざされているが，嚥下時やあくびをした時に瞬間的に開き，耳管を通って鼓室に空気が出入りする。これによって鼓室と外耳（外気）の気圧が等しくなるように調節される。
　六甲山の山頂からロープウェイで一気に下山すると，耳が「ぽーん」となって変な感じを受けることがある。標高 900 メートル以上もある六甲山の頂上では，平地に比べて気圧が低い。耳管が閉じたままの状態で下山すると，鼓室内の気圧は山頂の気圧のままである。一方，外耳道の気圧は常

に外気圧と等しいので，鼓膜は鼓室に向かって押されることになる。耳に変な感じを受けるのはこのためである。この時，唾を飲み込んだりあくびをしたりすると，「バリッ」という音とともに，変な感じが消える。これは，嚥下やあくびをした時に瞬間的に耳管が開き，鼓室に空気が流入して，外耳道と鼓室の気圧が等しくなったためである。

20.2.3　内耳の解剖

内耳 Auris interna は聴覚や平衡覚を司る感覚受容器が存在する場所で，側頭骨の錐体の中にあり，骨迷路と膜迷路から構成される（図20-19）。

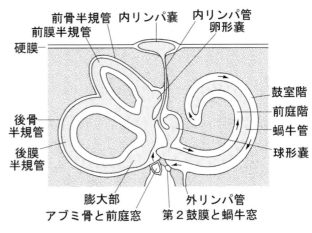

図20-19　骨迷路と膜迷路の関係

1）骨迷路

骨迷路 Labyrinthus osseus は側頭骨の錐体の中にできた複雑な形をした坑道で，中にほぼ同じ形の膜迷路を入れている。錐体は海綿質であるのに対して，骨迷路は厚さ2〜3mmの緻密質でできているので，肉眼的にも区別可能である。骨迷路と膜迷路の間の空間は外リンパという液体で満たされている。すなわち，膜迷路は骨迷路の

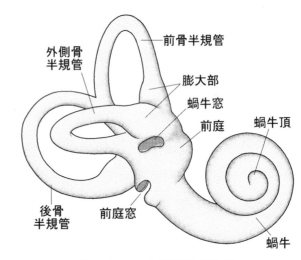

図20-20　右骨迷路の鋳型

中で外リンパに浮かんでいると思えばよい。骨迷路は以下の3部に分けられる（図20-20）。

- **前庭** Vestibulum：骨迷路の中央部にあり，前庭窓を介して鼓室と連絡している。また内側壁には3個の小孔があって内耳道と交通している。

- **骨半規管** Canales semicirculares ossei：前庭の後上方に位置する，3本の吊り輪状の細い管で，互いに直交する面上にある。起始部と停止部は前庭と繋がっており，各半規管の起始部で，やや膨らんでいる部分を膨大部という。

  □**外側骨半規管** Canalis semicircularis latralis：水平面に対して後下方に約30度傾いている。これは外耳道と外眼角を通る面である。

  □**前骨半規管** Canalis semicircularis anterior：矢状面に対して約45度外方にずれた面上にあり，突部を側頭骨錐体の前面に向けている。

  □**後骨半規管** Canalis semicircularis posterior：前額面に対して約45度後方にずれた面上にあり，側頭骨錐体の後面と平行になっている。

□**蝸牛** Cochlea：前庭の前下方にある「かたつむりの殻」の形をした部分で，頂上（蝸牛頂）を前外方に向けている。蝸牛頂と蝸牛底の中心を通る線を蝸牛軸といい，蝸牛軸からラセン管に向けて骨ラセン板がラセン階段状に張り出しており，蝸牛ラセン管を内側と外側の2部に不完全に分けている。

2）膜迷路

膜迷路 Labyrinthus membranaceus は薄い細胞層でできた閉鎖系の袋で、聴覚や平衡覚を感受する受容器（上皮細胞）が埋め込まれている。膜迷路の中は内リンパと呼ばれる液体で満たされているが、外リンパとの交通はない。膜迷路は以下の部分に分けられる（図20-21）。

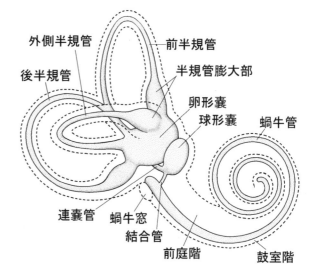

図20-21 膜迷路（点線は骨迷路を示す）

- □**卵形囊** Utriculus と**球形囊** Sacculus：前庭にある小さな袋で、前者は前方、後者は後方にある。一部の上皮が高くなって**平衡斑** Maculae staticae を作る。卵形囊斑 Macula utriculi は水平面上にあって水平面上の直進運動、球形囊斑 Macula sacculi は垂直面上にあって上下の直進運動を感受する。
- □**内リンパ管** Ductus endolymphaticus：球形囊から出る細い管で、前庭小管を通って、錐体の後面で脳硬膜直下に**内リンパ囊** Saccus endolymphaticus という小囊に終わる。
- □**膜半規管** Ductus semicirculares：3本の骨半規管の中にある管状の袋で、両脚でもって卵形囊に連続している。骨半規管の膨大部には膜半規管の**膨大部** Ampulla membranaceae があり、長い毛を持った丈の高い上皮が膨大部稜を作っている。これらの半規管は回転運動を感受する。
- □**蝸牛管** Ductus cochlearis：骨ラセン管の中をラセン状に走る細い管で、蝸牛底では球形囊に連続し、蝸牛頂では盲管に終わる。蝸牛管にはラセン器 Organum spirale（**コルチ器** Organum Corti）があって、これは音を感受する受容器である。

3）内耳道

内耳道 Meatus acusticus internus は錐体の後面のほぼ中央にある深さ約1cmの穴で、ここから顔面神経、内耳神経および迷路動・静脈が内耳に進入する。

- □内耳孔 Porus acusticus internus：内耳道の入口で、頸静脈孔のすぐ上の錐体後壁に開いている。
- □内耳道底 Fundus meatus acustici interni：内耳道が行き止まる場所

> 右の内耳道周囲の骨壁をノミで除去して内耳道底を観察せよ（図20-22）。

- □横稜 Crista transversa：これによって内耳道底は上部と下部に分けられる。
- □顔面神経野 Area nervi facialis：顔面神経管の起始部となる。
- □蝸牛野 Area cochleae：横稜の下で、ラセン孔列がある部分
- □ラセン孔列 Tractus spiralis foraminosus：蝸牛神経の線維が通る小さい孔の列で、蝸牛の回転と一致する。
- □上前庭野 Area vestibularis superior：顔面神経野の外側にあり、卵形囊膨大部神経が通る孔が開

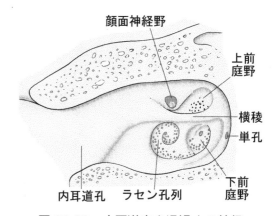

図20-22 内耳道底を通過する神経

いている。
- □下前庭野 Area vestibularis inferior：ラセン孔列の外側にあり，球形嚢神経が通る孔が存在する。
- □単孔 Foramen singulare：下前庭野の後方にあり，後膨大部からの神経が通る孔

20.2.4 錐体断面の観察

> 骨迷路を観察するために，右側頭骨の内耳道底と岬角の中央を通る面で錐体を鋸で切れ。そして断面において以下のものを確認せよ（図20-23）。

- □**蝸牛** Cochlea：ヒトでは2回と1/2〜3/4回転している。底の直径は8〜9mm，高さは4〜5mmである。
    - □蝸牛底 Basis cochleae：だいたい内耳道底の方を向いている。
    - □蝸牛頂 Cupula cochleae：頭蓋の中で前下外方を向いている。
    - □蝸牛軸 Modiolus：蝸牛底の中央と蝸牛頂を結ぶ線。
    - □骨ラセン板 Lamina spiralis ossea
- □蝸牛陥凹 Recessus cochlearis：球形嚢陥凹の下前方にあるくぼみで，蝸牛管の下端を入れる。

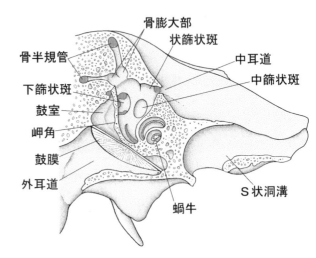

図20-23　錐体断面上の骨迷路

- □骨半規管 Canalis semicircularis：錐体内にある管状の坑道で，膜半規管を入れる。
- □骨膨大部 Ampullae osseae：半規管脚の底部で膨らんでいる部分。膜膨大部を入れる。
- □上篩状斑 Macla cribrosa superior：卵形嚢と膨大部からの線維が通る有孔部
- □球形嚢陥凹 Recessus sphaericus：前庭の内側壁にある円形の陥凹で，球形嚢を入れる。また，ここに中篩状斑がある。
- □中篩状斑 Macla cribrosa media：蝸牛管底付近で，球形嚢からの線維が通る有孔部
- □卵形嚢陥凹 Recessus ellipticus：前庭の内側壁にある細長い陥凹。後膨大部と総脚の間にある卵形嚢を入れる。この陥凹の中に下篩状斑がある。
- □前庭稜 Crista vestibuli：球形嚢陥凹と卵形嚢陥凹を隔てる骨稜
- □下篩状斑 Macla cribrosa inferior：後骨膨大部の壁にある，後膨大部からの線維が通る。

20.2.5 脱灰による膜迷路の解剖

> 内耳を含む錐体のブロックを切り出すために，右の側頭骨錐体に第1～3基準線を入れよ（図20-24）。名古屋大学の酒井教授の方法による。
> ①第1基準線：錐体の上縁から13mm外側で，上縁と平行な線。
> ②第2基準線：錐体の上縁と直角で，蝶錐体裂を通る線。
> ③第3基準線：第2基準線から20mm後外方で，第2基準線と平行な線。
> ④1～3の基準線に沿って鋸で正確に切り，内耳を含むブロックを切り出せ。
> ⑤取り出したブロックをガーゼに包んで，以下の脱灰液に3～4週間浸漬せよ。
> PlankとRycholの液（脱灰液）
> 　　塩化アルミニウム　7.0g　　　塩酸　8.5ml　　　蟻酸　5.0ml
> 　　蒸留水を加えて100mlとする。
> ⑥内耳骨迷路をブロックの表面上に投影してイメージしながら，先端が鋭利なピンセットを用いて，内耳道の周辺から柔らかくなった骨質部を少しずつ除去せよ。そして骨迷路の内壁をなす結合組織を残しながら膜迷路を剖出せよ。

1) 膜迷路の観察（図20-21, 20-25）

□内リンパ Endolympha：膜迷路の中を満たす液体。

□球形嚢 Sacculus：直径が2～3mmほどの小嚢で，中にほぼ垂直に立った球形嚢斑がある。これは上下方向の直進加速度を感受する。

□卵形嚢 Utriculus：底部にほぼ水平な卵形嚢斑を入れており，水平面上での直進加速度を感受する。

□結合管 Ductus reuniens：球形嚢と蝸牛管をつなぐ細い管。

□膜半規管 Ductus semicirculares：3本の管状の袋で，膨大部 Ampulla では長い毛を持った丈の高い上皮が膨大部稜を作っている。

　□前半規管 Ductus semicircularis anterior：前後の回転を感受する。

　□後半規管 Ductus semicircularis posterior：左右の回転を感受する。

　□外側半規管 Ductus semicircularis lateralis：水平面上の回転を感受する。

□蝸牛管 Ductus cochlearis：ラセン管の中を走る膜迷路で，蝸牛底では球形嚢に連続し，蝸牛頂で盲管となって終わる。蝸牛管にはラセン器 Organum spirale（コルチ器 Organum Corti）があって，音を感受する。

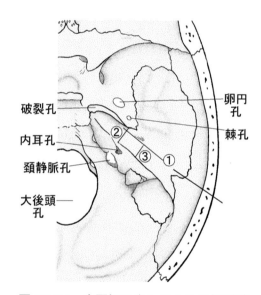

図20-24　内耳切り出しのための切断線

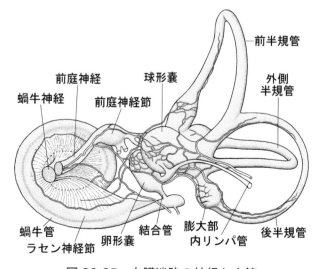

図20-25　左膜迷路の神経と血管

2）蝸牛管

蝸牛のラセン管は骨ラセン板と基底板によって上下に分けられる（図20-26）。

- □**前庭階 Scala vestibuli**：骨ラセン板と蝸牛管の上にあり，外リンパで満たされている。蝸牛底では前庭窓を介してアブミ骨と接している。
- □**鼓室階 Scala tympani**：骨ラセン板と基底板の下にあり，外リンパによって満たされている。蝸牛頂で前庭階と連続している。

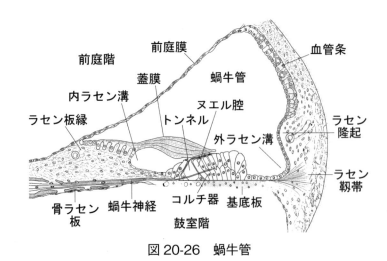

図20-26　蝸牛管

- □**蝸牛管 Ductus cochlearis**：横断面では三角形をしており，内リンパで満たされている。
- □**血管条 Stria vascularis**：蝸牛管の外側壁上部で血管を多く含み，内リンパを分泌する。
- □**前庭膜 Membrana vestibularis**：前庭階と蝸牛管を隔てる厚さ約 $3\mu m$ の薄い膜
- □**ラセン隆起 Prominentia spiralis**：外ラセン溝の上にある隆起で，肥厚した結合組織の中に多くの血管を含む。
- □**基底板 Lsmina basilaris**：蝸牛管と鼓室階を隔てる結合組織性の膜

3）コルチ器

コルチ器 organ of Corti はラセン器 Organum spirale とも呼ばれ，音刺激を感受する感覚受容器である（図20-26，20-27）。

- □**ラセン板縁 Limbus laminae spiralis osseae**：骨ラセン板上で内骨膜が肥厚した部分。その外側縁から蓋膜が伸び出す。
- □**蓋膜 Membrana tectoria**：線維性の膜で，コルチ器の上に覆い被さっている。
- □**内ラセン溝 Sulcus spiralis internus**：前庭唇と鼓室唇の間にある溝
- □**内有毛細胞 inner hair cell**：感覚細胞で，内トンネルの内側に一列に並んでいる。
- □**外有毛細胞 outer hair cell**：感覚細胞で，内トンネルの外側に，蝸牛底の回転では3列，中間部の回転では4列，上部の回転では5列に並んでいる。
- □**内柱細胞 inner piller cell**：内トンネルの内側の柱を作る。
- □**外柱細胞 outer pillar cell**：内トンネルの外側の柱を作る。
- □**ダイテルスの支持細胞 supporting cell of Deiters**：外有毛細胞を載せている。細胞内を貫くレチウス線維は外有毛細胞の間を上行して平らな頭板を作る。
- □**ヌエル腔 space of Nuel**：外柱細胞とダイテルスの支持細胞の間にある腔

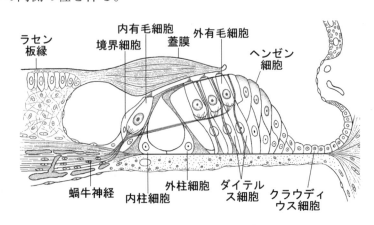

図20-27　コルチ器の模式図

□ヘンゼンの支持細胞 supporting cell of Hensen：外有毛細胞やダイテルスの支持細胞を外側から支持する。
□クラウディウスの支持細胞 supporting cell of Claudius：ヘンゼンの支持細胞の外方に続く単層の上皮細胞。

4）膜半規管膨大部

各半規管は卵形嚢との移行部で**膨大部** Ampulla membranacea を作り，そこに**膨大部稜** Crista ampullaris という感覚受容器を備えている（図20-28）。膨大部稜の感覚細胞は感覚小毛という短毛を出している。これらは**膨大部頂** Cupola（小帽）というゼリー状の物質で覆われており，膨大部頂は膨大部の反対壁まで達している。

膜半規管の中は内リンパという液体で満たされている。今，身体が右回り（時計回り）に回転すると，有毛細胞も身体とともに右方向に移動する。しかし，慣性の法則によって，内リンパはその場所に留まろうとするので，膨大部頂と感覚小毛は内リンパに押されて反対方向に倒される。この傾きを感覚細胞が感受する。

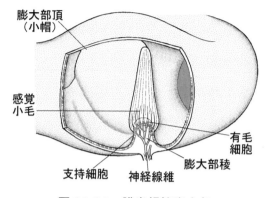

図20-28　膜半規管膨大部

4章　中枢神経系

21 中枢神経系

21.1 中枢神経系の概要

21.1.1 中枢神経系の組織像

脳と脊髄を合わせて**中枢神経系** Systema nervosum centrale という。脳と脊髄は神経管という1つの閉鎖系の袋から発生するので，両者間に明瞭な境界はない。

中枢神経系の中で，神経細胞や神経線維は無秩序に分布しているのではない。

- **灰白質** Substantia grisea, gray matter：中枢神経内で神経細胞体が大集合している場所で，肉眼的にやや灰褐色を帯びている。
- **白質** Substantia alba, white matter：有髄線維が大集合している場所で，肉眼的に白く見える。
- **神経核** Nucleus：白質内で神経細胞体が大小の集団を作っている場所
- **網様体** Formatio reticularis, reticular formation：神経細胞体と神経線維が混在している場所

21.1.2 中枢神経系の発生

胎生第3週において外胚葉の中央部が肥厚して**神経板** Lamina neuralis となり，これが筒状に皮下に埋没して**神経管** neural tube になる（☞ p.415：図23-1を参照）。神経管壁から中枢神経系の神経細胞や神経膠細胞が分化する。

神経板と皮膚外胚葉の移行部を**神経堤** neural crest といい，ここから末梢神経系の神経細胞や支持細胞が発生する。

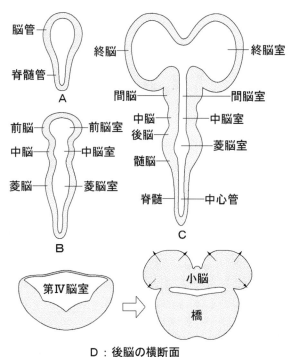

図21-1 中枢神経系の発生

1) 神経管の分化

形成されたばかりの神経管は「ボウリングのピン」を逆さにしたような閉鎖系の袋である（図21-1A）。

- **脳管** cerebral canal：神経管の大部分を占める太い部分で，ここから脳が発生する。
- **脊髄管** spinal canal：尾側の細い部分で，後に急速に長くなり，ここから脊髄 Medulla spinalis が発生する。

脳管の2ヶ所にくびれが生じ，前脳，中脳および菱脳の

表21-1 発生時と完成時における脳と脳室の対比

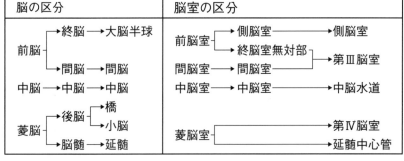

3つの部分に区分されるようになる（図21-1B，表21-1）。

- **前脳** Prosencephalon：さらに頭側半の**終脳** Telencephalon と尾側半の**間脳** Diencephalon に二分される。このうち，終脳からは脳胞が左右に大きく膨出して**大脳半球** Hemispherium cerebri になる（図21-1C）。一方，間脳はあまり大きくならず，やがて大脳半球に前後左右から覆い包まれてしまう。
- **中脳** Mesencephalon：あまり大きくならず，終生管状構造を保つ。間脳と同様に，大部分は大脳半球に覆われてしまい，一部を除いて外表面からは見えなくなる。
- **菱脳** Rhombencephalon：頭側半分の**後脳** Metencephalon と尾側半分の**髄脳** Myelencephalon に分かれる。このうち，後脳の腹側半分は前方に膨隆して**橋** Pons となり，背側半分は後方や左右に大きく膨出して**小脳** Cerebellum になる（図21-1D）。髄脳は**延髄** Medulla oblongata になる。

2) 脳室の分化（表21-1）

神経管の中にできた腔所を**脳室** Ventriculus という。神経管の分化に伴って脳室の形も変化するが，元来ひと続きの腔所であり，この連続性は終生保たれる（図21-49を参照）。脳室は**脳脊髄液** cerebrospinal fluid という透明な液体で満たされている。

- **側脳室** Ventriculus lateralis：終脳室のうち，大脳半球内にある部分で左右にあり，大脳半球の発達に伴って「つ」の字の形になる。
- **第Ⅲ脳室** Ventriculus tertius：終脳室中央の終脳室無対部と間脳室を合わせたもので，左右に扁平である。**室間孔** Foramen interventriculare（モンロー孔 Foramen Monro）を介して側脳室に続く。
- **中脳水道** Aqueductus cerebri：中脳の中軸部を頭尾方向に貫く非常に細い管
- **第Ⅳ脳室** Ventriculus quartus：菱脳室の頭側半分で，前後に扁平な菱形の部分
- **中心管** Canalis centralis：延髄の尾側半と脊髄のほぼ中央を貫通する細い管

21.2 脊髄

脊髄 Medulla spinalis は太さ約1～1.5cm，長さ42～45cmの細長い円柱状で，**脊柱管** Canalis vertebralis の中で軟膜，クモ膜，硬膜からなる脊髄膜に包まれて保護されている（図21-2）。脊柱管は椎体と椎弓が囲む**椎孔** Foramen vertebrale が上下に連なってできる。

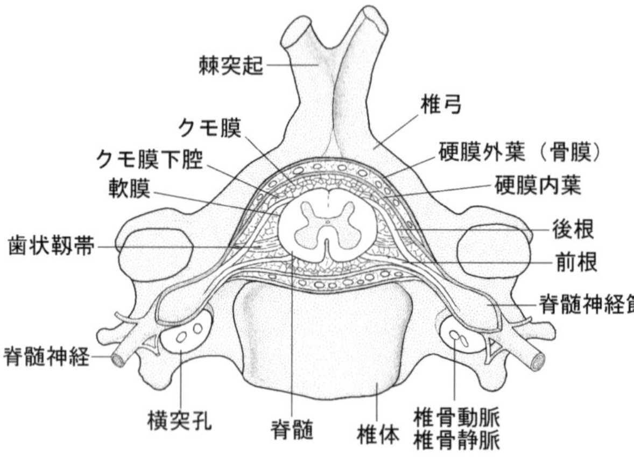

図21-2 脊柱と脊髄の横断

21.2.1 脊髄の外観

脊髄の上端は環椎と後頭骨の境界で延髄に移行し，下端は第1～2腰椎の高さで**脊髄円錐** Conus medullaris となって終わる（図21-3）。脊髄円錐の下端から始まる非常に細い**終糸** Filum terminale は硬膜に包まれて尾方に伸び，尾骨前面の骨膜に付着する。

脊髄の太さは一様ではなく，上肢や下肢に対応する部分はやや太くなっている。

☐ **頸膨大** Intumesentia cervicalis：上肢に対応する（C_4～Th_1）。
☐ **腰膨大** Intumesentia lumbalis：下肢に対応する（Th_{12}～S_2）。

これらの場所では，体幹の筋に加えて，四肢に存在する筋を支配しなければならないので，それだけ多くの神経細胞を必要とし，そのために他の部位よりも太くなる。

胎生前期では脊髄と脊柱管の長さはほぼ同じであるが，胎生後期から生後にかけて脊柱管は長くなるのに対して，脊髄はそれほど長くならず，成人では脊髄は脊柱管よりもはるかに短い。従って脊髄の上部では，脊髄神経は脊柱管内をほぼ水平に走り，対応する椎間孔から出るが，下部では脊柱管内を一度下行して対応する椎間孔から出るので，脊髄下部から出る脊髄神経は全体として，脊髄から垂れる馬の尾のように見える（**馬尾** Cauda equina）。

腰椎穿刺

腰椎穿刺 lumbar puncture は第3〜4腰椎間で行われる。腰椎では椎間板が厚く，棘突起が水平後方に伸びる。またこの高さには脊髄本体は無く，穿刺針で脊髄を傷つける心配がないためである。

脊髄の下端は年齢や性によって少し異なるので，腰椎穿刺の時には注意しなければならない。
・新生児：第3腰椎
・成人男性：第1腰椎の下縁
・成人女性：第2腰椎の中央

脊髄の表面には長軸方向に，肉眼でも確認できるような溝や裂が走っている（図21-4）。

- □**前正中裂** Fissura mediana anterior：前面の正中部を縦走する深い切れ込み
- □**後正中溝** Sulcus medianus posterior：後面の正中部を縦走する浅い溝
- □**前外側溝** Sulcus lateralis anterior：腹外側面を縦走する浅い溝で，ここから前根が出る。
- □**後外側溝** Sulcus lateralis posterior：背外側面を縦走する浅い溝で，ここで後根が脊髄に進入する。

21.2.2 脊髄の区分と脊髄神経

脊髄からは31対の**脊髄神経** Nn. spinales が出る。脊髄神経が出る部位に応じて頸髄，胸髄，腰髄，仙髄の4部に区分される。ただし尾骨神

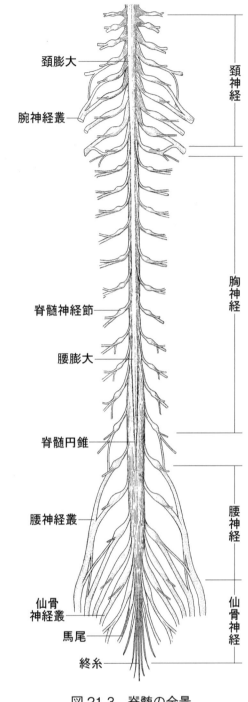

図21-3 脊髄の全景

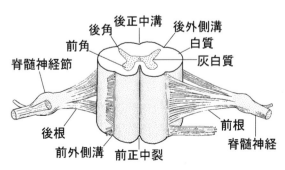

図21-4 脊髄の横断ブロック

経が出る部分は仙髄に加えられる。

- 頚髄 cervical segment　　頚神経 Nn. cervicales　　8対
- 胸髄 thoracic segment　　胸神経 Nn. thoracici　　12対
- 腰髄 lumbar segment　　腰神経 Nn. lumbales　　5対
- 仙髄 sacral segment　　仙骨神経 Nn. sacrales　　5対
　　　　　　　　　　　　尾骨神経 N. coccygeus　　1対

> **頚椎は7個なのに，なぜ頚神経は8対なのか？**
> 　脊髄神経のうち，後頭骨と環椎（第1頚椎）の間から出てくるものを第1頚神経，環椎の下からでてくるものを第2頚神経というので，隆椎（第7頚椎）の下から出てくるものは第8頚神経となる。それ以下では，例えば第1胸椎の下から出てくるものが第1胸椎，第1腰の下から出てくるものが第1腰椎となるので，胸椎以下では椎骨の数と脊髄神経の対数が同じになる。

末梢神経線維が脊髄に出入りする部分を根という（図21-5）。

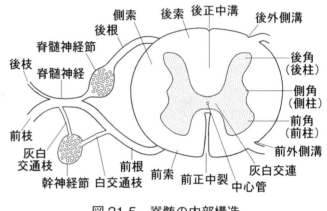

図21-5　脊髄の内部構造

□**前根** Radix ventralis：運動神経と自律神経線維からなり，前外側溝から脊髄を出る。

□**後根** Radix dorsalis：知覚線維束で，後外側溝から脊髄の後外側部に入る。**脊髄神経節** Ganglion spinale（後根神経節 dorsal root ganglion）が付属する。

前根と後根は合流して脊髄神経となり，**椎間孔** Foramen intervertebrale を通って脊柱管を出ると，すぐに前枝と後枝に分かれる。

□**脊髄神経前枝** Ramus ventralis nervi spinalis：体幹の両外側壁と前壁，および四肢の骨格筋や皮膚に分布する。

□**脊髄神経後枝** Ramus dorsalis nervi spinalis：体幹後壁の深部骨格筋（脊柱起立筋）と皮膚に分布する。

21.2.3　脊髄の内部構造

脊髄の内部構造は，全長にわたって基本的に共通である（図21-5）。

□**中心管** Canalis centralis：ほぼ中央にあり，脳室と連続する。

□**灰白質** Substantia grisea：中心管を取り巻くH型の領域で，神経細胞体や樹状突起，および灰白質に出入りする神経線維から構成される。

　□**前角** Cornu anterius：灰白質が前方に突出した部分で，脊髄全体では前柱 Columna anterior という。ここには前角細胞と呼ばれる大型の運動神経細胞がある。

　□**後角** Cornu posterius：灰白質が後外方に突出した部分（後柱 Columna posterior）で，ここには感覚情報を受け取る大小の神経細胞がある。

　□**側角** Cornu laterale：前角と後角の間で，頚髄の下部と胸髄に見られる（側柱 Columna lateralis）。ここには自律神経系の神経細胞がある。

□灰白交連 Commissura grisea：左右の灰白質を連ねる部分
□網様体 Formatio reticularis：側角と後角の間にある。
□白質 Substantia alba：脊髄の周囲部で，脊髄と上位中枢を結ぶ上行性および下行性の有髄神経線維からなる。

1）灰白質の細胞集団

灰白質 Substantia grisea の主成分は神経細胞体で，樹状突起や軸索の基部，他のニューロンの神経終末などが含まれる。灰白質内の神経線維はほとんど無髄神経線維である。
□**前角細胞** anterior horn cell：前角にある大型の運動神経細胞で，軸索は前根となって脊髄を出て骨格筋を支配する。
□**中間質外側核** Nucleus intermediolateralis：側角にある自律神経系の神経細胞で，軸索は前根を形成する（節前線維）。
□**索細胞** fasciculus cell：後角にあるやや大型の感覚性ニューロンで，胸髄では後角基部内側に集団を作る。これを**胸髄核** Nucleus thoracicus（**背核** Nucleus dorsalis あるいは**クラーク柱** Columna Clarkei）という。軸索は同側の側索に入り，上行して小脳に至る（後脊髄小脳路）。

2）白質

白質 Substantia alba は上行性および下行性の神経線維によって構成される。後正中溝，後外側溝，前外側溝，前正中裂を境にして，後索，側索，前索に区分される（図21-6）。

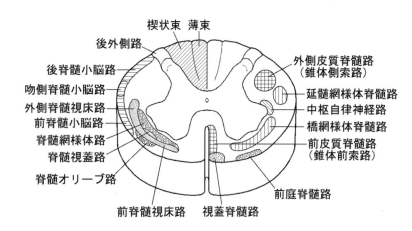

図21-6　脊髄の白質における上行性（左）と下行性（右）伝導路

□**後索** Funiculus posterior：後正中溝と後外側溝の間の白質で，後根となって脊髄に進入した感覚性上行線維によって構成されており，多くは延髄の後索核に終わる（**脊髄延髄路** Tractus spinobulbaris）。頸髄では薄束と楔状束に区別される。
　□**薄束** Fasciculus gracilis：後索の内側部を占め，下半身からの線維が通る。
　□**楔状束** Fasciculus cuneatus：後索の外側部を占め，上半身からの線維が通る。
□**側索** Funiculus lateralis：後外側溝と前外側溝の間で，上行性と下行性の線維が通る。
　□**外側皮質脊髄路** Tractus corticospinalis lateralis（**錐体側索路**）：大脳皮質の運動野などから脊髄に下行する錐体路線維のうち，錐体交叉で交叉した線維が通り，四肢筋の随意運動を支配する。
　□**前脊髄小脳路と後脊髄小脳路** Tractus spinocerebellaris anterior et posterior：脊髄から小脳に向かう神経路で，側索の表層を通る。
□**前索** Funiculus anterior：前外側溝と前正中裂の間にあり，主として下行線維が通る。
　□**前皮質脊髄路** Tractus corticospinalis anterior（**錐体前索路**）：延髄で交叉しなかった錐体路線維が通り，主として体幹の筋を支配する。
　□**前庭脊髄路** Tractus vestibulospinalis：延髄の外側前庭神経核から脊髄前角細胞に向かう線維
　□**視蓋脊髄路** Tractus tectospinalis：中脳の上丘から脊髄前角細胞に向かう線維

3）脊髄各レベルにおける形態的特徴

脊髄の内部構造は全長にわたって基本的に同じであるが，以下の点に注意すると各レベルを区別することができる（図 21-7）。

- 断面の形：頚髄では横長い楕円形であるが，胸髄から下にいくにつれて徐々に円形に近づいていく。概して下ほど細いが，腰髄は胸髄よりも太い。
- 白質の面積：上位にいくほど広くなるが，これは，上部ではそれよりも下部に出入りする神経線維も通過するためである。また，頚髄では後索が薄束と楔状束に分かれる。
- 灰白質の面積：頚髄，腰髄および仙髄では広い。胸髄には側角と胸髄核（背核）がある。

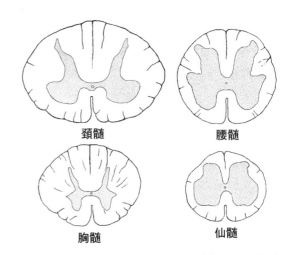

図 21-7　脊髄各レベルにおける横断面の比較

21.3　脳幹と小脳

脳のうち，中脳，橋，延髄を合わせて**脳幹** brain stem という。大部分の脳神経は脳幹に出入りするほか，ここには心臓・血管運動や呼吸運動を直接支配する重要な中枢がある。

21.3.1　延髄

延髄 Medulla oblongata は脊髄と橋に挟まれた円錐状の部分で，尾側半は脊髄と似て円柱状であるが，頭側半では背側壁が左右に開いているために，徐々に横幅が広くなる（図 21-8 〜 21-10）。

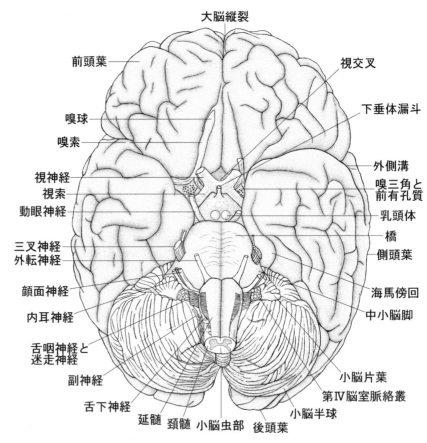

図 21-8　脳の底面

1）延髄の外観

延髄は脳の最下部に当たり，下方は大後頭孔の高さで脊髄に連続的に移行し，上方は明瞭な境界で橋に移行する。延髄の下半分は細長い円柱状であるが，上半分は左右に広がった楕円柱状である。延髄の表面には様々な溝や高まりがある。

- □**前正中裂** Fissura mediana anterior：脊髄からの続きで，橋との移行部で終わる。延髄下部では錐体路線維が交叉する（錐体交叉）。

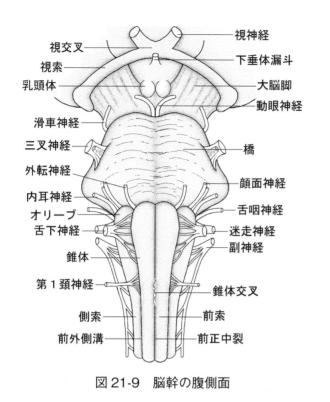
図21-9 脳幹の腹側面

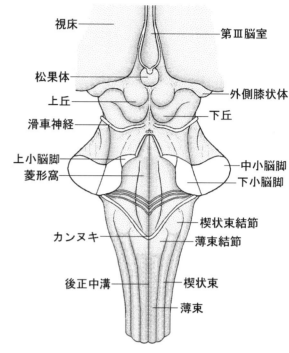
図21-10 脳幹の背側面

- **錐体** Pyramis：延髄の上半分で，前正中裂の両側にある大きな膨隆で，大脳皮質の運動野と脊髄前角を結ぶ錐体路（皮質脊髄路）が通過する。
- **錐体交叉** Decussatio pyramidum：延髄の下半分で，錐体路線維の多くが交叉するためにできる。
- **オリーブ** Oliva：錐体の外側にある長楕円形の膨らみで，中に**下オリーブ核** Nucleus olivaris inferior を入れる。
- **後正中溝** Sulcus medianus posterior：脊髄の同名溝の続きで，第Ⅳ脳室下端の閂（カンヌキ Obex）で終わる。
- **前外側溝** Sulcus lateralis anterior：脊髄の同名溝の続きで，舌下神経が出る。
- **後外側溝** Sulcus lateralis posterior：副神経，迷走神経，舌咽神経が出る。
- **後索** Funiculus posterior：脊髄後索の続きで，上端に小さな結節を作り，**後索核** Nucleus funiculi posteriores を入れる。頚髄の後索と同様に2部に分かれている。
  - **薄束** Fasciculus gracilis（薄束結節，薄束核）
  - **楔状束** Fasciculus cuneatus（楔状束結節，楔状束核）
- **菱形窩** Fossa rhomboidea：第Ⅳ脳室の底に当たり，全体として菱形に浅くくぼんでいる。延髄後面の上半分は菱形窩の下半分をなす。
- **下小脳脚** Pedunculus cerebellaris inferior：延髄の背外側部を占める白質塊で，主として脊髄や延髄と小脳を結ぶ線維が作る。

2）延髄から出る脳神経

延髄の表面から以下の脳神経が出入りする。
- **舌下神経** N. hypoglossus：錐体とオリーブを分ける前外側溝から出る。
- **舌咽神経** N. glossopharyngeus と **迷走神経** N. vagus：オリーブ後方の後外側溝から出る。
- **副神経** N. accessorius：迷走神経の下方，および頚髄の側索より出る。

3）延髄の内部構造

延髄の内部構造はレベルによって著しく異なり，下部は脊髄によく似ている（図 21-11，21-12）。

- □ **錐体路** Tractus pyramidalis：延髄の腹側部を占める下行性の神経路で，随意運動を伝える。これが錐体を作る。
- □ **毛帯交叉** Decussatio lemniscorum：薄束核と楔状束核から出て視床に向かう線維（上行性知覚線維）が交叉する。
- □ **内側縦束** Fasciculus longitudinalis medialis：外側前庭神経核から出た線維で，脊髄前角や眼球運動神経核に向かう。
- □ **網様体** Formatio reticularis：延髄の網様体には嚥下，嘔吐，咳，くしゃみ，唾液や涙の分泌を支配する反射中枢，呼吸運動と心臓・血管運動を直接支配する中枢がある。
- □ **三叉神経脊髄路** Tractus spinalis nervi trigemini と **三叉神経脊髄路核** Nucleus tractus spinalis nervi trigemini：延髄中央の外側部を占める神経束とその中にある神経細胞集団。脊髄後角に相当し，顔面の触覚，温・痛覚を中継する。

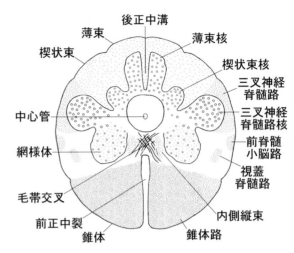

図 21-11　延髄下部の横断面

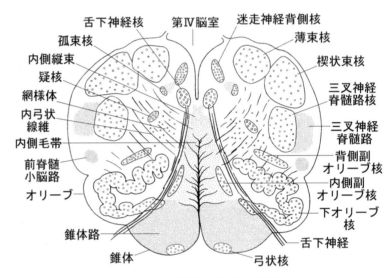

図 21-12　延髄中央部の横断面

- □ **後索核** Nucleus funiculi posteriores：薄束結節と楔状束結節内にある知覚伝導の中継点で，ここで脊髄延髄路が終わり，延髄視床路が始まる。
  - □ **薄束核** Nucleus gracilis
  - □ **楔状束核** Nucleus cuneatus
- □ **下オリーブ核** Nucleus olivaris inferior：延髄の腹側面に膨隆するオリーブの中にある運動調節系（錐体外路系）の神経核で，小脳（オリーブ小脳路）や脊髄（オリーブ脊髄路）に線維を送る。
- □ **脳神経の神経核**：舌下神経核，疑核，迷走神経背側核，下唾液核，孤束核，蝸牛神経核，前庭神経核，三叉神経脊髄路核などがある（21.3.4 を参照）。

21.3.2　橋

橋 Pons は延髄と中脳の間に位置する。前面は腹方に大きく膨隆しているので，延髄および中脳との境界は明瞭である（図 21-9）。背面は菱形窩の上半分をなし，延髄との境界は菱形窩の両外側端を結ぶ線である（図 21-10）。外側部の**中小脳脚** Pedunculus cerebellaris medius を橋と小脳を連

絡する線維が通る。

1）橋の外観
橋の表面から以下の脳神経が出入りする。
- □**三叉神経** N. trigeminus：橋中央の外側面から出ると，すぐに三叉神経節を作る。
- □**外転神経** N. abducens：橋と延髄の移行部で，前面から出る。
- □**顔面神経** N. facialis と**内耳神経** N. vestibulocochlearis：橋と延髄の移行部で，外転神経よりも外側から出る。

2）橋の内部構造
橋は背側部と腹側部に区分される。腹側部は延髄や脊髄と大脳を結ぶ神経線維の通り道で，その一部は橋で中継され，小脳とも連絡する。背側部は橋固有の構造物で，系統発生学的に古い脳に属する。基本構築は網様体で，腹側部との境界を内側毛帯が走る（図21-13）。

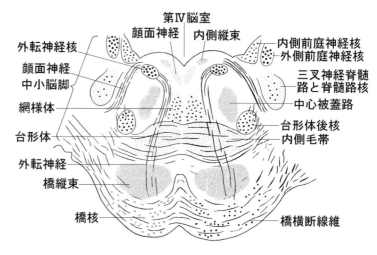

図21-13　橋の横断面

- □**橋核** Nuclei pontis：橋の腹側部の白質内に散在する。運動調節系（錐体外路系）に属する神経核で，皮質橋（核）路が終わり，橋小脳路が始まる。
- □**網様体** Formatio reticularis：延髄，橋，中脳にかけて存在する。脳幹上部の網様体は大脳皮質の活動を調節し，意識のレベルを維持する（上行性網様体賦活系）。
- □**脳神経核**：顔面神経核，上唾液核，外転神経核，三叉神経運動核，三叉神経中脳路核，三叉神経主知覚核などがある（☞ p.375：21.3.4 を参照）。
- □**橋縦束** Funiculus longitudinalis pontis：橋核の背方を縦走する強大な線維束で，**錐体路** Tractus pyramidalis と**皮質橋核路** Tractus corticopontini が作る。
- □**内側毛帯** Lemniscus medialis：薄束核と楔状束核から発する線維（延髄視床路）は**内弓状線維** Fibrae arcuatae internae となって反対側に渡り，錐体路の背側，下オリーブ核の内側において内側毛帯という強大な線維束を形成する。
- □**外側毛帯** Lemniscus lateralis：橋の上半分で，内側毛帯の背外側を走る細い線維束で，聴覚伝導路である。
- □**中心被蓋路** Tractus tegmentalis centralis（赤核オリーブ路 Tractus rubooulivaris）：内側毛帯の背側を縦走する。運動調節系（錐体外路系）に属する重要な伝導路である。
- □**内側縦束** Fasciculus longitudinalis medialis：背側正中部にあり，運動調節系（錐体外路系）に属する重要な伝導路である。
- □**中小脳脚** Pedunculus cerebellaris medius（橋腕 Brachium pontis）：橋核から始まって横走し，正中線を越えて反対に至り，小脳に入る橋小脳路 Tractus pontocerebellaris が通る。

21.3.3 中脳

中脳 Mesencephalon は橋と間脳に挟まれた短い部分で，終生，管状構造を保っている。背面と

両側面は大脳半球に覆われているので，腹側面から大脳脚がわずかに見えるだけである（図21-9を参照）。

1）中脳の外観

中脳の腹側面は上下に走る左右の**大脳脚** Crus cerebri でできており，その間から，**動眼神経** N. oculomotorius が出てくる。背側面には上下2対の高まりが観察される。上の対を**上丘** Colliculus superior，下の対を**下丘** Colliculus inferior といい，4つ合わせて**四丘体** Corpora quadrigemina という。下丘の下から**滑車神経** N. trochlealis が出る。これは脳幹の背面から出る唯一の脳神経である（図21-10を参照）。

2）中脳の内部構造

中脳は大脳脚，中脳被蓋および中脳蓋の3部に分けられる。中脳被蓋の中央を中脳水道が貫通する（図21-14）。

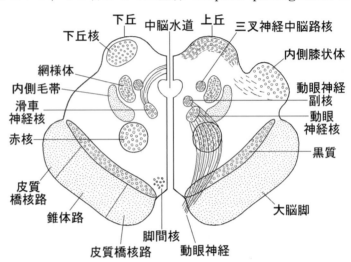

図21-14 中脳の下丘（左）と上丘（右）を通る横断面

(1) 中脳蓋

中脳蓋 Tectum mesencephali は中脳背部の灰白質で，上下2対の高まりからなる（**四丘体** Corpora quadrigemina）。外観はよく似ているが，上丘と下丘の内部構造は全く違う。

☐**上丘** Colliculus superior：神経細胞層と線維層が交互に配列している。視覚線維の一部や，身体末梢から種々の刺激を集めてこれに反応し，姿勢を制御する総合的反射中枢でもある。

☐**下丘** Colliculus inferior：神経細胞は一塊りの**下丘核** Nucleus colliculi inferioris を形成する。聴覚線維の一部を受ける。

(2) 大脳脚

大脳脚 Crus cerebri は中脳の腹側部を占める大きな高まりで，上方は大脳半球に，下方は橋縦束に連なる。これは大脳皮質から下行する運動性線維（錐体路と錐体外路）からなるので，中脳固有の構造物ではない。大脳脚の間から動眼神経が出る。

(3) 中脳被蓋

中脳被蓋 Tegmentum mesencephali は中脳水道を囲む中心部で，大部分は網様体である。中には多くの神経核や神経路が存在する。

☐**赤核** Nucleus ruber：被蓋の両側中央部にあり，酸化鉄を含むので赤味を帯びている。錐体外路系に属する神経核で，大脳と小脳や脊髄などの間に介在して，筋の緊張や運動の調節，特に姿勢の保持や歩行運動の調節を行う。ここが障害されると筋の緊張が変化し，舞踏病様運動や安静時振戦などをきたす。

☐**黒質** Substantia nigra：メラニン色素を含むので黒く見える。錐体外路系に属する神経核で，大脳皮質と大脳核の間に介在し，不随意共同運動と速やかな運動開始を調節する。ここにはドパミ

ンが豊富に含まれており，**パーキンソン病**では黒質の変性によってこれが減少している。

□**網様体** Formatio reticularis：橋網様体とともに大脳皮質の活動を調節し，意識のレベルを維持する（上行性網様体賦活系）。

□**脚間核** Nucleus interpeduncularis：被蓋の底部正中部にあり，視床上部の手綱核からの線維（反屈束 Fasciculus retroflexus）を受ける。嗅覚反射に関係する。

□**脳神経の神経核**：動眼神経核，動眼神経副核，滑車神経核，三叉神経中脳路核などがある（21.3.4 を参照）。

□**内側縦束** Fasciculus longitudinalis medialis：眼球運動の起始核や脊髄前角細胞に終わる。

□**中心被蓋路** Tractus tegmentalis centralis：赤核の中に入って終わる。

□**上小脳脚** Pedunculus cerebellaris superior：小脳と中脳を結ぶ線維によってできる白質。錐体外路系の重要な伝導路である小脳赤核路は小脳から始まり，最初は中脳被蓋の背外側部の表層にあるが，次第に深部に移動して内側毛帯と網様体の間に移り，正中線上で左右が交叉して，主として赤核に終わる。

21.3.4 脳幹にある脳神経核

脳神経核の大部分は脳幹，特に第Ⅳ脳室の菱形窩にある。脳神経核は知覚神経の終止核（知覚核）と運動神経および副交感神経の起始核に分類されるが，発生学的に見ると分布場所に一定の法則が認められる（図 4-2，表 21-2，図 21-15，21-16）。

表 21-2　脳神経核の種類と発生由来

基板から発生	翼板から発生
M1：一般体性運動（GSE） 　動眼神経（Ⅲ） 　滑車神経（Ⅳ） 　外転神経（Ⅵ） 　舌下神経（Ⅻ）	S1：一般内臓性感覚（GVA） 　孤束核（Ⅶ，Ⅹ） S2：特殊内臓性感覚（SVA） 　孤束核（Ⅶ，Ⅸ，Ⅹ）
M2：特殊内臓性運動（SVE） 　三叉神経運動核（Ⅴ） 　顔面神経核（Ⅶ） 　疑核（Ⅸ，Ⅹ） 　副神経核（Ⅺ）	S3：一般体性感覚（GSA） 　三叉神経中脳路核（Ⅴ） 　三叉神経主知覚核（Ⅴ） 　三叉神経脊髄路核（Ⅴ）
M3：一般内臓性運動（GVE） 　動眼神経副核（Ⅲ） 　上唾液核（Ⅶ） 　下唾液核（Ⅸ） 　迷走神経背側運動核（Ⅹ）	S4：特殊体性感覚（SSA） 　前庭神経核（Ⅷ） 　蝸牛神経核（Ⅷ）

1）延髄にある脳神経核

・**舌下神経核** Nucleus nervi hypoglossi：菱形窩の下半分で，正中線の両側を走る細長い核である。体運動性で，神経線維は舌下神経となり，舌筋を支配する。

・**疑核** Nucleus ambiguus：延髄深部の網様体内を縦走する細長い核で，下は副神経核 Nucleus nervi accessorii に続き，頚髄の下部で前角の背外側部に移行する。これらは迷走神経の運動性部で，喉頭の横紋筋を支配する。

・**迷走神経背側運動核** Nucleus motorius dorsalis nervi vagi：菱形窩下端近くの浅いところにあり，舌咽神経と迷走神経の副交感性の起始核である。

・**下唾液核** Nucleus salvatorius inferior：迷走神経背側運動核の上方にある，舌咽神経の副交感性の起始核で，耳下腺を支配する。

・**孤束核** Nucleus tractus solitarii：延髄のほぼ全長を，迷走神経背側運動核の腹外側に接して走る細長い核で，その外側（吻側）部は顔面神経や舌咽神経，迷走神経の知覚性線維（味覚）の終止核である。その内側部（中程から後方）は舌咽神経，迷走神経の内臓知覚の終止核である。

・**蝸牛神経核** Nuclei cochleares：蝸牛神経の終止核で，第Ⅳ脳室菱形窩の外側隅にある。
　背側蝸牛神経核 Nucleus cochlearis dorsalis
　腹側蝸牛神経核 Nucleus cochlearis ventralis

- **前庭神経核** Nuclei vestibulares：蝸牛神経核の内側に接し，延髄上部から橋にかけて分布する。次の4つの部分からなる。
  内側前庭神経核 Nucleus vestibularis medialis
  上前庭神経核 Nucleus vestibularis superior
  下前庭神経核 Nucleus vestibularis inferior
  外側前庭神経核 Nucleus vestibularis lateralis（ダイテルスの核 Nucleus Deitersi）

2) 橋にある脳神経核
- **顔面神経核** Nucleus nervi facialis：延髄と橋の移行部で，菱形窩の深部にある顔面神経の運動性の起始核。ここから起こる線維は背内側に向かって走り，外転神経核を回って腹外方に反回し，延髄と橋の境界から脳外に出る。
- **上唾液核** Nucleus salivatorius superior：顔面神経核の背方で網様体の中に比較的散在性に分布する副交感神経の起始核である。線維束は**中間神経** N. intermedius となって顎下腺，舌下腺および涙腺を支配する。また，中間神経の知覚性線維は孤束核の最上端に終わる。
- **外転神経核** Nucleus nervi abducentis：外転神経の起始核で，橋の高さの菱形窩で正中線の近くにある。体運動性で，外側直筋を支配する。
- **三叉神経運動核** Nucleus motorius nervi trigemini：橋網様体の背外側部で，外転神経核の上外側に位置する。三叉神経の運動性の起始核で，咀嚼筋を支配する。
- **三叉神経中脳路核** Nucleus tractus mesencephalicus nervi trigemini：三叉神経運動核の上方から中脳に向かって細長く伸びる。咀嚼筋に分布する知覚神経線維の終止核である。
- **三叉神経主知覚核** Nucleus sensorius

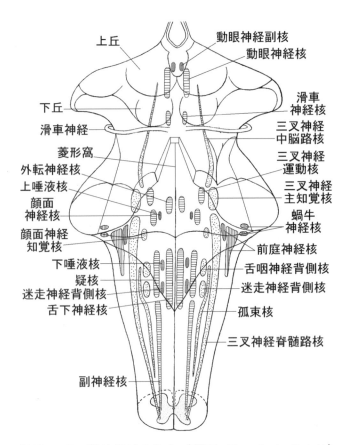

図21-15 脳神経核の分布（背面：Benninghoff より）

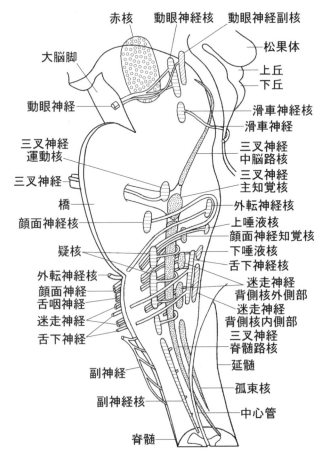

図21-16 脳神経核の分布（側面：Benninghoff より）

principalis nervi trigemini：三叉神経運動核の外側に接している。
- **三叉神経脊髄路核** Nucleus tractus spinalis nervi trigemini：三叉神経主知覚核に続いて下方に伸び，延髄を縦走して頚髄の後角に続く。

　三叉神経の中脳路核，主知覚核，脊髄路核は三叉神経の知覚線維の終止核で，脊髄路核に終わる線維は三叉神経脊髄路 Tractus spinalis nervi trigemini という密な線維束を作る。三叉神経主知覚核が触覚や圧覚を司るのに対して，三叉神経脊髄路覚は温痛覚を司っている。このため脳幹内に障害が起こったとき，顔面半側の温痛覚が脱失するが触覚は保たれるという，感覚解離を起こすことがある。これに対して末梢に病変があると，その支配領域では全ての感覚が障害される。

3）中脳にある脳神経核

- **動眼神経核** Nucleus nervi oculomotorii：上丘レベルの中心灰白質にある運動核で，神経核を出ると神経線維は腹方に走り，赤核を貫いて大脳脚の間から脳外に出る。内側直筋，上直筋，下直筋，下斜筋，上眼瞼挙筋を支配する。
- **動眼神経副核** Nucleus accessorius nervi oculomotorii（エディンガー・ウェストファール核 Edinger-Westphal nucleus）：動眼神経核の背内側にある副交感性の神経核で，瞳孔括約筋や毛様体筋を支配する。
- **滑車神経核** Nucleus nervi trochlearis：下丘レベルの中心灰白質にある運動核で，神経線維束は中脳水道を取り巻くように背走し，左右が交叉して脳幹を出る。上斜筋を支配する。
- **三叉神経中脳路核** Nucleus tractus mesencephalicus nervi trigemini：中心灰白質の周辺部にあり，顔面の一般知覚を司る。

21.3.5　脳幹網様体

　延髄から中脳にかけて，脳幹の中央を貫くようにして**網様体** Formatio reticulare が存在する（図21-17）。脳幹網様体のうち下部，特に延髄網様体には嚥下，嘔吐，咳，くしゃみ，唾液や涙の分泌に関する反射中枢や，呼吸中枢，心臓・血管運動中枢があって，生命の維持に直接的に関与している。また脳幹網様体上部には青斑核や縫線核，腹側被蓋野などの小さな神経核が点在し，これらの神経核のニューロンは長い神経線維を脳の様々な場所に投射して大脳の活動を刺激し，意識レベル（覚醒）の維持に重要な役割を演じており，これらの神経核群を**上行性網様体賦活系**と呼んでいる。

21.3.6　小脳

　小脳 Cerebellum は後脳壁の背側半分から発

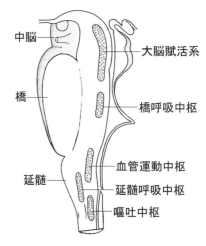

図 21-17　脳幹網様体

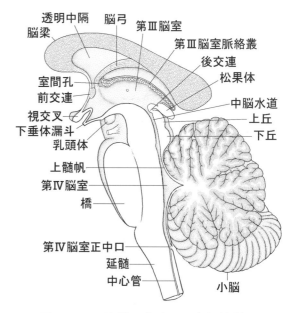

図 21-18　脳幹と小脳の正中矢状断面

生し，第Ⅳ脳室を隔てて橋と延髄上半分の後方に大きく膨隆して，橋や延髄とともに後頭蓋窩を満たしている（図21-18）。小脳と大脳後頭葉との間を横走する深い裂隙を**大脳横裂** Fissura transversa cerebri といい，ここに**小脳テント** Tentorium cerebelli という脳硬膜が張って，大脳と小脳を隔てている。小脳は生命の維持には直接関与しないが，身体末梢から深部感覚や前庭から平衡感覚を伝える線維を受けて，身体のバランスや筋の緊張を司るとともに，橋を介して大脳皮質からも情報を受け，錐体外路系を通して運動の調節を行う。

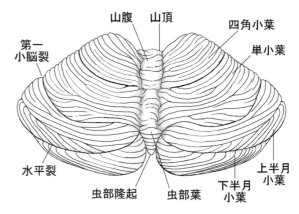

図21-19 小脳を上後方から見た図

1) 小脳の外観

小脳は横に長い亜鈴形をしており，中央の虫部と左右の小脳半球から構成されている。小脳の表面には横に走るいくつかの深い溝や多数の浅い溝が見られる（図21-19）。

- □**虫部** Vermis：小脳の正中部にある。系統発生学的に古く，下等動物でもよく発達している。
- □**小脳半球** Hemispherium cerebelli：左右の大きな膨らみで，高等動物においてよく発達している。小脳の表面には多数の裂や溝が横走し，虫部や小脳半球を細長い小葉に分けている。
- □**小脳溝** Sulcus cerebelli：小脳裂の間を横走する浅い溝で，小脳の特徴的外観を作っている。そのうち特に深いのを小脳裂 Fissurae cerebelli といい，小脳葉を境界する。
  - □**第一小脳裂** Fissura prima
  - □**第二小脳裂** Fissura secunda
  - □**水平裂** Fissura horizontalis
  - □**後外側裂** Fissura posterolateralis
- □**小脳小葉** Lobuli cerebelli：小脳裂や小脳溝によっていくつかの小脳葉や小脳小葉に分けられる（表21-3）。
- □**小脳回** Folia cerebelli：小脳溝の間で膨隆している部分
- □**下小脳脚** Pedunculus cerebellaris inferior：主として発生学的に小脳よりも下位の中枢である延髄や脊髄と小脳を連絡する線維が通る。
- □**中小脳脚** Pedunculus cerebellaris medius：主として発生学的に小脳と同位の中枢である橋と連絡する線維が通る。
- □**上小脳脚** Pedunculus cerebellaris superior：主として発生学的に小脳よりも上位の中枢である中脳や間脳と連絡する線維が通る。

> **小脳脚**
> 小脳脚は小脳に出入りする神経線維の通り道である。発生学的に見ると，橋と小脳は同じレベルから発生し，間脳や中脳は小脳より上，延髄や脊髄は小脳よりも下のレベルから発生する。小脳脚のうち，小脳と小脳よりも上位レベルの中脳や間脳を連絡する線維は上小脳脚，小脳と同レベルである橋を結ぶ線維は中小脳脚，小脳よりも下位レベルの延髄や脊髄と連絡する線維は下小脳脚を通る。小脳に出入りする線維の99%はこの法則に従う。唯一の例外は前脊髄小脳路で，これは上小脳脚を通って小脳に入る。

表21-3 小脳の区分

小脳虫部 Vermis cerebelli	小脳半球 Hemispherium cerebelli	
中心小舌 Lingula cerebelli 中心小葉 Lobulus centralis 山頂 Clumen	中心小葉翼 Ala lobuli centralis 四角小葉 Lobulus quadrangularis 第1裂 Fissura prima	前葉 Lobus anterior
山腹 Declive 虫部葉 Folium vermis	単小葉 Lobulus simplex 上半月小葉 Lobulus semilunalis sup. 水平裂 Fissura horizontalis	後葉 Lobus posterior
虫部隆起 Tuber vermis	下半月小葉 Lobulus semilunalis inf. 薄小葉 Lobulus gracilis （正中傍小葉 Lobulus paramedianus）	
虫部錐体 Pyramis vermis	二腹小葉 Lobulus biventer	
虫部垂 Uvula vermis	小脳第2裂 Fissura secunda 小脳扁桃 Tonsilla cerebelli 片傍辺葉 Paraflocculus	
小節 Nodulus	後外側裂 Fissura posterolateralis 片葉 Flocculus 片葉脚 Pedunculus flocculi	片葉小節 Lobus flocculonodularis

2）小脳の区分

小脳は機能的，発生学的に見て3つに区分される（表21-3と図21-20）。

□**原始小脳** Archicerebellum：前庭神経や前庭神経核と結びついて平衡機能に関与しているので前庭小脳とも呼ばれる。発生学的に最も古く，ほとんどが後外側溝によって他の部分と隔てられている。これには小節と片葉小葉が該当する。

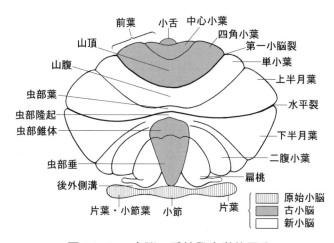

図21-20 小脳の系統発生学的区分

□**古小脳** Paleocerebellum：脊髄や脳幹と連絡して筋緊張を統制し，姿勢の保持に当たる。前葉を含む虫部と傍虫部がこれに当たる。

□**新小脳** Neocerebellum：傍虫部を除く小脳半球の大部分を占める。ここに橋小脳路が終わり，視床核を介して大脳皮質に投射する。大脳皮質から発する随意運動を調節するので大脳小脳あるいは橋小脳とも呼ばれる。

3）小脳の内部構造

小脳は表層の皮質（灰白質）と，深部の髄質（白質）に分けられる。また髄質の深部には4種類の小脳核が存在する。

（1）小脳皮質

小脳皮質 Cortex cerebelli は小脳の表層部をなす灰白質で，組織学的に以下の3層からなる（図21-21，21-22）。

□**分子層** Stratum moleculare：細胞成分が少なく，大部分はプルキンエ細胞の樹状突起と顆粒細胞の平行線維からなる。ここには少数の星状細胞 stellite cell と籠細胞 basket cell が存在し，これらはプルキンエ細胞に抑制的に働く。

平行線維 parallel fiber：顆粒細胞の神経突起で，プルキンエ細胞層を貫いて分子層に達すると

T-形に枝分かれして，プルキンエ細胞の樹状突起とシナプスを作る。

登上線維 climbing fiber：下オリーブ核からくる線維で，分子層においてプルキンエ細胞の樹状突起とシナプスを形成する。

□**プルキンエ細胞層** Purkinje cell layer：直径が30〜40μmもある大型の**プルキンエ細胞** Purkinje cellが作る層で，プルキンエ細胞の核周部が小脳の表面と平行に，一列に並んでいる。プルキンエ細胞は無数に枝分かれする樹状突起を分子層の中で矢状面上に広げる。また軸索を髄質深部の小脳核や前庭神経核に送る。

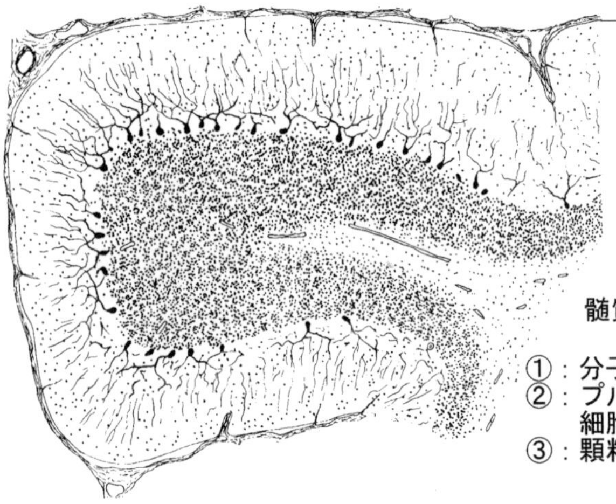

□**顆粒層** Strutum granulosum：プルキンエ細胞層の直下で，直径数μmほどの小型で球形の顆粒細胞が無数に存在する。ここにはゴルジー細胞 Golgi cell も少数見られる。苔状線維がここに終わる。

苔状線維 mossy fiber：前庭神経核や橋核，脊髄の胸髄核からくる線維で，先端はこぶ状のロゼットを作る。

小脳糸球 cerebellar glomerulus：顆粒細胞は数本の短い樹状突起を伸ばし，ロゼットとシナプス群を作る。また，ゴルジー細胞も軸索を伸ばしてシナプスを作る。

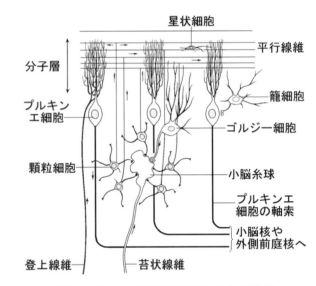

図21-21　小脳皮質

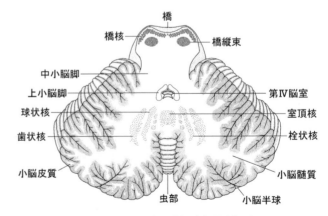

図21-22　小脳皮質に出入りする線維

(2) 小脳髄質

小脳髄質 Medulla cerebelli は小脳の深部をなす白質で，小脳内や，小脳と他の脳を結ぶ神経線維から構成される。

(3) 小脳核

小脳深部の髄質の中には以下の**小脳核** Nuclei cerebelli が存在する（図21-23）。

□**歯状核** Nucleus dentatus：小脳半球にある最大の神経核で，系統発生的に新しい。小脳半球にあるプルキンエ細胞の多くの軸索が歯状核に終わる。

□**室頂核** Nucleus fastigii：小脳虫部にあり，虫部に分布するプルキンエ細胞の軸

図21-23　小脳核（水平断面）

索の多くは室頂核に終わる。系統発生的に古い。
- □**球状核** Nucleus globosus と**栓状核** Nucleus emboliformis：これらは半球と虫部の間にある中間部のプルキンエ細胞からの線維を受ける。

21.4　間脳

間脳 Diencephalon は大脳と中脳の間にあり，背側面は大脳半球に覆われている。腹側面も，正中部がわずかに見えるだけである。従って，間脳の内側面は大脳を正中矢状断した標本で観察する。また，大脳を水平断することによって，視床の上面を観察することができる。間脳は視床上部，視床，視床下部，視床腹部の4つに区別され，正中部に，左右に扁平な第Ⅲ脳室がある（図21-24，21-25）。

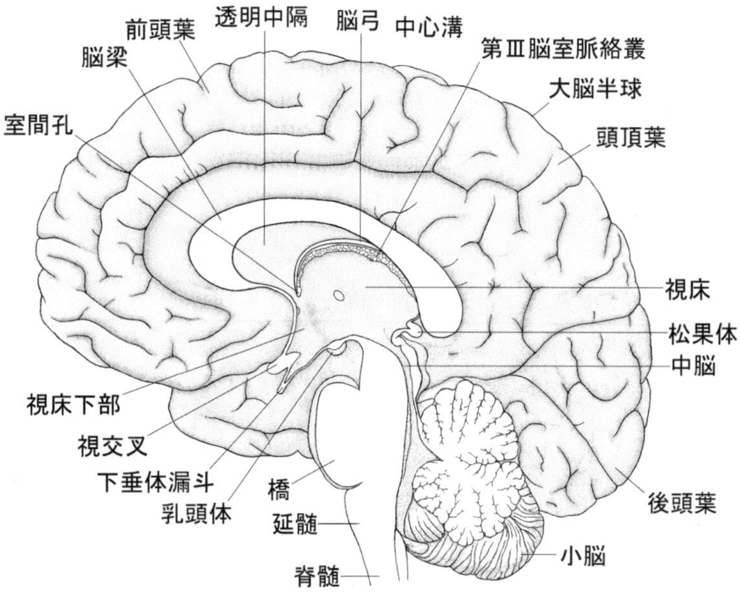

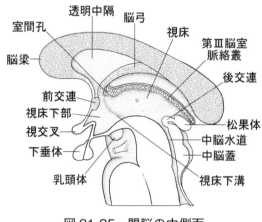

図21-24　脳の正中矢状断面

21.4.1　視床上部

視床上部 Epithalamus は間脳の後上部を占める狭い領域で，松果体，後交連，手綱および視床髄条からなるが，ヒトではあまり目立たない（図21-25，21-26）。
- □**松果体** Corpus pineale：第Ⅲ脳室の天井から後上方に向かって突出する小豆大の内分泌腺で，メラトニン melatonine というホルモンを分泌する。視床髄条や手綱から嗅覚に関係する線維を受ける。
- □**視床髄条** Stria medullaris thalami：大脳辺縁系に属する中隔野や外側視索前野，視床前核群，淡蒼球などからくる線維束で，手綱へと続く。
- □**手綱** Habenula：視床髄条の続きで，やや膨らんだ部分を**手綱三角** Trigonum habenulae という。この内部には内側および外側**手綱核** Nucleus habenulae medialis et lateralis があり，これらから起こる線維は**反屈束** Fasciculus retroflexus となって中脳の脚間核 Nucleus interpeduncularis に向かう。嗅覚

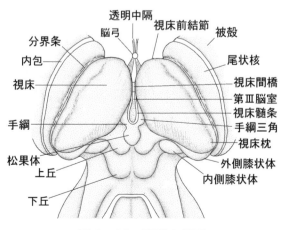

図21-25　間脳の内側面

図21-26　間脳の後面

情報を中脳に伝え，食物摂取運動に関係する。
- 後交連 Commissura posterior：手綱の前下方にあり，左右の視蓋前域や上丘を結ぶ交連線維が作る。

21.4.2　視床

視床 Thalamus（背側視床 Thalamus dorsalis）は間脳の大部分を占める卵円形の灰白質で，各種知覚伝導路の中継点であり，錐体外路系の重要な中枢でもある。また視床下部と連携して，自律神経系にも深く係わっている（図 21-25 〜 21-27）。

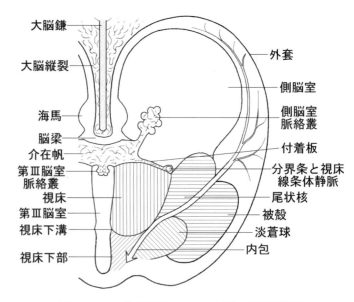

図 21-27　胎児期における前脳の冠状断面

1）視床の外観

- 上面：介在帆という脳外の結合組織に覆われ，分界条 Stria terminalis と視床線条体静脈 V. thalamostriata（分界静脈 V. terminalis）によって大脳核の尾状核と隔てられる。
- 下面：視床下溝 Sulcus hypothalamicus によって視床下部から区別される。
- 内側面：第Ⅲ脳室に面する。視床間橋 Adhesio interthalamica によって左右の視床は接しているが，機能的意味はない。
- 外側面：内包によってレンズ核と隔てられる。
- 前結節 Tuberculum anterius thalami：視床前端の狭い部分で，左右が互いに接近して室間孔の後壁を作る。
- 視床枕 Pulvinar：視床の後端で，中脳蓋の外縁に突出する。
- 外側膝状体 Corpus geniculatum laterale：視床枕の腹方にある 1 対の高まりで，視覚伝導路の中継点である。
- 内側膝状体 Corpus geniculatum mediale：外側膝状体の腹内方にある 1 対の高まりで，聴覚伝導路の中継場所である。

2）視床核

視床は巨大な灰白質で，全体を称して視床核 Nuclei thalami という。視床の周囲を取り巻く薄い白質が視床髄板 Lamina medullares thalami となって内部に進入し，視床をいくつかの区画に分けている。視床核は機能面から以下のように分類される（図 21-28，21-29）。

①大脳皮質と密な相互連絡を持ち，高度な

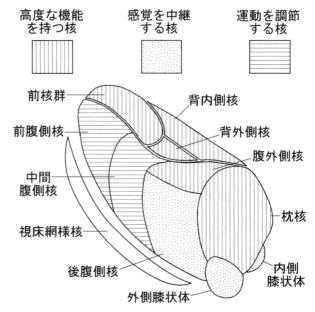

図 21-28　後外方から見た視床核

機能を発揮する群。

- **前核群** Nuclei anteriores：視床の前端で視床前結節を形成する。この核群は大脳辺縁系の中継所で，情動（怒りや笑い）や記憶あるいは嗅覚と密接に関係する。
- **外側核群** Nuclei laterales：背外側核と腹外側核に分かれる。

    背外側核 Nucleus lateralis dorsalis：前核群とともに嗅覚と密接に関係し，記憶や感情の形成に関与する。

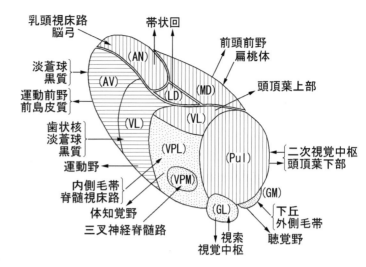

図21-29　視床核に出入りする線維

    腹外側核 Nucleus lateralis ventralis：視覚，聴覚，嗅覚以外の感覚情報を受け取り，頭頂葉とともに感覚の統合に関わっている。
- **背内側核** Nucleus medialis dorsalis：視床の中心部背側を占め，人ではよく発達している。感情（快不快）や記憶（コルサコフ症候群）の形成の他に，運動の調整にも関与する。
- **枕核** Nuclei pulvinares：視床の最後部を占める大きな核で，視覚との関連が深く，様々な感覚をある程度統合し，印象深いものを選び出す。

②特定の感覚を大脳皮質に中継する核群
- **後腹側核** Nuclei ventrales posteriores：一般知覚や味覚伝導の線維を受け，中心後回（3, 1, 2野）や味覚中枢（43野）に線維を送り，視覚，聴覚，嗅覚以外の体性感覚情報を中継する。
- **後核群** Nuclei posteriores：脊髄視床路や内側毛帯，前庭核，聴覚中枢，下丘，内側膝状体，網様体などから線維を受け，島葉に線維を送る。
- **内側膝状体** Corpus geniculatum mediale：聴覚情報を聴覚中枢へ伝える中継核である。
- **外側膝状体** Corpus geniculatum laterale：網膜からの視覚情報を視覚野に伝達する中継所である。また視覚と運動の統合を行う。

③運動の調節に関与する核
- **正中核群** Nuclei mediani：脳幹，線条体，大脳皮質，視床下部，視床上部などから線維を受け，大脳辺縁系に線維を送り，内臓の運動を制御している。
- **髄板内核** Nuclei intralaminares：脳幹網様体，淡蒼球，運動野，運動前野，脊髄，小脳核などの間に介在し，随意運動や不随意運動を統制する。

④視床核の働きを調節する核
- **網様核** Nucl. reticularis：視床の前外側，外側，腹外側を包む薄い核で，視床核群の働きを調節している。

3）視床の白質

　下位中枢や大脳基底核，大脳皮質と視床を連絡する神経線維からなる白質は，視床髄板となって視床内に深く進入し，視床核をいくつかの群に分ける。

21.4.3 視床腹部

視床腹部 Subthalamus は中脳被蓋の続きで，視床下部の後外側で，内包後脚の内側に位置する。これは淡蒼球と同様に，本来は中脳に由来すると考えられ，中脳被蓋の赤核，黒質，視床外側核，大脳核などの錐体外路系の諸核と連絡して，不随運動の調節に関わっている（図21-30）。

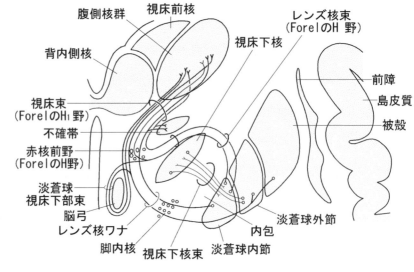

図21-30　視床腹部（Wiliamsらによる）

- **不確帯** Zana incerta：視床網様体核の延長で，中心前回から線維を受け，赤核，上丘，視蓋前野に線維を送る。運動性下行路の中継点である。
- **視床下核** Nucleus subthala-micus：中心前回や，前頭葉の他の領域から線維を受け，淡蒼球や黒質，線条体などに線維を送る。そして淡蒼球や黒質からの出力を修飾する。

21.4.4 視床下部

視床下部 Hypothalamus は間脳の前下部を占める灰白質で，上は視床下溝 Sulcus hypothalamicus によって視床と境界され，第Ⅲ脳室の前下部を囲んでいる。視床下部は内分泌系の最高中枢で，自律神経系と密接に連携して，性機能，体温，体液の量や浸透圧など，体内の恒常性（ホメオスターシス homeostasis）維持や，食欲，感情表現など

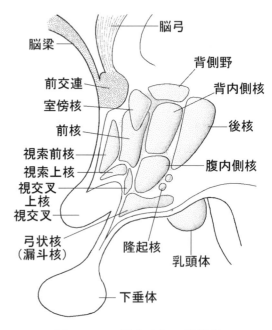

図21-31　視床下部の神経核

を司っている（図21-25，21-31）。また，最近では体内時計の中枢としても注目を集めている。

1）視床下部の外観

- □**乳頭体** Corpus mamillare：第Ⅲ脳室の底面で，大脳脚に挟まれた一対の半球状の高まりで，内部の灰白質は嗅覚の伝導に関係している。
- □**漏斗** Infundibulum：乳頭体の前にある突起で，先端に小指大の下垂体がぶら下がる。
- □**視交叉** Chiasma opticum：視神経が下垂体の前方で半交叉するためにできたもので，ここから**視索** Tractus opticus となり，大脳脚の上を後外方に向かい，外側膝状体に終わる。
- □**灰白隆起** Tuber cinereum：視交叉と乳頭体の間にある隆起
- □**終板** Lamina terminalis：第Ⅲ脳室の前壁をなす。これは本来終脳の構造物で，前脳の最頭側端の壁そのものである。

2）視床下部の神経核

- **内側視索前核** Nucleus preopticus medialis：下垂体前葉に対して性腺刺激ホルモンの分泌を刺激する。
- **視交叉上核** Nucleus suprachiasmaticus：網膜からの刺激を受け取り、昼夜のリズムを司る。
- **視索上核** Nucleus supraopticus と**室傍核** Nucleus paraventricularis：抗利尿ホルモンやオキシトシンを産生し、神経線維を介して下垂体後葉に運び、血液中に放出する。
- **隆起核** Nuclei tuberales：第Ⅲ脳室の最腹部で、漏斗陥凹の入口にあり、灰白隆起を作る。
- **漏斗核** Nucleus infundibularis：第Ⅲ脳室の最腹部で漏斗陥凹の入口にあり、下垂体前葉に対して種々の放出ホルモンや抑制ホルモンを分泌する。

3）視床下部の機能

視床下部は内分泌系や自律神経系を調節して、体温や体液などの恒常性を維持したり、食欲や性欲などを調節したりしている。

- **自律神経系の調節中枢**：視床下部の前部を刺激すると縮瞳、呼吸緩徐、血管拡張、血圧低下、腸管運動亢進など、副交感神経優位の現象が起こる。また後部を刺激する恐怖や怒りの反応が見られ、散瞳、心拍増強、血圧上昇、呼吸促進、腸管運動低下など、交感神経優位の現象が起こる。
- **食欲の統制**：腹内側部の満腹中枢は血糖の上昇を感知して摂食行動を抑制する。また外側部の空腹中枢は血中の自由脂肪酸が上昇すると、食欲を誘発する。
- **水分調節**：血漿量が減少したり、体液の浸透圧が上昇すると、視索上核や室傍核はバゾプレッシンを分泌する。
- **感情表現と性的反応**：視床下部のある場所を刺激すると恐怖や怒りの反応が起こる。また、視床下部の腫瘍で、笑いを伴うテンカン発作が起こったり、思春期徴候の出現が早まったり遅延したりする。
- **精神活動と記憶**：乳頭体や視床背内側核が破壊されるとコルサコフ症候群が起こる。また、多幸感をもたらす習慣性薬物（モルヒネなど）の作用部位であるといわれている。
- **内分泌系の調節中枢**：漏斗陥凹付近にあり、下垂体前葉に対して放出ホルモンや抑制ホルモンを分泌する。
- **昼夜リズム（生物時計）**：視交叉上核が昼夜リズムの発信器で、網膜や外側膝状体などから視覚情報を受け、内分泌系を同調させる。

21.4.5　下垂体

下垂体 Hypophysis は蝶形骨体の下垂体窩に納まる小指頭大の内分泌腺で、発生学的に由来の異なる前葉と後葉の2つの部分からなる（図21-32）。

1）下垂体前葉

下垂体前葉 Lobus anterior は胎生期の咽頭粘膜に由来し、**腺下垂体** adenohypophysis とも呼ばれる。下垂体前葉は内分泌系の中心的器官で、

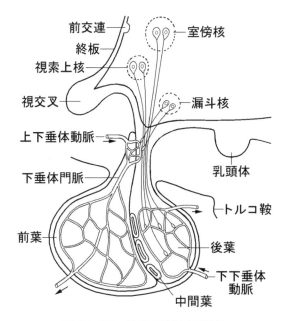

図21-32　視床下部と下垂体

以下の6種類のホルモンを分泌する。
- 成長ホルモン growth hormone（GH）
- 乳腺刺激ホルモン lactogenic hormone（プロラクチン prolactin）
- 甲状腺刺激ホルモン thyrotropic hormone, thyroid stimulating hormone（TSH）
- 副腎皮質刺激ホルモン adrenocorticotropic hormone（ACTH）
- 卵胞刺激ホルモン follicle stimulating hormone（FSH）
- 黄体化ホルモン luteinizing hormone（LH）

2）下垂体後葉

下垂体後葉 Lobus posterior は視床下部が伸び出たもので，**神経下垂体** neurohypophysis とも呼ばれる。後葉からは2種類のホルモンが分泌されるが，それらは視床下部にある視索上核と室傍核の神経細胞によって作られ，神経線維によって後葉に運ばれ，血中に放出される。
- 抗利尿ホルモン anti-diuretic hormone（ADH）＝バゾプレッシン vasopressin
- オキシトシン oxytocin

3）下垂体門脈系

下垂体前葉を支配する動脈系は，まず漏斗に進入して特殊な毛細血管網を形成し，これらが集まって**下垂体門脈系** hypophyseal portal system となり，再び前葉の中で毛細血管網を作る。漏斗陥凹付近には神経核があり，ここから下垂体前葉に対して放出ホルモンや抑制ホルモンが分泌される。

21.5 大脳（終脳）

終脳 Telencephalon は一般的に**大脳** Cerebrum と呼ばれる。**大脳半球** Hemispherium cerebri は終脳の外側壁が大きく左右に膨れ出た部分で，その表層を**外套** Pallium といい，嗅葉を除いて，小脳と同様に表層部の皮質（灰白質）と深部の髄質（白質）からなる。大脳半球は知覚，記憶，思考など，高度な精神活動を営む中枢で，ヒトでは非常によく発達している。

□**大脳縦裂** Fissura longitudinalis cerebri：正中矢状線上を前後に走り，左右の大脳半球を隔てる。ここに大脳鎌が入る（図21-33）。

□**大脳横裂** Fissura transversa cerebri：脳の後面を水平に走り，大脳と小脳を隔てる。ここに小脳テントが張っている。

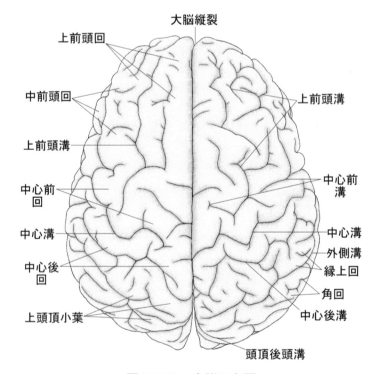

図21-33 大脳の上面

21.5.1 大脳の外観

大脳の表面には多数の曲がりくねった**大脳溝** Sulci cerebri が走っており，溝と溝の間の膨隆部を**大脳回** Gyri cerebri という（図 21-33, 21-34）。

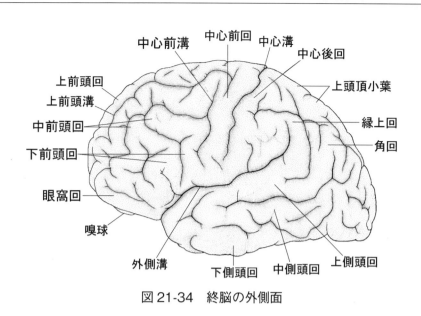

図 21-34　終脳の外側面

1）大脳の外側面

- □**中心溝** Sulcus centralis：外套の外側面中央部を上後方から前下方に走る。
- □**中心前溝** Sulcus precentralis：中心溝のすぐ前をこれと平行に走る。
- □**中心後溝** Sulcus postcentralis：中心溝のすぐ後ろにある。
- □**外側溝** Sulcus lateralis（**シルビウス溝** Fissura Sylvii）：外側面を前下方から後上方に向かう深い溝
- □**上側頭溝** Sulcus temporalis superior：外側溝の下で，これとほぼ平行に走る。
- □**中側頭溝** Sulcus temporalis medius：上側頭溝の下で，これとほぼ平行に走る。
- □**中心前回** Gyrus precentralis：中心溝のすぐ前の大脳回
- □**中心後回** Gyrus postcentralis：中心溝のすぐ後ろの大脳回
- □**上・中・下前頭回** Gyrus frontalis superior, medius et inferior
- □**上・中・下側頭回** Gyrus temporalis superior, medius et inferior
- □**弁蓋** Operculum：外側溝を挟む部分で，島を前上方（前頭葉）や後下方（側頭葉）から覆っている。

2）大脳の内側面

大脳を正中矢状断すると終脳の内側面が観察できる（図 21-35）。

- □**脳梁** Corpus callosum：大脳縦裂の直下にあり，左右の大脳半球を結ぶ交連線維が作る。前から吻，膝，幹，膨大部に区分される。
- □**脳梁灰白層** Indusium griseum corporis callosi：脳梁の上縁を走る薄い灰白質である。
- □**脳弓** Fornix：脳梁の下にある一対の弓状の白質で，ここを通る線維は乳頭体と海馬傍回を結ぶ。前方より柱，体，脚などに区分される。
- □**透明中隔** Septum pellucidum：脳梁の前半と脳弓に囲まれた三角形の部分で，側脳室の内側壁そのも

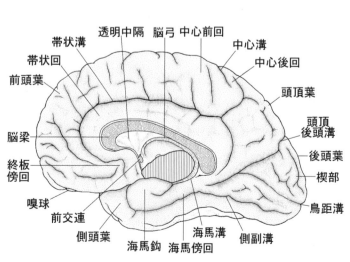

図 21-35　終脳の内側面

のである。
- □**前交連** Commissura anterior：左右の前頭葉を連絡する線維が作る白質で，正中矢状断では第Ⅲ脳室の前壁で脳弓の前を横切る。
- □**脳梁溝** Sulcus corporis callosi：帯状回と脳梁の間の溝
- □**帯状溝** Sulcus cinguli：帯状回の外側縁に沿って走るはっきりとした溝
- □**頭頂後頭溝** Sulcus parietooccipitalis：頭頂葉と後頭葉を境する明瞭な溝
- □**鳥距溝** Sulcus calcarinus：頭頂後頭溝から分かれて，後頭葉の後端に向かう。
- □**側副溝** Sulcus collateralis：海馬傍回の下外側縁を作る。
- □**帯状回** Gyrus cinguli：脳梁を上から取り巻く大脳回
- □**上前頭回** Gyrus frontalis superior：帯状回の上に位置する。
- □**楔部** Cuneus：頭頂後頭溝と鳥距溝の間の三角の部分
- □**海馬傍回** Gyrus parahippocampalis：間脳を下から包みながら前下方に伸びる。
- □**海馬鈎** Unchus：海馬傍回の前端で後上方に反転する。
- □**嗅球** Bulbus olfactorius：前頭葉の下面を前方に伸びている。

3）大脳の底面

終脳から脳幹や小脳を切り離すと側頭葉の内下面が観察できる（図21-36）。底面では側頭葉と後頭葉の境界は明瞭ではない。

- □**側副溝** Sulcus collateralis：底面の中央部を前後に走る。
- □**海馬傍回** Gyrus parahippocamparis：間脳を下方から取り巻く。帯状回と海馬傍回を合わせて脳弓回 Gyrus fornicatus という。
- □**海馬鈎** Uncus：海馬傍回の前端で，後ろ上方に折れ曲がった部分である。
- □**歯状回** Gyrus dentatus：海馬傍回の内側で，表面が歯列状を呈している。

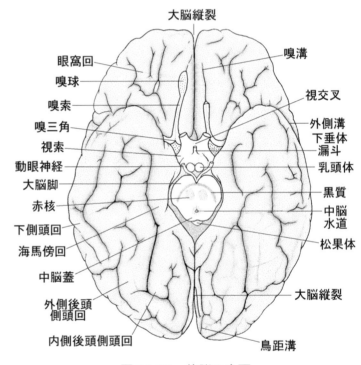

図 21-36　終脳の底面

- □**嗅球** Bulbus olfactorius と **嗅索** Tractus olfactorius：前頭葉の内側下面を前方に伸びる。
- □**内側嗅条と外側嗅条** Stria olfactoris medialis et lateralis：嗅索の基部が内方と外方に分かれる。この部分を嗅三角 Trigonum olfactorium という。
- □**前有孔質** Substantia perforata anterior：嗅三角のすぐ後方で，表面に多数の小孔が開いている。この孔は脳に進入する血管の通り道である。

21.5.2 大脳半球の区分

大脳溝を目印にして，外套は前頭葉，頭頂葉，後頭葉，側頭葉，島の5つの部分に分けられる。ヒトでは前頭葉が非常によく発達しており，外套の約40％を占めている。

□**前頭葉** Lobus frontalis：中心溝よりも前
□**頭頂葉** Lobus parietalis：中心溝と頭頂後頭溝の間
□**後頭葉** Lobus occipitalis：頭頂後頭溝よりも後ろ
□**側頭葉** Lobus temporalis：外側溝よりも下
□**島** Insula：外側溝の底をなし，前，上，下の3方から前頭葉，頭頂葉，側頭葉の島弁蓋に覆われているので表面からは見えない。外側溝を押し広げるとその奥に見える。

21.5.3 大脳皮質

大脳皮質 Cortex cerebri は外套の表層部をなす厚さ約2.5mmの灰白質で，無数の神経細胞が層状に配列している。大脳皮質の大部分は基本的に6層構造を呈し，これは系統発生学的に見て高度に進化した動物だけに見られるので**新皮質** neocortex という。しかし，場所によって層構造が多少異なる（図21-37）。

- 第Ⅰ層　**分子層** Strarum moleculare：細胞成分に乏しい。

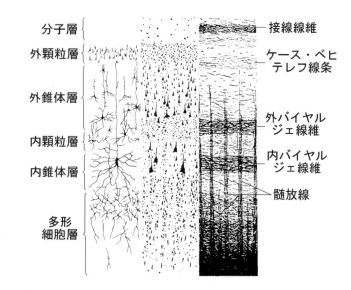

図21-37　大脳皮質の層構造（Rauber-Kopschによる）

- 第Ⅱ層　**外顆粒層** Lamina granularis externa：小型の顆粒細胞からなる。
- 第Ⅲ層　**外錐体層** Lamina pyramidalis externa：中等大の錐体細胞からなる。
- 第Ⅳ層　**内顆粒層** Lamina granularis interna：小型の顆粒細胞からなる。
- 第Ⅴ層　**内錐体層** Lamina pyramidalis interna：中〜大型の錐体細胞からなる。
- 第Ⅵ層　**多形細胞層** Lamina multiformis：多形の細胞からなる。

このうち，外の4層を**外基礎層** outer basal layer，内の2層を**内基礎層** inner basal layer という。外基礎層は受動性および連合性で，他の領域からの情報を受けてこれらを処理する。一方，内基礎層は外基礎層での判断に基づいて指令を他の場所に送る。

ヒトの運動野ではこの線維連絡が詳細に調べられている。
- 外顆粒層：連合線維によって同じ半球内の他の部位と連絡する。
- 外錐体層：交連線維によって反対側大脳半球の対応する場所と連絡する。
- 内顆粒層：視床からの感覚線維を受け入れる。
- 内錐体層：脳幹の運動神経核や脊髄前角細胞に運動指令を出す。
- 多形細胞層：視床の腹外側核に線維を出す。

1）大脳皮質の機能分担

大脳皮質は知・情・意などの高等な精神作用を営む中枢である。しかし大脳皮質の機能は全体にわたって一様ではなく，各部位がそれぞれに特有の役割を分担している。これを機能局在という。すなわち特定の脳機能は特定の場所で行われており，それを**野** area という。ブロードマン Brodmann は大脳皮質の組織標本を観察し，部位によって層構造が異なることを見いだし，それに基づいて大脳皮質を52の野に区分した。野による細胞構築の違いは機能局在と密接に関係している。大脳皮質は機能的に運動野，感覚野，視覚野，聴覚野，連合野などに分けられる（図21-38，

□**運動野** motor area（area 4）：中心溝のすぐ前の**中心前回**にある。第Ⅴ層にはベッツの**大錐体細胞** pyramidal cell of Betz という大きな神経細胞があり，この細胞の軸索も錐体路に加わって脊髄前角に終わり，前角細胞を介して随意運動を支配する。運動野から全身各部位への投射は「運動のこびと」として描かれている（図 21-42 参照）。

□**運動前野** premotor area（area 6, 8）：運動野のすぐ前にあり，高度に組織化された協調運動に係わる領域で，この部位が障害されると，運動麻痺はないのに，箸や鉛筆を使うような繊細な運動が困難になる。

□**体知覚野** somatosensory area（area 3, 1, 2）：中心溝のすぐ後の**中心後回**にあり，全身からの感覚刺激を受ける。第 3 野は触覚，第 1 と 2 野は深部知覚と関節位置に関与し，いずれも反対側の感覚刺激を受ける。体知覚に関しても「感覚のこびと」が描かれている（図 21-42 参照）。

□**味覚野**（area 43）：体知覚野の下端で，外側溝のすぐ上にある。

□**視覚野** visual area（area 17, 18, 19）：大脳半球の最後部，後頭葉の内側面で，鳥距溝を囲む領域にある。このうち，鳥距溝を直接囲んでいるのが area 17 で，**一次視覚中枢** primary visual center という。また area 17

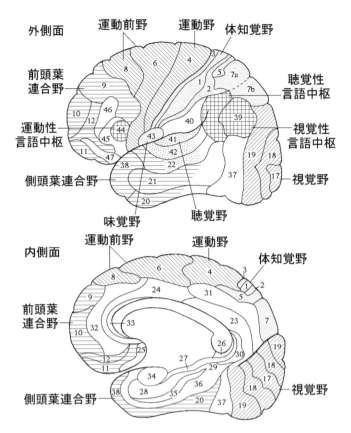

図 21-38　Brodmann による大脳皮質の野

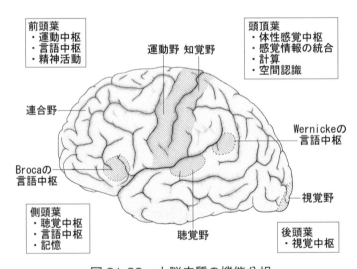

図 21-39　大脳皮質の機能分担

を囲んでいるのが area 18, 19 で，二次視覚中枢 secondary visual center という。視覚野が障害されると，眼球に異常がなくても物が見えなくなる。これを皮質盲という。

□**聴覚野** auditory area（area 41, 42）：側頭葉の中央部で，島に面した領域にある。左右の耳で感受されたそれぞれの聴覚情報は両側性に左右の大脳半球に伝えられる。

□**言語野** speech areas：意味のある言葉を話すための運動性言語中枢，聴いた言葉の意味を理解するための聴覚性言語中枢，読んだ文字の意味を理解するための視覚性言語中枢などからなる。これらの野は連合線維によって結ばれており，これが障害されると連合性失語症になり，言語の復唱ができなくなったり，錯語（言語の混乱）がみられたりする。

- □ **運動性言語中枢** motor center of speech（area 44, 45）：ブローカーの中枢 Broca's center とも呼ばれ，左大脳半球の下前頭回の後部にある。ここは意味のある言葉を話す時に必要な領域で，ここが障害されると**運動性失語症**といって，発語運動ができなくなる。
- □ **エクスナー Exner の書字中枢**：左前頭葉の中前頭回にあり，書字を行うための運動性言語中枢である。
- □ **聴覚性言語中枢** acoustic center of speech：**ヴェルニッケの中枢** Wernicke's center とも呼ばれる。左大脳半球の上側頭回の後上部とその付近を占め，聞いた言葉の意味を理解する中枢である。この部位が障害されると，感覚性失語症といって，言葉は聞こえても，その意味を理解することができなくなる。
- □ **視覚性言語中枢** visual center of speech：角回や縁上回にあり，読んだ文字の意味を理解する。
- □ **連合野** associational area：大脳皮質において運動野，感覚野，視覚野，聴覚野のような機能と局在がはっきりしている一次中枢を除いた部分を連合野といい，ここで感覚野に入ってきた情報の判断や，記憶，言語，緻密な運動のような高度な機能を統合している（図21-40）。頭頂連合野，側頭連合野，後頭連合野などでそれぞれに判断・認識された情報はすべて**前頭連合野**に伝えられ，さらにここで再統合されて，人間としての高度な精神活動が営まれる。

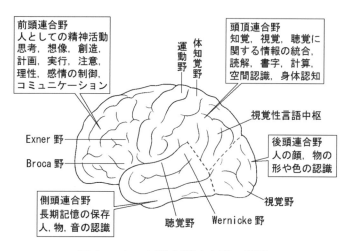

図21-40　大脳皮質連合野の機能

2）優位半球と劣位半球（右脳と左脳）

左右の大脳半球間ででも役割が分担されている（図21-41）。

- **優位半球**：言語能力，計算能力，理論的思考を司る方の大脳半球
- **劣位半球**：空間認識，音楽能力，直感的思考を司る方の大脳半球
- 左右どちらが優位半球かは個人によって異なるが，一般に左が優位半球の人が多い。
- 左右の対応する場所は脳梁を通る交連線維で連絡している。

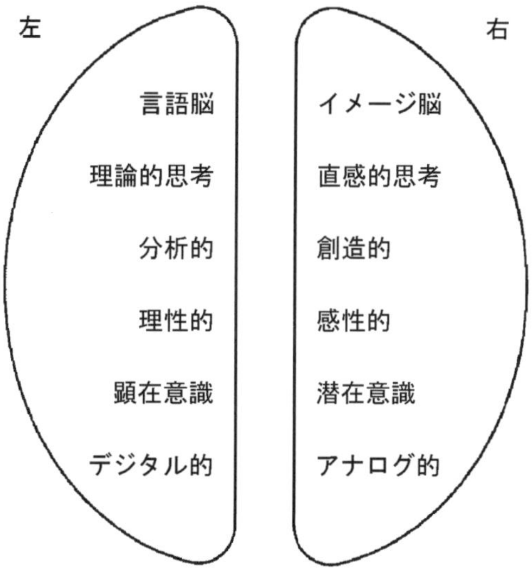

図21-41　優位半球と劣位半球

3）「運動のこびと」と「感覚のこびと」（ホムンクルス homunculus）

運動や体知覚に関して，ペンフィールド Penfield は身体各部に対応する局在を運動野と体知覚野の前額断面に描いた。これらを「運動のこびと」，「感覚のこびと」という（図21-42）。

運動野では，最下部から上方に向かって順に脳神経領域，頸部，上肢，体幹，下肢の中枢が並ん

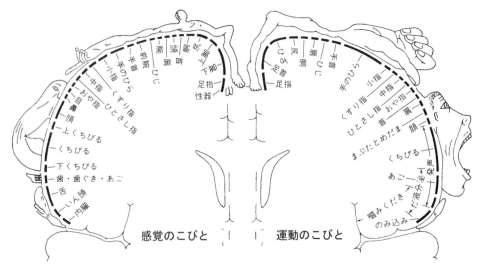

図 21-42 「感覚のこびと」と「運動のこびと」(Penfieldによる)

でいる。このうち嚥下，構音，発声，表情および手指の運動に関する部分が特に広い領域を占めているのは，それらに関する運動が非常に複雑で繊細であることと関係している。

体知覚野でも，身体各部と局在の分布の関係はほぼ同じである。繊細な感覚を必要とする唇や手の指などは大脳表面の広い領域を占めている。

21.5.4 大脳髄質

大脳髄質 Medulla cerebri は大脳半球の深部にある白質で，概して有髄神経束から成っている。それらの線維は走行から次の3群に分けられる（図21-43）。

- 連合線維 Fibrae associationis：同側半球内の二点を結ぶ線維で，短いものは隣接する大脳回，長いものは遠く離れた大脳回と連絡する。
- 投射線維 Fibrae projectionis：大脳と大脳核や間脳，脳幹，小脳，脊髄などを連絡する線維で，大部分は内包を通る。
  - □内包 Capsula interna：投射線維の大部分は尾状核，視床，レンズ核の間を通る。この線維束はレン

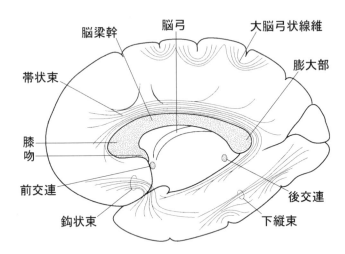

図 21-43 大脳髄質の連合線維と交連線維
（DeMyerより）

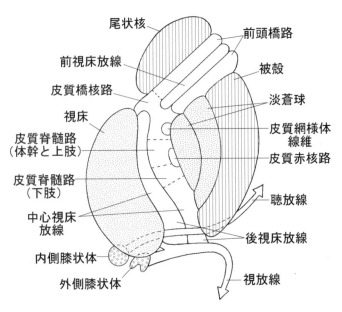

図 21-44 内包の水平断

ズ核を内方から包んでいるように見えるので**内包**と呼ばれ、水平断面では全体として「く」の字形をしている（図21-44）。中央部を錐体外路（皮質橋核路），その後方を錐体路が通る。これらは運動性伝導路であり，その他の部分は知覚性伝導路である。

  □**外包** Capsula externa：レンズ核と前障の間にも投射線維が通過する。これはレンズ核を外から包んでいるように見えるので外包という。

  □**最外包** Capsula extrema：前障と島皮質の間にも同様に少量の投射線維が走り，これを最外包という。

・**交連線維** Fibrae commissurales：左右の大脳半球を連絡する線維で，脳梁と前交連を作る。

  □**脳梁** Corpus callosum：系統発生的に新しく，特にヒトでよく発達している。側脳室の天井をなしており，前交連を通る線維以外はすべてここを通る。

  □**前交連** Commissura anterior：系統発生的に古く，脳梁に比べるとはるかに細い。側脳室の腹側を通って，左右の側頭葉下部と嗅三角を結ぶ。

□**脳弓** Fornix：乳頭体と海馬傍回や視床を結ぶ投射線維が主体をなしている。

21.5.5 大脳核

大脳核 Nuclei cerebri（**大脳基底核** basal ganglia）は大脳の深部にある神経核群で，尾状核，レンズ核（被殻＋淡蒼球），前障，扁桃体のことをいう（図21-45〜21-47）。発生学的にこれらの神経核は終脳から大脳半球が膨出する時，間脳に接して大脳半球の下部に出現する神経節丘（後の線条体）に由来し，多くは運動調節系（錐体外路系）に属する。

□**尾状核** Nucleus caudatus：大脳核を大脳の表面に投影して横から見ると，側脳室の内周に沿ってネズミの尻尾のように「つ」の字を描いて走っており，自由面は側脳室に向かって少し膨隆している。遺伝性の疾患であるハンチントン舞踏病ではここに神経細胞の変性や脱落が認められる。

□**レンズ核** Nucleus lentiformis：尾状核や視床よりも外側にあって，全体として凸レンズの形をしており，その内側半を**淡蒼球** Globus pallidus，外側半を**被殻** Putamen という。

□**前障** Claustrum：レンズ核と島皮質の間にある薄い灰白質で，前障とレンズ核の間を**外包** Capsula externa という。

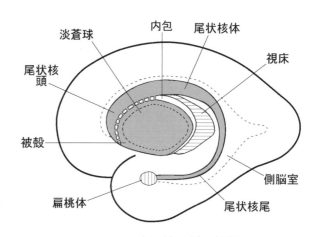

図21-45　大脳核の側面投影図

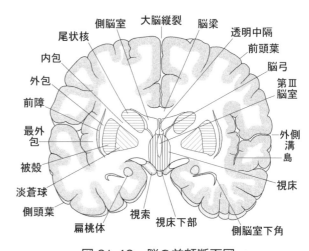

図21-46　脳の前額断面図

□**扁桃体** Corpus amygdaloideum：側脳室下角の前で，尾状核尾前端のすぐ腹側にあるアーモンドの形をした神経核である。

CT や MRI の画像でこれらの構造物を同定するためには，大脳核と脳室や内包との位置関係を知っておく必要がある。そしてこれらの関係は前額断面でも水平断面でも全く同じである（図 21-46，21-47）。

- 尾状核は側脳室に接している。
- 視床は第Ⅲ脳室の左右の壁を作っている。
- レンズ核は内包によって尾状核や視床から隔てられている。
- 前障はレンズ核と島皮質の間にあり，レンズ核と前障の間の狭い白質を外包，島皮質と前障の間の狭い白質を最外包といい，いずれも投射線維が通る。

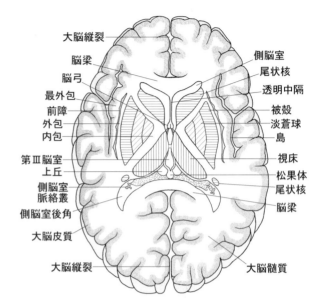

図 21-47　大脳の水平断面

「解剖学的大脳核」と「機能学的大脳核」
- 解剖学的大脳核：上記の通り，存在する場所に基づいて定義されたもので，尾状核，レンズ核（被殻＋淡蒼球），前障，扁桃体で構成される。
- 機能学的大脳核：生理学や脳科学の分野では機能に基づいて定義されており，線条体（尾状核＋被殻），淡蒼球，視床下核，黒質で構成され，扁桃体は大脳辺縁系に含まれる。

脳の構造を理解したり，CT や MRI の画像を読影したりする時には「解剖学的大脳核」が便利である。一方，運動の調節に関わるという機能を説明する上では「機能学的大脳核」の方が合理的である。それにしても解剖学と機能学で大脳核に含まれる神経核が異なり，大脳核の中心的存在であるレンズ核や線条体を構成する神経核の組み合わせも違っているのは何故なのか？大脳核の発生過程を知るとその謎が少し解けるかもしれない。

大脳核の発生

- 大脳半球の基部で，間脳に接して出現する神経細胞の大集団が後の線条体である（図 21-48A）。
- 発生が進むにつれて大脳皮質と下位の脳や脊髄を結ぶ大量の線維束，すなわち後の内包がこの中を S 字状に通るようになり，線条体は尾状核と被殻に分断される（B）。すなわち尾状核と被殻はもともと線条体という同じ神経細胞の集団であり，両者の組織像はよく似ている。

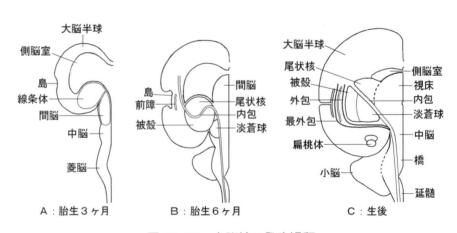

図 21-48　大脳核の発生過程

- 発生学的に淡蒼球は黒質や視床腹部にある視床下核とともに中脳に由来する。つまり被殻と淡蒼球は由来も組織像も全く違う，いわば「あかの他人」である。
- 発生がさらに進んで内包がまっすぐ走るようになると，被殻は外下方に押し下げられ，淡蒼球は被殻の内側に押し付けられて両者は合体する。これがレンズ核である（C）。
- レンズ核と島皮質の間に前障という薄い灰白質が出現する。
- レンズ核を尾状核や視床と隔てる白質はレンズ核を内側から包んでいるように見えるので内包，レンズ核と前障を隔てる薄い白質はレンズ核を外側から包んでいるので外包と名付けられた。
- 完成した後でも，尾状核と被殻は内包を横切るような何本ものスジ状の構造物（線条）で結び付いている（図21-45）。これが両者を合わせて線条体という所以である。

21.5.6 嗅脳

嗅脳 Rhinencephalon は大脳半球の底面にあるが，ヒトでは外套が著しく発達したために相対的に目立たなくなった。嗅脳は以下の部分からなる（図22-48）。

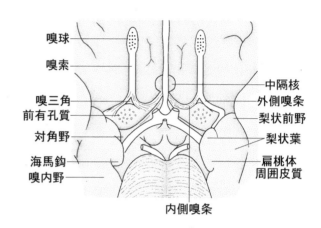

図21-49 嗅脳

- □嗅葉 Lobus olfactorius：前有孔質から前方に伸びるカタツムリの角のような部分で，さらに2つの部分に分けられる。
  - □嗅球 Bulbus olfactorius：先端の膨らんだ部分で，篩骨篩板の上に載っており，直下にある嗅上皮から嗅神経 Nn. olfactorii を受け入れる。
  - □嗅索 Tractus olfactorius：軸にあたる部分で，嗅球から始まる神経線維束が作る。
- □内側嗅条と外側嗅条：Stria olfactoria medialis et lateralis：嗅索は視交叉のやや前方で内側嗅条と外側嗅条に分かれる。この分岐部にできる三角を嗅三角 Trigonum olfactorium という。
- □前有孔質 Substantia perforata anterior：嗅三角のすぐ後ろにある。血管が脳内に進入するために，多数の小孔が開いている。
- □梨状葉 Lobus piriformis：側頭葉の前下部にあり，外側嗅条の線維を受ける。
- □中隔核（内側嗅条領域）：前頭葉底面の正中部近くにあり，内側嗅条の線維を受ける。

21.5.7 大脳辺縁系（area 23～35）

大脳の深部で，間脳を取り巻く領域を総称して大脳辺縁系 limbic system という。この領域は系統発生学的に古い旧皮質 archicortex に属するので，新皮質と違って6層構造を示さない。機能的には嗅覚との関係が深く，本能的行動（飲食行動，性行動，群居本能）や原始的感情（恐怖，快・不快，攻撃，闘争，逃避），自律神経系や内分泌系を介する情動反応の発現などに関与する。

1）大脳辺縁系の構成と機能

大脳辺縁系は以下の部分で構成される（図21-50）。
- □梁下野 Area subcallosa：前頭葉で，脳梁膝の下部を占める。
- □終板傍回 Gyrus paraterminalis：前頭葉で，もともと終脳の前端であった終板のすぐ前方にある（p.365：図21-1を参照）。

□**帯状回** Gyrus cinguli：脳梁の上縁と平行に走る。大脳辺縁系の各部位と連絡して，感情の形成や処理，学習や記憶に関わりを持つ動機付けを行う。

□**内側・外側髄条** Stria longitudinalis medialis et lateralis：脳梁の上縁に沿って走る細い2本の線維束

□**脳梁灰白層** Indusium griseum corporis callosi：脳梁の上縁に沿って走る薄い灰白層

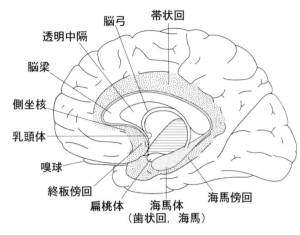

図21-50　大脳辺縁系

□**海馬傍回** Gyrus parahippocampalis：帯状回の続きで，間脳を後下方から包むように前下方に進む。海馬傍回の前端で上後方に反転する部分を海馬鉤 Uncus という。

□**脳弓** Fornix：乳頭体から始まる線維束で，第Ⅲ脳室の上縁に沿って円弧を描き，さらに後下方に進んで海馬体に入る。

□**乳頭体**：視床下部の下面にある一対の半球状の高まりで，脳弓の出発点で，海馬を中心とした記憶回路を中継する。

表21-4　大脳辺縁系の働き

	場所	主な働き
皮質	前頭前野	血圧，心拍数，報酬予測，共感，情動などの認知機能に関与。
大脳辺縁系	帯状回	呼吸器の調節，意思決定，共感，感情による記憶に関与。
	扁桃体	恐怖，不安，悲しみ，喜び，直感力，痛み，記憶，価値判断，情動の処理，交感神経に関与。
	海馬	目，耳，鼻からの短期記憶や情報の制御。恐怖，攻撃，性行動，快楽反応にも関与。
	海馬傍回	自然や都市風景のような地理的画像の記憶や，顔の認識を行う。
	側坐核	快感を司る（GABAの生産）。

□**海馬体** hippocampal formation：内側・外側髄条や脳梁灰白質の続きで海馬傍回の深部にあり，以下の部分に分けられる。

・**歯状回** Gyrus dentatus：表面が歯列状を呈しており，海馬傍回の奥を前下方に向かって走る。

・**海馬** Hippocampus：海馬鉤を通る前額断面で，特徴的な海馬の渦巻きが見える。嗅覚や視覚，聴覚に関する短期記憶は海馬に一時的に蓄えられ，必要なものは側頭連合野に長期記憶として保存される。アルツハイマー型認知症では早期から海馬の神経細胞が変性するために，最近の出来事が記憶できなくなる。

・**海馬台** Subiculum：海馬の主要な出力部位で，記憶形成に重要である。

□**扁桃体** Corpus amygdaloideum：側脳室下角の前，尾状核の前端にあるアーモンドの形をした神経核で，不安，恐怖，不快，快感などの情動に関与する。

・視覚や味覚に関する記憶情報を海馬から受け取り，それらに基づいて扁桃体は恐怖や快か不快かを瞬時に判断して，視床下部の自律神経系や内分泌系の中枢にその情報を送る。

・扁桃体の障害：情動をうまくコントロールできず，不安や不快を感じやすくなる。

□**側坐核** Nucleus accumbens：透明中隔の外側で，前頭葉の前下部にある小さな神経核である。脳報酬系における中心部とされており，満足，快楽，嗜癖，恐怖などに重要である。

21.6 脳の被膜と脳室系

脳や脊髄は柔らかくて壊れやすいので，丈夫で硬い骨性の脊柱管や頭蓋腔の中で**髄膜** meninges という結合組織性の被膜に包まれている。

21.6.1 髄膜

脊髄を包む髄膜を脊髄膜，脳を包む髄膜を脳膜といい，これらは硬膜，クモ膜，軟膜という3層から構成されている（図21-51）。

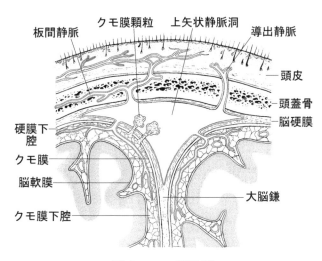

図21-51　脳髄膜

- □**硬膜** Dura mater：髄膜の外層をなす丈夫な結合組織性被膜で，内外の2葉からなる。内葉は中枢神経を包むためにできた狭義の硬膜，外葉は頭蓋骨や椎骨の骨膜そのものである。脳の大部分では内葉と外葉が密着しており，分離することはできない。
- □**クモ膜** Arachnoidea：硬膜の下にある柔らかい膜で，軟膜に向かって網状の結合線維を伸ばしており，クモの巣のように見える。血管を含まない。
- □**軟膜** Pia mater：髄膜の最内層をなす。非常に薄くて，脳や脊髄の表面に密着している。
- □**硬膜下腔** Cavum subdurale：硬膜とクモ膜の間のリンパ間隙で，両者の結合は緩い。
- □**クモ膜下腔** Cavum subarachnoideale：クモ膜と軟膜の間の間隙で，結合線維の網目を脳脊髄液が流れる。
- □**クモ膜下槽** Cisterna subarachnoideales：軟膜は脳表面に密着しているが，クモ膜は脳溝をまたいで広がるので，随所でクモ膜下腔が拡張している。そのような場所をクモ膜下槽という。
  - □**小脳延髄槽** Cisterna cerebellomedullaris：小脳と延髄背面の間
  - □**大脳外側窩槽** Cisterna fossae lateralis cerebri：大脳の外側溝に相当する。

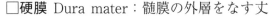

1）脳膜

脳の被膜を**脳膜** Meninges encephali という。頭蓋を開いて脳を摘出するとき，脳膜は硬膜下腔で解離し，硬膜は頭蓋骨に付着し，クモ膜と軟膜は脳の表面に残る（図21-47）。**脳硬膜** Dura mater encephali は静脈洞を入れる場所以外では内葉と外葉が密着している。外葉の骨膜と骨との結合は比較的緩く，簡単に剥すことができる。

内葉は以下の所で頭蓋腔に向かってヒダ状に突出し，脳実質を支えている（図21-52）。

- □**大脳鎌** Falx cerebri：頭蓋腔の正中線上で，矢状溝から垂直に垂れ下がっており，全体として鎌の形をしている。大脳縦裂の中に

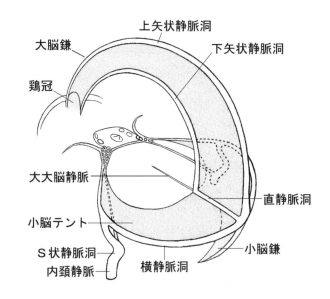

図21-52　脳の硬膜

深く進入して，左右の大脳半球を隔てる。
- □小脳テント Tentorium cerebelli：後頭骨の横溝と側頭骨錐体の上稜から起こり，ほぼ水平に張る隔膜である。大脳鎌と直交して大脳横裂の中に進入し，大脳と小脳を隔てる。
- □小脳鎌 Falx cerebelli：大脳鎌の下方に続く小さな隔膜で，左右の小脳半球を境界する。

2) 脊髄膜

脊髄を包む被膜を**脊髄膜** Meninges spinales という。**脊髄硬膜** Dura mater spinalis では，骨膜（硬膜外葉）と狭義の髄膜（硬膜内葉）の間に脂肪組織や静脈叢が介在する。従って，脊柱管から脊髄を取り出すと，外葉は椎骨に付着して残り，内葉は脊髄を包んでいる。脊髄クモ膜と脊髄軟膜は脳と全く同じである（図21-2を参照）。

21.6.2 脳室系

脳室は脳や脊髄の中にできたひと続きの腔所で，脳脊髄液で満たされている。

- □**側脳室** Ventriculus lateralis：左右の大脳半球の中にある「つ」の字の形をした腔所で，以下のように区分される（図21-53）。
  - □前角 Cornu anterius：室間孔よりも前の部分で，前頭葉の中に伸びる。前角の内側壁が透明中隔そのものである。
  - □中心部 Pars centralis：室間孔よりも後ろで，頭頂葉の中を前後に走る。
  - □後角 Cornu posterius：中心部から後下方に，後頭葉に向かって伸びる。
  - □下角 Cornu inferius：後角から前下方に向かって側頭葉の中に伸びる。
  - □室間孔 Foramen interventriculare（モンロー孔 Foramen Monro）：前角と中心部の境界部にあり，側脳室と第Ⅲ脳室を連結する。
- □**第Ⅲ脳室** Ventriculus tertius：間脳の正中部にあり，左右には狭いが，上下および前後に広がっている。前部は室間孔を介して側脳室に，後下部は中脳水道に連なっている（図21-24を参照）。
- □**中脳水道** Aqueductus cerebri：中脳被蓋のほぼ真ん中を貫く細い通路状の脳室で，第Ⅳ脳室と第Ⅲ脳室を連絡し，長さも1.5cm程度である（図21-24を参照）。
- □**第Ⅳ脳室** Ventriculus quartus：延髄の上半分および橋と小脳の間にあり，その底面を**菱形窩** Fossa rhomboidea という（図21-54）。
  - □上髄帆 Velum medullare superius：第Ⅳ脳室背側壁の頭側半分をなす。

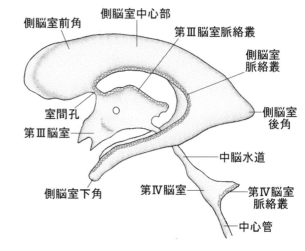

図21-53 脳室系

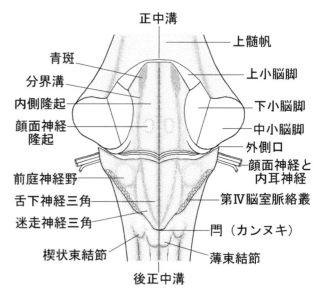

図21-54 第Ⅳ脳室菱形窩

□**下髄帆** Velum medullare inferius：第Ⅳ脳室背側壁の尾側半分をなす。
□**正中口** Apertura mediana（**マジャンディ口** Magendie's foramen）と**外側口** Apertura lateralis（**ルシュカ口** Luschuka's foramen）：菱形窩の下角と両外側角に開いた穴で，第Ⅳ脳室はこれらを介してクモ膜下腔と交通している。

21.6.3 脳脊髄液と脈絡叢

脳脊髄液 Liquor cerebrospinalis は無色透明の液体で，脳室やクモ膜下腔，脊髄の中心管を満たしている（図 21-55）。脳脊髄液を分泌する**脈絡叢** Plexus chorioideus は脳室の内面を縁取る上衣細胞が特殊に分化したもので，以下の場所に存在する。

□**側脳室脈絡叢** Plexus chorioideus ventriculi lateralis：側脳室の中心部，後角，下角の内周に沿って存在する。
□**第Ⅲ脳室脈絡叢** Plexus chorioideus ventriculi tertii：第Ⅲ脳室の天井にあり，室間孔を介して，側脳室中心部の脈絡叢に連続している（図 21-25 を参照）。
□**第Ⅳ脳室脈絡叢** Plexus chorioideus ventriculi quarti：菱形窩尾側半の外側縁にある（図 21-54 を参照）。

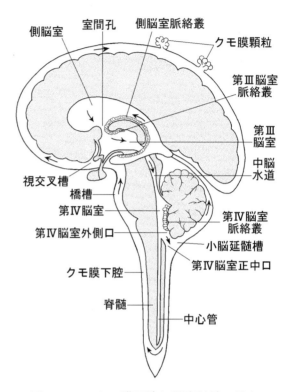

図 21-55　クモ膜下腔と脳脊髄液の流れ

脈絡叢で作られた脳脊髄液は，脳室内を灌流した後，第Ⅳ脳室の正中口と外側口からクモ膜下腔に流出し，クモ膜下腔を満たす。

□**クモ膜顆粒** granulations arachnoideales：クモ膜は頭頂葉の上面で顆粒状の突起を作って硬膜静脈洞に突出している（図 21-51）。ここは脳脊髄液がクモ膜下腔から静脈洞へ流れ出る場所である。

21.7　中枢神経系の血管

21.7.1　脊髄の血管

脊髄への血液供給は，椎骨動脈が延髄の前外側面を上行する時に出す4本の下行枝と，肋間動脈および腰動脈に由来する根動脈によって分節的に行われる（図 21-56，21-57）。

□**前脊髄動脈** A. spinalis anterior：椎骨動脈から出る2本の下行枝は脊髄の前面で合流し，前正中裂に沿って下行しながら根動脈の枝と分節的に吻合する。これらの動脈は

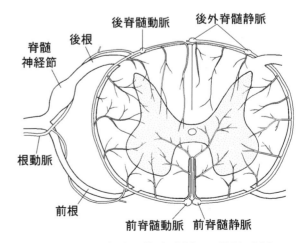

図 21-56　脊髄の動脈（左）と静脈（右）

多数の枝を出して，脊髄の前2/3を養う。

□**後脊髄動脈** A. spinalis posterior：椎骨動脈の他の2本の下行枝は脊髄の後面を下行する。後脊髄動脈は根動脈と吻合して，上下間をはしご状に連絡する。

□**根動脈** Aa. radiculares：体節に対応して分節的にできた背側節間動脈（上行頸動脈，深頸動脈，肋間動脈，腰動脈，仙骨動脈）は椎間孔を通って脊椎管に入ると，前根動脈と後根動脈に分枝する。後根動脈と後脊髄動脈は脊髄の後ろ1/3に分布する。

脊髄内では，静脈は動脈とほぼ伴行し，前正中裂に沿って走る前外脊髄静脈と，脊髄の後面を走る後外脊髄静脈に合流する。これらは分節的に椎骨静脈，肋間静脈，腰静脈などに注ぐ。

21.7.2 脳の動脈

脳は内頸動脈と椎骨動脈の2系統からから血液を受けている。両系統は前後の交通動脈によって互いに連絡しており，下垂体を囲むようにして動脈輪を作っている（図21-57）。

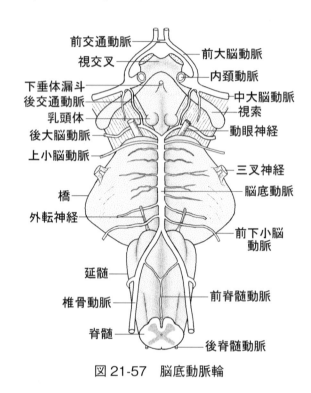

図21-57　脳底動脈輪

1）内頸動脈の系統

内頸動脈 A. carotis interna は総頸動脈から分かれた後，咽頭の両側を上行し，頭蓋底の頸動脈管を通って頭蓋内に進入する。頭蓋内ではトルコ鞍の両外側で海綿静脈洞を貫いてS状に前進し，視神経管の直後で**眼動脈** A. ophthalmica を出す。これが内頸動脈の第1枝で，頭蓋腔に入るまでは枝を出さないので，外頸動脈と簡単に区別することができる。その後，視神経の後方で脳硬膜を貫いて脳底に現れ，本幹は視交叉の外側で前大脳動脈と中大脳動脈に分かれる。その間に**前脈絡叢動脈** A. chorioidea anterior を出す（図21-58）。

> 内頸動脈は脳を養う動脈なのに，なぜ眼動脈を出して眼球を養うのか？
> 発生学的に，網膜は間脳の壁が膨れ出て形成されたもので，網膜は脳そのものである。眼底鏡検査によって網膜に分布する血管の状態を直接観察することができる。しかし同時に，これによって脳内に分布する動脈の状態を推定することができるので，眼科だけでなく，内科的にも眼底鏡検査は重要である。

□**前大脳動脈** A. cerebri anterior：内頸動脈の枝で，大脳縦裂に入って前方から後方に進み，前頭葉と頭頂葉の内側面に分布する。

脳梁周囲動脈 A. pericallosa：脳梁溝に沿って走る。

帯状動脈 A. cingularis：帯状溝に沿って走る。

□**中大脳動脈** A. cerebri media：内頸動脈の枝で，外側溝を前下方から後上方に進みながら，主として大脳半球の外側面と島に血液を送る。

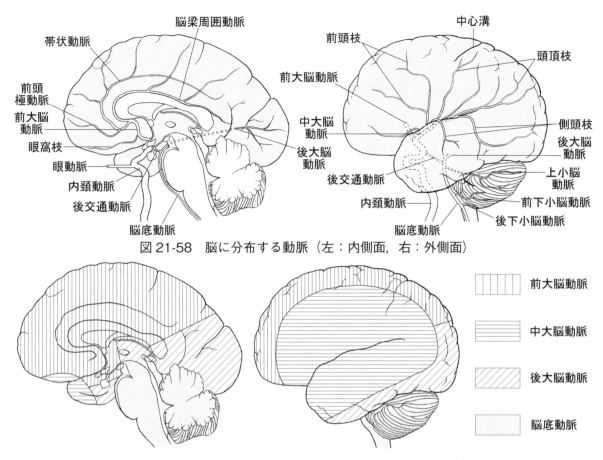

図 21-58 脳に分布する動脈（左：内側面，右：外側面）

図 21-59 脳動脈の支配領域（左：内側面，右：外側面）

前頭枝 Ramus frontales：前頭葉の外面に広がる。
頭頂枝 Ramus parietales：頭頂葉の外面に広がる。
側頭枝 Ramus temporales：側頭葉の外面に広がる。

2) 椎骨動脈の系統

□**椎骨動脈** A. vertebralis：鎖骨下動脈の枝で，第6頸椎より上位の横突孔を貫いて上行し，大後頭孔から頭蓋腔に入ると，左右が合流して脳底動脈となる。その間に以下の枝を出す（図21-57）。

□**前および後脊髄動脈** A. spinalis anterior et posterior

□**後下小脳動脈** A. cerebelli inferior posterior（後頭蓋内）

□**脳底動脈** A. basilaris は橋の腹側正中線上を頭方に進み，本幹は再び左右に分かれて後大脳動脈になる。その間に以下の枝を出して延髄，橋，小脳，中脳を養う。

□**前下小脳動脈** A. cerebelli inferior anterior

□**上小脳動脈** A. cerebelli superior

□**後大脳動脈** A. cerebri posterior：大脳脚の外側を回って大脳横裂の中を進み，主として後頭葉と側頭葉の一部に分布する。

3) 脳底動脈輪

脳底動脈輪 Circulus arteriosus cerebri は**ウィリスの動脈輪** circle of Willis とも呼ばれ，下垂体を取り巻くように形成される（図21-57）。以下の要素より構成され，内頸動脈あるいは椎骨動脈に

通過障害が生じた時に，この動脈輪を介して代償することができる。

☐**前大脳動脈** A. cerebri anterior

☐**後大脳動脈** A. cerebri posterior

☐**前交通動脈** A. communicans anterior：前大脳動脈間を結ぶ。

☐**後交通動脈** A. communicans posterior：内頚動脈と後大脳動脈を結ぶ。

21.7.3 脳の静脈

脳の静脈は動脈とは伴行せずに全く別の経路をたどる。脳の実質内に分布する毛細血管は合流して静脈となり，随所で脳の表面に出て近くの硬膜静脈洞に注ぐ（図21-60）。硬膜静脈洞は硬膜の両葉に挟まれた空洞で，内皮細胞だけで縁取られている（図21-47を参照）。

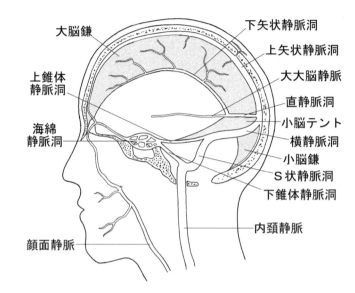

図21-60 頭蓋内の静脈洞と内頚動脈

☐**上矢状静脈洞** Sinus sagittalis superior：大脳鎌の上縁の中にある。頭蓋上壁の正中線上を後方に走り，内後頭隆起のところで横静脈洞に注ぐ。

☐**下矢状静脈洞** Sinus sagittalis inferior：大脳鎌の下縁の中を後方に走り，直静脈洞に注ぐ。

☐**直静脈洞** Sinus rectus：下矢状静脈洞と大大脳静脈が合流したもので，大脳鎌と小脳テントの会合部の中を後走し，内後頭隆起のところで上矢上静脈洞と合流する。

☐**大大脳静脈** V. cerebri magna：脳梁と中脳蓋の間から正中線上を後方に走って直静脈洞に注ぐ。

☐**横静脈洞** Sinus transversus：上矢状静脈と直静脈が合流した後，左右に分かれて小脳テントの付着部の中を外側にほぼ水平に走り，側頭骨岩様部の内面をS状に曲がって（この部分を**S状静脈洞** Sinus sigmoideus という）**頚静脈孔** Foramen jugulare に至り，**内頚静脈** V. jugularis interna となって頭蓋腔を出る。

☐**海綿静脈洞** Sinus cavernosus：蝶形骨体の両側にあり，左右から下垂体を囲んで吻合する。前方から上眼静脈 V. ophthalmica 等を受け，後方から上・下錐体静脈洞 Sinus petrosus superior et inferior が出て横静脈洞に注ぐ。

21.7.4 脳のリンパ

脊髄や脳の硬膜下腔やクモ膜下腔は広い意味でのリンパ腔である。従って脊髄や脳はリンパの中にどっぷり浸かっていることになる。また脳室や中心管を満たす液体も一種のリンパであると考えられる。

22 神経伝導路

末梢の感覚器から中枢神経への情報伝達や，中枢神経から末梢効果器への指令伝達はニューロンのリレーによって行われる。この経路を**神経伝導路** neuronal tract といい，以下のように分類される。
・反射弓：大脳皮質が関与しない伝導路
・求心性伝導路：感覚器からの情報を中枢神経に送る伝導路
・遠心性伝導路：大脳皮質や他の中枢から効果器へ指令を送る伝導路

22.1 反射弓

反射弓 reflex arch は大脳皮質が関与しない伝導路で，瞬時に，無意識に起こる防御的反射運動を司る。反射は単シナプス反射と多シナプス反射に区別され，次のような機序で起こる。
・各種感覚器の受容器 receptor が刺激を感受する。
・知覚神経線維を介して興奮が反射中枢に伝達される。
・反射中枢において反応応答が起こる。
・運動神経や自律神経を介して効果器に指令が伝達される。

22.1.1 単シナプス反射

単シナプス反射 monosynaptic reflex は 2 個のニューロンで反射弓が構成され，脊髄後根線維の側枝が前角細胞と直接シナプスを作る。刺激受容器と効果器が同一器官にあるので，単純反射あるいは固有反射とも呼ばれ，伸張反射や姿勢の保持に重要な役割を演じており，腱反射がその代表である（図22-1）。

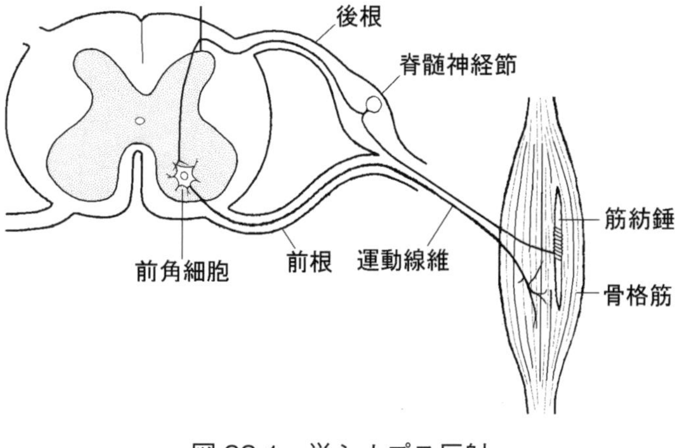

図 22-1 単シナプス反射

1) 腱反射

腱を叩くと反射的に起こる運動を**腱反射** tendon reflex という（図 22-2）。
・腱を叩くと骨格筋の中にある**筋紡錘** muscle spindle（伸展受容器）が引き伸ばされる。
・その興奮が後根線維の側枝によって脊髄の前角細胞に直接伝えられる。
・前角細胞が興奮して骨格筋を収縮させる。

2) 臨床的に重要な腱反射（図 22-3）
・**二頭筋反射** biceps reflex：上腕二頭筋の腱を

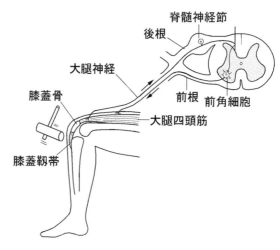

図 22-2 膝蓋腱反射

肘窩の直上で叩くと，筋が収縮して肘関節が屈曲する。
- **三頭筋反射** triceps reflex：上腕三頭筋の腱を肘頭の直上で叩くと，筋が収縮して肘関節が伸展する。
- **膝蓋腱反射** patellar tendon reflex：膝蓋腱（大腿四頭筋の腱）を膝蓋骨のすぐ下で軽く叩くと，大腿四頭筋が収縮して瞬間的に膝関節が伸展する。
- **アキレス腱反射** Achilles tendon reflex：アキレス腱を叩くと下腿三頭筋が収縮して足関節が底屈する。

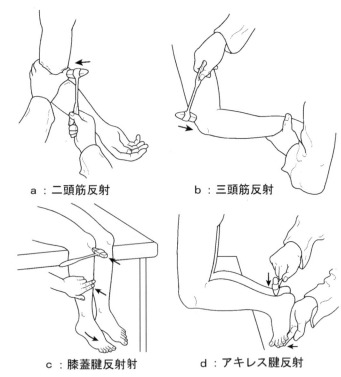

図 22-3　臨床的に重要な腱反射

22.1.2　多シナプス反射

多シナプス反射 multisynaptic reflex は2個以上のシナプスで構成される反射で，後根線維の側枝と前角細胞の間に1個以上のニューロンが介在する。刺激を受ける器官と反応する器官が異なるので複合反射とも呼ばれる（図22-4）。熱いやかんに触れるととっさに手を引くのはこの反射による。

- 刺激によって皮膚の感覚受容器が興奮する。
- 後根線維の側枝が脊髄後角の**介在ニューロン** interstitial neuron に興奮を伝達する。
- 介在ニューロンが同側，対側あるいは異なる髄節の前角細胞に興奮を伝達する。
- 前角細胞が興奮して骨格筋を収縮させる。

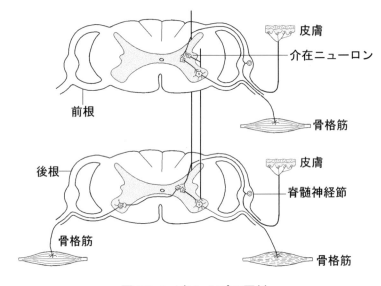

図 22-4　多シナプス反射

皮膚筋肉反射

多シナプス反射のうち，皮膚が刺激されると筋が反応する反射で，以下の反射は神経学的診断に用いられている。

- **精巣挙筋反射** cremaster reflex：大腿内側面を細い棒でこすると，精巣挙筋が収縮して精巣が挙上する。もちろん男性にしか起こらない。
- **腹壁反射** abdominal reflex：腹壁の皮膚をひっかくと腹筋が収縮し，瞬間的に臍が刺激側に引っ張られる。

- **足底反射** plantal reflex：足底をひっかくと，足の趾が屈曲する。
- **バビンスキー徴候** Babinski's sign：錐体路が障害されると，足底刺激に対して，正常の屈曲反射の代わりに母趾が伸展し，他の趾が外転する。ただし，新生児期では正常児でもバビンスキー徴候が陽性になることがある。

22.1.3 内臓反射

内臓の平滑筋や腺も反射によって調節されており，これを**内臓反射** visceral reflex，また自律神経系を介して行われるので自律神経反射 autonomic reflex とも呼ばれる。内臓反射にも単シナプス性と多シナプス性がある。

1）単シナプス性内臓反射

単シナプス性内臓反射 monosynaptic visceral reflex では，受容器と効果器が同じ臓器にある。

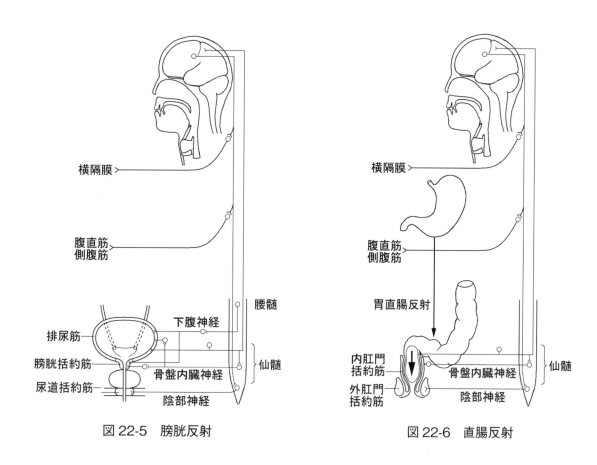

図22-5　膀胱反射　　　　　　　　図22-6　直腸反射

- **膀胱反射** bladder reflex（**排尿反射** micturition reflex）：尿が貯留して膀胱内圧が上がると膀胱壁の排尿筋（平滑筋）が収縮し，内尿道口を取り巻く筋（膀胱括約筋：平滑筋）が弛緩する（図22-5）。ただし尿道括約筋は横紋筋で，排尿は随意的に抑制できる。
- **直腸反射** rectal reflex：糞便が直腸に進入すると内圧が高まり，内肛門括約筋（平滑筋）が反射的に弛緩する（図22-6）。同時に，この情報が大脳皮質に伝達されて便意を感じ，外肛門括約筋（横紋筋）を収縮させて，排便を随意的に抑制する。
- 膀胱反射でも直腸反射でも，トイレに行って準備が整えば，尿道括約筋や外肛門括約筋を弛緩させ，横隔膜と腹筋群を収縮させて腹圧を高めて排尿や排便を行う。

2）多シナプス性内臓反射

多シナプス性内臓反射 multisynaptic visceral reflex では，受容器と効果器が別の臓器にある。

- **咳反射** cough reflex：刺激は気管粘膜が受容し，呼吸筋が反応する。
- **唾液分泌反射** salivary reflex：例えば梅干しを食べると唾液が出てくる反射で，受容器は舌，効果器は唾液腺である。

22.2　求心性伝導路

求心性伝導路 centripetal tract は感覚器で受けた刺激を中枢神経に伝達する神経路で，**上行性伝導路** ascending tract ともいわれる。体知覚，味覚，嗅覚，視覚，聴覚，平衡覚はそれぞれ別の経路で伝達される。

23.2.1　体知覚路

体知覚路 somatosensory tract は触覚や圧覚，痛覚，温覚，冷覚など，皮膚や粘膜からの表在性知覚と，筋や腱，関節からの深部知覚を大脳皮質や小脳に伝達する伝導路である。これらの知覚を伝達する神経経路はそれぞれに決まっている。

脊髄神経に含まれる知覚線維は脊髄神経節にある知覚ニューロンの末梢側突起で，末梢器官にある各種感覚受容器と連絡している。一方，中枢側突起は後根を通って脊髄に進入するが，その後，感覚の種類によって以下の3つの経路に分かれる。（図22-7）。

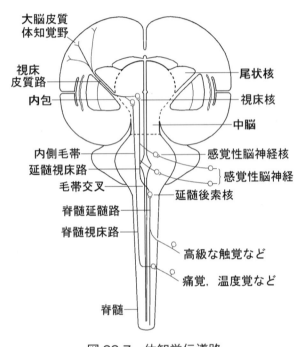

図22-7　体知覚伝導路

1）高級な触覚と一部の深部知覚の伝導路

繊細で局所性を伴う触覚（高級な触覚）や意識される深部知覚のような系統発生学的に新しい感覚を伝える線維は，脊髄に入ると上下に多数の側枝を出す。下行するものは後索を下り，下位分節の後角に終わり，その高さの前角細胞と連絡する（反射に関与）。

- 第1ニューロン：細胞体は脊髄神経節にあり，中枢側突起のうちで上行するものは後索を通って延髄の**薄束核** Nucleus gracilis や**楔状束核** Nucleus cuneatus に終わる（**脊髄延髄路** Tractus spinobulbaris）。このうち，下半身からの線維は薄束，上半身からの線維は楔状束を通る。
- 第2ニューロン：後索核から始まる神経線維は延髄で正中線を越えて反対側に至り（内弓状線維），脳幹を上行して視床に終わる（**延髄視床路** Tractus bulbothalamicus）。これらの線維は第Ⅳ脳室の腹側部と中脳水道の腹外側部では比較的よくまとまっており，**内側毛帯** Lemniscus medialis と呼ばれる。一部の線維は後索核から分かれて，同側および対側の下小脳脚を経て小脳に至る。
- 第3ニューロン：視床核から出た線維は内包を通って大脳皮質の**体知覚野**（p.390：図21-38を参照）に終わる（**視床皮質路** Tractus thalamocorticalis）。

2) 痛覚，温度覚，下等な触覚

　系統発生的に古い感覚で，このうち下等な触覚とは局在性が薄く，くすぐったい感じや痒み，性的快感などが含まれる。

- 第1ニューロン：後根となって脊髄に入り，脊髄後角の**索細胞**に終わる。
- 第2ニューロン：索細胞から始まる線維はすぐに交叉して対側の側索表層を上行し，内側毛帯の背外側部を通って視床に終わる（**脊髄視床路** Tractus spinothalamicus）。一部の上丘に終わる線維（脊髄視蓋路 Tractus spinotectalis）は，上丘で視蓋脊髄路やその他の遠心性神経路と連絡して複雑な反射弓を作る。
- 第3ニューロン：視床核から始まり，大脳皮質の体知覚野に終わる。この線維は前述の視床皮質路の一部となり，内包を通る。

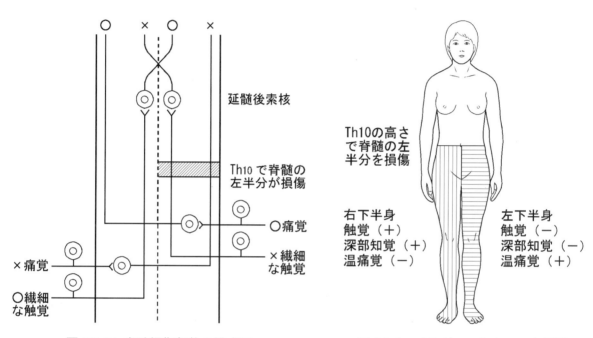

図22-8　脊髄損傷部位の模式図　　　図22-9　ブラウン・セカール症候群

　高級な触覚と温・痛覚の伝導路では交叉する高さが異なるので，脊髄の半側が損傷された時，損傷部位よりも下位の領域では左右の感覚消失が分離し，損傷側の触覚麻痺と反対側の温・痛覚麻痺が起こる。これを**ブラウン・セカール症候群** Brown-Sequard syndrome という（図22-8, 22-9）。

3）体知覚性脳神経の伝導路

　体知覚性線維を含む三叉神経は三叉神経節，舌咽神経と迷走神経はそれぞれ上神経節と下神経節という知覚神経節を持っている（図22-10）。

- 第1ニューロン：各神経節に細胞体があり，中枢側突起は延髄や橋の知覚核（終止核）に終わる。すなわちこれらの神経節や知覚

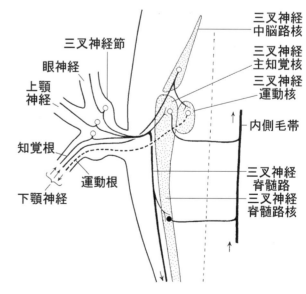

図22-10　三叉神経の知覚伝導路

核は脊髄神経節や後索核に相当する。
- 第2ニューロン：知覚核から始まる線維は直ちに交叉して反対側に渡り，内側毛帯に加わって視床に至る。
- 第3ニューロン：視床から始まり，内包を通って大脳皮質の体知覚野に終わる。

知覚性伝導路の多くは3個のニューロンで構成され，脊髄あるいは脳幹で交叉し，内側毛帯と内包を通って大脳皮質に終わる。

後根線維の一部は脊髄に入ると下行するが，脳神経でも同じ現象が見られる。これらの下行線維は三叉神経脊髄路 Tractus spinalis nervi trigemini や孤束 Tractus solitarius となって下行し，これらの神経路の中にある三叉神経脊髄路核や孤束核に終わる。これらの神経核は索細胞に相当する。

4) 深部知覚

身体の位置や体位，振動，運動，圧力などに関する感覚を**深部知覚** deep sensory あるいは**固有知覚** proprioception といい，受容器は筋や腱，関節包などの深部組織にある。このうち，前述の視床を介して大脳皮質に伝えられるものを意識性固有知覚といい，ここで述べるような，主として小脳に伝えられるものを無意識性固有知覚という（図22-11, 22-12）。

- 第1ニューロン：後根線維の側枝の一部は後角に終わる。
- 第2ニューロン：後角から始まる線維はすぐに交叉して対側の側索表層を上行する。

  後脊髄小脳路 Tractus spinocerebellaris posterior：後角の胸髄核（クラーク柱）から起こる線維は側索後部の表層を上行し，延髄と下小脳脚を通って小脳虫部の皮質に終わる。

  前脊髄小脳路 Tractus spinocerebellaris anterior：後角の固有核から起こる線維は後脊髄小脳路の前に接して走り，橋の上端の高さで上小脳脚を通って小脳虫部の皮質に終わる。

筋や腱，関節包から小脳へ深部知覚を伝える神経路は2個のニューロンからなり，交叉する。小脳皮質から出る線維は，錐体外路系を介して脊髄前角細胞と連絡している。これらの神経路は大脳皮質を介さず，無意識のうちに形成される反射路で，筋の緊張や姿勢を調節する。

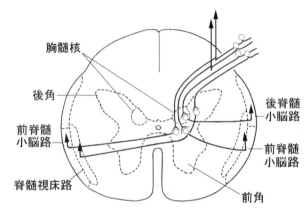

図22-11　脊髄後根の上行性線維

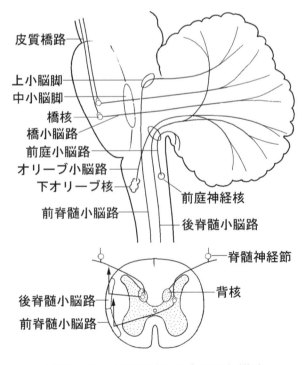

図22-12　小脳に終わる主要な伝導路

22.2.2 味覚伝導路

味覚伝導路 gustatory tract は舌，咽頭，喉頭蓋に分布する味覚受容器（味蕾を含む）で感受した刺激を中枢に伝達する神経路である（図22-13）。

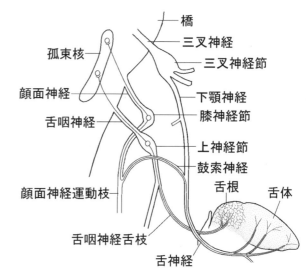

図22-13 味覚伝導路

- 第1ニューロン：場所によって神経細胞体の存在場所と神経が異なる。

    舌体部からの味覚線維：最初は**舌神経** N. lingualis（下顎神経の枝）を通るが，やがて**鼓索神経** Chorda tympani となって分かれ，顔面神経に合流して延髄に入り，**孤束核**に終わる。細胞体は顔面神経の**膝神経節** Ganglion geniculi にある。

    舌根からの味覚線維：**舌咽神経** N. glossopharyngeus と合流して延髄に入り，同じく孤束核に終わる。細胞体は舌咽神経の**上神経節** Ganglion superius にある。

    喉頭蓋からの味覚線維：**迷走神経** N. vagus に合流して延髄に入り，孤束核に終わる。細胞体は迷走神経の**上神経節** Ganglion superius にある。

- 第2ニューロン：孤束核から始まる線維は交叉して内側毛帯に加わり，対側視床の後内側腹側核に至る。
- 第3ニューロン：視床核から始まる線維は内包の後脚（上視床放線）を通って大脳皮質の**味覚野**（中心後回の下部で顔面知覚領域：Area 43）に至る（p.390：図21-38を参照）。

味覚も3個のニューロンでリレーされる。孤束核から起こる線維の一部は延髄の上・下唾液核や，顔面神経および舌下神経の運動核とも連絡して反射弓を形成する。酸っぱいものを食べると唾液が出たり，思わず顔をしかめたりするのはこのためである。

22.2.3 平衡覚路

平衡覚路は身体のバランス感覚を司る神経路で，受容器（感覚細胞）は内耳の半規管と前庭（卵形嚢，球形嚢）にある（図22-14）。

- 第1ニューロン：細胞体は内耳の**前庭神経節** Ganglion vestibulare にあり，その末梢側突起が感覚細胞と連絡する。中枢側突起は**前庭神経** N. vestibularis となって脳幹の前庭神経核に入る。
- 第2ニューロン：細胞体は菱形窩の最外側部に4つの**前庭神経核** Nucleus nervi vestibuli を作る。ここから始まる神経線維の大部分は下小脳脚を通って小脳（原始小脳：片葉，小節葉）に終わる（前庭小脳路

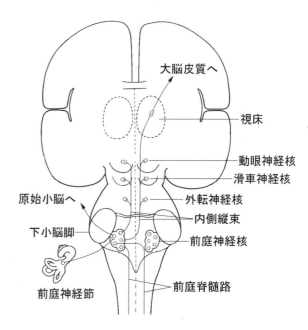

図22-14 平衡覚伝導路

Tractus vestibulocerebellaris)。

原始小脳からの線維は**室頂核** Nucleus fastigii に至り，さらに上小脳脚（一部）や下小脳脚を通って再び**前庭神経外側核**（ダイテルス Deiters 核）に向かう。その後，**前庭脊髄路** Tractus vestiburospinalis（錐体外路系）となって脊髄前索の外側部〜側索を下行し，前角細胞に終わる。

平衡覚を伝える線維の多くは反射弓を形成し，大脳皮質との関係は薄い。これは身体の平衡が無意識に保たれていることを意味している。電車が急ブレーキをかけた時に，とっさに足を踏ん張ってバランスをとるのはこの反射弓による。また前庭神経核は内側縦束を通って動眼神経，滑車神経，外転神経の運動核とも連絡しており，前庭－眼筋反射弓を形成している。首を前屈すると反射的に眼球は上方を向き，後屈すると眼球が下方を向くのはこのためで，これを人形の目徴候 doll's eye sign という。また前庭神経核が障害されると眼振 nystagmus が起こる。

23.2.4 聴覚路

聴覚路 auditory tract は蝸牛のコルチ器にある有毛細胞が感受した音刺激を中枢に伝える神経路で，左右それぞれの蝸牛から両側性に聴覚中枢に伝達される（図 22-15）。

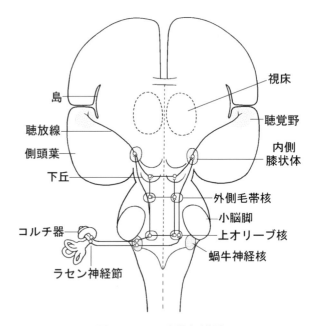

図 22-15 聴覚伝導路

・第1ニューロン：神経細胞体は内耳の**ラセン神経節** Ganglion spirale にあり，末梢側突起はコルチ器の有毛細胞と連絡する。一方，中枢側の突起は**蝸牛神経** N. cochlearis となり，前庭神経とともに内耳神経を構成して延髄菱形窩の外側部にある**蝸牛神経腹側核**および**背側核** Nucleus cochlearis ventralis et dorsalis に終わる。
・第2ニューロン：蝸牛神経核から始まり，すぐ上にある同側と対側の**上オリーブ核** Nucleus olivaris superior に終わる。
・第3ニューロン：上オリーブ核から始まり，**外側毛帯** Lemniscus lateralis を上行して視床後下部にある**内側膝状体** Corpus geniculatum mediale に終わる。
・第4ニューロン：内側膝状体から起こる突起は，内包後脚の聴放線を通って**聴覚野**（側頭葉 Area 41, 42）に終わる（☞ p.390：図 21-38）。
・第3ニューロンの突起の一部は外側毛帯核のニューロンを介して中脳蓋の下丘に至り，さらにその一部は上丘に入り，下行性神経路（視蓋脊髄路）と連絡して音刺激に対する反射に関与する。突然大きな音がするととっさに音の方を見るのはこのためである。

22.2.5 視覚路

視覚路 visual tract は網膜で受けた光刺激を大脳皮質に伝達する経路である。網膜は本来中枢神経そのものであるために，他の感覚伝導とは異なっている（図 22-16, 22-17）。
・第1ニューロン：網膜の**視細胞**（杆状体と錐状体）は感覚細胞であると同時に神経細胞でもある。

- 第2ニューロンは内顆粒層の**双極細胞**で，視細胞からの興奮を受ける。
- 第3ニューロンは**網膜神経節細胞**で，軸索は眼球の後極（視神経円板）に集まって**視神経** N. opticus となり，眼球を出る。視神経線維のうち，網膜の両内側半分からの線維は**視交叉** Chiasma opticum で交叉するが，両外側半分からの線維は交叉しない。この半交

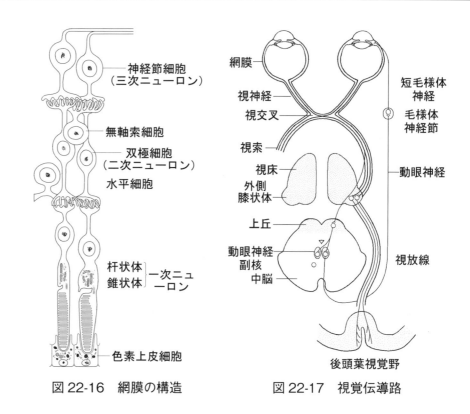

図22-16 網膜の構造　　図22-17 視覚伝導路

叉によって視野の右半分の視覚情報は左脳，左半分の視覚情報は右脳に入る（図5-5を参照）。視交叉を過ぎた線維は**視索** Tractus opticus となり，多くは視床後部の**外側膝状体** Corpus geniculatum laterale に終わる。
- 第4ニューロン：外側膝状体から起こる線維は内包後脚の**視放線** Radiatio optica を通って大脳皮質の**一次視覚野**（後頭葉の鳥距溝を囲む Area 17）に終わる（p.390：図21-38を参照）。

外側膝状体から起こる線維の一部は視床枕や中脳蓋の上丘に終わり，反射路を形成する。目の前にボールが飛んでくると，瞬間的に目を閉じるのもこの反射弓による。また，眼球に光を当てると瞳孔が収縮する反応を**対光反射** light reflex という。中脳が障害されると対光反射は減弱あるいは消失するので，脳幹の機能を調べる非常に重要な検査で，脳死の判定に用いられる。

22.2.6 嗅覚路

嗅覚路は系統発生学的に最も古い感覚神経路である。伝導路は非常に複雑で，不明な点も多い。多くの神経伝導は経路のどこかで左右が交叉するが，嗅覚路は交叉しない。
- 第1ニューロン：**嗅細胞** olfactory cells は感覚細胞でかつ神経細胞である。その神経突起は**嗅神経** N. olfactorius となり，篩骨篩板を貫いて頭蓋腔内に入り，**嗅球** Bulbus olfactorius に終わる（図22-18）。
- 第2ニューロン：嗅球の**僧帽細胞** mitral cell の突起は**嗅索** Tractus olfactorius となって後走し，視交叉の前方で内側嗅条と外側嗅条 Stria olfactoria medialis et lateralis になる

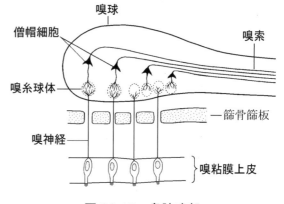

図22-18 鼻腔嗅部

（図22-19）。
・外側嗅条の線維は同側側頭葉の海馬傍回にある内嗅野や梨状葉 Lobus piriformis, 扁桃体などに，内側嗅条の線維も同側前頭葉の中隔核（内側嗅条領域）に至る。

嗅覚路の一部は乳頭体や脳弓，視床を経て中脳および延髄網様体に行くものもある。これらは下行性の網様体脊髄路を経て脳神経の運動起始核や脊髄とも連絡し，嗅刺激に対する筋や腺の反射運動を起こす。

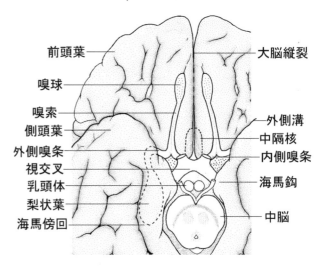

図22-19　嗅覚の伝導路

22.2　遠心性伝導路

遠心性伝導路 centrifugal tract は**下行性伝導路** descending tract とも呼ばれ，脳からの指令を末梢の効果器に伝達する神経路で，大きく運動伝導路と分泌伝導路に分けられる。

我々は目的を達成するために様々な運動（随意運動）を行うが，その運動がスムーズに，うまく行えるように調節されている（運動調節）。ここでは随意運動の指令を伝達する運動伝導路を錐体路，運動を調節するための伝導路を運動調節系として説明する。

22.3.1　錐体路

錐体路 Tractus pyramidalis の線維は大脳皮質の運動野（中心前回 Area4）や運動前野（area 6），体知覚野（area 3,1,2）などから始まり，脳神経や脊髄神経を介して骨格筋の随意運動を司令する（図22-20）。錐体路線維は大脳皮質を出ると大脳半球や間脳では**内包** Capsula interna，中脳では**大脳脚** Crus cerebri，橋では腹側部の**橋縦束**，延髄では**錐体** Pyramis を通る。そして**錐体交叉** Decussatio pyramidum（延髄下部）で約90%の線維は交叉し，反対側の脊髄側索（**外側皮質脊髄路** Tractus pyramidalis lateralis）を下行して順次脊髄の前角細胞と直接あるいは介在ニューロンを介して連絡する。一方，交叉しなかった線維は脊髄の前索（**前皮質脊髄路** Tractus pyramidalis anterior）を下行する（図22-21）。

延髄で交叉し，脊髄側索を下行する線維は脊髄の前角細胞を介して，主として四肢の骨格筋を支配する。一方，延髄で交叉せずに前索を下行する線維は主として体幹の筋を支配する。この線維は目的の髄節まで脊髄を下行

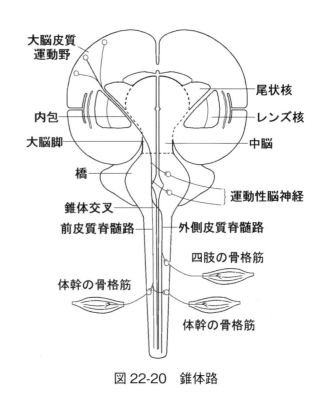

図22-20　錐体路

すると，反対側の前角細胞にも側枝を送る。すなわち体幹の筋は左右の前皮質脊髄路の線維によって両側支配を受けている。脳血管障害などによって起こる片麻痺で，四肢筋の麻痺に比べて体幹筋の麻痺が軽度なのはこのためである。

なお錐体路線維の一部は脳幹で交叉して，対側の脳神経

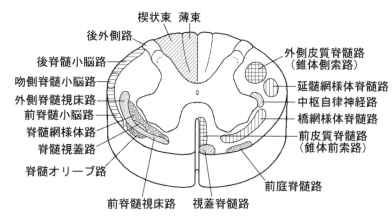

図22-21　脊髄における錐体路

運動核に終わる。そこから起こる神経線維は運動性脳神経となって頭頸部の骨格筋を支配する。このような脳幹に終わるものを**皮質核路** Trac-tus corticonuclearis といい，両側支配を行うものもある。

23.3.2　運動調節系（錐体外路系）

随意運動の指令を伝達する錐体路系に対して，運動がスムーズにうまく遂行できるように調節・制御する運動調節系は**錐体外路系** Tractus extrapyramidalis, extrapyramidal tract と呼ばれていた。しかし，錐体路以外に脳幹の運動神経核や脊髄の前角細胞に指令を送る神経路は存在しないことから，近年錐体外路という言葉は徐々に使われなくなっている。しかしまだ，国家試験などには錐体外路という言葉が使われているので，ここでは運動調節系（錐体外路系）と記載する。

我々の身体運動を調節する神経路は多く知られているが，そのうち大脳核による調節系と小脳が中心となって行う調節系が重要である。錐体路によって伝達される随意運動の指令は，同時にこれらの運動調節系によってチェックされる。錐体路の指令が適正であると判断されたらそのまま運動は遂行されるが，適正でないと判断された場合，大脳核や小脳は視床を介して大脳皮質の運動中枢にその情報を送り，運動指令が修正される。

1）大脳核による運動調節

ここでいう大脳核とは（機能学的）大脳核で，線条体，淡蒼球，視床下核，黒質から構成されている（p.394を参照）。線条体が皮質下の運動調節（錐体外路系）において重要な役割を果たしていることはよく知られている。但し，尾状核は大脳皮質の体知覚野や前頭連合野，頭頂連合野などから，被殻は運動に関わる領域から入力線維を受け入れているので，運動調節に直接関わっているのは被殻である。そして尾状核は認知機能，

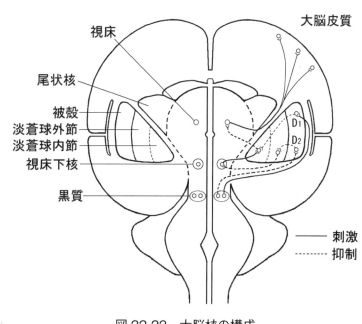

図22-22　大脳核の構成

感情，動機付け，学習など，様々な精神的機能を担っていると言われている。

私たちが日常生活の中で行う動作（運動）を車の運転に例えると，車を動かすのはエンジン系統（錐体路系）と車輪（筋）であるが，車をスムーズにかつ安全に運転するためにはアクセルやブレーキで車を制御しなければならない。これを担当しているのが大脳核で，運動の開始や停止などを調節している（図22-23）。

- 線条体の被殻は大脳皮質から運動の目的や運動の内容，運動の指令などに関する情報を受け取る。
- 直接路：線条体はその情報を分析し，その結果を大脳核からの唯一の発信場所である淡蒼球内節に直接伝える。
- 間接路：被殻の分析結果は淡蒼球外節と視床下核を経由して淡蒼球内節に伝達される。
- 大脳核による判断は淡蒼球内節から視床の腹外側核を経由して大脳皮質の運動野に送られる。
- 黒質から被殻に投射するニューロンはドーパミン作動性で，被殻にある D1- 受容体は促進性，D2- 受容体は抑制性である。このニューロンの変性によってドーパミンの量が減少して起こる**パーキンソン病**では，線条体から淡蒼球内節への直接路の抑制が弱くなり，間接路では淡蒼球外節への抑制が強くなって外節による視床下核へ抑制が弱まるために，視床下核から淡蒼球内節への促進が強くなって，視床核に対する淡蒼球内節の抑制が強くなる。その結果，視床核は運動調節に関するメッセージを大脳皮質運動野に伝達することができなくなり，様々な運動障害が起こる（図22-24）。

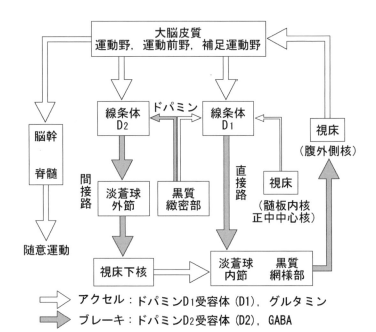

図22-23　大脳核による運動の調節

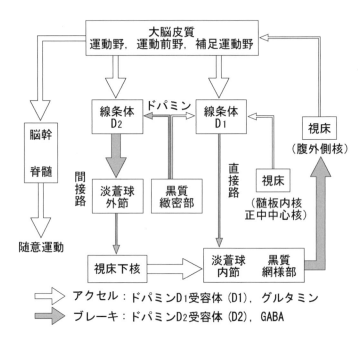

図22-24　パーキンソン病

車のスピードはアクセルとブレーキで調節するが，大脳核による運動調節はアクセル（促進）よりもブレーキ（抑制）が多用されているようである。すなわち，運動（車）を止める時にはブレーキを強く踏み込み，徐行する時にはブレーキを弱く踏み，ブレーキの強さを変えることによって錐体路系の運動指令を調節しているようである。

2）小脳による運動の調節

自転車に乗る時，ハンドルを操作する上肢とペダルをこぐ下肢の筋が行う運動は全く違うし，姿勢の保持や身体のバランスも必要である。このような運動がスムーズにうまくできるのは小脳による協調運動の調節と運動の学習・記憶のお陰で，橋核，下オリーブ核，脊髄，前庭神経核などが関与している。

- **協調運動の調節**：たとえ単純な動作であっても，複数の筋が同時に働いており，目的とする動作をスムーズにうまく行うためには，関係する筋の収縮・弛緩のタイミングや収縮の強さを調節して協調させる必要がある。

- **運動の学習と記憶**：自転車に乗り始めた人の動作がぎこちないのは，自転車の運

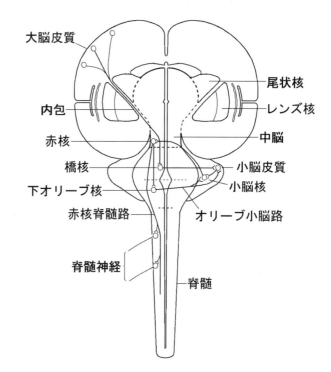

図 22-25　小脳による運動調節系

転に必要な運動が，最初は大脳皮質からの指令で行われるからである。しかし，繰り返し乗っているうちに小脳がその動作に必要な協調運動を学習するとともに，本来小脳が担当する姿勢の保持や身体バランスも連動させた協調運動プログラムを視床を介して大脳の運動野に送り，大脳に指示するようになる。こうなると大脳は自転車の運転に集中する意識から解放されて，安全の確認や風景を楽しむこともできるようになる。また，この運動プログラムは記憶として小脳に保存されるので，しばらくの間自転車に乗ってなくても，すぐに乗ることができる。運動の実行指令を出すのはあくまでも大脳皮質の運動野であるが，協調運動を果たすには小脳からの指示が不可欠である。「練習すれば上手くなる。昔やったことは体が覚えている」というが，これはまさに小脳の学習と記憶のお陰である。

- 前頭葉の運動野や運動前野，補足運動野，前頭連合野，頭頂葉の体知覚野や頭頂連合野などから運動の企画，錐体路の指令，各種感覚情報や空間位置情報などが**橋核**に伝達される（**皮質橋核路** Tractus corticopontini）。橋核から出た線維は橋内で交

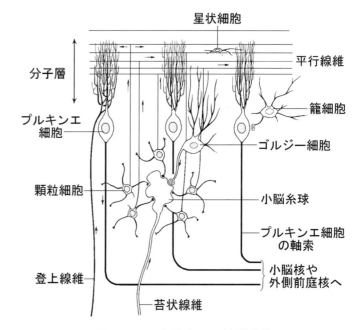

図 22-26　小脳内での線維連絡

叉し，中小脳脚を通って反対側の小脳半球に入り，苔状線維となって小脳皮質の顆粒細胞とシナプスを作り，顆粒細胞が作る平行線維によってそれらの情報がプルキンエ細胞に伝えられる。

- **下オリーブ核**は大脳皮質，線条体，赤核や脊髄からの入力を受け，骨格筋の運動を制御している。

下オリーブ核から始まる線維は下小脳脚を通り，登上線維となって反対側の小脳皮質の分子層に進入し，プルキンエ細胞にこれらの情報を伝える。
- 四肢や体幹の筋や腱，関節包などからの深部知覚情報は前脊髄小脳路や後脊髄小脳路によって，また重力や直進加速度，回転運動などの平衡覚に関する情報は前庭小脳路によって小脳に伝えられる。
- **プルキンエ細胞**はこれらの情報に基づいて適正な筋運動のタイミングや強さと実際の運動との誤差を検出し，より適正な協調運動のプログラムを作って，小脳における唯一の出力場所である**小脳核**（歯状核や室頂核）に送る。

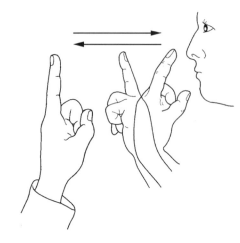

図22-27　指鼻試験

- 新小脳に属する歯状核から起こる線維は上小脳脚を通り，中脳内で交叉して反対側の視床核に終わり，視床核から大脳皮質の運動野に運動プログラムの情報が伝達されて，協調運動が達成される。
- 原始小脳の属する室頂核からは同じ情報を外側前庭核に送り，姿勢や身体のバランスを調節する。
- 臨床的に用いられる**指鼻試験**は自分の鼻と検者の指先を交互に触れてもらう検査で，小脳の協調運動が障害されるとうまくできなくなる。

3）前庭脊髄路

ただ立っているだけでなく歩行や様々な活動をするためには，運動に伴って絶えず変動する重心の安定性を保ち，姿勢を適正に調節することが必要である。これを平衡機能といい，前庭神経核は平衡覚に関する様々な情報を原始小脳に送って，小脳による平衡維持機構を支えているが，それに加えて脊髄や脳幹とも連携して，筋の緊張や姿勢の制御に大きく貢献している（p.409：平衡覚路）。この姿勢制御回路を**前庭脊髄路** Tractus vestibulospinallis といい，内側と外側の2つの経路がある。

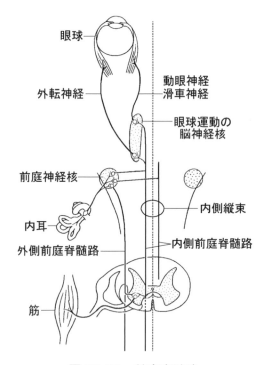

図22-28　前庭脊髄路

- **内側前庭脊髄路**：内側前庭神経核と下前庭神経核から始まり，両側の内側縦束を下行して頚髄の前角細胞とシナプスを作る。運動に伴って頭部が傾斜すると，それに反応して頚部や四肢の抗重力筋の緊張を高めて頭部を水平に保つ。また，中脳や橋にある眼球運動の神経核にも情報を送り，視線を水平に保つ。
- **外側前庭脊髄路**：外側前庭神経核から始まり，脊髄同側の前索を下行して抗重力伸筋を支配する前角細胞とシナプスを作る。何らかの外力を受けて頭部に加速度が加わったとき，反射的に四肢の筋緊張を変化させて姿勢の崩れや転倒を未然に防ぐ。

5章　骨格筋の発生と神経支配

23　骨格筋の発生と神経支配

　筋組織は中胚葉に由来し，体幹や体肢の骨格筋は体節筋板，頭頸部の骨格筋は体節筋板や咽頭弓の間葉から発生する。

　胎生第3週において外胚葉，中胚葉，内胚葉からなる胚盤が形成されると，外胚葉の中央部は肥厚して**神経板** Lamina neuralis になり，その両側方に続く皮膚外胚葉と明瞭に区別されるようになる。また中胚葉でも，中軸部で肥厚した沿軸中胚葉と，その外方側に続く側板中胚葉に区別されるようになる（図23-1a）。

　胎生第4週に入ると，神経板は正中線を軸にしてV字型に背方に折れ曲がる。この時，神経板の正中部を神経溝 Sulucus neuralis，神経板の両側端を神経隆起 Tornus neuralis という。また，神経隆起と皮膚外胚葉の移行部にできる細胞集団を**神経堤** Crista neuralis といい，ここから末梢神経系が発生する（b）。さらに発生が進むと，神経溝は深くなり，ついには左右の神経隆起が背部正中線上で癒合し，神経板は**神経管** Canalis neuralis となって皮膚外胚葉の下に埋没する（c）。皮膚外胚葉からは皮膚の表皮が発生する。

　神経管が形成されるにつれて，沿軸中胚葉は分節化して神経管の両側に**体節** somite を作る。また側板中胚葉は皮膚外胚葉を裏打ちする壁側板と，内胚葉を裏打ちする臓側板に分離する。両者間の間隙を胚内体腔といい，後にここは胸膜腔や腹膜腔になる。沿軸中胚葉と側板中胚葉の間に生じた中間中胚葉からは泌尿・生殖器が形成される。

　体節の形成と平行して，頭頸部では口窩を囲むように6対の高まりが形成される。これを**咽頭弓** pharyngeal arch（鰓弓）といい，ここから頭頸部の骨格や筋をはじめとする多くの器官や組織が形成される（図23-2）。形成された体節や咽頭弓にはそれぞれ1本ずつの脳神経あるいは脊髄神経が進入し，これらから発生するすべての組織や器官を支配する。しかも，一度樹立された支配関係は終生変わらない。

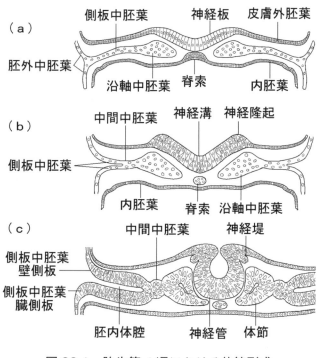

図23-1　胎生第4週における体節形成

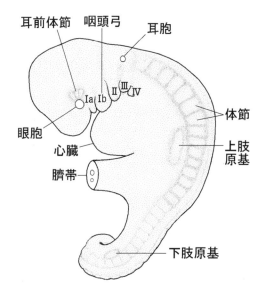

図23-2　体節と咽頭弓

23.1 骨格筋発生の概要

23.1.1 体節の形成と分化

胎生第4週に入ると，体節の中央部に体節腔が形成される（図23-3a）。体節の腹内側壁の細胞は神経管や脊索に向かって遊走し，椎骨原基を作るので**椎板** sclerotome と呼ばれる（b）。一方，その場所に残った背外側壁は**皮筋板** dermomyotome と呼ばれる。間もなく，この背内側角では細胞が増殖し，皮筋板の内側面に沿って**筋板** myotome という新しい細胞層を作る（c）。筋板が皮筋板の腹外側角まで達すると，皮筋板は**皮板** dermatome と呼ばれるようになり，やがて細胞はほぐれて皮膚外胚葉の直下に遊走して真皮を形成する（d, e）。

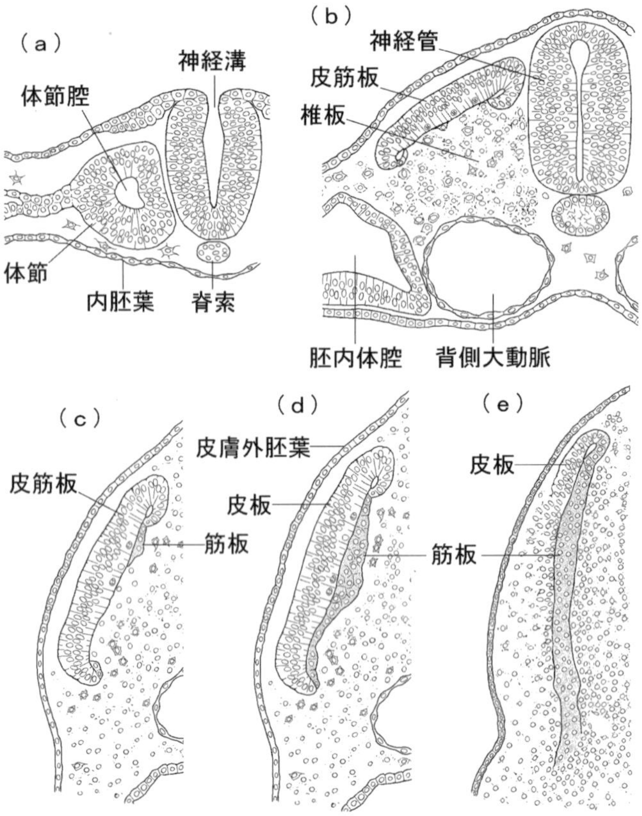

図 23-3 体節の分化

23.1.2 筋細胞の分化

筋板を構成する**筋芽細胞** myoblast は最終分裂を終えた単核の細胞である。その後，筋芽細胞は互いに癒合して**筋管** myotube となり，さらに癒合を重ねて，細長い多核性の**筋線維** muscle fiber を作る。

筋細胞の分化には神経との相互作用が重要である。筋細胞の分化が始まる頃，脊髄でも神経細胞の分化が始まり，前角細胞はすぐ近くに形成された筋板に軸索を伸ばして支配関係を結ぶ。

23.1.3 筋板の分化

分節的に形成された体節には，対応する脊髄の髄節から脊髄神経が1本ずつ進入する。頚部にできる筋板を頚筋板，胸部の筋板を胸筋板，以下同様に腰筋板，仙骨筋板という。

皮板の細胞が遊走した後，脊髄の両側に残った筋板は背腹方向に長くなり，背側部の**上分節** epimere と腹側部の**下分節** hypomere に分かれる。体幹では，上分節は2層に分かれて脊柱の伸筋（脊柱起立筋と横突棘筋）を作る。一方，下分節は3層に分かれて胸壁や腹壁の筋を作る（図23-4）。

脊髄神経は脊髄を出るとすぐに**後枝** Ramus dorsalis と**前枝** Ramus ventralis に分かれ，後枝は背部の

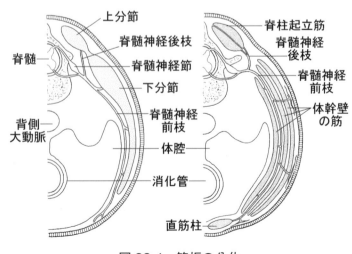

図 23-4 筋板の分化

皮膚と上分節に由来する筋を支配する。一方，前枝は体幹側部および前部の皮膚と，下分節由来の筋を支配する。

23.2 頭頸部筋の発生

頭頸部の筋は体節筋板と咽頭弓から生じる。頭部では頸筋板の頭方に後頭筋板や耳前筋板が形成される。これらは体幹部の筋板と同じ仲間で，これらから舌筋や外眼筋が発生する。また咽頭弓の間葉からは顔面の表情筋や咀嚼筋，咽頭や喉頭の筋などが形成される。

頭頸部における筋と支配神経の複雑な関係も発生学的に見ればよくわかる。頭部に形成される体節や咽頭弓には脳神経がそれぞれ1本ずつ進入し，これらから発生するすべての構造物を支配する（図23-5）。

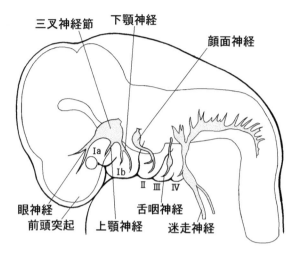

図 23-5　咽頭弓と脳神経支配の関係

23.2.1 外眼筋の発生

外眼筋は眼の周囲に形成される耳前体節 preotic somite の筋板から発生する（表23-1）。

- 第1耳前筋板：**上眼瞼挙筋** M. levator palpebrae superioris, **内側直筋** M. rectus medialis, **上直筋** M. rectus superior, **下直筋** M. rectus inferior, **下斜筋** M. obliquus inferior が生じ，ここに進入する**動眼神経** N. oculomotorius に支配される。
- 第2耳前筋板：**上斜筋** M. obliquus superior が生じ，**滑車神経** N. trochlearis が支配する。
- 第3耳前筋板：**外側直筋** M. rectus lateralis が生じ，**外転神経** N. abducens が支配する。

魚類などでは，3対の耳前体節が明瞭に区別されるが，ヒトでは体節の分節化が不明瞭である。

表 23-1　頭頸部筋の発生由来

耳前体節：3対形成され，外眼筋が発生
第1耳前体節：上眼瞼挙筋，内側直筋，上直筋，下直筋，下斜筋（以上動眼神経支配）
第2耳前体節：上斜筋（滑車神経支配）
第3耳前体節：外側直筋（外転神経支配）
下顎弓：側頭筋，咬筋，外側および内側翼突筋，顎舌骨筋，鼓膜張筋，口蓋帆張筋（以上下顎神経支配）
第2咽頭弓：顔面表情筋，広頸筋，茎突舌骨筋，顎二腹筋後腹，アブミ骨筋，耳介筋（以上顔面神経支配）
第3咽頭弓：茎突咽頭筋，上位咽頭収縮筋（以上舌咽神経支配）
第4咽頭弓：輪状甲状筋，口蓋帆挙筋，下位咽頭収縮筋（以上迷走神経の上喉頭神経支配）
第6咽頭弓：喉頭内筋（迷走神経の反回神経支配）

23.2.2 咽頭弓における筋の発生

- 第1咽頭弓：上顎突起（Ⅰa）と下顎突起（Ⅰb）に分かれ，下顎突起には三叉神経の第3枝である下顎神経が進入する。咀嚼筋（側頭

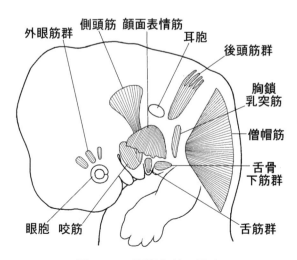

図 23-6　頭頸部筋の発生

筋 M. temporalis, 咬筋 M. masseter, 内側および外側翼突筋 M. pterygoideus medialis et lateralis), 顎舌骨筋 M. mylohyoideus, 鼓膜張筋 M. tensor tympani, 口蓋帆張筋 M. tensor veli palatini は下顎突起から発生し, すべて**下顎神経** N. mandibularis に支配される（図 23-6）。

- 第 2 咽頭弓：**顔面神経** N. facialis が進入する。**表情筋** mimic muscles, **広頚筋** Platysma, **茎突舌骨筋** M. stylohyoideus, **顎二腹筋** M. digastricus の**後腹** Venter posterior, **アブミ骨筋** M. stapedius, **耳介筋** Mm. auriculares などが生じ, これらはすべて顔面神経に支配される。

顎二腹筋の前腹は顎舌骨神経（下顎神経の枝）、後腹は顔面神経に支配される。これは、前腹と後腹の由来が異なっていることを示している。

- 第 3 咽頭弓：**茎突咽頭筋** M. stylopharyngeus と上位の**咽頭収縮筋** Mm. sphincter pharyngei が発生し, ここに進入する**舌咽神経** N. glossopharyngeus に支配される。
- 第 4 咽頭弓には**上喉頭神経** N. laryngeus superior（迷走神経の枝）が進入し, ここから発生する**輪状甲状筋** M. cricothyroideus, **口蓋帆挙筋** M. levator veli palatini, 下位の**咽頭収縮筋** Mm. sphincter pharyngei を支配する。
- 第 6 咽頭弓には**反回神経** N. recurrens lalyngeus（迷走神経の枝）が進入し, ここから発生する喉頭内の筋（声帯筋 M. vocalis）を支配する。

23.2.3　舌の発生

舌の神経分布は複雑である。しかし, 発生過程がわかれば, その理由が明らかになる（図 23-7 と表 23-2）。

舌体 Corpus linguae は下顎突起（Ⅰb）と第 2 咽頭弓（Ⅱ）から形成される。胎生第 4 週において, 口窩底を作る下顎突起の間葉組織が増殖して, 左右に 1 対の**外側舌隆起** Prominentia linguae lateralis と, 正中部に**無対舌結節** Tuberculum linguae impar を作る。外側舌隆起は急速に成長して左右が癒合するとともに, 第 2 咽頭弓由来部の表面を覆ってしまう。このために, 舌体の一般知覚は下顎突起に進入する**下顎神経** N. submandibularis に支配されるようになり, 味覚だけが**顔面神経** N. facialis の**中間神経** N. intermedius に支配されることになる。一方, **舌根** Radix linguae は第 3 咽頭弓（Ⅲ）に由来する**コプラ** copula と, 第 3, 第 4 咽頭弓（Ⅳ）由来の鰓下隆起から形成される。また, 第 4 咽頭弓の尾端は大きく隆起して**喉頭蓋** Epiglottis を作る。従って, 舌根の一般知覚と味覚は**舌咽神経** N. glossopharyngeus

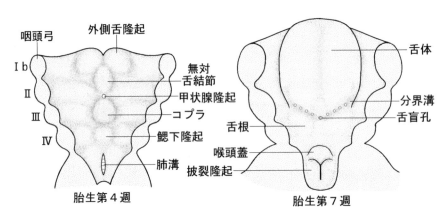

図 23-7　舌の発生

表 23-2　舌の神経支配

舌体：下顎突起と第 2 咽頭弓から発生する。 　一般知覚：下顎神経（三叉神経の第 3 枝） 　味覚：顔面神経（中間神経）
舌根：第 3 咽頭弓から発生する。 　一般知覚, 味覚ともに舌咽神経
喉頭蓋：第 4 咽頭弓から発生する。 　一般知覚, 味覚ともに上喉頭神経（迷走神経の枝）
舌筋：後頭筋板から発生する（舌下神経）

に，喉頭蓋の一般知覚と味覚は**迷走神経** N. vagus の**上喉頭神経** N. laryngeus superior に支配されるようになる。

下顎突起と第2咽頭弓の境界線中央部では，内胚葉上皮が陥没して甲状腺原基を作るが，後に**舌盲孔** Foramen caecum linguae として残存する。また舌体と舌根の境界は前方に向かってV字型に広がる**分界溝** Sulcus terminalis となる。一方，舌筋は後頭筋板から発生し，これらは**舌下神経** N. hypoglossus に支配される。

23.3 体幹筋の発生

体幹の筋板は背側の上分節と腹側の下分節に分かれ，下分節の前端には直筋柱が形成される。そしてこれらから頚部，胸部，腹部の体幹筋が生じる（表23-3）。

23.3.1 上分節から発生する筋

上分節からは**脊柱起立筋**や**横突棘筋**など，背部深層の軸上筋が形成され，**脊髄神経後枝**に支配される。

23.3.2 下分節から発生する筋

下分節から，頚部では斜角筋群，胸部では肋間筋群，腹部では側腹筋群などが発生し，これらは**脊髄神経前枝** Ramus ventralis nervi spinalis に支配される。下分節は既に述べたように3層に分かれるので，これらの筋はすべて3層構造である（図23-8）。

- 頚部：頚椎でも肋骨原基は発生するが，発達は非常に悪く，椎骨本来の横突起と癒合して，横突孔の前半分を囲むに過ぎない。従って，下分節筋はひと続きの斜角筋群（**前斜角筋** M. scalenus anterior, **中斜角筋** M. scalenus medius および**後斜角筋** M. scalenus posterior）となり，頚・腕神経叢の枝に支配される。

表23-3　体幹筋の発生由来

上分節：脊柱の伸筋群（脊柱起立筋，横突棘筋）
下分節：頚部，胸部，腹部ともに3層に分かれる 頚部：前斜角筋，中斜角筋，後斜角筋 胸部：外肋間筋，内肋間筋，最内肋間筋 腰部：腰方形筋
直筋柱（下分節の腹側端） 頚部：オトガイ舌骨筋，舌骨下筋群（胸骨舌骨筋，胸骨甲状筋，甲状舌骨筋），肩甲舌骨筋 胸部：胸部（一部の個体に残存する） 腹部：腹直筋

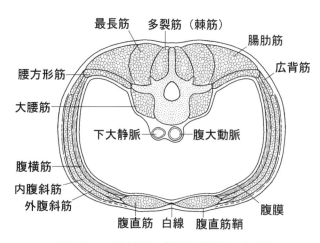

図23-8　体幹筋の横断（腰椎の高さ）

- 胸部：この領域では肋骨が非常によく発達するために下分節筋は分断され，肋骨と肋骨の間に張る肋間筋（**外肋間筋** Mm. intercostales externus, **内肋間筋** Mm. intercostales internus, **最内肋間筋** Mm. intercostales intimi）を形成し，胸神経の前枝である**肋間神経** Nn. intercostales に支配される。

- 腰部：腰椎でも肋骨の原基は形成されるが，あまり長くならず，椎弓に癒合して肋骨突起となる。そして本来の横突起は腰椎では副突起と呼ばれる。従って腰筋板の下分節から発生する側腹部の筋もひと続きの**外腹斜筋** M. obliquus externus abdominis, **内腹斜筋** M. obliquus internus abdominis, **腹横筋** M. transversus abdominis になる。また、**腰方形筋** M. quadratus lumborum も下分節から発生する。これらの筋は**肋間神経** Nn. intercostales や**腸骨下腹神経** N. iliohypogastricus（腰神経叢）、**腸骨鼠径神経** N. ilioinguinalis に支配される。

斜角筋，肋間筋，側腹筋は発生学的に見て兄弟関係にあり，すべて3層構造になっている。また，これらの筋は肋骨あるいは肋骨の残遺物との関係が深く，呼吸筋あるいは呼吸補助筋としての機能を持っている。

23.3.3 直筋柱から発生する筋

腹部では、下分節先端の直筋柱から**腹直筋** M. rectus abdominis が形成され、これは肋間神経に支配される。胸部では胸骨が形成されるので直筋は形成されない。しかし、時として**胸骨筋** M. sternalis として残ることがある。頚部では**オトガイ舌骨筋** M. geniohyoideus や舌骨下筋群（**胸骨舌骨筋** M. sternohyoideus、**胸骨甲状筋** M. sternothyroideus、**甲状舌骨筋** M. thyrohyoideus、**肩甲舌骨筋** M. omohyoideus）などの前頚筋群が直筋柱から形成され、これらは頚神経前枝や頚神経ワナに支配される。

23.4 体肢筋発生の概要

23.4.1 体肢筋発生の概要

1）肢芽の形成

胎生第4週頃、胚子の体幹側壁に小さな高まりができる。これが四肢の原基で、C_5〜Th_1 の領域にできるものを**上肢芽** upper limb bud、やや遅れて L_1〜S_4 の領域にできるものを**下肢芽** lower limb bud という（図23-9）。四肢の筋もこれらの領域の体節に由来する。

2）筋芽細胞の遊走

上肢芽や下肢芽の成長に伴い、肢芽の中軸部では間葉細胞が密集して、まず最初に軟骨性の細胞塊を作る。これが四肢骨の原基で、上腕骨や橈骨などの四肢の長骨は、この軟骨の二次的骨化によって作られる（軟骨内骨化）。体節の筋板において、脊髄前角細胞と神経支配を確立した筋

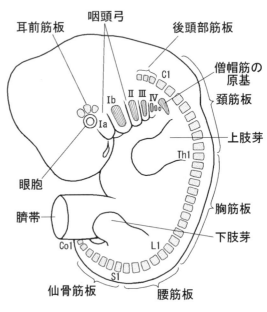

図23-9 体肢の発生領域

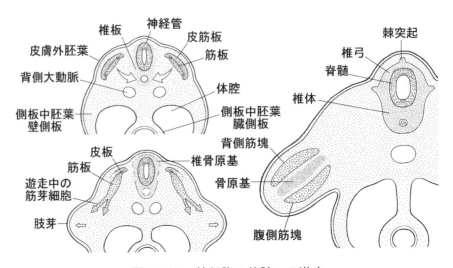

図23-10 筋細胞の体肢への遊走

芽細胞は、神経線維を引っ張りながら肢芽に向かって遊走し、骨の原基を取り巻いて、その腹側と背側に筋細胞塊を作る（図23-10, 23-11）。このように、四肢の筋は体節筋板に由来するが、骨や腱、その他の結合組織など、筋以外の中胚葉性構造物はすべて側板中胚葉の壁側板に由来する（図23-1参照）。

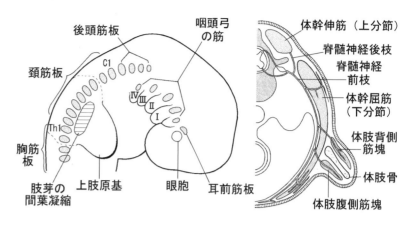

図23-11 体肢筋の原基

上および下肢芽の先端は最初は母指側を上、小指側を下にして冠状面上に開いているが、後に傍矢状面上を腹方（前方）に向かって伸長し、さらにその長軸を回転軸として回旋する。上肢は軽度外旋するために、上肢の上縁（橈側縁）は外側縁、下縁（尺側縁）は内側縁になり、手掌面は前方を向くようになる。一方、下肢は大きく内旋するために、膝は前方を向き、下肢原基の腹側面は後方を、背側面は前方を向くようになる。この回転により、本来まっすぐであった四肢皮膚の分節的神経分布はラセン状に捻れる（☞ p.64：図4-17参照）。上肢の回旋は下肢ほどではないが、上肢帯が少し尾方に移動する。また上肢芽の皮板の一部は過剰に成長して、体幹表面の広い部分を覆うようになる。

3）体肢筋発生の法則

胎生第5週において、下分節の筋細胞は支配神経を伴って肢芽に進入し、中軸間葉柱（骨原基）の背側と腹側に大きな筋細胞集団を形成する（表23-4）。しかし、体肢筋はそれ自身の移動に加え、上肢の外旋や下肢の内旋により、発生中に大きく位置を変える。一般的に、背側筋塊からは、上肢では伸筋と回外筋、下肢では伸筋と外転筋が発生する。一方、腹側筋塊からは、上肢では屈筋と回内筋、下肢では屈筋と内転筋が発生する。しかし、この法則は絶対的なものではなく、ある種の筋は発生部位から移動して別の機能を持つようになることもある。

表23-4 体肢筋発生の一般法則

	腹側筋塊	背側筋塊
上肢	屈筋と回内筋が発生 　上腕と前腕の前面筋 　手掌のすべての筋 　大および小胸筋	伸筋と回外筋が発生 　上腕と前腕の後面筋 　三角筋 　前腕の外側筋 　広背筋 　大・小菱形筋、前鋸筋 　大・小円筋 　肩甲挙筋、棘下筋
下肢	屈筋と内転筋が発生 　腸腰筋と大腿の内転筋群 　大腿二頭筋の短頭を除く 　　大腿の後面筋 　下腿後面の筋 　足底のすべての筋 　内閉鎖筋 　上・下双子筋 　大腿方形筋	伸筋と外転筋が発生 　大殿筋、中殿筋、小殿筋 　大腿筋膜張筋 　梨状筋 　大腿二頭筋短頭 　大腿と下腿の前面筋 　下腿の外側筋 　足背の筋

4）脊髄神経の発生と分布

脊髄神経 Nn. spinales は脊柱管を出るとすぐに前枝と後枝に分かれ、後枝は上分節、前枝は下分節に進入する。体肢筋はすべて下分節に由来するので、上肢筋は C_5〜Th_1、下肢筋は L_2〜S_3 の脊髄神経前枝に支配される。そして、背側筋塊は前枝の背側枝、腹側筋塊は前枝腹側枝の支配を受ける。従って筋の神経支配は、その筋が腹側あるいは背側いずれの筋塊から発生したかを示してい

る（表23-5）。

一旦運動神経が肢芽の基部に到着すると特有のパターンで混ざり合い，上肢では腕神経叢，下肢では腰仙骨神経叢を形成する。腕神経叢の背側成分，すなわち後神経束は上肢芽の背側に向かって伸び，伸筋や回外筋，外転筋を支配する。一方，腕神経叢の腹側成分，すなわち外側神経束や内側神経束は上肢芽の腹側に向かって伸び，屈筋，回内筋，内転筋を支配する。腰神経叢や仙骨神経叢にも同様の傾向が認められる。腰神経叢や仙骨神経叢の背側成分は背側筋塊から発生する外骨盤筋や大腿前面，下腿前面および足背にある伸筋群，外転筋群，外旋筋群を支配する。一方，腹側成分は腹側筋塊から発生する内骨盤筋，大腿の内転筋群，下腿後面の屈筋群を支配する。

表23-5 体肢に分布する神経の由来

	腹側枝：腹側筋塊を支配	背側枝：背側筋塊を支配
腕神経叢	内側・外側胸筋神経 鎖骨下筋神経 筋皮神経 正中神経 尺骨神経	腋窩神経 肩甲上神経 胸背神経 長胸神経 橈骨神経
腰神経叢	閉鎖神経	大腿神経
仙骨神経叢	脛骨神経 　内側足底神経 　外側足底神経	総腓骨神経 浅腓骨神経 深腓骨神経

23.4.2 上肢筋の発生

上肢の筋は上肢帯筋，肩甲筋，上腕の筋，前腕の筋および手筋に分けられる（図23-12，表23-6）。

上肢帯筋は体幹の骨（頭蓋骨や椎骨）から起こり，上肢帯の骨（鎖骨と肩甲骨）や胸骨に停止する筋群，固有背筋の表面を覆う浅背筋群およ

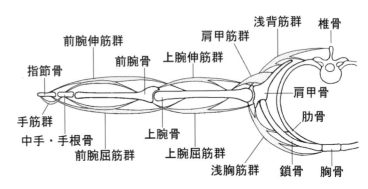

図23-12　上肢筋の模式図

表23-6　上肢帯および自由上肢筋の由来と神経支配

| 上肢帯筋
　咽頭弓に由来する筋
　　僧帽筋，胸鎖乳突筋（副神経と頚神経）
　下部頚筋板から発生する筋
　　大菱形筋，小菱形筋，肩甲挙筋（以上背側筋塊：肩甲背神経（$C_5 \sim C_6$）
　　前鋸筋（背側筋塊：長胸神経 $C_5 \sim C_7$）
　　鎖骨下筋（腹側筋塊：鎖骨下筋神経 C_5）
　　肩甲舌骨筋（直筋柱：頚神経叢 $C_1 \sim C_3$）
　上肢芽から体幹に伸び出してくる筋
　　背側筋塊：広背筋（胸背神経 $C_6 \sim C_8$）
　　　　　　大円筋（肩甲下神経 $C_5 \sim C_7$）
　　腹側筋塊：大胸筋，小胸筋（内側および外側胸筋神経 $C_5 \sim Th_1$）
肩甲筋（背側筋塊）
　三角筋と小円筋（腋窩神経 $C_4 \sim C_5$）
　棘上筋と棘下筋（肩甲上神経 $C_5 \sim C_6$）
　肩甲下筋（肩甲下神経 $C_5 \sim C_7$）
上腕の筋
　上腕の伸筋：上腕三頭筋，肘筋（背側筋塊：橈骨神経 $C_6 \sim C_8$）
　上腕の屈筋：上腕二頭筋，烏口腕筋，上腕筋（腹側筋塊：筋皮神経 $C_6 \sim C_7$） | 前腕の筋
　前腕の伸筋：背側筋塊由来で橈骨神経支配
　　最表層筋群：総指伸筋，尺側手根伸筋，小指伸筋（$C_6 \sim C_8$）
　　橈側筋群：腕橈骨筋，長および短橈側手根伸筋（$C_5 \sim C_7$）
　　深伸筋群：長母指外転筋，短母指伸筋，回外筋長母指伸筋，示指伸筋（$C_6 \sim C_8$）
　前腕の屈筋：腹側筋塊由来
　　表層筋群：橈側手根屈筋（$C_6 \sim C_8$），円回内筋（$C_6 \sim C_7$），長掌筋（$C_8 \sim Th_1$），尺側手根屈筋と浅指屈筋（$C_7 \sim Th_1$）
　　深層筋群：深指屈筋（$C_7 \sim Th_1$），長母指屈筋（$C_6 \sim C_7$），方形回内筋（$C_6 \sim Th1$）
　　前腕屈筋群のうち尺側手根屈筋と深指屈筋の尺側半分は尺骨神経，他は正中神経支配
手の筋：すべて腹側筋塊から発生
　母指球筋：母指内転筋（尺骨神経）を除き，短母指外転筋，短母指屈筋，母指対立筋は共通の筋塊から生じる（正中神経 $C_6 \sim C_7$）
　小指球筋：短掌筋，小指外転筋，短小指屈筋，小指対立筋（すべて尺骨神経 $C_6 \sim Th_1$）
　骨間筋：掌側の共通筋塊から生じるらしい。
　　掌側骨間筋，背側骨間筋（尺骨神経 $C_8 \sim Th_1$）
　虫様筋：尺側の２本は尺骨神経，橈側の２本は正中神経支配 |

び前胸部で胸郭の表面を覆う浅胸筋群からなる。このうちの一部は咽頭弓からも発生して脳神経(副神経)に支配されるが,多くは体節筋板から発生して,脊髄神経前枝に支配される。肩甲筋群は肩甲骨から起こり,上腕骨に停止して肩関節の運動を司る。上腕の筋は肘関節を伸展する上腕伸筋群と,肘関節を屈曲する上腕屈筋群からなる。前腕の筋は前腕の前面にあって,手関節や指関節を屈曲する前腕屈筋群と,前腕の後面にあって,手関節や指関節を伸展する前腕伸筋群からなる。手筋は手掌面にあって,指の運動を司る。

1) 上肢帯筋の発生

上肢帯筋は上肢帯を体幹に結合する筋群で,多くは頚筋板に由来するが,一部は咽頭弓に由来し,発生学的には以下の3群に分けられる。

(1) 咽頭弓に由来する筋

僧帽筋 M. trapezius と**胸鎖乳突筋** M. sternocleidomastoideus の共通原基は体長7mmの頃,下位2個の後頭筋板と上位2個の頚筋板の腹方に出現する。この原基は位置的に体節よりもむしろ咽頭弓との関係が深く,さらに**副神経** N. accessorius に支配されることから,咽頭弓に由来すると考えられる(図23-13)。

(2) 下部頚筋板から発生する筋

大菱形筋,小菱形筋,肩甲挙筋(以上**肩甲背神経** N. dorsalis scapulae 支配)および前鋸筋(**長胸神経** N. thoracicus longus 支配)は下部頚筋板の背側筋塊から発生する。

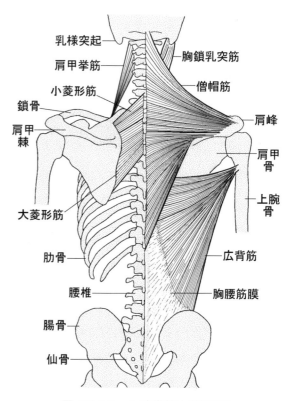

図 23-13 上肢帯筋と浅背筋

- **肩甲挙筋** M. levator scapulae と**前鋸筋** M. serratus anterior:体長9mmの胎児において両者は共通の原基として下部頚筋板の腹側端に認められ,体長11mmで両者が区別されるようになる。後に胸部で前鋸筋は尾方に向かって細くなり,上位9本の肋骨に鋸歯状に付着する。
- **大菱形筋** M. rhomboideus major と**小菱形筋** M. rhomboideus minor:菱形筋の由来は明らかではないが,体長14mmで肩甲骨の背側縁と棘突起の間にひと塊りの原基として出現する。この時,上肢帯は比較的頭側にあって,菱形筋は上後鋸筋の上端を覆っているに過ぎないが,後に上肢と上肢帯が尾方に移動するので後鋸筋を覆うようになる。

鎖骨下筋と肩甲舌骨筋

- **鎖骨下筋** M. subclavius(**鎖骨下筋神経** N. subclavius):体長14mm頃,上肢帯が尾方に移動する前に頚部の間葉細胞集団から形成される。この時期,鎖骨は第1肋骨よりも前方にあるので鎖骨下筋は前後方向に走っている。
- **肩甲舌骨筋** M. omohyoideus:直筋柱に由来し,舌骨下筋群(胸骨舌骨筋,胸骨甲状筋,甲状舌骨筋)より分離してくる。

(3) 上肢芽から体幹に伸び出す筋

広背筋 M. latissimus dorsi（**胸背神経** N. thoracodorsalis 支配）と**大円筋** M. teres major（**肩甲下神経** N. subscapulares 支配）は上肢原基の背側筋塊と密着している。大円筋はその場所で発育するが，広背筋は胸部外側壁を尾方に広がる。

大胸筋 M. pectoralis major と**小胸筋** M. pectoralis minor（**内側**および**外側胸筋神経** N. pectoralis medialis et lateralis 支配）の原基は体長9mmで見られる。これらは腹側筋群

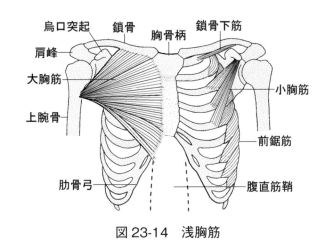

図23-14 浅胸筋

に属し，下頸部の高さで，上肢芽内側の上肢筋原基と密接に関係している。体長11mmの頃，下方に広がって第4肋骨の高さに達するが，まだひと塊りで上腕骨，烏口突起，鎖骨の原基に付着している。その後扁平になって上部肋骨の遠位端に向かって腹尾方に広がり（図23-14），体長14mmで筋の尾側端は第5肋骨の先端まで広がる。この時期に大胸筋と小胸筋の分離が始まり，腱を介して一方は上腕骨，他方は烏口突起に付着するが，肋骨付着部では両者は癒合している。体長16mmにおいて，完成時の起始と停止を持つようになる。

2）肩甲筋群の発生

三角筋，小円筋，棘上筋および棘下筋は上肢の背側筋群に属し，原基はひと塊りとなって出現する（図23-15）。

- **三角筋** M. deltoideus（**腋窩神経** N. axillaris 支配）：体長11mm頃，原基から肩峰や鎖骨に向かって分離を始める。そして14〜16mmの頃完成時の形となる。

- **棘上筋** M. supraspinatus（**肩甲上神経** N. suprascapularis 支配）：最初は肩甲骨の内側

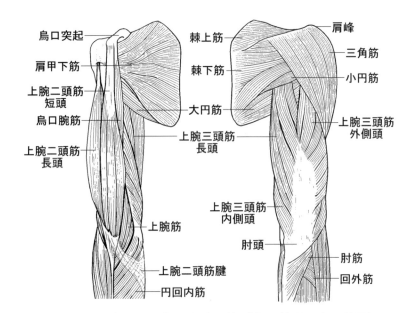

図23-15 右の肩甲部と上腕の筋（左：前面，右：後面）

面にあるが，肩甲骨の発達に伴って体長20mmの頃に完成時の位置，すなわち肩甲骨の外側面に位置するようになる。また，肩峰の発達に伴って，棘下筋からの分離が明瞭になる。

- **棘下筋** M. infraspinatus（**肩甲上神経** N. suprascapularis 支配）と**小円筋** M. teres minor（**腋窩神経** N. axillaris 支配）：最初，両者は近接しており，肩甲骨の外側面を覆っているに過ぎない。体長14mmの頃，三角筋との境界が明瞭になるが，20mmでもまだ肩甲下窩を完全には埋めてはいない。

- **肩甲下筋** M. subscapularis（**肩甲下神経** Nn. subscapulares）：最初から他の筋との境界が明瞭である。体長11mmでは肩甲骨内側面の狭い範囲を覆うだけで，20mmでも肩甲骨の内側面を完全には覆っていない。

3）上腕の筋の発生

上腕に筋腹が存在する筋は肘関節を動かす筋群で，背側の伸筋群と腹側の屈筋群に分けられる（図23-15，23-16）。

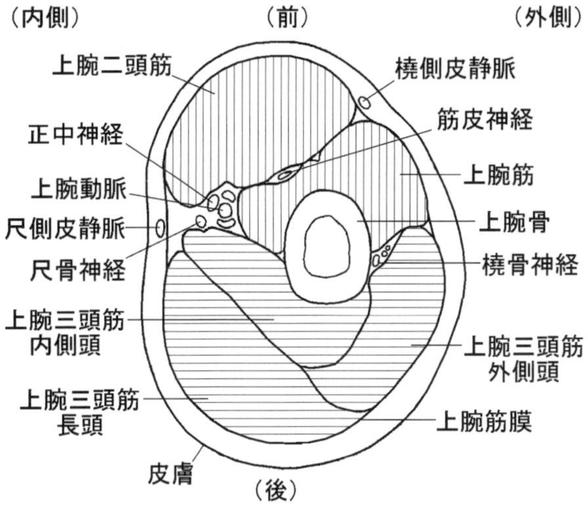

(1) 上腕の伸筋

上腕三頭筋 M. triceps brachii は上腕骨の後面と外側面に沿って肩甲骨から尺骨に向かって伸び，体長11mmで3つの筋頭が区別される。上腕の後面に筋腹が存在する伸筋は背側筋塊から発生し，**橈骨神経** N. radialis に支配される。

(2) 上腕の屈筋

上腕二頭筋 M. biceps brachii, **烏口腕筋** M. coracobrachialis, **上腕筋** M. brachialis の原基は初めは互いに癒合し，上腕二頭筋の短頭と長頭の起始は近接しているが，肩甲骨の発達に伴って分離してくる。これら3筋は体長14～16mmで識別され，長頭の腱は体長14mmの胎児で明瞭になる。3筋の遠位端の分離は起始部よりも遅れる。上腕の前面に筋腹が存在する屈筋群は腹側筋塊より生じ，**筋皮神経** N. musculocutaneus に支配される。

図23-16 右上腕下部の横断面
縦線部（筋皮神経支配）：腹側筋塊由来
横線部（橈骨神経支配）：背側筋塊由来

4）前腕の筋の発生

前腕でも背側筋塊から生じる伸筋群（伸筋と回外筋）と腹側筋塊から生じる屈筋群（屈筋と回内筋）に分けられる。前者は**橈骨神経** N. radialis に，後者は**正中神経** N. medianus と**尺骨神経** N. ulnaris に支配される（図23-17）。

(1) 前腕の伸筋群

前腕の伸筋群は屈筋群よりも早く分化を始める。前腕の近位外側部にできる伸筋の共通原基は体長11mmで浅伸筋群，橈側群および深伸筋群の3つの筋群に分離する（図23-18）。

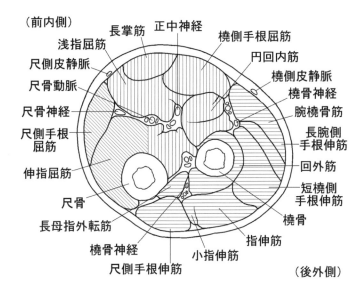

図23-17 右前腕下部の横断面
縦線部（正中神経支配）と斜線部（尺骨神経支配）は腹側筋塊由来，横線部（橈骨神経支配）は背側筋塊由来。

・浅伸筋群：筋の原基は前腕後面の表層を薄い板状に広がっており，外側上顆から前腕の尺側2/3を覆いながら尺側4本の指原基に伸びていく。後にこれから**総指伸筋** M. extensor digitorum (communis), **尺側手根伸筋** M. extensor carpi ulnaris, **小指伸筋** M. extensor digiti minimi が生じる。これら浅層筋群遠位部の分離は手根部に始まり，指の原基の中で腱が分化するのに伴って近位に広がっていく。

・橈側群：上腕骨の外側上顆とその付近から起こり，前腕の背橈側に沿って伸びる。この筋群はまず遠位端で二分し，**腕橈骨筋** M. brachioradialis は橈骨の遠位端に停止し，**長橈側手根伸筋**と**短橈側手根伸筋** M. extensor carpi radialis longus et brevis は深伸筋群の下を通って第2，第3指の近位端に停止する。
・深伸筋群：橈側筋群の奥にあり，橈骨の遠位部と手根の橈側表面を通って第1，第2指の原基に終わる。後にこれは2群に分かれて，橈側のものからは**長母指外転筋** M. abductor pollicis longus，**短母指伸筋** M. extensor pollicis brevis と，恐らく**回外筋** M. supinator が発生する。

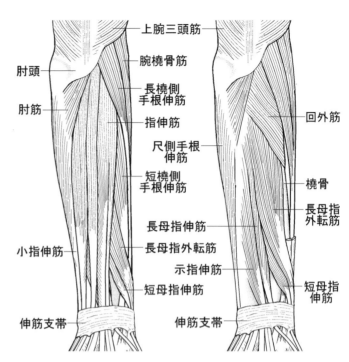

図23-18　右前腕後面の筋（左：浅層，右：深層）

一方，尺側部からは**長母指伸筋** M. extensor pollicis longus と**示指伸筋** M. extensor indicis が生じる。

(2) 前腕の屈筋群

　前腕屈筋群の由来を決めるのは伸筋群よりも難しいが，体長11mmで小さな表層群と大きな深層群に分かれる（図23-19）。
・表層筋群：前面橈側にあり，内側上顆から橈骨遠位端に伸びる橈側塊は初期から認められる。その後，この筋塊は**橈側手根屈筋** M. flexor carpi radialis と**円回内筋** M. pronator teres に分かれる。円回内筋は最初に橈骨遠位まで伸びるが，橈骨の遠位部がさらに成長するので，円回内筋の停止部は橈骨遠位端から離れる。表層群の残りの部分からは**長掌筋** M. palmaris longus が生じる。この筋は橈側群の近位部と密着してい

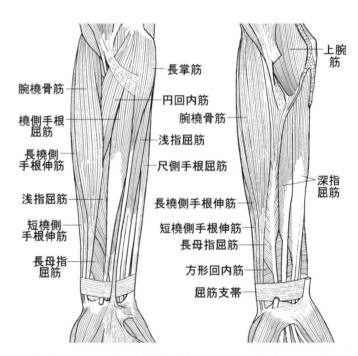

図23-19　右前腕前面の筋（左：浅層，右：深層）

るが，手根の掌側面をさらに遠位に向かって伸びる。しかし，前腕骨の伸長に伴って，筋腹は前腕の近位部に位置するようになる。
・深層筋群：浅層筋群よりも強大で厚く，内側上顆から前腕と手根の掌側を越えて指の原基に至る。体長11mmですでに，その尺側では**尺側手根屈筋** M. flexor carpi ulnaris の分離が始まっており，

豆状骨の原基に到着している。尺側手根屈筋が長くなるにつれて，深屈筋群が尺側表面に拡がり，16mmの胎児で非常にはっきりしてくる。残りの深屈筋群のうち，**浅指屈筋** M. flexor digitorum superficialis と**深指屈筋** M. flexor digitorum profundus は体長 11mm ですでに分離が始まっている。これらの筋原基は内側上顆から始まり，前腕骨掌側面から手根を越えているが，手根における分岐はこの時期にはまだ見られない。深部屈筋群の2本の腱は間もなく分化して，指の成長に伴って伸長し，20mmの胎児で完成型をとる。この時，**長母指屈筋** M. flexor pollicis longus は明瞭に識別できるが，深指屈筋と完全には分離していない。なお，**方形回内筋** M. pronator quadratus の由来は明らかではない。

5) 手筋の発生

手筋の大部分は手掌にあり，手背側には背側骨間筋だけがある。そして手筋は大きく母指球筋群，小指球筋群および中手筋群に分けられる（図23-20，23-21）。

(1) 母指球筋群

母指球は手掌の橈側部にある膨隆で，**短母指外転筋** M. abductor pollicis brevis, **短母指屈筋** M. flexor pollicis brevis, **母指内転筋** M. adductor pollicis および**母指対立筋** M. opponens pollicis が作る。このうち，長母指屈筋の腱で隔てられている母指内転筋だけは独立して発生し，**尺骨神経** N. ulnaris に支配される。ほかの3筋は共通の筋塊から生じ，**正中神経** N. medianus に支配される。

(2) 小指球筋群

小指球は手掌の尺側部にある膨隆で**短掌筋** M. palmaris brevis, **小指外転筋** M. abductor digiti minimi, **短小指屈筋** M. flexor digiti minimi brevis, **小指対立筋** M. opponens digiti minimi が作り，すべて**尺骨神経** N. ulnaris に支配される。このうち小指外転筋と短小指屈筋は最も尺側の腹側筋塊から生じ，後に掌側に移動する。また，小指

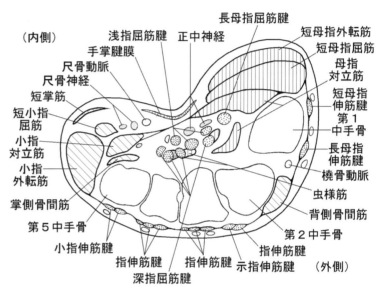

図23-20　右中手部の横断
縦線（正中神経支配）と斜線（尺骨神経支配）は腹側筋塊由来

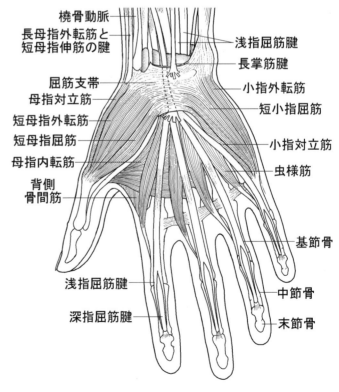

図23-21　右手掌の筋

対立筋は骨間筋塊から生じる。

(3) 中手筋群
- 骨間筋：**掌側骨間筋** Mm. interossei palmares と**背側骨間筋** Mm. interossei dorsales は掌側（腹側）の共通の原基から発生し，すべて**尺骨神経** N. ulnaris に支配される。16 mm の胎児では共通の筋塊として認められるが，後に，背側骨間筋は中手骨の間を通って手背に移動する。
- **虫様筋** Mm. lumbricales：中手骨間で，深部屈筋群の遠位部より形成される。このうち，尺側の 2 筋は**尺骨神経** N. ulnaris，橈側の 2 筋は**正中神経** N. medianus に支配される。

23.4.3 下肢筋の発生

下肢筋の発生パターンは上肢筋のパターンと基本的に同じで，下肢芽の中軸を走る骨格原基を取り巻く筋芽細胞の密集から生じる。体長 11 mm の頃から，この細胞塊は下肢の近位部からそれぞれの骨格筋に分化し始める（表 23-7，図 23-22）。

表 23-7 下肢帯および自由下肢帯の由来と神経支配

下肢帯の筋	下腿の筋
内骨盤筋（腸骨筋，大腰筋，小腰筋）：腹側筋塊から発生し，脊髄神経前枝（腰神経叢 $L_2 \sim L_3$）の腹側枝が支配する。 外骨盤筋：背側筋塊から発生し，脊髄神経前枝の背側枝が支配する。 　上殿筋群：中殿筋，小殿筋，大腿筋膜張筋（上殿神経 $L_4 \sim S_1$） 　下殿筋：大腿筋（下殿神経 $L_5 \sim S_2$） 　外旋筋群：大腿方形筋，上・下双子筋，内閉鎖筋，梨状筋（仙骨神経叢の枝 $L_4 \sim S_2$）	下腿後面の筋：腹側筋塊から発生し，脊髄神経前枝の腹側枝が支配する。 　表層近位外側群：腓腹筋（$S_1 \sim S_2$），ヒラメ筋（$S_1 \sim S_2$），足底筋（$L_4 \sim S_1$） 　深部内側筋群：長母趾屈筋，長趾屈筋，膝窩筋（$L_4 \sim S_1$），後脛骨筋（$L_4 \sim S_1$） 下腿前面の筋：背側筋塊から発生し，脊髄神経前枝の背側枝が支配する。 　腓骨筋群：長腓骨筋，短腓骨筋（浅腓骨神経 $L_4 \sim S_1$） 　足の伸筋：前脛骨筋，長趾伸筋，第三腓骨筋，長母趾伸筋（深腓骨神経 $L_4 \sim S_1$）
大腿の筋	足の筋
大腿前面の筋：背側筋塊から発生し，脊髄神経前枝の背側枝（大腿神経 $L_2 \sim L_4$）が支配する。縫工筋（$L_2 \sim L_3$），大腿四頭筋（大腿直筋，中間広筋，内側広筋，外側広筋） 内転筋群：腹側筋塊から発生し，脊髄神経前枝の腹側枝（閉鎖神経）が支配する。 　前部（$L_3 \sim L_4$）：長内転筋，薄筋，短内転筋 　後部（$L_3 \sim L_4$）：大内転筋（閉鎖神経部），外閉鎖筋，恥骨筋（$L_2 \sim L_3$） 大腿後面の筋：腹側筋塊から発生し，脊髄神経前枝の腹側枝（脛骨神経）が支配する。 　大腿二頭筋長頭（$S_1 \sim S_3$） 　半腱様筋（$L_5 \sim S_2$） 　半膜様筋（$L_5 \sim S_1$） 　大内転筋の坐骨神経部（$L_3 \sim L_4$）	足底の筋：腹側筋塊から発生し，脊髄神経前枝の腹側枝（脛骨神経）が支配する。 内側足底神経　　　外側足底神経 （$L_4 \sim S_1$）　　　（$S_1 \sim S_2$） 短母趾屈筋　　　　小趾外転筋 短趾屈筋　　　　　短小趾屈筋 母趾外転筋　　　　小趾対立筋 第 1 虫様筋　　　　足底方形筋 　　　　　　　　　母趾内転筋 　　　　　　　　　第 2 〜 4 虫様筋 　　　　　　　　　底側骨間筋 　　　　　　　　　背側骨間筋 足背の筋：背側筋塊から発生し，脊髄神経前枝の背側枝（深腓骨神経 $L_5 \sim S_1$）が支配する。 　短母趾伸筋，短趾伸筋

1）内骨盤筋の発生

内骨盤筋は骨盤内にあって，股関節を屈曲する。腹側筋塊に由来し，腰神経叢から直接出る腹側枝に支配される（図 23-23）。**腸腰筋** M. iliopsoas は大腿神経を巻く筋細胞塊から生じ，下肢芽に向かって伸びる。そのうち，**腸骨筋** M. iliacus は腸骨窩の表面に拡がり，**大腰筋** M. psoas major は大腿神経に沿ってさらに上方に伸びて腰椎に付着する。これらの筋は合流して遠位に伸びて小転子に付着する。**小腰筋** M. psoas minor は大腰筋から分離するようであるが，詳細はよくわからない。

2) 外骨盤筋の発生

外骨盤筋は骨盤の後面にあって股関節の外転，伸展および外旋を行う。胎生第4週において骨盤の遠位端に見られる円錐形の背側筋塊から生じ，脊髄神経前枝の後側枝に支配される（図23-24，23-25）。外骨盤筋はさらに上殿筋群，下殿筋群および外旋筋群に分けられる。

(1) 上殿筋群

中殿筋，小殿筋，大腿筋膜張筋からなる上殿筋群の原基は，体長11mmまではひと塊であるが，14mmで大腿筋膜張筋が中・小殿筋の外側縁から分離する（図23-24，23-25）。これらの筋はすべて**上殿神経** N. gluteus superior に支配される。

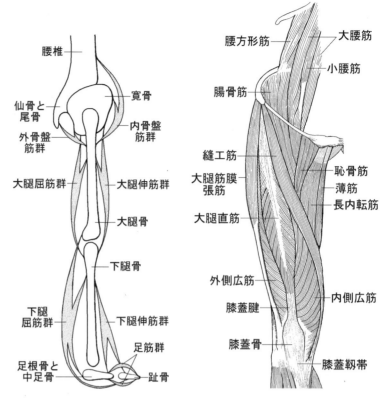

図23-22　下肢筋の模式図　　図23-23　大腿筋群と内転筋群

- **大腿筋膜張筋** M. tensor fascia latae：最初大転子の原基に停止するが，殿筋と分離した後，外方に移動して大転子との関係を失う。
- **中殿筋** M. gluteus medius と**小殿筋** M. gluteus minimus：徐々に腸骨翼の表面に広がる。

(2) 下殿筋群

- **大殿筋** M. gluteus maximus：原基は他の殿筋原基と分離しており，わずかにその尾側端で大腿二頭筋短頭と癒合している。最初，大殿筋は転子部で中殿筋とわずかに重なっているに過ぎないが，後に中殿筋の上を腸骨，仙骨および尾骨まで拡張し，2つの部分に分かれて一部は大腿骨，他は大腿筋膜に停止する。胎児期にはそれぞれの部分が別の神経を持っていることから，大殿筋は2つの筋から構成されている可能性もある。**下殿神経** N. gluteus inferior に支配される。

(3) 外旋筋群

殿部の最深層にあって大腿を外旋する。外旋筋群は背側筋塊から発生し，すべて**仙骨神経叢** Plexus sacralis の枝に支配される（図23-25）。

- **梨状筋** M. piriformis：原基は殿筋原基と緊密に癒合しており，寛骨臼の上を覆うように腸骨の大腿骨縁か

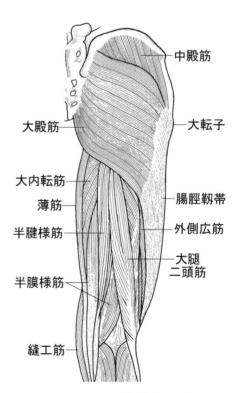

図23-24　殿部浅層の筋

ら大転子の原基に伸びている。梨状筋は最初から仙骨に付着しているという説と，最初は仙骨から離れており，後に仙骨に広がるという説がある。
- **大腿方形筋** M. quadratus femoris：坐骨結節と大転子の間で，股関節の坐骨側にある内閉鎖筋と双子筋原基に近接する原基から生じる。
- **内閉鎖筋** M. obturatorius internus と**双子筋** M. gemellus：最初は互いに密着しているが，内閉鎖筋が閉鎖孔の骨盤面を最初の付着部から坐骨に広がるにつれて2つの双子筋はもとの付着部に残り，閉鎖筋から離れる。内閉鎖筋の神経はこの筋の伸展に伴って骨盤内に運ばれていく。

3）大腿伸筋群の発生

大腿四頭筋と縫工筋からなる大腿伸筋群は背側筋塊から生じ，**大腿神経** N. femoralis とその枝に支配されるが，下肢の高度な内旋によって大腿の前面に位置するようになる（図23-23, 23-26）。

- **大腿四頭筋** M. quadriceps femoris：原基は体長11mmで大腿骨骨幹の前外側面に一つの塊として出現するが，間もなく**大腿直筋** M. rectus femoris, **外側広筋** M. vastus lateralis, **中間広筋** M. vastus intermedius および**内側広筋** M. vastus medialis の4部に分離する徴候が認められるようになり，体長20mmでこれらの筋は明瞭な腱で骨格に結合する。
- **縫工筋** M. sartorius：原基は大腿四頭筋の原基よりも近位にあり，徐々に腸骨と脛骨に向かって伸びる。最初，縫工筋は大腿四頭筋より大きいが，胎生4ヶ月頃大腿四頭筋の方が大きくなる。

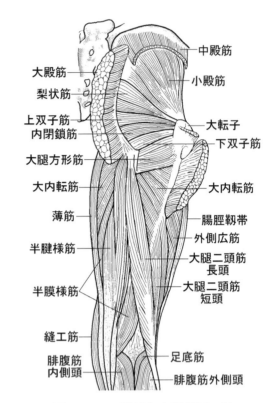

図23-25　殿部と大腿後面の筋

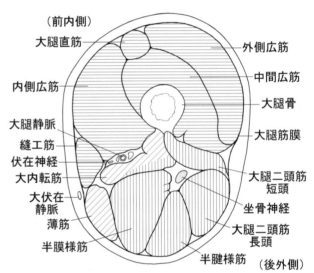

図23-26　右大腿下部の横断面
横線（大腿神経支配）は背側筋塊由来，斜線（閉鎖神経支配）と縦線（脛骨神経支配）は腹側筋塊由来

4）大腿内転筋群の発生

大腿の内転筋群は大腿の上内側部にある大内転筋，外閉鎖筋，長内転筋，短内転筋，薄筋，恥骨筋より構成され，**閉鎖神経** N. obturatorius に支配される（図23-23）。これらの筋は大腿骨の前内側部にある共通の腹側筋塊から生じる。各筋への分離は体長11mmの胎児で見られ，筋塊の近位部でまず**大内転筋** M. adductor magnus と**外閉鎖筋** M. obturatorius externus の群と，**長内転筋** M. adductor longus, **短内転筋** M. adductor brevis, **薄筋** M. gracilis の群に分離する。体長14mmで

各筋が明瞭に区別される。体長20mmで起始と停止の腱が分化し，骨に付着する。そして大内転筋の閉鎖神経部と坐骨神経部が癒合する。

恥骨筋 M. pectineus の由来はよくわかっていないが，腸腰筋か長内転筋の原基から由来すると考えられている。14mm の胎児において，恥骨から大腿骨に伸びているのがすでにはっきりとわかる。この筋の一部は恐らく，外閉鎖筋と関係して生じると考えられている。

5) 大腿後面の筋の発生

ハムストリング（半腱様筋，半膜様筋，大腿二頭筋）と大内転筋の坐骨神経部の筋原基は，下肢の内旋によって大腿後面に位置するようになった腹側筋塊から生じる。そして，大腿二頭筋短頭（総腓骨神経支配）を除くすべてが坐骨神経の脛骨神経部に支配される。これらの筋は体長14mmで分化を始めている（図23-25, 23-26）。

- **半膜様筋** M. semimembranosus：大内転筋の坐骨神経部と密接に関係する原基から発生する。体長20mm でこの筋の起始と停止の腱はすでに存在する。
- **半腱様筋** M. semitendinosus：2本の神経に対応する2つの筋原基から生じるという説と，1つの筋原基から生じるという説がある。この筋は体長20mm の胎児から識別されるようになるが，初期においては，停止部の腱は成人よりも遠位に付着している。
- **大腿二頭筋** M. biceps femoris：**長頭** Caput longum は坐骨結節の近くで半膜様筋の原基に密着する原基から発生する。**短頭** Caput breve は近位で大殿筋に連続する原基から発生し，大腿骨の外側縁に沿って遠位に向かって伸び，体長14mm で長頭と癒合を始める。

6) 下腿筋の発生

下腿の筋は腓骨筋群，足の伸筋群，足の屈筋群に分けられる。そして腓骨筋群と伸筋群は背側筋塊から発生し，坐骨神経の背側性部である総腓骨神経に支配される。また，屈筋群は腹側筋塊から発生し，坐骨神経の腹側性部である脛骨神経に支配される（図23-27）。

(1) 腓骨筋群

腓骨筋群は下腿の外側にあることから外側筋群とも呼ばれ，**浅腓骨神経** N. fibularis superficialis に支配される。胎生第6週において，腓骨筋群の原基は足の伸筋群の原基から分離し，徐々に腓骨近位部の背外側面から伸びていく（図23-27, 23-28）。

- **長腓骨筋** M. fibularis longus：腱は14mm の胎児において第5中足骨の基部まで追跡でき，20mm の胎児では足底の外側部を横切り，30mm では第1中足骨まで伸びる。最初，この腱は外果の外側を通るが，後には後方を走るようになる。長腓骨筋は近位方向にも伸びて，脛骨の付着部に至る。

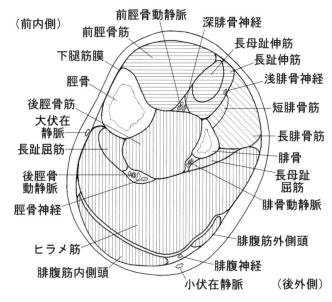

図23-27 右下腿上部の横断面
横線部(深腓骨神経支配)と斜線部(浅腓骨神経支配)は背側筋塊由来，縦線部(脛骨神経支配)は腹側筋塊由来。

・**短腓骨筋** M. fibularis brevis：原基は完成時よりも近位部に存在し，腱は長腓骨筋の腱から分離する。

(2) 下腿の伸筋群

下腿の伸筋群は下腿の前外側面にあることから前部筋群とも呼ばれる。最初，下腿の伸筋群は腓骨筋群の原基と結合しているが，14mmの胎児で両者の区別が可能になる。伸筋の原基からは前脛骨筋，長趾伸筋，長母趾伸筋が形成され，すべて**深腓骨神経** N. fibularis profundus に支配される（図23-27，23-28）。

・**前脛骨筋** M. tibialis anterior：14mmの胎児では広い腱として第1楔状骨当たりまで追跡でき，20mmの胎児で成人と同じ停止を持つようになる。
・**長趾伸筋** M. extensor digitorum longus：伸筋群原基の中央部から生じ，成人よりも外側に位置している。14mmの胎児では，この筋の遠位部は一枚の薄い板状で，20mmで各趾に分かれる。
・**第3腓骨筋** M. fubularis tertius：初めから長趾伸筋と分離しているという説と，後に長趾伸筋から分離するという説がある。なおこの筋は，後に長趾伸筋と癒合することがしばしば見られる。
・**長母趾伸筋** M. extensor hallucis longus：早期に伸筋群原基の深部から分離するが，長趾伸筋の腱と長い癒合部を持っている。

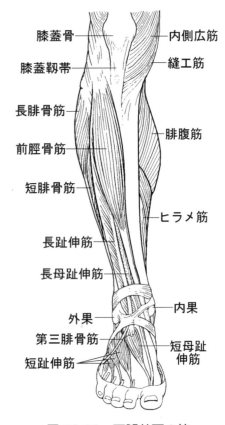

図 23-28　下腿前面の筋

(3) 下腿の屈筋群

足の屈筋群の原基は11mmの胎児で他の間葉組織から区別されるようになり，14mmで浅後部筋群と深後部筋群の2群に分かれる。これらの筋群から発生する筋はすべて**脛骨神経** N. tibialis に支配される（図23-29）。

①浅後部筋群

表層の近位外側からは腓腹筋，ヒラメ筋，足底筋などの浅後部筋群が生じる。

・**腓腹筋** M. gastrocnemius：踵骨原基に付着し，徐々に下腿内側の脛骨付着部に向かって伸びる。2つの筋頭は第2ヶ月後半に出現するが，内側頭の方がやや遅い。
・**ヒラメ筋** M. soleus：腓腹筋と同様に，踵骨原基から近位に向かって伸びる。
・**足底筋** M. plantaris：後になって腓腹筋の外側頭から分離するようである。この筋は上肢の長掌筋に相当する。

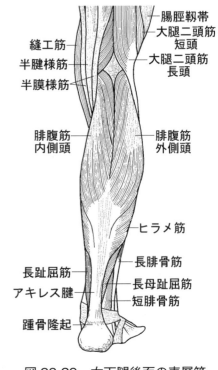

図 23-29　右下腿後面の表層筋

この筋の腱はサルでは足底腱膜に付着するが，人では踵骨の発達によってその関係が断裂してしまう。足底まで行かないのに足底筋と呼ばれるのはこのためである。

②深後部筋群

深部内側には長母趾屈筋，長趾屈筋，膝窩筋，後脛骨筋などの深後部筋が発生する（図23-30）。

- **長母趾屈筋** M. flexor hallucis longus：屈筋原基の深外側部から発生し，14mmの胎児から明瞭に判別できる。この時期では，遠位部は共通の腱板に終わるが，後に固有の腱が発生する。
- **長趾屈筋** M. flexor digitorum longus：体長14mmで深部屈筋群の原基の内側部から発生し，遠位部は共通の腱板に終わるが，腱板からは腱が趾原基の中に放射状に伸び始めている。脛骨への付着は20mmまでは起こらない。
- **後脛骨筋** M. tibialis posterior：深部屈筋原基の脛骨下半分の深部から分化し，後に近位外方に向かって伸びる。その腱は早くから分化している。
- **膝窩筋** M. popliteus：恐らくその場で深部屈筋群の近位端から出現するようで，体長20mmまでによく発達している。

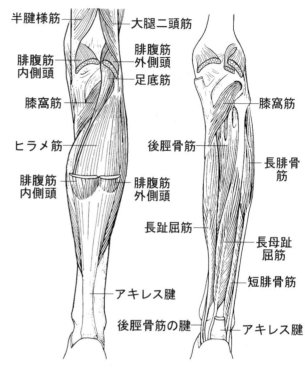

図23-30 右下腿後面の深層筋

7）足の筋の発生

足背の筋（短母趾伸筋と短趾伸筋）は背側筋塊から発生し，**深腓骨神経** N. fibularis profundus に支配される。それ以外の足の筋は腹側筋塊から形成され，**脛骨神経** N. tibialis に支配される（図23-31）。

(1) 足背の筋

足背には以下の2筋が存在し，**深腓骨神経** N. fibularis profundus に支配される。

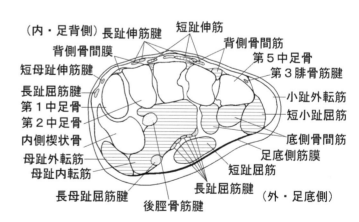

図23-31 右中足部の横断面
縦線：背側筋塊由来，横線：腹側筋塊由来

- **短趾伸筋** M. extensor digitorum brevis の出現は遅く，体長20mmの頃になって，この原基は長趾伸筋や長母趾伸筋の腱板の表面から第2楔状骨にかけて分化を開始する。その後，踵骨結節に向かって伸びる間に腱が発生する。
- **短母趾伸筋** M. extensor hallucis brevis も体長20mmになって初めて出現し，その後2部に分離

して，外側頭は母趾内転筋と，内側頭は母趾外転筋と位置的な関係を持つようになる。

(2) 足底の筋

足底の筋は母趾球筋，中足筋および小趾球筋の3群に分けられる（図23-32）。

①母趾球筋

足底の内側部にあり，手の母指球筋に相当する。**母趾内転筋** M. adductor hallucis の原基は第2中足骨の基部に現れ，その後成人の位置に移動する。**母趾外転筋** M.abductor hallucis の発生は比較的遅く，体長20mmの胎児で筋の原基は足底表面で**短母趾屈筋** M. flexor hallucis brevis に近接して出現する。足の弯曲に伴って母趾外転筋は近位に移動して踵骨結節に付着する。

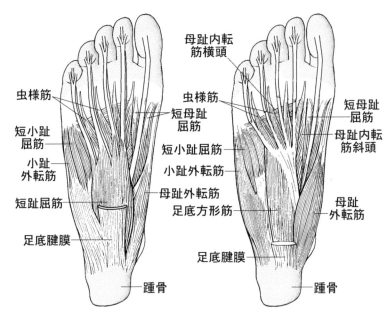

図23-32　右足底の筋（左：浅層，右：深層）

母趾球筋のうち，母趾内転筋だけは**外側足底神経** N. plantaris lateralis に支配され，それ以外は**内側足底神経** N. plantaris medialis に支配される。

②中足筋

足底方形筋 M. quadratus plantae の原基は14mmの胎児で見られ，これは長母趾屈筋と癒合しているという人もある。**骨間筋** Mm. interossei は体長20mmになってやっと足底表面で分化し，足背側の4個は中足骨の間を足背に向かって移動する。**虫様筋** Mm. lumbricales の分化は遅く，体長20mmで中足骨の遠位端付近で足底の中間層から原基が現れ，停止部である長趾屈筋の腱に向かって移動する。中足筋のうち，内側2本の虫様筋は**内側足底神経** N. plantaris に，それ以外の筋は**外側足底神経** N. plantaris lateralis に支配される。

③小趾球筋

小趾外転筋 M. abductor digiti minimi の原基は踵骨結節のすぐ遠位にあり，後になってより外側に移動する。**短小趾屈筋** M. flexor digiti minimi brevis と**小趾対立筋** M. opponens digiti minimi の原基は体長20mmでもまだはっきりとは確認できない。これらの筋は**外側足底神経** N. plantaris lateralis に支配される。

参考文献

大谷　修　監訳：人体解剖学ハンドブック　第1版　西村書店，2000
越智淳三　訳：解剖学アトラス第3版　文光堂，1990
金子丑之助　著：日本人体解剖学第1巻　第18版　南山堂，1991
鎌倉矩子　著：手のかたち手のうごき　医歯薬出版，1989
窪田金次郎他　著：図説体表解剖学　朝倉書店，1992
後藤文男，天野隆弘　著：臨床のための神経機能解剖学　中外医学社，1992
清木勘治　著：小解剖学書　第5版　金芳堂，1989
津山直一　監訳：新徒手筋力検査法　第6版　共同医書出版，1996
中村隆一他　著：基礎運動学　第2版　医歯薬出版，1993
野村　嶬　編集：解剖学　第1版　医学書院，2001
藤田恒太郎　著：人体解剖学　第41版　南江堂，1993
藤田恒太郎　著，寺田春水　改訂：生体観察　南山堂，1993
星野一正　著：臨床に役立つ生体の観察　体表解剖と局所解剖　第2版　医歯薬出版，1994
三木明徳，井上貴央　監訳：からだの構造と機能　第1版　西村書店，1998
山内昭雄　訳：アトラスとテキスト　人体の解剖　原書改訂版第2版　南江堂，1995
山田英智　監訳：図解解剖学事典　第2版　医学書院，1983
山鳥　崇　編著，武田　創，川西達夫　監修：実習で学ぶ解剖学　金原出版，1989
横地千仭　著：解剖学カラーアトラス　第3版　医学書院，1996
Keibel F, Mall FP：Human Embryology, J.B.Lippincott Company, 1977
Larsen W：Human Embryology, Churchill Livingstone, 1993
Schiebler TH, Schmidt W(ed)：Lehrbuch der gesamten Anatomie des Menschen (3rd ed.)　Springer-Verlag, 1983
Sadler TW：Langman's Medical Embryology (6th ed.)　Williams & Wilkins, 1989

索　引

あ

アキレス腱	160
アキレス腱反射	404
頭	79
アデノイド	312
アブミ骨	354
アブミ骨筋	422
アブミ骨筋神経	59
アランチウス管	51
鞍隔膜	198
安静肢位	140

い

胃	201, 208
胃十二指腸動脈	42, 275
胃小窩	209
胃小区	209
胃体	208
一次性徴	3
一次卵胞	297
一般体運動性	55
一般体感覚性	55
一般内臓運動性	55
一般内臓感覚性	55
胃底	208
胃道	209
胃動脈	275
イニオン	84
胃粘膜ヒダ	209
陰核	279
陰核亀頭	284
陰茎	279, 283, 293
陰茎海綿体	283, 293
陰茎亀頭	279
陰茎深動脈	281
陰茎体	279
陰茎提靱帯	175
陰茎動脈	43
陰茎背動脈	281
陰茎ワナ靱帯	175
咽頭	312
咽頭弓	419
咽頭挙筋	224, 312
咽頭腔	312
咽頭喉頭部	313
咽頭口部	313
咽頭収縮筋	224, 311, 422
咽頭鼻部	312
咽頭扁桃	312
陰嚢	279
陰部神経	73, 288
陰部神経叢	73
陰部大腿神経	272, 287
陰部大腿皮神経	70

う

ウィリスの動脈輪	37, 401
右脚	237
烏口肩峰靱帯	331
烏口上腕靱帯	331
烏口突起	121
烏口腕筋	127, 247, 429
後（うしろ）	6
右心耳	233
右心室	234, 235
右心房	233, 235
内（うち）	6
内返し	9
右葉（肝臓）	210
運動性言語中枢	391
運動性失語症	390
運動性線維	57, 59, 60, 61
運動性脳神経	54
運動前野	390
運動のこびと	390
運動野	390

え

永久歯	316
会陰	280
腋窩	240, 245
腋窩神経	67, 245, 428
腋窩動脈	39, 244
腋窩部	95
腋窩リンパ節	53
S状結腸	201, 214, 284
S状静脈洞	47, 402
エナメル質	315
遠位	6
遠位指節間関節	333
遠位趾節間関節	340
円回内筋	129, 248, 426
遠心性伝導路	403, 412
延髄	199, 366, 370
延髄視床路	406

お

横隔神経	66, 187, 231, 277
横隔膜	277
横筋筋膜	176
横行結腸	201, 213
横静脈洞	47, 402
黄色靱帯	329

横足弓	34	外骨盤筋	143	外側腓腹皮神経	72
横足根関節	340	介在ニューロン	404	外側毛帯	373, 410
黄体	297	外子宮口	289, 298	外側翼突筋	194, 422
黄体化ホルモン	386	外耳道	11, 352	外側翼突筋神経	59, 195
横突間靱帯	330	外耳道軟骨	352	外側輪状披裂筋	325
横突起	17	外錐体層	389	回腸	202, 212
横突起の触察	86	外旋	8	外腸骨静脈	50, 272
横突棘筋	423	回旋筋腱板	126, 331	外腸骨動脈	43, 272
横突孔	18	外側	6	外転	8
黄斑	350	外側縁	121, 215	外転神経	59, 197, 199, 345, 373
横披裂筋	324	外側顆	148, 149, 260, 299	外転神経核	59, 376
オキシトシン	386	外側核群	383	外套	386
オトガイ	82, 179	外側嗅条	395, 411	回内	8, 139
オトガイ横筋	191	外側胸筋神経	67, 428	外尿道口	279, 289
オトガイ下三角	83, 180	外側頚部	83, 180, 186	海馬	396
オトガイ筋	191	外側楔状骨	33	灰白交通枝	63, 75
オトガイ結節	14, 189	外側口	399	灰白交連	369
オトガイ孔	14, 85	外側溝	387	灰白質	365, 368, 369
オトガイ神経	192	外側広筋	154, 263, 434	灰白隆起	384
オトガイ唇溝	82	外側骨半規管	356	海馬鉤	388
オトガイ舌筋	317	外側臍ヒダ	200	海馬台	396
オトガイ舌骨筋	183, 424	外側膝状体	56, 382, 383, 411	海馬体	396
オトガイ部	79, 82	外側縦足弓	34	海馬傍回	388, 396, 412
オトガイ隆起	14, 189	外側手根側副靱帯	333	外鼻	189, 319
オリーブ	371	外側上顆	122, 148, 260	外鼻孔	189, 320
オリーブ小脳路	372	外側神経束	66	外腹斜筋	177, 423
		外側靱帯	194	外閉鎖筋	156, 434
		外側髄条	396	外包	393
か		外側舌隆起	422	解剖学的基本体位	5
外果	142, 149, 260, 299	外側仙骨動脈	286	解剖学的嗅煙草壺	133
回外	8, 139	外側仙骨稜	19	解剖頚	24
回外筋	257, 426	外側前腕皮神経	67, 69	海綿静脈洞	47, 400
外果関節面	33	外側足底神経	72, 309, 310, 438	回盲弁	213
外顆粒層	389	外側側副靱帯	265, 332, 337	外肋間筋	174, 423
外眼角	80, 343	外側大腿皮神経	272, 287	下咽頭収縮筋	224, 312
外眼筋	417	外側直筋	345, 348, 421	カウパー腺	296
外基礎層	389	外側頭直筋	187, 222	顔	79
外頚静脈	47, 180, 192	外側二頭筋溝	117	下横隔動脈	41, 275
外頚動脈	185	外側半規管	359	下オリーブ核	372
外後頭隆起	84, 189	外側半月	338	下角	121, 215, 396
外肛門括約筋	290	外側皮質脊髄路	369, 412	下顎角	14, 179, 189

下顎後静脈	192	下小脳脚	371, 378	下腹壁動脈	43, 272
下顎骨	13, 179, 189	下神経幹	66	下分節	420
下顎枝	14, 179, 189	下神経節	60, 61, 62	下膀胱動脈	286
下顎神経	58, 195, 199, 345, 422	下唇動脈	192	下葉（肺）	226
下顎体	13, 179, 189	下垂手	69, 141	顆粒層	380
下下腹神経叢	73	下垂体窩	385	仮肋	22
下関節突起	17	下垂体	198, 345, 385	下肋骨窩	18
下関節面	32	下垂体後葉	386	肝円索	51, 200, 201, 210
下丘	374	下垂体前葉	385	眼窩	84, 189
蝸牛	356, 358	下垂体門脈系	386	眼窩下孔	13
下丘核	374	下髄帆	399	眼窩下神経	58, 192
蝸牛管	357, 359, 360	下前腸骨棘	147	眼窩下部	79
蝸牛神経	60, 410	下双子筋	153, 302	感覚性失語症	391
蝸牛神経核	60, 375	鵞足	265	感覚性神経線維	61
蝸牛窓	350, 354	下腿外側の筋	145	感覚性線維	62
顎下三角	83, 180, 182	下腿後面の筋	145	感覚性脳神経	54
顎下神経節	60, 76, 317	下腿骨間膜	339	眼角動脈	192
顎下腺	182, 318	下腿三頭筋	160, 299, 305	感覚のこびと	391
顎関節	189, 194	下大静脈	49, 210, 234, 274, 275	眼窩口	84
顎舌骨筋	183, 422	下大静脈口	235	眼窩上神経	58, 192, 345
拡張期雑音	113	下腿前面の筋	145	眼窩部	79, 80
顎動脈	185, 192, 195	下腿部	143	肝鎌状間膜	200, 210
顎二腹筋	182, 422	下唾液核	61, 74, 76, 375	肝管	211
顎二腹筋後腹	195	肩関節	331	肝冠状間膜	202, 210
角膜	349, 350	肩関節包	331	眼球	80, 189, 348
角膜頂	350	下腸間膜静脈	205	眼球血管膜	349
下肩甲横靱帯	331	下腸間膜動脈	42, 275	眼球結膜	344
下後鋸筋	219	下跳躍関節	339	眼球軸	348
下行結腸	201, 214, 274	下直筋	348, 422	眼球線維膜	349
下甲状腺静脈	45	下直腸動脈	43, 271, 272, 281, 286	眼球内膜	349
下行性伝導路	412	滑車上神経	58, 345	眼球の運動	348
下後腸骨棘	28	滑車神経	57, 197, 199, 345, 374, 421	眼瞼	80, 189, 343
下喉頭神経	62, 184	滑車神経核	57, 377	眼瞼結膜	344
下行大動脈	40	滑車切痕	25	眼瞼裂	80, 343
下肢	5	下殿静脈	287	寛骨	27
下肢芽	424	下殿神経	72, 273, 287, 301, 433	寛骨臼	336
下矢状静脈洞	402	下殿動脈	43, 272, 286, 301	環指	137
下歯槽神経	59	下殿皮神経	71, 72, 300	環軸関節	222
下歯槽動脈	195	下頭斜筋	221	肝十二指腸間膜	206
下斜筋	348, 417	下鼻甲介	14, 321	冠状溝	234, 239
下縦隔	229	下鼻道	321	冠状静脈洞	234, 235

冠状縫合	15	キヌタ骨	354	胸骨甲状筋	183, 424
肝静脈	49, 210	機能肢位	141	頬骨神経	58, 76
肝小葉	210	機能層	298	胸骨舌骨筋	183, 424
眼神経	57, 199, 345	脚間核	375	胸骨線	7, 170
幹神経節	63, 75	球海綿体筋	280	胸骨前部	95
関節窩	332	嗅覚路	411	胸骨体	20, 169
関節環状面	25	嗅球	56, 388, 395, 411	胸骨端	23, 120, 169
関節唇	336	球形嚢	357, 359	頬骨突起	11
関節突起	14, 189	嗅細胞	56, 411	胸骨部	278
関節包	194, 336, 337	嗅索	56, 388, 395, 411	頬骨部	79
肝臓	201, 209	嗅三角	395	胸骨柄	20, 169, 179
環椎	18	球状核	381	胸骨傍線	7, 171
環椎後頭関節	222	弓状静脈	291	胸最長筋	220
眼動脈	37, 199, 345, 347, 400	弓状線	176	胸鎖関節	188, 331
閂（カンヌキ）	371	弓状動脈	44, 291	胸鎖関節平面	97
間脳	366, 381	嗅神経	56, 197, 198, 320, 411	胸鎖乳突筋	179, 181, 424
眼房	349	求心性伝導路	403	胸鎖乳突筋部	83, 180
眼房水	349	嗅脳	395	橋縦束	373
顔面横動脈	192	旧皮質	395	橋小脳路	373
顔面静脈	44, 46, 182, 192	嗅葉	395	胸神経	63, 69, 368
顔面神経	59, 76, 192, 196, 197, 199, 373, 422	橋	366, 372	頬神経	58, 65, 195
		橋核	373, 415	胸髄核	369, 408
顔面神経核	59, 376	胸郭	20	胸腺	229, 231
顔面頭蓋	13	胸郭下口	20	胸大動脈	40
顔面動脈	182, 185, 192	胸郭上口	20	胸腸肋筋	220
肝門	210	胸管	53, 182, 232	胸椎	16, 18
眼輪筋	191, 343	胸棘筋	220	胸背神経	67, 428
		頬筋	191	頬部	79
		胸筋筋膜	173	胸部後弯	17
		胸筋部	95	強膜	349
き		胸腔	20	胸膜	225, 351
キース・フラックの結節	237	胸骨	20, 21, 169, 179	胸腰筋膜	218
キーゼルバッハの部位	81	頬骨	13, 189	胸肋関節	330
疑核	60, 61, 375	胸骨下角	22	挙筋反射	294
気管	179, 184, 223, 232	胸骨角	21, 169	棘下窩	24
気管支縦隔リンパ本幹	52	胸骨角線	7, 171	棘下筋	125, 254, 428
気管支動脈	41	胸骨角平面	97	棘間線	8, 171, 172
気管切開	93	頬骨弓	13, 189	棘間靱帯	330
気管軟骨	223	胸骨筋	424	棘筋	220
気管分岐部	223	胸骨剣状突起線	7, 171	棘孔	16, 58
奇静脈	48, 231, 232, 233	胸骨剣状突起平面	98	棘上窩	23
基底層	298				

索引　443

棘上筋	124, 253, 428	頚胸神経節	185	楔状軟骨	327
棘上靱帯	330	頚棘筋	221	結節間溝	121
棘突起	17	脛骨	32, 260	結腸	213
距骨	33	脛骨神経	72, 305, 307, 436, 437	結腸ヒモ	214
距骨下関節	339	脛骨粗面	149, 260	結腸膨起	214
距骨滑車	33	脛骨体	149	結膜	344
距踵舟関節	336	頚最長筋	220	腱画	170, 176
鋸状縁	350	茎状突起（尺骨）	25	肩甲下筋	126, 254, 428
距腿関節	339	茎状突起（側頭骨）	12	肩甲下神経	67, 244, 428
近位	6	茎状突起（橈骨）	25	肩甲下動脈	40, 255
近位指節間関節	333	頚静脈孔		肩甲下部	102
近位趾節間関節	340		16, 60, 62, 199, 223, 311, 402	肩甲間部	101
筋芽細胞	420	頚神経	63, 368	肩甲挙筋	218, 427
筋管	420	頚神経叢	64, 65, 187	肩甲棘	121, 215
筋三角	83, 180	頚神経ワナ	65, 182, 187	肩甲棘線	8, 216
筋枝	65	頚切痕	20, 169, 179	肩甲骨	23, 121, 179, 215, 241
筋線維	420	脛側	6	肩甲骨下角線	8, 216
筋突起	14, 189	頚体角	335	肩甲鎖骨三角	83
筋板	420	頚長筋	186	肩甲上神経	67, 188, 255, 428
筋皮神経	67, 245, 429	頚腸肋筋	220	肩甲上動脈	255
筋紡錘	403	頚椎	16, 18, 368	肩甲上部	101
筋裂孔	262	頚動脈三角	180, 184	肩甲舌骨筋	184, 424, 427
		頚動脈小体	185	肩甲線	216
		頚動脈洞	185	肩甲背神経	67, 187, 218, 427
く		茎突咽頭筋	195, 224, 312, 422	肩甲部	118
区域気管支	223	茎突下顎靱帯	194	言語野	390
空腸	202, 212	茎突舌筋	195, 317	肩鎖関節	244, 331
口	189	茎突舌骨筋	183, 422	腱索	236
屈曲	8	茎乳突孔	59	犬歯	316
頚	4	頚板状筋	219	原始小脳	379
クモ膜	330, 397	脛腓関節	339	剣状突起	21, 169
クモ膜下腔	197	脛腓靱帯	339	腱中心	278
クモ膜下槽	397	頚部交感神経幹	185	腱反射	403
クモ膜顆粒	197, 399	頚部前弯	17	瞼板腺	343
クラーク柱	369, 408	頚膨大	366	肩峰	117, 121, 179, 215, 240
		頚リンパ本幹	52	肩峰端	23, 120, 169, 179
		頚肋動脈	188		
け		外科頚	24	**こ**	
頚横神経	65, 181	血管裂孔	262		
頚横動脈	39	楔状束	369, 371	後腋窩線	7, 171
鶏冠	16, 198, 345	楔状束核	371, 372, 406	後腋窩ヒダ	95, 240

口蓋	319	後索核	371, 372	喉頭室	325
口蓋咽頭筋	312	後枝	63, 420	後頭静脈	192
口蓋咽頭弓	313	後耳介静脈	192	喉頭前庭	325
口蓋骨	14	後耳介動脈	38, 185, 192	後頭動脈	38, 185
口蓋垂筋	318	後室間溝	234	後頭部	79
口蓋舌弓	313	後膝部	143, 304	後頭葉	389
口蓋舌筋	319	後斜角筋	186, 423	後頭隆起	215
後外側溝	367	後縦隔	230	喉頭隆起	179, 323, 326
後外側裂	378	後十字靱帯	338	鉤突窩	24
口蓋帆挙筋	422	後縦靱帯	329	後脳	366
口蓋帆張筋神経	59	甲状頸動脈	39, 188	広背筋	217, 428
後角	368, 398	甲状喉頭蓋筋	326	後半規管	359
口角	189	甲状舌骨筋	183, 424	後鼻孔	80
口角下制筋	191	甲状腺	179, 184, 323	口部	79, 81
口角挙筋	191	甲状腺刺激ホルモン	386	後腹側核	383
後核群	383	鉤状突起	207	硬膜	397
後下小脳動脈	401	鉤状突起（尺骨）	25	硬膜下腔	197, 397
後下腿部	143, 305	鉤状突起（膵臓）	211	硬膜静脈洞	46, 197
交感神経幹	76, 182, 276	甲状軟骨	179, 184, 323, 326	肛門挙筋	282
交感神経系	75	甲状披裂筋	326	肛門柱	290
股関節	335	口唇	189, 314	抗利尿ホルモン	386
後眼房	349	後神経束	66	口輪筋	191
後極	348	項靱帯	329	後輪状披裂筋	324
後距腓靱帯	341	後正中線	7, 216	口裂	189
咬筋	193, 422	後正中裂	367, 371	交連線維	393
咬筋神経	59, 195	後脊髄小脳路	369, 408	黒質	374
口腔	314	後脊髄動脈	400	鼓索神経	60, 195, 318, 409
口腔前庭	314	後仙骨孔	19	孤束核	375
広頸筋	180, 190, 422	後前腕皮神経	69	腰	5
後脛骨筋	162, 307, 437	後側頭泉門	15	鼓室	353
後脛骨動脈	44, 45, 307	後大腿皮神経	72, 301, 303	鼓室階	360
後頸部	84, 180	後大腿部	143, 303	古小脳	379
後結節	18	後大脳動脈	37, 401	孤束核	61, 62, 409
硬口蓋	319	後頭顆	222	骨間筋	438
後交通動脈	402	喉頭蓋	323, 422	骨間手根間靱帯	334
後交連	382	後頭蓋窩	16, 199	骨間中手靱帯	334
後骨半規管	356	喉頭蓋軟骨	323	骨盤	29, 335
後根	63, 368	後頭下神経	64, 221	骨盤の計測	30
後根神経節	63, 368	喉頭口	313, 323	骨盤の性差	30
虹彩	349, 350	後頭骨	12	骨盤下口	30
後索	369, 371	後頭三角	221	骨半規管	356

骨盤筋	143	鎖骨下部	66, 118	耳介軟骨	351
骨盤腔	4, 203	鎖骨下リンパ本幹	52	視覚野	390
骨盤上口	30	坐骨棘	29	視覚路	410
骨盤内臓神経	73, 76	坐骨結節	148, 278, 299	耳下腺	193
骨迷路	356	坐骨上枝	29	耳下腺管	193
コブラ	422	鎖骨上神経	65, 173, 181	耳下腺咬筋部	79
鼓膜	352	鎖骨上部	66	歯冠	315
鼓膜張筋	355, 422	坐骨神経	72, 273, 288, 301, 304	耳管	355
鼓膜張筋神経	59	鎖骨切痕	20	耳管咽頭筋	312
固有肝動脈	42, 202, 206, 210, 275	鎖骨体	23, 120	耳管咽頭口	312
固有口腔	81, 314	坐骨体	29	耳管扁桃	312
固有知覚	408	坐骨大腿靱帯	336	子宮	204, 285, 289, 297
固有卵巣索	296	鎖骨中線	7, 171	子宮円索	179, 285
孤立リンパ小節	213	鎖骨部	95	子宮外膜	298
コルチ器	357, 359	左心耳	234, 236	子宮筋層	298
根動脈	400	左心室	234, 236	子宮腔	298
		左心房	234, 236	子宮頚	289, 298
		左葉（肝臓）	210	子宮頚管	298
さ		サル手	69, 141	子宮広間膜	204, 285
最外包	393	三角胸筋溝	117	子宮体	289, 297
鰓下隆起	422	三角筋	117, 124, 243, 253, 428	四丘体	374
臍静脈	51	三角筋筋肉内注射	253	子宮膣頚部	298
臍線	8, 171	三角筋粗面	24	子宮底	289, 297
最長筋	220	三角筋部	118	子宮動脈	43, 271, 286, 289
臍動脈	43, 51, 271, 286	三角骨	123	子宮内膜	298
臍動脈索	43, 271	三叉神経	57, 197, 199, 345, 373	軸椎	18
最内肋間筋	174, 423	三叉神経運動核	57, 376	歯頚	315
臍傍静脈	49	三叉神経主知覚核	57, 376	刺激伝導系	237
臍輪	175	三叉神経脊髄路	372	視交叉	56, 198, 384, 411
左脚	237	三叉神経脊髄路核		視交叉上核	385
鎖胸三角	117, 171		57, 61, 62, 372, 377	指骨	26, 124
索細胞	369, 407	三叉神経節	57, 199, 345	趾骨	34
鎖骨	22, 120, 169, 179, 241	三叉神経中脳路核	57, 376, 377	篩骨	12
坐骨	29, 299	三尖弁	236	篩骨篩板	56
坐骨海綿体筋	280	三頭筋反射	404	篩骨洞	321
鎖骨下窩	117, 171			篩骨蜂巣	345
鎖骨下筋	244, 427			篩骨迷路	12
鎖骨下筋神経	67, 187, 427	**し**		篩骨漏斗	321
坐骨下枝	29	耳介	351	歯根	315
鎖骨下静脈	47, 188	視蓋脊髄路	369, 407, 410	歯根膜	315
鎖骨下動脈	39, 188, 244	耳介側頭神経	58, 195	視細胞	410

視索	56, 384, 411	膝蓋骨	32, 142, 148, 260	十二指腸	209, 274
視索上核	385	膝蓋靱帯	265, 337	十二指腸空腸曲	203
示指	137	室蓋壁	353	終脳	366, 386
示指伸筋	258, 430	膝蓋面	31	終板	384
視床	382	膝窩筋	306, 437	終板傍回	395
歯状回	388, 396	膝窩静脈	305	睫毛	189
視床下核	384	膝窩動脈	44, 45, 305	手関節	332
視床核	382	室間孔	366, 398	主気管支	223, 227, 232
歯状核	380, 416	膝関節	337	手弓	138
視床下溝	382	膝関節筋	264	手根	118
視床下部	384	膝神経節	60, 409	手根管	26, 27
視床下部の機能	385	室頂核	380, 410	手根間関節	333
視床間橋	382	膝部	143	手根間靱帯	334
耳小骨	354	室傍核	385	手根関節	332
矢状軸	5, 6	耳道腺	352	手根溝	26
視床手	141	歯突起	18	手根骨	25, 241
視床上部	381	歯肉	314	手根中手関節	333
視床髄条	381	篩板	12, 16, 198, 345	種子軟骨	327
視床髄板	383	視放線	411	手掌	118, 137, 240
視床枕	382	尺屈	139	手掌腱膜	250
糸状乳頭	82, 317	尺骨	25, 241	手掌皮線	138
茸状乳頭	317	尺骨神経		手背	118, 137
視床皮質路	406		68, 69, 245, 256, 429, 431, 432	上胃部	95, 114
視床腹部	384	尺骨神経溝	122	小陰唇	279
矢状縫合	15	尺骨神経麻痺	69	上咽頭収縮筋	224, 311
矢状面	5, 6	尺骨頭	25, 122	小円筋	125, 254, 428
耳状面（仙骨）	19	尺骨動脈	40, 248	上外側上腕皮神経	67
耳状面（腸骨）	28	尺側	6	上角	121, 215
視神経	56, 197, 198, 345, 347, 411	尺側手根屈筋	130, 249, 430	上顎骨	13, 320
視神経円板	349, 350	尺側手根伸筋	132, 257, 429	上顎神経	58, 199, 345
視神経管	16, 198, 345	尺側皮静脈	48	上顎体	13
耳神経節	59, 61, 76, 195	斜披裂筋	324	上顎洞	13, 321
視神経乳頭	349	斜裂	225, 226	小角軟骨	327
歯髄	315	縦隔	20, 229	上顆線	122
指節間関節	333	集合リンパ小節	213	松果体	381
趾節間関節	340	終糸	366	上眼窩静脈	347
耳前体節	421	収縮期雑音	113	上眼窩裂	16, 56, 57, 59, 199
下	6	舟状骨（足）	33	上眼瞼挙筋	343, 345, 347, 421
舌	316	舟状骨（手）	26	上関節窩	222
膝窩	142, 299, 304	舟状骨結節	26	上関節突起	17
膝蓋腱反射	404	舟状骨粗面	149	上関節面	32

上丘	374	小指伸筋	257, 429	上殿動脈	43, 272, 286, 301
小臼歯	316	上歯槽神経	58	上殿皮神経	71, 300
小胸筋	174, 428	硝子体	350	上頭斜筋	222
小頬骨筋	191	上肢帯筋	118, 427	上橈尺関節	332
笑筋	191	小指対立筋	135, 251, 431	小内転筋	156
掌屈	139	小趾対立筋	438	小脳	366, 377
上頚神経節	185	上斜筋	377, 421	小脳回	378
小結節	121	上縦隔	229	小脳核	380
小結節稜	24	小十二指腸乳頭	209	小脳脚	378
上行咽頭動脈	38, 185	上小脳脚	375, 378	小脳溝	378
小口蓋孔	322	上小脳動脈	401	小脳糸球	380
小口蓋神経	58, 322	上唇挙筋	191	小脳小葉	378
上後鋸筋	219	上神経幹	66	小脳髄質	380
上行結腸	201, 213, 274	上神経節	60, 61, 62, 409	小脳テント	198, 378, 398
上甲状腺静脈	46	上唇動脈	192	小脳半球	378
上甲状腺動脈	38, 185	上唇鼻翼挙筋	191	小脳皮質	379
上行性伝導路	406	小錐体神経	61	小脳鎌	198, 398
上行性網様体賦活系	377	上髄帆	398	上鼻甲介	321
上項線	84, 189, 215	上前腸骨棘	147, 170, 260	上皮小体	184
上行大動脈	35, 231	小泉門	15	上鼻道	321
上後腸骨棘	28, 147, 215	上双子筋	152, 302	踵部	143, 307
上後腸骨膜	299	掌側	6	小伏在静脈	50, 303
小後頭神経	65, 181	掌側骨間筋	136, 252, 432	上分節	420
上喉頭神経	61, 422, 423	掌側尺骨手根靱帯	334	上膀胱動脈	42, 271, 286
小後頭直筋	221	掌側手根間靱帯	334	静脈角	47, 192, 231
上行腰静脈	48	掌側手根中手靱帯	334	静脈管	51
踵骨	33, 299	掌側中手靱帯	334	小網	202, 206
踵骨腱	299	掌側橈骨手根靱帯	334	上葉（肺）	226
小骨盤	30	上大静脈	45, 231, 233	小翼	12
踵骨隆起	149, 299	上大静脈口	235	小腰筋	150, 271, 432
小坐骨孔	304	上唾液核	60, 74, 76, 376	小菱形筋	218, 427
小鎖骨上窩	83	小腸	202	上肋骨窩	18
上肢	5	上腸間膜静脈	205	小弯	208
小指	137	上腸間膜動脈	42, 204, 207, 275	上腕筋	127, 247, 429
上肢芽	424	上跳躍関節	339	上腕後面の筋	119
小指外転筋	135, 251, 431	上直筋	345, 347, 421	上腕骨	24, 121, 241
小趾外転筋	164, 308, 438	上直腸動脈	42	上腕骨滑車	24
小指球	117, 137, 240	小殿筋	151, 302, 433	上腕骨小頭	24
小指球筋	120	小転子	148	上腕骨体	24
小趾球の筋	146, 164	上殿静脈	287	上腕骨頭	24, 332
上矢状静脈洞	47, 402	上殿神経	71, 273, 287, 301, 433	上腕三頭筋	117, 128, 255, 429

上腕深動脈	40	心尖	233	膵尾	207, 211
上腕前面の筋	119	心臓	111, 233	水平軸	6
上腕動脈	40, 44, 248	腎臓	274, 276, 290	水平線	171
上腕二頭筋	117, 126, 247, 429	深側頭神経	59, 195	水平面	5, 6
上腕部	118	深側頭動脈	195	水平裂	225, 226, 378
食道	184, 232	深鼠径輪	178	髄膜	397
食道動脈	41	腎柱	291	皺眉筋	191
食道裂孔	278	心底	233	スカルパの三角	142
植物神経系	73	伸展	8		
鋤骨	14, 320	腎動脈	42, 275, 276, 291	**せ**	
女性尿道	289	腎乳頭	290		
ショパール関節	340	腎杯	291	背	5
自律神経系	73	腎盤	291	正円孔	16
シルビウス溝	387	深腓骨神経	72, 268, 436	精管	178, 283, 284, 288, 294, 295
歯列弓	315	腎皮質	290	精管膨大部	288, 295
心陰影	112	新皮質	389	精管動脈	43, 271
腎盂	291	深部知覚	408	精細管	295
深会陰横筋	281	心房中隔	235, 236	精索	178, 283, 293
心音	112	腎門	276, 290	精巣	283, 294
心窩部	95	腎葉	290	精巣挙筋	175, 177, 178, 283, 293
伸筋群	266	真肋	22	精巣挙筋反射	177, 404
神経核	54, 365			精巣上体	283, 294
神経下垂体	386			精巣上体管	294
神経管	365, 419	**す**		精巣鞘膜	294
神経節	55			精巣静脈	49
神経節細胞	56	髄核	19, 329	精巣動脈	42, 178, 275, 283, 294
神経堤	365, 419	膵管	211	声帯筋	326
神経伝導路	403	水晶体	350	声帯ヒダ	328
神経頭蓋	11	膵切痕	211	正中核群	383
神経板	365, 419	垂線	170	正中環軸関節	222
心雑音	113	膵臓	211, 274	正中口	399
深指屈筋	130, 249, 431	膵体	211	正中臍索	200
深指屈筋腱	251, 252	錐体	371, 412	正中矢状面	6
心室中隔	236	錐体筋	176	正中神経	
人字縫合	15	錐体交叉	371, 412		68, 69, 245, 248, 429, 431, 432
深掌動脈弓	40	錐体前索路	369	正中神経麻痺	69
新小脳	379	錐体側索路	369	正中仙骨動脈	43, 271
腎静脈	49, 276, 291	錐体路	372, 373, 412	正中仙骨稜	19
腎髄質	290	膵頭	207, 211	成長ホルモン	386
腎錐体	290	膵島	212	精嚢	288, 295
深錐体神経	322	髄脳	366	声門	325, 328
		髄板内核	383		

声門裂	328	舌動脈	38, 185, 317	仙骨菱形	104
赤核	374	舌乳頭	316	仙骨裂孔	19
赤核オリーブ路	373	舌背	316	前根	63, 368
脊髄	366	舌扁桃	313	前索	369
脊髄円錐	366	舌盲孔	313, 316, 423	前枝	63, 420
脊髄延髄路	369, 406	セメント質	315	浅指屈筋	130, 249, 431
脊髄管	365	浅	6	浅指屈筋腱	251, 252
脊髄硬膜	330, 398	線維輪	19, 239	前室間溝	234
脊髄視蓋路	407	浅会陰横筋	280	前膝部	143, 265
脊髄視床路	407	前腋窩線	7, 171	前斜角筋	186, 423
脊髄神経	62, 367, 425	前腋窩ヒダ	95, 240	前縦隔	229
脊髄神経後枝	64, 220, 368	前外側溝	367	栓状核	381
脊髄神経節	63, 368	前角	368, 398	前障	393
脊髄神経前枝	64, 368, 423	前核群	383	線条体	395
脊柱	16	前角細胞	369	浅掌動脈弓	40
脊柱管	4, 17, 366	前額面	5, 6	前正中線	7, 170
脊柱起立筋	220, 423	前下小脳動脈	401	前正中裂	367, 370
脊柱部	102	腺下垂体	385	前脊髄小脳路	369, 408
咳反射	406	前下腿部	143, 265	前脊髄動脈	399
舌	314	前眼房	349	前仙骨孔	19
舌咽神経	60, 76, 195, 197, 199, 223, 311, 317, 371, 409, 422	前距腓靱帯	340	浅側頭静脈	192
		前鋸筋	174, 427	前側頭泉門	15
舌下小丘	314	仙棘靱帯	304, 335	浅側頭動脈	44, 185, 192
舌下神経	62, 197, 199, 224, 311, 317, 423	前極	348	浅鼠径輪	175, 178
		前脛骨筋	158, 266, 436	浅鼠径リンパ節	262
舌下神経核	62, 375	前脛骨筋腱	269	前大腿部	143, 261
舌下神経管	16, 62, 199, 224	前脛骨動脈	44, 268	前大脳動脈	37, 400
舌下腺	315, 318	前頸静脈	181, 192	仙腸関節	19, 335
舌筋	422	前頸部	83	前庭	356
節後線維	55, 63, 74	前結節	382	前庭階	360
舌骨	14, 179, 184	仙結節靱帯	148, 303, 335	前庭神経	60, 409
舌骨下筋群	183	前交通動脈	402	前庭神経外側核	410
舌骨上筋群	182	前交連	388, 393	前庭神経核	60, 376
舌骨舌筋	317	仙骨	17, 19, 215	前庭神経節	60, 409
舌根	316, 418, 313	仙骨管	19	前庭脊髄路	369, 410, 416
舌小帯	314	仙骨神経	63, 71, 76, 368	前庭窓	354
舌静脈	46	仙骨神経叢	65, 71, 273, 287, 433	前頭蓋窩	15, 198, 345
舌神経	59, 60, 195, 317, 409	仙骨尖	278	前頭筋	190
舌尖	316	前骨半規管	356	前頭骨	11
節前線維	55, 63, 74	仙骨部	102	前頭神経	58, 345
舌体	316, 422	仙骨部後弯	17	前頭直筋	187

前頭洞	11, 321, 345
前頭部	79
前頭面	6
前頭葉	389
前頭鱗	11
前脳	366
前半規管	359
浅腓骨神経	72, 261, 266, 268, 435
前皮質脊髄路	412
浅腹筋膜	177
前脈絡叢動脈	400
泉門	15
前有孔質	395
前立腺	288, 295
前腕後面の筋	119
前腕前面の筋	119
前腕部	118

そ

総肝管	211
総肝動脈	41, 207, 275
双極細胞	411
総頚動脈	36, 44, 181, 185
ゾウゲ質	315
総腱輪	347
双子筋	434
総指伸筋	132, 256, 429
臓側胸膜	225
爪体	138
総胆管	202, 206, 210, 211
総腸骨静脈	50, 272, 286
総腸骨動脈	42, 271, 275
爪半月	138
総腓骨神経	72, 305
総鼻道	321
僧帽筋	217, 427
僧帽細胞	411
僧房弁	236
爪母基	138
側角	368

足関節	339
足弓	34
足根骨	33
足根中足関節	340
側索	369
足底	143
足底筋	306, 436
足底筋膜	163
足底腱膜	307
足底側	6
足底動脈	44
足底動脈弓	44
足底反射	405
足底部	307
足底方形筋	164, 309
側頭下部	79
側頭筋	193, 421
側頭骨	11, 179
側頭部	79
側頭葉	389
側脳室	366, 398
側脳室脈絡叢	399
足背	143
足背静脈弓	50
足背動脈	44, 45, 270
足背の筋	146
足背部	268
鼠径管	178
鼠径溝	142, 170
鼠径靱帯	147, 170, 175, 261, 335
鼠径リンパ節	53
粗線	31
外（そと）	6
外返し	9

た

第一小脳裂	378
第二小脳裂	378
第1心音	112
第2心音	112

第3後頭神経	64, 221
第3腓骨筋	267, 436
第5中足骨粗面	149
第7頚椎棘突起	215
第Ⅲ脳室	366, 398
第Ⅲ脳室脈絡叢	397
第Ⅳ脳室	366, 398
第Ⅳ脳室脈絡叢	399
大陰唇	279
大円筋	125, 254, 428
体格	3
体幹	4
大臼歯	316
大胸筋	173, 428
大頬骨筋	191
体腔	4
大結節	121
大結節稜	24
大口蓋管	322
大口蓋孔	322
大口蓋神経	58, 319, 322
大口蓋動脈	319
大後頭孔	16, 199
大後頭神経	64, 221
大後頭直筋	221
対光反射	411
大骨盤	30
大坐骨孔	303
大鎖骨上窩	83
大坐骨切痕	28
体肢	5
大耳介神経	65, 181, 192
大十二指腸乳頭	209
帯状回	388, 396
帯状溝	388
苔状線維	380
大静脈孔	278
大錐体神経	322
体節	420
大前庭腺	282, 284
大泉門	15

索引 451

大腿筋膜	262, 303	大脳核の発生	394	胆嚢	201, 210, 211
大腿筋膜張筋	152, 302, 433	大脳基底核	393	胆嚢管	211
大腿脛骨関節	338	大脳脚	374	短腓骨筋	160, 267, 436
大腿後面の筋	145	大脳溝	387	短母指外転筋	134, 250, 431
大腿骨	31, 260, 299	大脳縦裂	387	短母指屈筋	134, 250, 431
大腿骨頚	31	大脳髄質	392	短母趾屈筋	163, 309, 438
大腿骨体	31	大脳半球	366, 386	短母指伸筋	133, 258, 430
大腿骨頭	31, 148, 336	大脳皮質	389	短母趾伸筋	162, 269, 437
大腿骨頭靭帯	337	大脳辺縁系	395	短毛様体神経	57, 75, 347
大腿三角	142, 261	大脳鎌	198, 397		
大腿膝蓋関節	338	大伏在静脈	50, 261, 266	ち	
大腿四頭筋	262, 434	大網	200		
大腿静脈	264, 304	大腰筋	150, 271, 432	恥丘	148
大腿神経	70, 272, 287, 434	大翼	12, 198	恥骨	28, 170, 260
大腿深動脈	43, 264	大菱形筋	218, 427	恥骨下角	30, 278
大腿前面の筋	144	大菱形骨結節	26	恥骨下枝	29
大腿直筋	153, 262, 434	大弯	208	恥骨筋	155, 263, 435
大腿動脈	43, 45, 264, 304	唾液分泌反射	406	恥骨結合	29, 147, 170, 260, 335
大腿内側の筋	144	多形細胞層	389	恥骨結節	29, 147, 170, 260
大腿二頭筋	156, 299, 304, 435	ダグラス窩	204, 285, 289	恥骨後隙	282
大大脳静脈	402	多シナプス性内臓反射	406	恥骨上枝	28
大腿部	143	多シナプス反射	404	恥骨体	28
大腿方形筋	153, 302, 434	打診の方法	111	恥骨大腿靭帯	336
体知覚野	390	手綱	381	智歯	82
体知覚路	406	手綱核	381	膣	289, 298
大腸	201	手綱三角	381	膣円蓋	22, 298
大椎体神経	60, 76	脱落歯	316	膣口	279
ダイテルスの核	376	田原の結節	237	膣前庭	279
大殿筋	151, 299, 300, 433	単極胸部誘導	113	中咽頭収縮筋	224, 311
大転子	148, 260, 299	単極肢誘導	113	中腋窩線	7, 171
大動脈	35, 234, 274	短趾屈筋	164, 308	肘窩	117, 240, 247
大動脈弓	35, 231	短趾伸筋	162, 437	中隔鎌	236
大動脈口	236	単シナプス性内臓反射	405	中間楔状骨	33
大動脈洞	35	単シナプス反射	403	中間広筋	154, 263
大動脈弁	234	短掌筋	135, 251, 431	中間質外側核	74, 369
大動脈裂孔	274, 278	短小指屈筋	135, 251, 309, 431	中間神経	59, 376, 422
大内転筋	156, 264, 434	短小趾屈筋	164, 438	肘関節	332
大脳	386	男性尿道	288	肘関節筋	256
大脳横裂	378, 386	淡蒼球	393	中間仙骨稜	19
大脳回	387	短橈側手根伸筋	132, 257, 430	肘筋	128, 256
大脳核	393	短内転筋	155, 263, 434	中頚神経節	185

中硬膜動脈	192, 195, 198, 345	中鼻道	321	長母指外転筋	133, 258, 430
肘三角	122	虫部	378	長母指屈筋	130, 249, 431
中指	137	肘部	118	長母趾屈筋	161, 307, 437
中耳	352	中副腎動脈	42, 275	長母指伸筋	132, 258, 430
中斜角筋	186, 419	中葉（肺）	226	長母趾伸筋	158, 266, 436
中手	118	虫様筋（足の）	165	長母趾伸筋腱	269
中縦隔	230	虫様筋（手の）	135, 251, 309, 432	腸腰筋	150, 270, 432
中手筋,	120	蝶下顎靱帯	194	腸腰動脈	43, 272, 286
中手骨	26	聴覚性言語中枢	391	腸リンパ本幹	53
中手指節関節	333	聴覚野	390, 410	腸肋筋	220
中小脳脚	372, 373, 378	腸間膜	202, 203	直筋柱	424
中心窩	349, 350	腸間膜根	203	直静脈洞	47, 402
中心管	368	長胸神経	67, 188, 246, 427	直腸	203, 284, 288, 204
中神経幹	66	鳥距溝	388	直腸横ヒダ	290
中心溝	387	蝶形骨	12	直腸子宮窩	204, 285, 289
中心後回	387	蝶形骨洞	12, 321	直腸静脈叢	49
中心後溝	387	腸脛靱帯	262	直腸反射	405
中心前回	387	腸骨	27, 170, 215, 260, 299	直腸膀胱窩	204, 284
中心前溝	387	腸骨窩	28	直腸膨大部	288
中心被蓋路	373	腸骨下腹神経	70, 272, 424		
中心部	398	腸骨筋	150, 270, 432		
虫垂	203, 213	腸骨結節	147		つ
虫垂炎	203	腸骨鼡径神経	70, 424		
中枢神経系	365	腸骨体	27	椎間関節	19
肘正中皮静脈	48	腸骨大腿靱帯	336	椎間孔	62, 368
中足骨	33	腸骨翼	28	椎間板	17, 19
中足趾節関節	340	腸骨稜	147, 170, 215, 260, 299	椎間板ヘルニア	20
中側頭動脈	185	腸骨稜結節線	8	椎弓	17
中足の筋	146	腸骨稜頂線	8, 171, 216	椎孔	17, 366
中大脳動脈	37, 400	長軸	5	椎骨	16, 17
中直腸動脈	43, 271, 286	長趾屈筋	161, 306, 437	椎骨静脈	45
中殿筋	151, 301, 433	長趾伸筋	158, 267, 436	椎骨動脈	
中殿皮神経	71, 300	長趾伸筋腱	269		37, 39, 188, 199, 221, 244, 401
肘頭	117, 240	腸絨毛	209, 213	椎骨傍線	7, 216
肘頭窩	25	長掌筋	129, 249, 430	椎前筋群	186
中頭蓋窩	16, 198	聴診	112	椎体	17
中脳	366, 373	長足底靱帯	341	椎板	420
中脳蓋	374	腸恥窩	142	ツチ骨	354
中脳水道	366, 398	長橈側手根伸筋	132, 257, 430	爪	138
中脳被蓋	374	長内転筋	155, 264, 434		
中鼻甲介	321	長腓骨筋	159, 267, 435		

て

手	118, 137
底側骨間筋	165, 310
殿筋粗面	31
殿筋内注射部位	301, 302
殿溝	142
転子窩	31
転子間線	31
転子間稜	31
殿部	142, 300
殿裂	142

と

島	389
胴	5
頭蓋	11
頭蓋窩	15
頭蓋腔	4, 11
動眼神経	56, 75, 197, 199, 345, 375
動眼神経核	56, 377
動眼神経副核	56, 74, 75, 377
頭棘筋	221
橈屈	139
瞳孔	349, 350
瞳孔括約筋	349
瞳孔散大筋	349
橈骨	25, 241
橈骨窩	24
橈骨結節	122
橈骨神経	68, 69, 245, 248, 256, 429
橈骨神経麻痺	69
橈骨粗面	25
橈骨動脈	40, 45, 248
橈骨輪状靱帯	332
頭最長筋	220
投射線維	392
頭側	6
橈側	6
橈側手根屈筋	129, 249, 430
橈側皮静脈	48, 173
頭長筋	187
頭頂後頭溝	388
頭頂骨	11
頭頂点	79
頭頂部	79
頭頂葉	389
頭板状筋	219
洞房結節	237
動脈管	50
動脈管索	231
動脈輪	37
透明中隔	387
特殊体感覚性	55
特殊内臓運動性	55
特殊内臓感覚性	55
登上線維	380
トライツの靱帯	203, 209
トルコ鞍	16, 198, 345

な

内陰部動脈	43, 272, 281, 286
内果	142, 149, 260, 299
内顆粒層	389
内眼角	80, 343
内基礎層	389
内弓状線維	373
内胸静脈	45
内胸動脈	36, 188
内頸静脈	46, 181, 185, 192, 199, 223, 311, 402
内頸動脈	36, 185, 199, 345, 400
内肛門括約筋	290
内骨盤筋	143, 432
内耳	356
内耳孔	199
内耳神経	60, 197, 199, 373
内耳道	16, 357
内錐体層	389
内舌筋	318
内旋	8
内臓反射	405
内側	6
内側縁	121, 215
内側顆	148, 149, 260, 299
内側嗅条	395
内側胸筋神経	67
内側楔状骨	33
内側広筋	154, 263, 434
内側臍ヒダ	51, 200
内側三角靱帯	340
内側視索前核	385
内側膝状体	382, 383, 410
内側縦束	372, 373, 375
内側縦足弓	34
内側手根側副靱帯	333
内側上顆	122, 148, 260
内側上腕皮神経	67, 245
内側神経束	66
内側前腕皮神経	67, 69
内側足底神経	72, 308, 310, 438
内側側副靱帯	332, 337
内側直筋	345, 347, 421
内側二頭筋溝	117
内側半月	338
内側毛帯	373, 406
内側翼突筋	194, 418
内側翼突筋神経	59, 195
内腸骨静脈	50, 272, 287
内腸骨動脈	42, 271, 286
内転	8
内転筋管	264
内転筋結節	31
内尿道口	292
内腹斜筋	177, 423
内閉鎖筋	153, 302, 434
内包	393, 412
内リンパ管	357
内リンパ嚢	357
内肋間筋	174, 419
軟口蓋	319

軟膜	397	脳頭蓋	11	白線	175
		脳底動脈	37, 401	薄束	369, 371
		脳底動脈輪	401	薄束核	371, 372, 406

に

		脳軟膜	197	白体	297
二次性徴	3	脳膜	197, 397	白膜	296
二次卵胞	297	脳梁	387, 393	発声	328
二頭筋反射	403	脳梁灰白層	387, 396	発動性神経核	55
乳腺刺激ホルモン	386			鼻	80
乳頭	96, 170			馬尾	367
乳頭筋	236	## は		バビンスキー徴候	405
乳頭線	7, 171	歯	315	バルサルバ洞	35
乳頭体	384	把握運動	140	バルトリン腺	283
乳ビ槽	53, 275	パーキンソン病	375	反回神経	61, 184
乳房	96, 170	パイエル板	213	半奇静脈	48, 232, 233
乳房下部	95	背外側核	383	反屈束	381
乳房体	96, 170	背核	369	半月神経節	57
乳房部	95	肺間膜	225	半月ヒダ	214
乳様突起	12, 179, 189, 215	肺区域	227	半月裂孔	321
乳輪	96, 170	背屈	139	半腱様筋	299, 303, 435
乳輪腺	96, 170	肺根	227	半腱様膜	157
尿管	274, 276, 277, 284, 288, 291	肺静脈	227, 232	半交叉	56
尿管口	292	肺静脈口	236	伴行静脈	45
尿管の狭窄部	277	肺尖	225	反射弓	403
尿生殖隔膜	281	背側	6	板状筋	219
尿道海綿体	283, 293	背側核	410	蔓状静脈	178
尿道括約筋	281, 282, 292	背側骨間筋	136, 165, 252, 310, 432	蔓状静脈叢	283
尿道球腺	282, 296	背側手根中手靱帯	334	半膜様筋	157, 299, 304, 435
人中	81, 189	背側中手靱帯	334		
		背側橈骨手根靱帯	334	## ひ	
## の		肺底	225		
脳管	365	肺動脈	227	被殻	393
脳幹	370	肺動脈幹	231, 234	鼻筋	191
脳幹網様体	377	肺動脈口	235	皮筋	86
脳弓	387, 396	肺動脈弁	234, 235	皮筋板	420
脳クモ膜	197	背内側核	383	鼻腔	320
脳硬膜	197, 198, 397	排尿反射	405	鼻腔外側壁	321
脳室	366	肺門	227	鼻甲介	321
脳神経	54	肺葉	226	鼻骨	13
脳神経核	54, 373	薄筋	156, 263, 434	腓骨	33, 260
脳脊髄液	366, 399	白交通枝	63, 75	尾骨	17, 19
		白質	365, 369	腓骨関節面	32

尾骨筋	282	鼻背	320	副中線	172
腓骨筋群	267	皮板	420	腹直筋	169, 175, 424
尾骨神経	63, 73, 368	鼻部	79, 80	腹直筋鞘	175
尾骨神経叢	65, 73	皮膚筋肉反射	404	腹直筋鞘後葉	176
腓骨体	33	腓腹	142	腹直筋鞘前葉	175
腓骨頭	149, 260	腓腹筋	160, 305, 436	副突起	18
腓骨動脈	44, 307	眉毛	189	副半奇静脈	48, 233
鼻根	189, 319	眉毛下制筋	191	副鼻腔	321
鼻根筋	191	鼻毛様体神経	58, 345	腹壁反射	404
皮枝	65	脾門	212	腹膜腔	200
皮質核路	413	ヒュッテル線	118, 122, 241	腹膜後器官	274
皮質橋核路	373, 415	ヒュッテルの三角	122	腹膜後隙	274
皮質脊髄路	412	表情筋	190, 422	浮遊肋	22
尾状核	393	鼻翼	189, 320	ブラウン・セカール症候群	407
皮静脈	45, 243, 268	ヒラメ筋	160, 306, 436	プルキンエ細胞	380, 416
脾静脈	206, 212	鼻涙管	321, 344	プルキンエ細胞層	380
尾状葉	210	披裂喉頭蓋筋	324	プルキンエ線維	237
皮神経	175, 242, 268	披裂軟骨	327	ブローカーの中枢	391
鼻唇溝	81, 189			ブロードマン	389
ヒス束	237			分界溝	313, 316, 423
皮節	63	**ふ**		分界線	29
鼻尖	320			分子層	379, 389
脾臓	207, 212	不確帯	384	吻側	6
腓側	6	腹	5	噴門	208
尾側	6	腹横筋	177, 420		
左	6	腹外側核	383		
左胃静脈	206, 207	腹腔	4	**へ**	
左胃動脈	41	腹腔神経節	207		
左冠状静脈	234	腹腔神経叢	207	平衡覚路	409
左結腸曲	214	腹腔動脈	41, 206, 275	平行線維	379
左鎖骨下動脈	231	副交感神経系	75	平衡斑	357
左総頸動脈	231	副交感性線維	57, 60	閉鎖管	265
左肺	226	副交感性脳神経	54	閉鎖静脈	287
左反回神経	184	伏在神経	70, 268	閉鎖神経	70, 273, 287, 432
左房室口	236	伏在裂孔	261	閉鎖動脈	43, 272, 286
左房室弁	236	副腎	274, 277	閉鎖膜	335
鼻中隔	320	副神経	60, 187, 197, 199, 223, 311, 371, 427	壁側胸膜	225
鼻中隔下制筋	191	副神経核	62	ベッツの大錐体細胞	390
鼻道	321	副腎皮質刺激ホルモン	386	ペティットの三角	102
脾動脈	42, 207, 212, 275	腹側	6	弁蓋	387
鼻軟骨	320	腹大動脈	41, 271, 274	扁桃体	396, 412
				ペンフィールド	391

弁平面	239	膜半規管膨大部	361	メデューサの頭	49
		膜迷路	357	メラトニン	381
ほ		マジャンディ口	399		
		マックバーネーの点	115	**も**	
方形回内筋	131, 249, 426	末梢神経系	54		
方形葉	210			毛帯交叉	372
縫合	15	**み**		盲腸	201, 203, 213
膀胱	203, 204, 284, 288			網膜	349, 350
膀胱炎	288	ミカエリスの菱形	104	網膜視部	350
縫工筋	153, 262, 434	味覚線維	60	網膜神経節細胞	411
膀胱頚	292	味覚伝導路	409	網膜中心動脈	37, 347, 350
膀胱三角	292	味覚野	390	網様核	383
膀胱子宮窩	204, 285, 289	右	6	毛様体	349, 350
膀胱尖	288, 291	右胃静脈	206, 275	網様体	365, 369, 372, 373, 375, 377
膀胱体	288, 291	右胃動脈	41	毛様体筋	349
膀胱底	288, 291	右冠状動脈	234	毛様体小帯	349, 350
膀胱動脈	42	右鎖骨下動脈	231	毛様体神経節	57, 75, 347
膀胱反射	405	右総頚動脈	231	モントゴメリー腺	96, 170
房室束	237	右肺	226	門脈	49, 202, 206, 210
帽状腱膜	190	右反回神経	184	モンロー孔	366, 398
胞状卵胞	297	右房室口	235		
放線状手根靱帯	334	右房室弁	236	**や**	
蜂巣	13	右リンパ本幹	53, 182		
包皮	279	耳	351	野	389
母指	137	脈管系	35	ヤコビー線	18, 171, 216
母趾外転筋	163, 308, 438	脈絡叢	397		
母指球	117, 137, 240	脈絡膜	349, 351	**ゆ**	
母指球筋	120, 133	味蕾	82		
母趾球の筋	146			有郭乳頭	317
母指対立筋	134, 250, 431	**む**		有鈎骨	26
母指内転筋	133, 250			幽門	208
母趾内転筋	163, 309, 438	無対舌結節	422	幽門括約筋	208
母指の運動	139	胸	5	指	118, 137
ボタロー管	50			指の運動	139
ホムンクルス	390	**め**			
				よ	
ま		迷走神経	61, 76, 182, 185, 197, 199,		
			223, 232, 311, 371, 409, 422	葉間静脈	291
前	6	迷走神経背側運動核	61, 375	葉間動脈	291
膜性部	236	迷走神経背側核	74, 76	葉気管支	223
膜半規管	357, 359	メッケルの憩室	213	腰三角	102, 215
				葉状乳頭	317

腰静脈	49, 271	卵巣門	296	連合野	391
腰神経	63, 70, 368	ランツの点	115	レンズ核	393
腰神経叢	64, 70, 272, 287	卵胞刺激ホルモン	386		
腰腸肋筋	220			## ろ	
腰椎	17, 18				
腰椎穿刺	367	## り		ローゼル・ネラトン線	148
腰椎部	278	梨状筋	152, 302, 429	漏斗	384
腰動脈	42, 271, 275	梨状葉	395	漏斗核	385
腰部	102	リスター結節	122	肋横突関節	21
腰部前弯	17	リスフラン関節	340	肋頚動脈	39
腰方形筋	270, 424	立方骨	33	肋硬骨	21
腰膨大	366	隆起核	385	肋椎関節	21, 330
腰リンパ本幹	53	隆椎	18	肋軟骨	21
翼口蓋神経	58	菱形窩	371	肋間筋	99
翼口蓋神経節	58, 60, 76, 322	菱形筋	218	肋間静脈	175
翼状突起	12	菱脳	366	肋間神経	69, 175, 423, 424
翼突管神経	322	輪状気管靱帯	324	肋間神経外側皮枝	173
横軸	5, 6	輪状甲状筋	323, 422	肋間神経前皮枝	173
		輪状軟骨	179, 184, 327	肋間動脈	41, 175
		輪状ヒダ	209, 213	肋骨	21, 169
## ら		鱗状縫合	15	肋骨の触察	103
		輪帯	336	肋骨窩	18
ライディッヒの間細胞	295	リンパ	52	肋骨下線	7, 171, 172
ラセン神経節	60, 410	リンパ管	52	肋骨角	21
ラムダ縫合	15	リンパ性咽頭輪	312	肋骨弓	169
卵円窩	51, 235	リンパ本幹	52	肋骨頚	21
卵円孔（心臓）	51			肋骨隙	169
卵円孔（頭蓋窩）	16			肋骨結節	21
卵管	204, 285, 289, 297	## る		肋骨切痕	20
卵管峡部	297			肋骨体	21
卵管采	297	涙器	344	肋骨頭	21
卵管子宮口	297	涙骨	13	肋骨頭関節	21
卵管腹腔口	297	涙小管	344	肋骨突起	18
卵管膨大部	285, 297	涙腺	344	肋骨部	278
卵形囊	357, 359	涙腺神経	57, 76, 345		
ランゲルハンス島	212	涙点	344		
卵巣	204, 285, 289, 296	涙囊	344	## わ	
卵巣静脈	49, 296	ルシュカ口	399		
卵巣髄質	297			ワシ手	69, 141
卵巣提索	285			ワルダイエルの咽頭輪	312
卵巣動脈	42, 275, 289, 296	## れ		腕尺関節	332
卵巣皮質	296	連合線維	392	腕神経叢	64, 66, 187, 244

腕橈関節	332	腕頭静脈	45, 231
腕橈骨筋	131, 257, 426	腕頭動脈	36, 231

●本書のコピー，スキャン，デジタル化等の無断複製は著作権法上での例外を除き禁じられています．本書を代行業者等の第三者に依頼してスキャンやデジタル化することは，たとえ個人や家庭内の利用でも著作権法違反です．

実習にも役立つ人体の構造と体表解剖　第2版

2016年12月20日	第1版第1刷
2019年 3月25日	第1版第2刷
2024年 4月10日	第2版第1刷 Ⓒ

著　者	三木明徳　MIKI, Akinori
発行者	宇山閑文
発行所	株式会社 金芳堂
	〒606-8425 京都市左京区鹿ヶ谷西寺ノ前町34番地
	振替　01030-1-15605
	電話　075-751-1111(代)
	https://www.kinpodo-pub.co.jp/
組　版	株式会社データボックス
印　刷	シナノ書籍印刷株式会社

落丁・乱丁本は直接小社へお送りください．お取替え致します．

Printed in Japan
ISBN978-4-7653-1989-8

JCOPY ＜(社)出版者著作権管理機構　委託出版物＞
本書の無断複写は著作権法上での例外を除き禁じられています．複写される場合は，その都度事前に，(社)出版者著作権管理機構（電話 03-5244-5088, FAX 03-5244-5089, e-mail: info@jcopy.or.jp)の許諾を得てください．

●本書のコピー，スキャン，デジタル化等の無断複製は著作権法上での例外を除き禁じられています．本書を代行業者等の第三者に依頼してスキャンやデジタル化することは，たとえ個人や家庭内の利用でも著作権法違反です．